CARSON McCULLERS
Un cœur de jeune fille

Du même auteur

MARGUERITE YOURCENAR, L'INVENTION D'UNE VIE, Gallimard, 1990.

Josyane Savigneau

Carson McCullers
Un cœur de jeune fille

Stock

« Je pensais à l'immense dette que j'ai à l'égard de Proust. Ce n'est pas tant qu'il aurait "influencé mon style" [...], mais c'est le bonheur de savoir qu'il existe [...] un grand livre qui ne se ternira jamais, qui ne deviendra jamais ennuyeux à force de trop grande familiarité. »

Carson McCULLERS, 1945.

A Bertrand Audusse, dont la précieuse amitié et la vigilance professionnelle m'ont permis d'avoir l'esprit assez libre pour écrire ce livre.

Introduction

Carson McCullers aurait eu soixante-dix-huit ans le 19 février 1995 – un âge qui aurait fait d'elle notre absolue contemporaine. Mais elle est morte prématurément, en 1967, à cinquante ans. Elle n'a publié que huit livres – plus un recueil posthume de nouvelles, d'essais et de poèmes. C'est apparemment peu pour asseoir une réputation internationale. Elle y est pourtant parvenue et, si elle n'est pas très célèbre dans le grand public, rares sont les vrais lecteurs qui ignorent le nom et l'œuvre de cette romancière du Sud des États-Unis. Est-ce cela qui agace et pousse certains de ceux qui l'ont connue et lui ont survécu à tenter de réduire ou brouiller son travail, sa place, son existence même ?

John Brown, l'un de ses premiers éditeurs chez Houghton Mifflin, à Boston, au début des années 40, qui se lia d'amitié avec elle et lui fut un soutien constant lors de ses séjours en France – il travaillait alors dans les services culturels de l'ambassade des États-Unis à Paris –, semble se demander d'où peut bien naître le désir de consacrer un livre à Carson McCullers, « car, certes, il y a de beaux textes mais, tout de même, comme écrivain, ce n'est pas grand-chose ». « Oui, émouvante, mais un auteur mineur. Et si tôt cassé par la maladie», renchérit le dramaturge américain Arthur Miller.

André Bay, qui fut aux éditions Stock l'éditeur français de Carson McCullers – il l'avait lue dès 1945, précisément sur le conseil de John Brown –, ne partage pas ce scepticisme dépréciateur, bien au contraire : «Évidemment, si on prend comme instrument de mesure toute l'histoire de la littérature américaine, dit-il, si on aligne les œuvres majeures, on peut estimer que les quatre romans et l'ensemble des nouvelles de Carson McCullers, "ce n'est pas grand-chose". Mais il y a des "accidents grandioses". Et ils sont essentiels. C'est cela, aussi, qui donne sens à la littérature. Carson McCullers est l'un des plus beaux de ces "accidents". Personne n'a dit comme elle la grande solitude américaine, et la souffrance qui en résulte, surtout dans ce Sud où tout est rêvé, dans une irréalité "baignant dans le rhum". Pour moi, Carson McCullers, fille du Sud fascinée par la neige, donne aussi la réponse à la question "Quand la neige a fondu, où est le blanc?". Il est dans cette œuvre.»

La tentative de ne voir en Carson McCullers qu'un talent prometteur brisé, inaccompli, a été violemment combattue par un autre écrivain du Sud, Tennessee Williams, l'un de ses amis les plus proches dès la fin des années 40. Dans l'avant-propos qu'il a écrit, en 1974, pour la grande biographie américaine de Carson McCullers, celle de Virginia Spencer Carr, Tennessee Williams refuse que son amie soit «enfermée dans la maladie» par les commentateurs. Il ne s'agit pas, bien sûr, de nier la souffrance et les infirmités avec lesquelles Carson McCullers a dû vivre pendant vingt ans. Mais Tennessee Williams veut affirmer que l'existence d'un écrivain ne peut s'évaluer en termes d'«empêchement» – non plus que de nombre de volumes produits. «Quand des désastres physiques réduisent, trop tôt, le pouvoir d'un artiste, ses admirateurs ne doivent – et ils n'en ont nul besoin – entreprendre ni un plaidoyer ni une apologie, écrit-il. Ce n'est pas à la quantité, après tout, que se juge un artiste. C'est à la qualité d'un esprit, à ces occasions où il, ou elle, a été visité par la grâce de l'ange – et le nombre de ces occasions n'est pas l'échelle à laquelle se mesure leur importance. »

Quelques années après sa mort, Carson McCullers, autre preuve de sa réputation, a donc été l'objet d'une biographie monumentale (de son vivant, et avec son concours, avait été écrit un premier essai biographique, plus bref, *The Ballad of Carson McCullers*, d'Oliver Evans). Elle a eu la biographe la plus méticuleuse qu'on puisse imaginer : Virginia Spencer Carr – une universitaire du Sud des États-Unis –, qui a publié en 1975 *The Lonely Hunter – A biography of Carson McCullers*, a entrepris, dès le début des années 70, une enquête extrêmement méthodique, « ratissant le terrain » millimètre par millimètre, cherchant à ne laisser dans l'ombre aucun des moments de l'existence de Carson McCullers, de sa naissance à son dernier jour.

Certes, les héritiers ont refusé à Virginia Spencer Carr toute aide et lui ont fait interdiction de citer les documents – textes inédits, lettres – conservés dans les archives Harry Ransom Humanities Research Center (HRHRC) de l'université d'Austin (Texas). La sœur de Carson McCullers, Margarita Smith, son avocate, Floria Lasky – aujourd'hui son exécutrice littéraire –, et son agent, Robert Lantz, étaient à l'époque à la recherche d'un biographe qu'ils souhaitaient choisir eux-mêmes.

Certes, le Dr Mary Mercer, le médecin et l'amie de Carson McCullers pendant les dix dernières années de sa vie – donc un personnage clé de cette période – a aussi refusé de parler à la biographe. Mais celle-ci a, en revanche, vu tous les autres témoins de l'existence de Carson McCullers, même très éphémères ou mineurs. Quand elle ne pouvait se déplacer, elle envoyait quelqu'un les interroger. Le souvenir de personnes ayant seulement « croisé » la romancière américaine – comme Simone de Beauvoir, qui se rappelait vaguement une soirée avec elle à Paris – a été sollicité. Depuis, la majorité de celles et ceux qui ont fourni des informations à Virginia Spencer Carr sont morts. Aucun travail sur Carson McCullers ne saurait se faire sans ce document incomparable de précision, contenant une masse de propos désormais impossibles à collecter. Rien ne peut être écrit sans qu'il soit fait référence à ces témoignages uniques. On ne peut donc que rendre hommage aux recherches de Virginia Spencer Carr.

Pourtant, avec cette apparente neutralité que professent certains biographes, singulièrement américains – jamais de commentaires ni de mises en perspective, jamais d'hypothèses sur des points demeurant obscurs, inexpliqués ; en revanche, un amoncellement de détails, de précisions, de témoignages, tous donnés tels quels, et comme s'ils avaient une importance identique –, le travail de Virginia Spencer Carr produit une image plutôt négative de Carson McCullers. *The Lonely Hunter* se veut complet et sans doute approche-t-il, au plus près, l'exhaustivité, mais c'est un portrait froid, fait par une femme refusant, semble-t-il, de considérer qu'un écrivain ne vit pas comme qui n'écrit pas, mais hiérarchise son existence selon d'autres critères, éprouve des sensations autres et pense différemment. Ce n'est pas quelqu'un qui, d'un côté, aime, déteste, se réjouit, s'indigne ou souffre et, « dans ses temps libres », écrit. Non seulement la vie se réfracte pour partie dans la fiction – c'est d'ailleurs ce qui exempte d'inanité l'entreprise biographique – mais la nécessité d'écrire s'annexe, voire modèle, les moments vécus : c'est, sinon à cette aune, du moins dans cette perspective-là qu'ils doivent être regardés. Il n'y a chez Virginia Spencer Carr aucune chaleur – de la tendresse ou de la compassion encore moins – pour une romancière qui, visiblement, choque son puritanisme et son moralisme. Trop libre dans ses passions et ses paroles. Trop indépendante. Trop capable de survivre à tout pour écrire encore.

Quelques années après cette somme américaine, en 1979, un Français, Jacques Tournier, écrivain et traducteur, grand admirateur de Carson McCullers, a publié un nouvel essai biographique, *Retour à Nayack** (éditions du Seuil) – une parole intime, enthousiaste, enflammée, née d'un voyage sur les traces de Carson McCullers, de Columbus à Nyack, en passant par Paris. Ce livre a reparu, un peu remanié, en 1990, sous le titre *A la recherche de Carson McCullers* (éditions Complexe) – titre assez déconcertant pour cette quête émue et sentimentale de Reeves McCullers, le mari de Carson, qui rêva d'être l'écrivain que sa femme, seule, a été.

Pour Jacques Tournier, bien qu'il s'en défende et que sa passion pour Carson McCullers soit sans nul doute sincère, tout doit être «lu» en fonction de Reeves. Autant que son livre, le film qu'il a réalisé sur Carson McCullers en 1995 pour la télévision française (France 3) le prouve. La vie de Carson McCullers après la mort de son mari (c'est-à-dire pendant quatorze ans) n'aurait été que l'intense désespoir de l'absence, une longue plainte, des nuits passées à imaginer le fantôme de Reeves revenant errer dans le jardin de la maison de Nyack... Il est vrai que les téléspectateurs veulent seulement de «belles histoires sentimentales». Qu'elles aient pour protagonistes des acteurs, des chanteurs, des mannequins de haute couture ou des écrivains importe peu. Et que les écrivains aient, avant tout, écrit – et d'abord vécu pour écrire – demeure assez secondaire...

Le récit biographique ne peut-il échapper à cette dérive? Serait-il, fatalement, une entreprise de négation de «ce qui a été écrit» – donc de la vérité – au bénéfice hypothétique d'une recherche de la seule réalité? Il faut essayer de parier que non.

* Transcription graphique de la prononciation de Nyack.

Heureusement, à côté des sceptiques, Carson McCullers a eu de vrais amis, qui lui ont survécu. Floria Lasky, le Dr Mary Mercer, Marielle Bancou, son autre intime des années 50 et 60, à l'époque jeune styliste, le photographe Henri Cartier-Bresson, témoin des années 40 – ses photos de 1946 montrent à la fois l'admiration et la vraie tendresse qu'il éprouvait pour elle. Tous ceux-là parlent de Carson McCullers comme d'un écrivain. Une romancière tout entière attachée à son travail – « Écrire, c'est mon métier, disait-elle quand elle luttait pour continuer son œuvre, au plus fort de sa souffrance physique. Je dois le faire, je le fais depuis si longtemps » –, vouée à ses livres qui font la preuve d'un talent, d'une lucidité et d'une maturité hors du commun, quand, dès l'âge de vingt ans, elle commence à écrire son premier roman, *Le Cœur est un chasseur solitaire*. En France, ce talent a été en partie occulté, pendant longtemps, par la piètre qualité des traductions. On vient heureusement de retraduire la plupart des textes de Carson McCullers, de manière plus satisfaisante.

Beaucoup plus que comme une femme détruite par la mort de celui qu'elle a aimé – et elle a aimé, c'est certain, James Reeves McCullers –, Carson McCullers apparaît, dans sa vie et à travers les propos de ses amis, comme l'adolescente émouvante – irritante aussi, généreuse et égoïste à la fois, faible et pourtant d'une force peu commune – qui est le personnage principal de deux de ses romans, *Le Cœur est un chasseur solitaire* (Mick) et *Frankie Addams* (Frankie). Chez elle, l'adolescence, en dépit de toutes les expériences de la vie – les amours, les disparitions, les souffrances d'un corps cassé par la maladie – semble être demeurée intacte, indestructible. Et lui avoir gardé « un cœur de jeune fille » – avec ses emballements et ses détresses. C'est un comportement que la société tolère mal. D'où, sans doute, l'agressivité affirmée ou larvée, voire inconsciente – comme chez sa biographe américaine – qui affleure dès qu'il est question de Carson McCullers. Surtout si l'on ajoute qu'elle est un remarquable écrivain, qu'elle a accumulé en peu d'années les expériences d'une longue vie – écrire des livres, épouser deux fois le même homme, connaître de grands succès et des échecs non moins vertigineux, être un auteur dramatique triomphant à Broadway, voir l'adaptation d'un de ses romans réalisée par John Huston, avec une distribution réunissant Marlon Brando et Elizabeth Taylor. Quand on songe qu'elle a manifesté, contre les détresses du corps et du cœur, un inconcevable acharnement à «tenir», à continuer d'exister, tout est en place pour susciter agacement et réprobation.

Et, pour aggraver encore son cas, cet esprit d'adolescence qui est au cœur de son œuvre – qui l'identifie – lui permet de ne pas «vieillir» et de conserver, de génération en génération, des lecteurs jeunes, touchés par Mick et Frankie – ces filles trop vite montées en graine refusant d'entrer dans un monde qui ne leur convient pas, rejetant les mensonges et les compromis de la vie d'adulte.

Paul Bowles, autre écrivain américain qui habita dans les années 40, à Brooklyn, la même maison que Carson McCullers, a très bien décrit «l'enfant-femme qu'elle a été toute sa vie», insistant sur cet «esprit d'enfance», qui n'est en rien un «esprit infantile», pour évoquer cet «écrivain-né» dont parlait la très britannique Edith Sitwell après avoir lu les romans de Carson McCullers. «A ce naturel hors nature, disait Paul Bowles en 1970 à Virginia Spencer Carr venue lui rendre visite, à Tanger, où il est installé, s'alliait une totale dévotion à l'écriture, une allégeance de toutes les autres facettes de son existence. Ce sérieux que rien ne pouvait infléchir ne lui donnait pas l'air d'une adulte, mais plutôt celui d'un enfant prodigieux mais très légèrement anormal qui refuse de sortir pour aller jouer parce qu'il est occupé à écrire dans son cahier.»

C'est dans l'espace de cette singulière contradiction qu'il faut essayer, près de trente ans après sa mort, de retrouver, au plus juste possible, la figure de Carson McCullers, cette étrange femme-enfant, écrivain si accompli dès sa jeunesse mais jamais vraiment femme, séduisante jusqu'au bout, même paralysée et quasi mutique, assiégée par la maladie et réfugiée dans l'épaisse brume de l'alcool. Il faut la découvrir dans ses livres, dans son obstination à écrire jusqu'au dernier jour – et elle y parvint, avec le texte autobiographique qu'elle travaillait au moment de sa mort. Il faut tenter d'échapper au piège où sont parfois tombés ceux qui, déjà, ont voulu la chercher et ont parfois abouti à la cacher, presque à la faire disparaître, comme si Carson McCullers et son double – l'écrivain achevé et la «femme demeurée enfant» – constituaient une inquiétante chimère, étrangère au monde «comme il doit être». Une personnalité à jamais «incorrecte», et définitivement inadmissible.

Mary

En cette fin de matinée de 1958, le Dr Mary Mercer attendait une nouvelle patiente, Mrs Carson McCullers, que lui envoyait son confrère le Dr Hammerschlag. Celui-ci, ami de Carson McCullers, avait estimé qu'elle avait désormais besoin d'une psychothérapie très régulière, donc de l'assistance d'un médecin habitant si possible la même ville qu'elle, Nyack, puisqu'une sérieuse infirmité rendait ses déplacements difficiles. Il avait pensé à Mary Mercer, bien qu'elle fût plutôt spécialisée dans le traitement des enfants. Au reste, dans ces années 50, aux États-Unis, la pédopsychiatrie débouchait souvent sur une pratique thérapeutique étendue aux adultes.

Mary Mercer avait accepté le principe de cette première entrevue. Elle ne s'était certainement pas déterminée par passion pour la littérature. Ni par goût pour la prétendue complexité psychique des écrivains. Ni même par curiosité pour la célébrité de la personne en question. Mary Mercer n'avait lu aucun livre de Carson McCullers. Elle se rappelait seulement avoir vu quelque huit ans auparavant, à New York, une pièce d'elle, qui avait eu beaucoup de succès à Broadway : *Frankie Addams,* l'histoire d'une adolescente du Sud voulant « faire partie » du mariage de son frère, constituer une sorte de trio avec lui et sa toute nouvelle épouse, puis partir avec eux vers le Nord… Une très belle pièce, admirablement jouée. Et un sujet qui ne manquait pas d'intérêt. Mais cela ne l'avait pas poussée à acheter les romans de Carson McCullers. Pas même celui dont était tirée la pièce. Elle ne lisait pas ce genre d'ouvrages – ils n'entraient pas dans son champ immédiat de préoccupations.

Lui avait-on dit que l'écrivain vivait à Nyack, lorsqu'elle s'était installée dans cette petite ville de l'État de New York, en 1953 ? Peut-être, mais si c'était le cas, elle n'y avait prêté aucune attention. Ernst Hammerschlag s'était montré bien sûr assez laconique au sujet de Carson McCullers. Mary Mercer avait toutefois pris soin de préciser qu'elle ne connaissait pas son œuvre. Hammerschlag n'avait pas relevé ce propos et lui avait donc annoncé que Carson McCullers allait, du moins l'espérait-il, prendre un rendez-vous. L'appel s'était fait attendre. Puis un jour, récemment, une femme au fort accent du Sud avait téléphoné, très timidement, de la part du Dr Hammerschlag, en demandant à voir le Dr Mercer. C'était Mrs McCullers. Et Mary Mercer l'attendait.

La personne qui remontait l'allée – une silhouette grande et très mince, aux cheveux courts, que, de loin, elle avait prise pour celle d'un jeune homme – s'appuyait sur une canne. Était-ce Mrs McCullers ? Nul n'avait songé à avertir Mary Mercer de son infirmité. Si la personne qui arrivait était bien Mrs McCullers, dont on lui avait dit qu'elle avait à peine plus de quarante ans, pourquoi avait-elle besoin d'une canne pour se déplacer ? Venait-elle d'avoir un accident ? On aurait tout de même pu l'en prévenir…

Carson McCullers, elle, tandis qu'elle marchait, avec difficulté, vers la maison du Dr Mercer, s'attendait au pire. Très hostile à l'idée d'entreprendre une psychothérapie, elle s'était pourtant laissé convaincre par ses amis – surtout Hammerschlag, parce qu'il était médecin, et Tennessee Williams, parce qu'il était lui-même en analyse et qu'elle avait confiance en son jugement. Depuis quelques semaines, elle se sentait vraiment trop mal. La situation ne pouvait pas rester en l'état. Elle voyait bien qu'elle était en danger, même si sa gouvernante, Ida, essayait de la convaincre du contraire. Ida se méfiait des «médecins de l'esprit», et lui répétait tous les jours : «Sister, n'y allez pas. Vous n'êtes pas folle et ils vont vous faire du mal.»

Elle sentait pourtant qu'elle n'allait pas parvenir à surmonter l'hiver, à faire face à la solitude, à supporter son impossibilité à écrire. Son roman en cours, *L'Horloge sans aiguilles*, s'était arrêté net. Il avait comme «disparu» de son esprit. Elle y pensait sans cesse, et rien ne se passait. Aucune phrase ne venait, aucune idée sur le développement de l'intrigue. Aucune de ces «illuminations» qui l'avaient auparavant saisie. Quand lui était apparu le personnage principal du *Cœur est un chasseur solitaire*. Quand elle avait compris que Frankie Addams cherchait désespérément à être partie prenante du mariage de son frère – *The Member of the Wedding*. Cette fois, absolument plus rien. Elle avait l'impression que l'écrivain, en elle, était mort. Autant dire qu'elle – Carson – allait mourir. Elle n'était plus qu'une femme pas encore vieille, et très malade. Paralysée du côté gauche. Incapable de vivre seule, ayant besoin d'être constamment aidée pour les gestes les plus simples de la vie quotidienne. Incapable de voyager seule. Incapable même de sortir seule pour une promenade. Reeves, le déplorable et merveilleux Reeves, n'était plus là pour la soulever dans ses bras au départ d'un train, d'un bateau. Ni Marguerite, sa mère, pour l'accueillir à l'arrivée d'un avion. Tout cela était insurmontable.

Consulter un psychothérapeute ne changerait sans doute rien. Mais il fallait bien essayer quelque chose. Elle avait donc fini par appeler, comme Hammerschlag le lui avait conseillé, le Dr Mary Mercer. Elle n'était pourtant plus très sûre, maintenant, d'avoir eu raison. Elle n'avait jamais pu oublier ce psychiatre de la clinique Payne Whitney qui, voilà dix ans, lui avait expliqué que l'écriture était, en soi, une névrose dont il lui fallait se débarrasser. Celui-là avait bien failli la tuer. Cette Mary Mercer ne lui tiendrait sans doute pas un autre discours. Depuis plusieurs jours, Carson se demandait quelle allure elle pouvait bien avoir. Elle avait interrogé son entourage. Aucun de ses amis ne la connaissait. A coup sûr, elle était laide, sèche, raisonneuse, normative, inculte, ennuyeuse. Enfin, le rendez-vous était pris. Il fallait au moins y aller une fois, chez ce Dr Mercer, pour prouver à Hammerschlag et à Tennessee que le refus du médecin et de son traitement n'était pas le signe d'une incurable mauvaise volonté.

Quand la porte s'est ouverte et que Carson McCullers est entrée dans le bureau du Dr Mercer, elle a été stupéfaite. La femme qu'elle avait devant elle lui parut magnifique : un peu plus âgée qu'elle peut-être, encore qu'il fût difficile de lui donner un âge précis – entre quarante et quarante-cinq ans (elle en avait quarante-sept) – grande, mince, brune aux yeux bleus, les cheveux encadrant le visage, des traits réguliers, et un air de douceur et de fermeté tout à la fois. « Elle a des cheveux noirs, des yeux gris-bleu et une superbe peau », écrira quelques années plus tard Carson McCullers. « Plus que tout, son visage reflète la beauté intérieure et la noblesse de son esprit. »

« Oui, elle a eu l'air très étonnée en me voyant, se souvient Mary Mercer. Presque immédiatement elle m'a dit : "Dr Mercer, j'ai perdu mon âme." J'ai simplement répondu : "Je ne crois pas que vous ayez perdu votre âme, Mrs McCullers, mais vous pouvez l'avoir égarée." C'est ainsi que tout a commencé. »

Tous ceux qui avaient rencontré Carson McCullers dans les mois précédant cette entrevue, y compris les médecins,

étaient persuadés qu'elle ne pourrait plus vivre bien longtemps. Un an. Peut-être deux.

Elle allait vivre presque dix ans encore. Et voyager.

Et, le plus important de tout, écrire.

I

Columbus, Georgie – 1917

William Faulkner n'avait pas encore vingt ans. Le plus grand des écrivains du Sud, l'un des très grands écrivains du XXᵉ siècle – né le 25 septembre 1897 à New Albany (Mississippi) – n'était encore que Billy Falkner, un jeune homme d'une bonne famille sudiste marquée par la défaite lors de la guerre de Sécession. Il avait écrit quelques poèmes, et cette année 1917 verrait ses premières publications. Non pas de textes, mais de dessins, dans la revue de l'université du Mississippi. Dans un autre État du Sud, la Georgie, sur les bords de la rivière Chattahoochee, allait naître à Columbus, le 19 février 1917, une singulière compatriote qu'un jour on lui comparerait, le plus souvent pour les unir dans la même réprobation : Carson McCullers.

En Europe, c'était la « Grande Guerre », une « boucherie » dont devaient sortir, révoltés, des jeunes gens contemporains de Faulkner qui deviendraient eux aussi des écrivains majeurs : Louis Aragon, André Breton et quelques autres. Leur univers était très loin du Sud. Les chemins de ces Européens et de ces Américains n'étaient pas destinés à se rejoindre, sauf dans leur postérité et la mémoire de leurs lecteurs – ce qui est une tout autre affaire que les parcours biographiques individuels.

Columbus est à cette époque une petite ville de Georgie de moins de trente mille habitants, très caractéristique du Sud profond, qui vit grâce aux filatures de coton. Marguerite Waters – née en Georgie, à Dublin –, dont les ancêtres étaient venus d'Irlande, y a épousé, le 14 février 1916, un horloger-bijoutier, Lamar Smith – originaire d'Alabama et installé depuis peu à Columbus –, descendant de protestants français, les Gachet. Un mariage très simple entre une femme à l'esprit romanesque, aimant la musique et un homme tout entier dévoué à son travail. Le jeune couple, qui n'a pas beaucoup d'argent, habite chez la mère de Marguerite, Lula Caroline Waters, en plein centre de Columbus (13e Rue et 5e Avenue), un quartier qui, à la fin des années 10, commence déjà à se dégrader, bien qu'étant encore considéré comme «respectable» – ce qui ne sera plus le cas dans un futur proche et conduira les habitants blancs de la classe moyenne à déménager vers la périphérie de l'agglomération. Plus tard, Carson McCullers décrira cette ville «au cœur du Sud profond. Les étés duraient longtemps, et les mois de froid hivernal étaient réduits. Le ciel gardait presque en permanence une teinte d'azur lisse, éclatante, et le soleil s'embrasait avec une ardeur féroce. Puis les légères pluies glacées de novembre arrivaient, parfois suivies de gel et de quelques mois froids. Les hivers étaient changeants, mais les étés toujours brûlants. La ville était assez grande. La rue principale comportait plusieurs ensembles de bureaux et de magasins à deux ou trois étages. Mais les bâtiments les plus vastes, c'étaient les usines, qui employaient un fort pourcentage de la population. Ces grosses filatures de coton prospéraient, et la plupart des ouvriers de la ville étaient très pauvres. Dans les rues, les visages portaient souvent l'empreinte désespérée de la faim et de la solitude [1*]».

* On trouvera les notes à la fin de l'ouvrage, page 415.

Le premier enfant de Lamar et Marguerite Smith naît donc le 19 février 1917. C'est une fille et on la prénomme Lula (du prénom de sa grand-mère Waters) et Carson, toujours à cause de la même grand-mère, qui est née Carson, avant d'épouser Charles Waters. De cette pratique très courante aux États-Unis – donner comme second prénom le nom d'une des branches de la famille (ainsi la sœur de Carson s'appellera-t-elle Margarita Gachet Smith) – vient la première «légende» colportée à propos de Carson McCullers, qui vise à entourer sa naissance d'un inutile romantisme. Sa mère est allée, peu de mois avant d'accoucher, à la fin de 1916, écouter à Atlanta un concert où chantait Caruso. Éblouie par le ténor, elle a envisagé, si elle avait un fils, de l'appeler Caruso – il n'est d'ailleurs pas certain qu'elle aurait ainsi aidé les débuts dans la vie de son petit «Caruso Smith». Et voilà que désormais on explique à longueur d'articles ou de films sur Carson McCullers que déçue – forcément – d'avoir une fille et de ne pas pouvoir la prénommer Caruso, Marguerite Smith aurait, pour se rapprocher du nom initialement prévu, déplacé et graphiquement inversé une lettre, le «u», pour prénommer sa fille Carson. Une simple lecture de l'arbre généalogique de la famille suffit pour comprendre qu'il n'en est rien. Et la transcription faite dans la thèse de Carlos Lee Barney Dews d'un texte autobiographique écrit par Carson McCullers dans la dernière décennie de sa vie vient le confirmer [2] :

«Lula Carson [dit la grand-mère Waters à sa fille Marguerite] est un nom difficile à porter pour un bébé. Je déteste les noms doubles, même s'ils sont à l'ancienne mode. Bien que cela aurait pu être pire.

— Lula Carson tient son nom de ta famille, et c'est un beau nom.

— Oui, cela aurait pu être pire. Rappelle-toi quand Lamar t'a emmenée à Atlanta écouter Caruso. Tu étais folle de lui, tu voulais appeler le bébé Enrico Caruso. Un pauvre enfant innocent avec un nom de métèque, même si Dieu l'avait doté d'une voix d'or. Lamar en était très préoccupé et blessé.

— Lamar, blessé !

— Comment pensais-tu qu'il puisse réagir ? Si c'était un garçon, il s'attendait bien sûr à ce qu'il porte son prénom. Oui, il a été blessé et tu ne t'en es même jamais aperçue. »

C'est peut-être plutôt sur ces propos prêtés par Carson à sa grand-mère qu'il conviendrait d'insister : ils confirment le désir de Marguerite Smith d'appeler son garçon Caruso – au mépris de toute la tradition –, mais surtout ils signalent son relatif désintérêt pour son mari, dès l'instant où l'enfant paraît. Une telle attitude n'est en rien exceptionnelle, mais il demeure intéressant qu'elle soit relevée par Carson McCullers bien plus tard, quand elle évoque sa grand-mère – censée avoir ajouté : « Tu es si absorbée par Lula Carson et le bébé à venir que tu n'as pas une pensée pour Lamar, ni même pour le petit Lamar Jr. » Ces propos corroborent ceux que tiennent les divers témoins de la vie des Smith dans les années 20 à Columbus : Marguerite Smith se préoccupait surtout de ses enfants, principalement de ses deux filles, et singulièrement de l'aînée.

Cette « affaire Caruso » permet à certains commentateurs de Carson McCullers de lui supposer une sorte de « prédestination » artistique, tant il est satisfaisant de penser que les individus ne sont pas pleinement responsables de ce qu'ils sont, mais accomplissent une destinée qui leur préexiste. De la même manière, on s'attarde sur la personnalité de Marguerite Smith – moins sur ses goûts ou son éventuel sens artistique qui auraient en effet influencé sa fille, que sur le discours qu'elle tenait à ses amies ou voisines. Dès la prime enfance de sa fille aînée, Marguerite aurait décrété que celle-ci serait musicienne et célèbre, que le monde entier la connaîtrait. Paroles qui ne tirent guère à conséquence, sauf rétrospectivement, si l'enfant a eu, en effet, une existence qui suscite l'intérêt des biographes.

Pour l'heure, la petite fille se nomme Lula Carson Smith et, chez elle, on la désignera comme «Sister», habitude très courante dans le Sud. Un frère, Lamar Jr – «Brother Man» –, naîtra le 13 mai 1919 et une sœur, Margarita Gachet – «Baby Sister», plus tard surnommée Rita – le 2 août 1922. Les premières années de la vie de Lula Carson se passent dans cette maison du centre ville qui appartient à la grand-mère Waters – laquelle habite avec ses enfants et petits enfants. On a tant mis l'accent sur le rôle de la mère de Carson McCullers, qu'on a sous-estimé celui de sa grand-mère, qui apparaît dans les textes autobiographiques inédits, *Illuminations Until Now* comme *Illumination and Night Glare*. Ainsi, dans les deux manuscrits, Carson McCullers dit son amour pour Lula Waters, qui elle aussi avait une tendresse toute particulière pour sa «petite-fille aux yeux gris», «gris comme la mer», «gris comme Helen» – celle de ses filles qui était morte en bas âge. Carson raconte aussi par deux fois la savoureuse visite d'un bataillon de femmes de la «Ligue pour la tempérance» (Women's Christian Temperance League – ou Union – WCTU), qui viennent pour convaincre «Mrs Waters» qu'elle boit trop et qu'elle devrait se modérer :

> «J'aimais une vieille dame de soixante-trois ans qui sentait la verveine et le citron. Je l'adorais. Je dormais avec elle, je me blottissais contre elle dans le noir. Elle me disait souvent : "Prends la chaise, ma chérie, et grimpe jusqu'au tiroir du haut du bureau" – et j'y trouvais quelque chose de bon. Un petit gâteau, ou parfois, pour mes délices, des cumquats. Mon premier amour fut ma grand-mère, que j'appelais Mommy.
> Sa vie n'avait pas été heureuse, bien qu'elle ne se plaignît jamais. Son mari était mort d'alcoolisme après des années

pendant lesquelles s'était occupé de lui un vigoureux domestique qui pouvait le contrôler pendant ses crises de violence.

Cependant, Mommy n'avait rien contre l'alcool. Une fois, vers la fin de sa maladie, des représentantes de la WCTU vinrent la voir. Elles étaient si nombreuses qu'on aurait cru une délégation.

"Je sais pourquoi vous êtes là, dit Mommy. Vous venez pour que je porte votre espèce de badge violet et or mais je vous le dis, il n'en est pas question. Je viens d'une longue lignée de buveurs. Mon père buvait, mon gendre Lamar – qui est un saint – boit aussi. Je suis particulièrement triste quand j'entends un 'Pop' qui signifie que toute sa bière maison a explosé. Et moi aussi, je bois."

Les dames, choquées, s'exclamèrent : "Ce n'est pas possible, Mrs Waters!"

"C'est pourtant ce que je fais tous les soirs. Lamar me prépare un verre, et qui plus est, j'y prends beaucoup de plaisir."

"Eh bien! Mrs Waters", murmura la délégation atterrée.

A ce moment, mon père entra dans la pièce et Mommy lui dit malicieusement : "C'est l'heure de mon petit verre, Lamar? Je suis sûre que ce serait délicieux maintenant!"

"Quelques-unes de ces dames aimeraient-elles se joindre à nous?" demanda papa.

Mais les dames de la WCTU s'enfuyaient déjà, horrifiées.

"Vraiment, Lamar, ces dames de la WCTU sont abominablement étroites d'esprit, bien que ce ne soit pas gentil de ma part de le dire [3]." »

Cette enfance heureuse, protégée par une douce complicité avec la grand-mère dont la petite-fille porte le prénom, va se terminer en 1923. En novembre, Lula Waters meurt. Les deux textes autobiographiques de Carson McCullers racontent cet événement de façon légèrement différente. Dans *Illuminations Until Now,* la nouvelle de la mort de la grand-mère arrive par un coup de téléphone de Marguerite Smith à sa sœur Martha (Martha Elba, désignée comme « Mattie », « Mat » ou « Leih ») – chez laquelle Carson a été envoyée depuis que sa grand-mère est mourante – et on ignore qui en informe l'enfant. Dans *Illumination and Night Glare*, c'est le jardinier qui parle à Lula Carson. Mais dans les deux manuscrits, le point central est le refus de la petite fille d'embrasser le cadavre, alors que sa mère le lui demande.

Tout en se gardant de commentaires excessifs, on ne peut méconnaître le choc que fut pour l'enfant cette mort – surtout si elle l'a apprise par le jardinier, c'est-à-dire si aucun membre affectueux de la famille n'a «médiatisé» l'annonce du deuil. Au point d'ailleurs qu'elle en eut une commotion :

> «Tante Leih avait une merveilleuse vigne et beaucoup d'arbres fruitiers. Il y avait toujours du miel à la table du petit déjeuner, et souvent des figues pelées bien mûres sur lesquelles nous versions une épaisse crème fraîche, écrit Carson McCullers dans *Illumination and Night Glare*. Le dimanche, nous avions toujours de la crème glacée ; j'avais le droit de la servir et bien sûr, de lécher le plat. Je ne compris pas grand-chose quand le jardinier me dit que ma grand-mère était morte. Toujours est-il que Tante Leih nous ramena à la maison dans sa vieille Dodge.
>
> A la maison, quand je vis la couronne sur la porte, je compris que quelque chose d'étrange et troublant s'était passé. Je me jetai par terre dans le hall et, un moment plus tard, j'eus une crise de convulsions. Ma mère voulut que j'embrasse ma grand-mère mais je lui répondis fermement : "Elle est morte, n'est-ce pas ? On n'embrasse pas les gens qui sont morts." Bien que ma grand-mère soit morte, son esprit est toujours vivant en moi, et j'ai toujours une photo d'elle au mur de ma maison. Une belle jeune veuve avec cinq enfants.
>
> J'aimais aussi ma mère et mon père, mais Mommy fut toujours pour moi quelqu'un de très particulier [4].»

De son père, Carson McCullers ne parlera jamais beaucoup, si ce n'est pour souligner sa gentillesse, relever l'importance dans sa vie de certains cadeaux dont l'initiative semble lui revenir (un piano et une machine à écrire), ou dire sa fascination d'enfant pour sa boutique de bijoutier – les horloges, les montres, leurs mécanismes, le curieux sentiment du temps que l'on pouvait éprouver dans ce lieu. Sa mère, elle, accompagnera la majeure partie de sa vie d'adulte, surtout après la mort du père en 1944; et, bien qu'il ne reste pas de témoignage écrit de leur relation (aucune de leurs lettres n'a été conservée), on sait qu'elle est l'un des pivots de l'existence de Carson McCullers.

De ses premières années, Carson McCullers gardera le sentiment d'avoir eu de la chance, d'avoir été «du bon côté», dans cette petite cité marquée par la pauvreté. La misère dans laquelle vit une grande partie de la population de Columbus est si présente pour la petite Lula Smith qu'elle constituera la toile de fond du premier roman de la jeune Carson McCullers, au point qu'on ne peut vraiment comprendre *Le Cœur est un chasseur solitaire* si l'on ne voit pas que «la ville», dont le nom n'est jamais précisé, est elle aussi un personnage, et sans doute l'un des éléments essentiels de l'histoire :

> «Elle est située dans la partie occidentale de la Georgie, le long de la rivière Chattahoochee, près de la frontière de l'Alabama. Sa population est de quarante mille habitants environ – dont un tiers de Noirs. C'est le type même de la communauté ouvrière. Presque tout le travail a lieu dans les filatures et autour des petits magasins de vente au détail.
>
> Le régime industriel n'a fait faire aucun progrès à la classe ouvrière. Elle vit dans une extrême pauvreté. On ne peut pas comparer un ouvrier de la filature avec un mineur ou un ouvrier d'usine automobile. Au sud de Gastonia (Caroline du Sud), un ouvrier de filature vit dans de telles conditions qu'il en devient apathique et indifférent. Il ne cherche pas d'où viennent la pauvreté et le chômage. Il dirige d'instinct sa colère contre la seule classe sociale qui lui soit inférieure : la classe noire. Quand les filatures ne tournent pas, cette ville est un véritable ramassis de gens désœuvrés et affamés[5]. »

« Nous, nous étions riches, écrira Carson McCullers dans *Illuminations Until Now*. Mais nous ne l'étions pas comme les plus riches de la ville. Plus que tout, je désirais un poney [...] mais je savais sans le demander que nous n'étions pas assez riches pour que j'aie un poney. Tante Mat et oncle Gray étaient plus riches que nous. Leur maison dans les faubourgs était en briques, avec une véranda en façade bordée d'hortensias bleus. Ils avaient un gramophone qu'on pouvait remonter pour entendre *Pallachi* et *Home to my mountains* [...]. Et, merveille des merveilles, ils avaient un piano. C'était un piano droit et, de temps à autre, mes cousines tapaient dessus. Moi, je ne faisais que le regarder, et il semblait qu'entre le piano et moi il y avait un secret. Je touchais une note et j'en laissais durer l'écho. Puis, quand tout le monde était sorti, je liais quelques notes entre elles et je tapotais de petites mélodies. Oui, il y avait un secret entre le piano et moi. Je n'y touchais jamais que seule, mais je le fis aussi souvent que possible cet été-là. C'était aussi violent que magique. Et les magies s'enchaînaient. Un après-midi de cet été, je crus que j'étais Aladin [6]. »

Bien que Carson McCullers affirme dans son autobiographie : « peu après la mort de grand-mère, papa acheta un piano [7] », il semble que cet achat n'ait pas eu lieu avant 1925 ou 1926. C'est l'été de 1925 que, confronté à la rapide dégradation du centre de la ville, Lamar Smith décide d'emmener sa famille en banlieue et loue une maison à Wynnton Road, après avoir acheté une voiture – un coupé, petit modèle.

Lula Carson entre en troisième année d'école primaire à Wynnton School. Elle commence aussi à fréquenter – de son propre chef, considérant que sa grand-mère l'aurait souhaité (ses parents, eux, ne lui imposent rien) – l'église baptiste. Elle demandera à être baptisée l'année suivante, en 1926, à l'âge de neuf ans, en même temps que son amie Helen Jackson, qui a fait le récit de ce moment à la biographe américaine de Carson McCullers, Virginia Spencer Carr, précisant que Lula Carson aurait dit après le baptême : « Nous sommes différentes, désormais, que nous en ayons ou non conscience. Si nous mourons, nous irons au paradis [8]. »

Jusqu'à ce qu'elle ait quatorze ans, Lula Carson se rendra régulièrement au temple et à l'école du dimanche. Puis elle décidera de ne plus y aller, et restera à lire ou à jouer du piano le dimanche matin, en compagnie de sa mère, tandis que son frère et sa sœur continueront à suivre leurs cours d'instruction religieuse. Le piano, c'est à Wynnton Road qu'il est véritablement entré dans la vie de Lula Carson et qu'il deviendra son refuge, contre sa petite sœur qui l'irrite, lui prend son espace – même si Lula Carson apparaît clairement comme la préférée de sa mère – et contre une solitude due à la fois aux principes familiaux (on ne l'autorise pas à jouer avec les enfants du voisinage, sauf Helen Jackson, que les Smith considèrent comme une fréquentation acceptable pour leur fille) et à son propre caractère, assez peu sociable. Quand on apporte le piano que Lamar Smith a décidé d'offrir à ses enfants, Lula Carson se souvient de l'autre piano, celui de la maison de sa tante :

« J'y avais touché avec précaution et j'avais même composé quelques airs si bien que lorsque mon piano arriva, je m'y assis immédiatement et commençai à jouer. Pour mes parents, cela parut un miracle.

Ils me demandèrent ce que je jouais. "Un air que j'ai composé", leur répondis-je. Ils décidèrent alors que je devais avoir un professeur de musique et ils demandèrent à Mrs Kierce de me donner des leçons deux fois par semaine.

Je n'aimais pas beaucoup les leçons, je préférais inventer des mélodies. Mrs Kierce était très impressionnée et les retranscrivait consciencieusement [9]. »

Un récit presque identique, mais avec plus de détails et d'impressions de la petite fille elle-même, se trouve dans *Illuminations Until Now* :

« Ce n'était plus un piano secret, c'était mon piano à moi. Je m'assis sur le tabouret et je jouai pour la première fois *Yes Sir That's My Baby*. Je le jouai des deux mains et le rythme était bon. La famille était aussi stupéfaite que moi. J'enchaînai avec *Yes, We Have No Bananas*. A nouveau, stupéfaction générale. Puis je me mis à inventer de petits airs, ce qui me plut davantage. Papa s'extasiait : "Elle compose, juste comme ça !" Alors, se peignit sur son visage une expression que j'y avais vue très souvent – de l'orgueil, et la crainte de nouvelles dépenses. Finalement, il dit à maman : "Je crois que nous devrions aller voir Miss Helen [elle se prénommait en réalité Alice, Carson McCullers se trompe dans son souvenir] Kierce demain. "Je joue du piano !" ai-je dit. J'étais encore stupéfaite. Que j'aie joué bien ou mal, c'était l'illumination de ma vie. Cela arriva comme une comète traversant le grand ciel d'août. La comète n'existe plus que dans mon souvenir ; la musique, même si je ne peux plus jouer moi-même du piano, dure éternellement. Mais à l'époque, la seule chose que je me sois dit était : "Je joue du piano ! Des airs de jazz et aussi des airs que je compose moi-même[10] !" »

Cette Mrs Kierce donnera des leçons à Lula Carson jusqu'en 1930. Mais assez vite, elle sera dépassée par son élève qui fait, comme on le voit, de petites compositions de son cru, improvisant volontiers, et qui a cette capacité dont s'émerveille sa famille de reproduire instantanément et instinctivement les musiques qu'elle vient d'entendre – à la perfection si elles sont simples, et très correctement si elles sont plus élaborées.

Entre-temps, les Smith ont déménagé dans une maison qui leur appartient. C'est en janvier 1927 qu'ils quittent Wynnton Road pour le 1519 Starke Avenue, que Lamar Smith vient d'acheter et où il passera tout le reste de sa vie. Une maison assez modeste mais confortable, avec son perron traditionnel, sa véranda et sa petite cour, qui servira de décor à l'un des romans de sa fille, *Frankie Addams* : « La chambre de Frankie était une sorte de véranda surélevée qui avait été ajoutée à la maison. On y accédait par un escalier qui partait de la cuisine [11].» Selon la biographe américaine Virginia Spencer Carr – qui se fonde sur des témoignages recueillis par elle au début des années 70 à Columbus (où l'on n'a jamais vraiment apprécié le personnage qu'était devenue Carson McCullers) et qui, on le verra tout au long de son récit de la vie de Carson, insiste volontiers sur les éléments négatifs [12] –, la petite Lula Carson déplore la condition sociale de ses parents. Chez eux, les domestiques ne viennent que pendant la journée, alors que chez la plupart des voisins, il y en a plusieurs à demeure – noirs, bien sûr, comme chez les Smith, comme partout. Lula Carson, souligne en outre Virginia Spencer Carr qui semble y voir un défaut, a envie de gagner quand elle entreprend quelque chose. Elle se met rarement en situation de perdre et a tendance à ne s'engager franchement dans un projet que lorsqu'elle est presque certaine de réussir.

Au 1519 Starke Avenue, en cette fin des années 20, c'est autour du piano que se concentre toute l'attention. Il est le signe de l'indubitable talent de Carson – et il cristallise toute l'ambition et tous les rêves de réussite de la mère, Marguerite Smith. Sa fille va probablement faire de brillantes études de musique et devenir musicienne professionnelle. Soliste peut-être. Concertiste, pourquoi pas ? Une grande pianiste internationale qui courra les continents, de concerts en concerts, d'ovations en ovations. La célébrité qu'elle désire tant pour Lula Carson, à défaut de l'avoir obtenue pour elle-même, s'approche...

Et en effet, Lula Carson joue tous les jours. Plusieurs heures. Bien que sa nouvelle passion, la lecture, commence à lui prendre aussi beaucoup de temps.

«Mon cousin fit une fois la remarque que je ne lisais pas seulement des livres mais des bibliothèques, se souviendra

Carson McCullers. C'est vrai que j'ai eu le nez dans un livre depuis l'âge de dix ans.

J'avais environ onze ans quand ma mère m'envoya chez l'épicier et bien sûr, j'emportai un livre. C'était un livre de Katherine Mansfield. Je commençai à lire sur le chemin et j'étais si fascinée que je lisais sous les réverbères et que je continuais tout en passant la commande d'épicerie [...] Thomas Wolfe est un autre de mes auteurs aimés, en grande part à cause de sa merveilleuse manière de décrire la nourriture. Une autre, et probablement parmi les plus fortes influences nées de ma vie de lectrice, est Dostoïevski – Tolstoï, bien sûr, est au sommet. En grandissant, mon amour pour Katherine Mansfield s'est perdu et je la lis rarement maintenant mais je dois ajouter qu'en tant que critique elle est souvent fabuleusement exacte [13]. »

« Quand j'ai appris à lire, j'ai tout de suite été attirée par les histoires où il y avait quelque chose à manger, écrira-t-elle par ailleurs dans un article donné au *Harper's Bazaar*. Une surtout, je m'en souviens, à propos d'un petit garçon qui avait les yeux plus grands que le ventre, et qui est mort de s'être trop bourré de gâteaux, de bonbons et d'une crème glacée grosse comme une montagne. Une image le montrait, vêtu d'un costume marin, à genoux au milieu de toutes ces sucreries, les contemplant d'un regard affamé. Je l'aimais. Aujourd'hui encore, quand j'ai faim, je m'offre un festin par procuration – à travers le *Satyricon*, Rabelais, *Mr Pickwick*, ou les romans de Thomas Wolfe [14]. »

Heureusement que Lula Carson a ses livres et son piano pour combattre l'ennui et la solitude – « mon enfance n'a pas été solitaire, parce que j'avais mon piano », dit-elle encore dans *Illumination and Night Glare*. L'ennui pèse comme une chape, comme la chaleur d'été, sur la petite ville de Columbus. Une atmosphère que Carson McCullers décrira magnifiquement dans *La Ballade du Café triste* :

« La ville même est désolée ; il n'y a guère que la filature, des maisons de deux pièces pour les ouvriers, quelques pêchers, une église avec deux vitraux de couleur, et une Grand-Rue misérable qui n'a que cent yards de long. Les fermiers des environs s'y retrouvent chaque samedi pour parler affaires. Le reste du temps, la ville est triste, solitaire, un endroit loin de tout, en marge du monde. La gare la plus proche est Society City ; les lignes d'autocar Greyhound et White Bus passent à trois miles de là, sur la route des Forks Falls. Les hivers y sont vifs et brefs, les étés chauffés à blanc. Si vous marchez dans la Grand-Rue, un après-midi du mois d'août, vous ne trouverez rien à faire. Le plus grand bâtiment, juste au centre de la ville, n'a que des fenêtres aveugles et penche si fort vers la droite qu'à chaque seconde on attend qu'il s'effondre. C'est une très vieille maison. Elle a quelque chose d'étrange, d'un peu fou et inexplicable, puis brusquement, vous découvrez qu'il y a très longtemps déjà, on a commencé à peindre le côté droit de la véranda et un peu du mur – mais on n'a pas terminé le travail et la maison a un côté plus sale et plus sombre que l'autre. Elle a l'air tout à fait inhabitée. Au second étage, pourtant, il reste une fenêtre qui n'a pas été aveuglée. Il arrive parfois, au plus tard de l'après-midi, quand la chaleur est à son comble, qu'une main pousse la persienne et qu'un visage surplombe la ville. Un visage comme en ont les figures qu'on croise dans les rêves – blafard, asexué, deux yeux gris convergents, tournés l'un vers l'autre suivant un angle si aigu qu'ils ont l'air de se renvoyer un immense et secret regard de douleur. Ce visage s'attarde une heure environ, puis la persienne se referme, et il n'y a plus âme qui vive dans la Grand-Rue. Ces après-midi du mois d'août – votre travail est terminé, vous n'avez absolument rien à faire – il vaudrait mieux prendre la route des Forks Falls pour entendre le groupe enchaîné des bagnards [15]. »

« Oh ! Oui ! Comme la ville est désolée, reprend Carson McCullers à la fin de son récit. Dans les après-midi du mois d'août, comme la route est vide, et blanche la poussière, et comme le ciel ressemble à un miroir aveuglant... Pas un mouvement. Pas une voix d'enfant. Juste le murmure étouffé de la filature [...] Vous ne trouverez rien à faire dans cette ville. Tourner autour du château d'eau, donner des coups de pied dans une souche vermoulue, chercher à quoi pourrait servir cette vieille roue de chariot abandonnée près de l'église, sur le bord de la route ? L'ennui pourrit l'âme [16]. »

La petite fille qui se languit pendant l'été trop étouffant de chaleur, trop blanc de soleil qu'elle décrira dans presque tous ses livres, regarde autour d'elle. Joue du piano, lit et observe : la rudesse du climat, la dureté des gens du Sud, la violence des relations sociales, dont Carson McCullers parlera plus tard dans un texte où elle compare la réalité décrite par les écrivains russes et celle du Sud de son enfance :

> « Dans *Tandis que j'agonise*, de Faulkner [...] l'auteur se contente de dépeindre cette totale confusion des valeurs, sans prendre la moindre responsabilité spirituelle.
> Pour comprendre cette attitude, il faut connaître la réalité sociale du Sud, qui rappelle beaucoup celle de l'ancienne Russie. Le Sud a toujours occupé une place à part à l'intérieur des États-Unis, car il possède une personnalité et des intérêts bien distincts. Sur le plan économique, et sur beaucoup d'autres plans, le reste du pays l'a toujours considéré comme une sorte de colonie. La pauvreté qu'on y rencontre n'a rien de commun avec ce qui existe ailleurs. L'équilibre de sa société repose sur une division des classes qui évoque celle de l'ancienne Russie. C'est dans le Sud – et là seulement – qu'existe une classe paysanne nettement définie. Ces divisions sociales n'empêchent pas les gens du Sud de former une population homogène. On peut considérer le Russe et le Sudiste comme des "types" nationaux, qui ont en commun certains traits psychologiques parfaitement reconnaissables (hédonisme, imagination, paresse, sensibilité) – une véritable ressemblance de cousins germains.
> Dans le Sud, comme dans l'ancienne Russie, on mesure à chaque instant le peu de prix attaché à la vie humaine. En revanche, un simple objet, un détail d'ordre matériel prennent une valeur considérable. C'est qu'il y a abondance de vie humaine. Les enfants naissent et meurent, et s'ils ne meurent pas ils se battent pour vivre. Toute l'existence et toute la souffrance d'un être humain peuvent alors s'inscrire dans les

limites d'un champ stérile de quelques acres, dans une mule,
dans une balle de coton [17]. »

Le racisme du Sud fait partie du quotidien, bien sûr. Lula
Carson y est très tôt sensible. Elle vit dans une famille qui
n'est pas d'un racisme militant, même si ses parents ne sont
pas aussi libéraux — au sens américain du terme, c'est-à-dire
progressistes — qu'elle le sera elle-même toute sa vie, comme
cela apparaît, notamment, à travers un incident qu'elle a toujours gardé en mémoire et relaté longuement dans son autobiographie :

> « Je me souviens d'un jour, pendant la dépression, quand
> il y avait encore des taxis à dix cents. Notre bonne Lucille,
> qui étaient l'une de nos plus jeunes et gentilles servantes
> — elle n'avait que quatorze ans et était une merveilleuse cuisi-
> nière — avait appelé un taxi pour qu'il la raccompagne chez
> elle. Mon frère et moi la regardions attendre, et le taxi refusa
> de la conduire : "Je ne conduis pas les foutus nègres", brailla-
> t-il. Voyant l'embarras de Lucille et ressentant fortement
> l'horrible injustice de tout cela, Lamar se précipita sous la
> maison (je dois préciser que le dessous de la maison forme
> quasiment une pièce séparée qui va de la porte d'entrée au
> milieu des chambres. C'est très sale, avec une odeur âcre et
> amère). Brother pleurait sous la maison mais moi, je fus saisie
> d'un accès de rage et je hurlai au chauffeur de taxi : "Vous
> êtes un méchant, un méchant !" Puis j'allai rejoindre mon
> frère et nous nous prîmes les mains pour nous réconforter,
> parce qu'il n'y avait rien, strictement rien que nous puissions
> faire. Lucille dut parcourir deux bons kilomètres à pied.
> Noirs et Blancs à cette époque-là fouillaient les poubelles.
> Des gens bons, adorables, qui nous avaient élevés si tendre-
> ment, étaient humiliés à cause de leur couleur. Je ne
> m'étonne pas maintenant, comme le faisait mon père, d'avoir
> eu une foi profonde dans le parti communiste quand j'avais
> dix sept ans — encore que je n'y aie jamais adhéré et que j'aie
> même été déçue par les agissements des communistes.
> Nous étions témoins de tant d'humiliations et de brutali-
> tés — non des violences physiques, mais l'humiliation sauvage

de la dignité humaine, ce qui est pire. Lucille est souvent revenue me voir. La gaie, la charmante Lucille. Elle restait là, à la fenêtre, elle chantait un air à la mode qui disait *Tip Toe to the Window*. Le blues n'était pas à son goût, elle était beaucoup trop gaie pour cela [...] Au milieu de la dépression, ma mère pensa qu'elle pouvait s'occuper seule de la maison et de la cuisine, et elle laissa partir Lucille avec une excellente recommandation. Elle aurait dû veiller à la famille pour laquelle Lucille allait travailler car ils n'étaient pas vraiment normaux et ils accusèrent Lucille de les empoisonner avec sa bonne cuisine! Et sur leur parole, elle fut envoyée au pénitencier. Elle y fut cuisinière, y apprit à coudre et aussi à lire et écrire. En fait, elle y fit son éducation et elle ne souffrit pas de l'expérience. Ma mère et mon père avaient témoigné en sa faveur mais les autres étaient très insistants, et comme lui était conseiller municipal, elle dut rester en prison presque un an. A sa sortie, elle partit pour Chicago où elle épousa un charmant maçon qui avait un très bon salaire. Il n'y a pas très longtemps, Lucille est venue me voir. Bien que ce fût un après-midi d'août, elle avait sur le bras un beau renard argenté et était somptueusement vêtue. Nous nous sommes embrassées, nous avons parlé du bon vieux temps et de sa nouvelle prospérité. Moi aussi, j'étais en quelque sorte devenue "prospère" et je vivais de mes livres, ce qui fut un grand sujet d'orgueil pour Lucille [18]. »

L'enfance de Lula Carson, qui nourrira les récits de la romancière, est, pour qui n'est pas écrivain, une vie de famille assez banale, avec des parents appartenant à la couche inférieure de la classe moyenne. Une existence d'enfant aimée, rythmée par l'école, la musique, la lecture et des rêves. Singulièrement des rêves d'hiver et de neige dans ce pays où il ne fait jamais froid, et, en été, franchement trop chaud. Ainsi Carson McCullers écrira-t-elle beaucoup de textes sur Noël au cours de son existence :

«Noël était la fête préférée de Carson, l'automne et l'hiver ses saisons favorites, rappelle sa sœur Rita, dans l'édition posthume du *Cœur hypothéqué*. Elle évoque souvent dans ses livres le désir impatient de voir arriver la neige et le froid (Frankie Addams rêve sans arrêt de Winter Hill), et elle prépare la venue de l'automne en décrivant une "aube de chasse", ou la fabrication du sirop de canne, ou le cochon qu'on égorge après la première gelée. Notre mère préparait ses gâteaux aux fruits un peu avant le Thanksgiving Day. Ils étaient tellement bons qu'un jour où notre maison a pris feu (nous étions encore enfants), notre frère a estimé que les seules choses dignes d'être sauvées étaient ces "fruit cakes" qui sortaient du four, parfumés au bourbon le meilleur, enveloppés dans des serviettes et qu'on n'avait pas le droit d'entamer avant Noël [19]. »

« La veille de Noël fut la plus longue de toutes les journées, mais elle était auréolée par l'éclat du lendemain, se souviendra Carson dans un texte publié en 1949. Le salon sentait la cire et l'odeur douce et froide du sapin. Il avait été dressé dans un angle. Il était majestueux, touchait le plafond, mais n'était pas encore décoré. C'était l'usage dans la famille de ne pas décorer l'arbre tant que les enfants n'étaient pas couchés. Nous sommes allés au lit de très bonne heure, dès la fin du crépuscule d'hiver. Nous couchions dans le même lit, ma sœur et moi. J'aurais voulu qu'elle ne s'endorme pas […]

Au crépuscule, je suis allée m'asseoir sur les marches de la véranda, épuisée par tant de plaisirs, l'estomac très lourd, complètement morte. Le fils de nos voisins faisait du patin dans la rue, déguisé en Peau-Rouge. Une petite fille tournoyait à toute allure sur son tricycle neuf. Mon frère faisait brûler des chandelles magiques. Noël était fini. Et j'ai pensé à la monotonie du Temps à venir, rompue de loin en loin par des fêtes beaucoup moins éclatantes, à cette année qu'il allait falloir parcourir avant d'atteindre le prochain Noël – une éternité [20]. »

Souvenirs complétés dans «La découverte de Noël», publié en 1953 : «Dans notre famille, on avait l'habitude de tirer un feu d'artifice le soir de Noël. La nuit venue, papa allumait un feu de joie et nous faisions éclater des fusées et des chandelles romaines [21]. »

Quant à l'école, tout s'y passe bien, tout est facile et Lula Carson se concentre sur la musique dès qu'elle en a fini avec les cours. Et puis, de plus en plus, elle s'isole, elle commence à ressembler à l'étrange adolescente de plusieurs de ses romans : « L'école marchait très bien, j'apprenais facilement et l'après-midi, j'allais directement me mettre au piano, remarque-t-elle dans son autobiographie. Je ne travaillais quasiment pas à la maison. Je passais régulièrement d'une classe à l'autre, sans plus. Ce que j'aimais, c'était grimper à un arbre où nous avions construit une maison avec mon frère. Nous avions mis au point un signal très sophistiqué pour la cuisinière qui avait la gentillesse d'attacher un panier à une ficelle et de nous faire monter des sucreries. Des années plus tard, quand j'étais troublée, je me réfugiais toujours dans la maison de l'arbre [22]. »

II

« J'avais dix-huit ans
et c'était mon premier amour »

En février 1930, Lula Carson Smith fête ses treize ans et entre au lycée de Columbus. Sans enthousiasme. Les horaires, la répétition des mêmes contraintes, l'obligation de coexister dans une classe avec des gens qu'on n'a pas choisis pour y subir l'enseignement de professeurs qu'on vous impose – tout cela lui déplaît, lui pèse, en un mot dérange un quotidien que, déjà, elle veut organiser à sa manière, avec des rythmes qui lui conviennent et une solitude qui lui permette de se concentrer. « J'avais entendu des choses épouvantables sur le lycée, se souvient-elle dans son autobiographie. Ma mère m'avait habillée d'un ensemble de laine rose et je me préparais à affronter cette effrayante école. »

Sans céder à la tentation de surinterpréter tous les détails de l'enfance, on peut juger révélateur de son rapport au corps et au sexe l'incident que Carson McCullers retient, dans son autobiographie, de sa première semaine au lycée – d'autant qu'il est choisi *a posteriori* :

> « Un jour de la première semaine, je fus littéralement capturée par une fille alors que j'étais dans le sous-sol. Elle me précipita par terre et me dit : "Dis 'fuck' trois fois."
> "Ça veut dire quoi ?" lui demandai-je.
> "T'occupe pas de ce que ça veut dire, pauvre petite fleur

innocente, dis-le seulement." Pendant tout ce temps, elle m'écrasait le visage contre le sol en ciment.

"Bon, fuck", dis-je.

"Dis-le trois fois!".

"Fuck, fuck, fuck", dis-je à toute vitesse, et elle me laissa aller.

Je sens encore son horrible haleine sur mon visage, et ses mains moites. Quand je fus délivrée, je courus tout droit à la maison mais je ne dis rien à mes parents parce que je savais que c'était quelque chose de très laid et de très vilain.

"Qu'est-ce qui t'est arrivé à la figure?" me demanda ma mère

"C'est un truc de l'école", répondis-je.

Bien que rien de plus grave ne me soit jamais arrivé, le lycée fut pour moi une effroyable et sinistre expérience. Quand j'obtins mon diplôme à dix-sept ans, je n'assistai à aucune des cérémonies de remise, je demandai au proviseur de le garder en disant que mon frère passerait le prendre le lendemain [1]. »

En fait, il semble que l'hostilité de Carson pour l'institution scolaire ait rencontré chez ses parents une relative compréhension – ou du moins la compréhension de Marguerite et la lassitude résignée de Lamar :

« Je voulais toujours être pianiste et mes parents ne m'obligeaient pas à aller [à l'école] tous les jours. J'y allais juste assez pour rester au niveau de ma classe. Maintenant, des années plus tard, mes professeurs sont extrêmement perplexes à l'idée que quelqu'un d'aussi négligent que moi ait pu devenir un auteur à succès. La vérité est que je ne crois guère à l'école, alors que je crois sincèrement à l'utilité d'une éducation musicale approfondie. Mes parents étaient de cet avis. Je suis certaine d'avoir perdu quelques avantages sociaux en étant ainsi solitaire mais cela ne m'a jamais préoccupée [2]. »

Au lycée, son intégration n'est pas facilitée par son apparence physique. En quelques mois, elle est devenue une adolescente longue et maigre, qui ne tardera pas à atteindre, prématurément, sa haute taille d'adulte, 1,75 mètre. Ce ne fut sans doute pas très facile à vivre, mais la jeune fille en tire un sentiment accru de sa singularité. Au point que l'adolescente trop grande, mal à l'aise et encombrée d'elle-même sera la figure principale de plusieurs livres de Carson McCullers, à commencer par le tout premier, *Le Cœur est un chasseur solitaire*. Le modèle de Mick Kelly (et plus tard de Frankie Addams dans le roman qui porte ce titre) est la lycéenne de Columbus, qui a « poussé trop vite » :

> « Biff perçut une présence à l'entrée et leva rapidement les yeux. Une jeune adolescente dégingandée d'une douzaine d'années, aux cheveux filasse, se tenait sur le seuil. Elle était vêtue d'un short kaki, d'une chemise bleue, et chaussée de tennis – à première vue, elle avait l'air d'un très jeune garçon […] Mick lui revenait en mémoire. Il se demandait s'il aurait dû lui vendre le paquet de cigarettes et si c'était vraiment mauvais pour les enfants de fumer. Il pensait à la façon dont Mick plissait les yeux et repoussait sa frange de la paume de la main. Il pensait à sa voix rauque, garçonnière, et à sa manière de retrousser son short kaki et de parader comme un cow-boy dans un western [3]. »

« Tout maladroite que je fus, j'étais la meilleure du quartier en patins à roulettes. Je revenais régulièrement à la maison avec les genoux couronnés et les bras écorchés [4] », insiste Carson McCullers dans son autobiographie. C'est ce « garçon manqué » qui part en juillet chez son oncle Elam Waters à Cincinnati (Ohio) et qui, en revenant de ce séjour, décide qu'on l'appellera désormais seulement « Carson », et non plus « Lula Carson ». Volonté de s'affirmer et de se distinguer ? Certainement – comme Frances Jasmine Addams, qui ne veut plus qu'on l'appelle « Frankie », mais « F. Jasmine », puis seulement « Frances ». Désir d'exhiber une ambiguïté, avec ce prénom qui ne permet pas à coup sûr d'identifier le sexe de qui le porte ? Peut-être, mais à condition de laisser au mot « ambiguïté» tout ce qu'il porte en lui d'incertitude. Il ne faudrait pas voir en la toute nouvelle «Carson Smith» – dont l'allure de jeune homme va devenir plus évidente entre ses quinze et vingt ans – une de ces «amazones» que l'on croisera dans l'Europe des années 30, cultivant leur indétermination sexuelle, s'habillant en garçons pour conquérir des femmes. Carson demeure une jeune fille du Sud profond, gauche, timide, farouche, renfermée, qui déjà, elle le sait, veut «autre chose» que la vie morne d'une bonne épouse de Columbus, rêve d'avoir «un destin», mais apparaît pour l'heure comme très peu conquérante et sûre d'elle-même. Elle est seulement «une drôle de fille à l'allure de garçon».

Ce qui la distingue plus encore que son physique – et autorise ses rêves de gloire –, c'est son talent de pianiste. Avec son professeur, Mrs Kierce, elle piétine. Heureusement, à un concert, elle entend jouer une très bonne instrumentiste, Mary Tucker. Elle apprend que celle-ci est l'épouse d'un officier de Fort Benning, la base militaire des environs de Columbus, et qu'elle prend quelques élèves après les avoir auditionnés. Avec l'appui de Mrs Kierce, consciente qu'elle ne peut plus rien lui apprendre, Carson sollicite une audition avec Mrs Tucker, qui accepte de lui donner des leçons. «Le morceau que je jouai pour mon nouveau professeur était la deuxième rhapsodie hongroise [de Liszt], se souviendra long-temps après Carson McCullers. Elle dit que c'était la plus épaisse et la plus lourde rhapsodie hongroise qu'elle ait jamais entendue – mais elle m'accepta comme élève. Je passai chaque samedi chez elle, pas seulement en tant qu'élève, et elle m'initia à Bach, que je n'avais jamais entendu auparavant. Pour moi, Mrs Tucker était l'incarnation de Bach, Mozart, de toute la musique qui, à cet âge, enveloppa mon âme entière[5].»

Pendant près de quatre ans, chaque samedi, Marguerite Smith conduira sa fille à Fort Benning et ira la rechercher le soir.

A l'évidence, Mary Tucker est, pour Carson, plus qu'un professeur de piano et elle aura une forte influence sur elle. Le samedi, Carson reste chez les Tucker bien au-delà de la fin de la leçon de musique. Elle se lie d'amitié avec la fille de son professeur, Gin, de quelques mois sa cadette. Dans la famille Tucker, elle a le sentiment d'être chez elle. Le raffinement de Mrs Tucker la séduit infiniment. De là à dire que Mary Tucker est son premier amour féminin (à supposer qu'elle en ait vraiment eu d'autres) il y a plus qu'un pas, pourtant hâtivement franchi par beaucoup de commentateurs. Toutes les adolescentes qui ont un emballement pour leur professeur, une « flamme », ne deviennent évidemment pas des adultes ayant du goût pour les femmes. Quant à la vie amoureuse de Carson McCullers – avec ce que l'amour suppose de désir –, on n'a pas fini d'entendre tout et son contraire à ce sujet. Dans le cas de Mary Tucker au moins, il est plus que probable qu'il y a de la part de Carson beaucoup de ce romantisme propre à cet âge où l'on se complaît dans la douleur de ce qu'on croit être une impossible passion – et il n'est pas sûr qu'elle en finira jamais avec ce type de comportement. Il y a aussi une relation quasi filiale, mais choisie, une volonté d'être adoptée, d'appartenir – être *member of* – que l'on retrouvera souvent dans la vie de Carson McCullers et chez ses héroïnes.

Si Carson Smith veut toujours tenter de devenir concertiste et si la musique s'incarne maintenant pour elle dans la figure de Mary Tucker, la lecture, qui est depuis plusieurs années l'un de ses passe-temps favoris, prend dans son existence une place nouvelle, un statut autre. Elle le dira très clairement dans un court texte, « Les livres dont je me souviens ».

« Au début de l'adolescence un brusque changement se fait en nous, par rapport aux livres et à ce qu'ils nous apportent. L'enfant ne demande qu'à être entraîné vers des aventures extérieures. Soudain les petites histoires ne nous suffisent plus. Un courant nous entraîne vers les aventures plus riches et plus graves de l'âme. Ce changement s'est fait en moi vers treize ans, quand j'ai découvert les grands écrivains russes. Dostoievski m'a ouvert les portes d'un domaine immense et inconnu. Depuis des années, j'apercevais ses livres sur les rayons de la bibliothèque municipale, mais, en les feuilletant, j'avais été rebutée par le nom impossible des personnages et le fait qu'ils étaient imprimés en petits caractères. Quand je me suis décidée à le lire, j'ai ressenti une émotion inoubliable – émotion qui me bouleverse encore aujourd'hui quand j'ouvre un de ses livres. C'est une sorte de stupeur, car les étés suffocants et paresseux de Russie, les petits villages au fond de la steppe, les grands-pères endormis sur le poële au milieu des enfants, les hivers blancs de Saint-Pétersbourg – tout cela m'est aussi familier que ma ville natale. Il me semble parfois que la grandeur des écrivains russes vient de ce qu'ils ont, mieux que les autres, accepté notre condition de vie. Ils la regardent comme un tout, une unité, et savent, sans jamais céder au cynisme, que la mort est inéluctable [6]. »

Dans ce même texte, elle raconte son brusque enthousiasme pour le destin de la danseuse Isadora Duncan, à travers son livre :

« La lecture de *Ma vie* par Isadora Duncan m'a bouleversée comme un ouragan. J'ai eu envie de prendre toute ma famille sous le bras et de lui faire connaître Chicago, Paris et la Grèce. J'ai ressenti une attirance maladive pour le rayonnement magique des salles de concert et la famine dans les hôtels borgnes. J'ai été jusqu'à créer une école de danse dans mon quartier. Et pendant une semaine, j'ai employé alternativement la ruse et la corruption pour réunir une poignée de charmants enfants, drapés dans des serviettes, qui sautillaient désespérément dans notre jardin [7]. »

Elle y reviendra une fois encore dans son autobiographie :

A quatorze ans, le grand amour de ma vie qui influença toute ma famille fut Isadora Duncan. J'avais lu *Ma vie* – non seulement j'avais lu le livre, mais je le prêchais. Mon père qui, comme ma mère, pensait qu'un enfant pouvait lire sans censure, ne pouvait s'empêcher d'être stupéfait par la véhémence avec laquelle je prêchais l'amour libre devant l'ensemble de la famille – ou quiconque pouvait m'entendre. Une voisine indiscrète critiqua mes parents de me laisser si précocement parler d'Isadora Duncan et de sa vie amoureuse. J'ose à peine imaginer ce que les autres voisins en pensaient. Je suppliai mon père de me laisser partir pour Paris où, lui affirmais-je, je danserais pour subvenir aux besoins de la famille. Partir pour Paris – et pire encore, moi, gauche comme je l'étais, subvenir aux besoins de la famille en dansant, dépassait de loin les plus extravagantes facultés imaginatives de mon père. Mais il se contenta de me dire gentiment : "Ma chérie, quand tu seras plus grande, tu comprendras mieux [8]". »

1932, l'année de ses quinze ans, sera pour Carson, sans qu'elle en ait conscience, une année déterminante – pour le meilleur et pour le pire. Du côté du meilleur, un cadeau de son père, une machine à écrire, sur laquelle elle va s'amuser à composer des histoires – et y prendre un goût tout particulier. Pour ce qui est du pire, une maladie, secrètement annonciatrice de ce qui marquera son existence – les attaques qui la laisseront infirme. C'est au début de l'hiver 1932 que l'adolescente tombe gravement malade. Elle voit plusieurs médecins qui, tous, demeurent perplexes. On finit par diagnostiquer une pneumonie avec complications, et on exige d'elle le repos le plus complet jusqu'à Noël. Ce n'était pas une pneumonie, mais il faudra près de trente ans pour que l'on comprenne qu'il s'agissait probablement d'une crise de rhumatisme articulaire aigu : une affection qui, non soignée parce que demeurée inaperçue, détériorera profondément l'organisme de la jeune fille. Son amie Helen Jackson, qui est déjà à l'université, affirmera que, lorsqu'elle est venue voir Carson encore convalescente, pendant les vacances d'hiver, celle-ci lui a fait part de son intention d'abandonner le projet d'une carrière de musicienne pour devenir écrivain. Savoir à quel moment Carson a réellement et définitivement pris cette décision est assez difficile. Il y a ce témoignage de Helen Jackson, bien sûr. Mais d'autres témoins affirment que lorsque Carson est partie pour New York en 1934, c'était pour y prendre des cours de musique. Carson McCullers, elle, dit dans son autobiographie qu'elle est arrivée à New York avec l'intention d'être écrivain. Toutefois, elle confie cela quelque trente ans plus tard, alors qu'elle est un écrivain accompli et n'a certainement pas envie de placer le début de sa carrière sous le signe d'une bifurcation de hasard.

Ce qui est avéré, en revanche, c'est que Carson continue pendant toute l'année 1933 et le début de 1934 à se rendre chaque samedi à Fort Benning pour sa leçon de piano chez Mary Tucker, et que celle-ci l'incite à s'inscrire dans une prestigieuse école de musique, soit la Juilliard School de New York, soit le Curtis Institute of Music de Philadelphie. Mais il va falloir qu'elle se décide à faire son choix, car 1933 est sa dernière année de lycée. Carson est assez contente d'en avoir fini. Elle ne s'entend pas très bien avec les garçons et les filles de son âge. Elle ne sort pas avec les autres filles, elle ne flirte pas avec les garçons.

Ses camarades d'alors la décrivent comme «excentrique», «bizarre». Elle porte des jupes plus longues que ne le veut la mode. Elle ne met ni bas ni chaussures de jeune fille, mais des chaussettes montantes et des tennis – pas toujours très propres, dit-on – ou des chaussures de marche. Les observateurs malveillants estiment que tout cela était très calculé et y décèlent la volonté de provoquer. Il est plus probable que Carson Smith se moquait de ce qu'on pouvait penser d'elle et avait une grande indifférence au regard social porté sur elle. Elle est «à part», difficile à étiqueter. Certains condisciples ou professeurs s'en souviendront comme d'une personne «têtue et qui discutait tout de manière vétilleuse», d'autres retiendront qu'elle était timide, peu sociable et très douée, mais qu'elle passait trop de temps à jouer de la musique pour pouvoir exploiter ses autres dons. Ceux qui lui enseignaient la littérature parleront d'elle comme d'une « lectrice passionnée ». C'est en effet à cette époque, vers sa seizième année, qu'elle intensifie et diversifie ses lectures. Aux grands romanciers russes, qu'elle a déjà abondamment lus, elle ajoute des écrivains qu'elle n'avait encore jamais abordés, dont Flaubert, Joyce et Faulkner.

Parallèlement, elle se met à écrire plus régulièrement. Non plus des bribes de texte, ici ou là, mais des histoires qu'elle mène à leur terme. Essentiellement de petites pièces de théâtre, qu'elle fait jouer par son frère et sa sœur, avec comme public sa famille. Elle le racontera dans « Comment j'ai commencé à écrire » :

« Notre ancienne maison de Georgie avait deux salons – l'un à l'arrière, l'autre sur le devant – séparés par deux portes coulissantes. C'était là que vivait la famille, là également que je faisais jouer mes pièces de théâtre. Le salon du devant servait de salle, celui du fond de scène. Les portes coulissantes de rideau. En hiver, le feu allumé dans l'âtre projetait sur les portes de noyer des ombres rougeoyantes, et pendant les ultimes secondes d'angoisse qui précédaient le lever du rideau, on pouvait entendre le tic-tac de la pendule sur le manteau de la cheminée – notre vieille pendule ventrue au cadran de verre décoré de cygnes. En été, on suffoquait dans les salons jusqu'au lever du rideau, et le battement de la pendule était couvert par les cris des garçons dans la cour et par les radios du voisinage [...] Étant l'aînée de la famille, j'étais à la fois ouvreuse, responsable des gâteaux et metteur en scène. Notre répertoire était éclectique, allant de vieux films cent fois rabâchés à Shakespeare, en passant par quelques pièces que j'inventais et que j'écrivais parfois sur un carnet de notes "Big Chief" à cinq cents.

Les acteurs étaient éternellement les mêmes : mon jeune frère, ma petite sœur et moi [...] Ma découverte d'Eugene O'Neill marqua la fin des spectacles que nous donnions dans les salons. C'était l'été. J'avais trouvé ses œuvres à la bibliothèque et posé sa photo sur la cheminée du salon du fond. A l'automne, j'ai écrit une pièce en trois actes qui avait pour sujet l'inceste et la vengeance. Le rideau se levait sur un cimetière, et après plusieurs scènes pleines de déchirements variés, se baissait sur un catafalque. Les principaux personnages étaient : un aveugle, quelques idiots et une horrible centenaire. Impossible de représenter cette pièce dans les conditions imposées par nos deux salons. J'en ai donc donné ce que j'ai appelé une "lecture", devant mes parents résignés et une tante qui était de passage. Ensuite, je crois, je me suis attaquée à Nietzsche, dans une pièce intitulée *Le Feu de la vie*. Elle ne comptait que deux personnages – Jésus-Christ et Friedrich Nietzsche – et ce dont j'étais le plus fière, c'est qu'elle était écrite en vers qui rimaient. J'ai également donné une "lecture", puis les enfants sont revenus de la cour, et nous avons bu du cacao en mangeant nos merveilleux gâteaux aplatis bourrés de raisins, dans le salon du fond, assis autour du feu.

– Jésus ? a dit ma tante quand on l'a mise au courant. Après tout, la religion, c'est un bon sujet [9]. »

Carson écrit alors sa première nouvelle, « Sucker », qui lui sera constamment refusée quand elle commencera à publier dans les revues et les journaux, et qui ne paraîtra que trente ans plus tard (le 28 septembre 1963, dans le *Saturday Evening Post*). C'est pourtant un texte très convaincant – même si sa composition n'a pas la fermeté que Carson McCullers atteindra plus tard – sur la dégradation des relations entre deux garçons qui habitent ensemble : Pete, seize ans, et son jeune cousin de douze ans, qu'on surnomme Sucker (« la bonne poire », ou « le pigeon ») parce qu'il a tendance à gober tout ce qu'on lui raconte. Pete a son premier chagrin d'amour et Sucker entre dans une adolescence malheureuse. Lui aussi a grandi trop vite – « Sucker a grandi plus vite qu'aucun des garçons que j'ai connus. Il est presque aussi grand que moi et ses os sont plus épais et plus lourds [10]. » Entre Pete et Sucker, qu'il faudra désormais désigner par son vrai prénom, Richard, la camaraderie et la complicité enfantines sont finies. Il ne reste que des regrets, « un sentiment de tristesse bizarre dont je ne me serais jamais cru capable [11] », dit Pete.

En 1934, Carson Smith va connaître à la fois un chagrin d'adolescente et une première amitié d'adulte. La rencontre avec Edwin Peacock, qui sera l'un de ses plus proches amis tout au long de sa vie, se fait par l'entremise de Mary Tucker. Peacock, grand amateur de musique, a appris que Rachmaninov donnait un concert à Atlanta – à cent miles de Columbus – et a demandé à Mrs Tucker si elle connaissait quelqu'un qui, y allant, accepterait de l'emmener. Justement, Carson et elle se rendaient à ce concert dans la voiture d'un voisin des Tucker, qui accepta volontiers un passager de plus.

> « C'est à un concert de Rachmaninoff que je rencontrai mon premier ami adulte, rapporte Carson McCullers dans son autobiographie.
> Il avait vingt-trois ans et j'en avais dix-sept, et nous pouvions parler ensemble de toutes sortes de choses. Et pas seulement de musique : il m'introduisit à Karl Marx et à Engels, et ce fut certainement l'aube de ma prise de conscience sociale. J'avais très souvent constaté, pendant la dépression, quand je voyais les Noirs farfouillant dans les poubelles et venant mendier chez nous, qu'il y avait quelque chose d'effroyablement mauvais dans le monde tel qu'il allait, mais cela n'avait jamais, chez moi, fait l'objet d'une théorisation. Mon nouvel ami, Edwin Peacock, venait tous les samedis et ses visites m'étaient une joie. Ce n'était pas une histoire d'amour mais une profonde amitié qui a duré toute ma vie [12].

De fait, Edwin Peacock est un grand lecteur (il deviendra libraire à Charleston, en Caroline du Sud, avec son ami John Zeigler), passionné de littérature et de politique. Il ouvre le champ des lectures de Carson, qui est curieuse de tout. Elle aime particulièrement Walt Whitman et Hart Crane, mais elle prend aussi beaucoup de plaisir aux livres de D.H.

Lawrence. C'est à ce moment-là qu'elle lit la très belle nouvelle de Lawrence, «L'officier prussien», dont le thème n'est
pas sans rapport avec l'un de ses futurs livres, *Reflets dans un
œil d'or* – on l'accusera même d'avoir plagié ce texte, notamment dans le très chic et sérieux hebdomadaire le *New Yorker*
(15 janvier 1941).

Bien que Peacock habite Fort Benning lorsqu'il fait la
connaissance de Carson, il n'est pas militaire. Il appartient au
Civilian Conservation Corps constitué par Roosevelt pour
fournir du travail aux jeunes chômeurs. Au bout de quelque
temps, il quitte Fort Benning pour prendre une chambre en
ville, à Columbus. Alors Carson et lui se voient presque tous
les soirs. Elle va chez lui écouter de la musique, et «refaire le
monde» comme s'y appliquent, de génération en génération,
tous les jeunes gens. Mais dans les années 30, à Columbus
– et ailleurs –, une fille honnête ne va pas seule chez un
homme. Les esprits étroitement provinciaux de la petite ville
sont scandalisés du comportement de «l'aînée des Smith».
Par chance pour Carson, ses parents sont insensibles aux
ragots. Marguerite, qui a toujours une haute idée de sa fille,
veut lui laisser toute liberté. On dit que certains soirs, Carson
s'habille en homme pour sortir avec Peacock, et que, parfois,
ils quittent Columbus pour se rendre à Phoenix, dans l'Arizona, la «ville du péché» où les soldats de Fort Benning vont
chercher des filles. Virginia Spencer Carr insiste sur tous les
témoignages présentant Carson Smith comme une fille au
prénom masculin, portant des vêtements d'homme, dans un
désir plus ou moins conscient de travestissement. N'est-ce pas
excessif, et serait-il scandaleux de suggérer que Carson porte
des tenues proches de celles des hommes simplement parce
qu'elles lui «vont bien» et sont adaptées à sa silhouette androgyne? Rétrospectivement, on voit qu'elle est seulement «en

avance », plus proche des adolescentes des années 70 et 80 que des jeunes filles convenables du Sud profond des années 30.

Quoi qu'on dise sur compte, cela n'atteint pas Carson, heureuse d'avoir enfin un ami qui l'écoute, la soutient, l'encourage à écrire. Mais elle sent qu'elle doit quitter Columbus si elle veut construire sa vie et non la subir. Et elle ne parvient pas à prendre une décision. L'indispensable rupture avec le lieu de l'enfance va sans doute être facilitée par le départ de Mary Tucker, dont le mari vient d'être muté dans le Maryland, au printemps de 1934. C'est certainement un vrai chagrin pour Carson que la séparation d'avec son « autre famille », une blessure dont on trouvera la trace dans *Frankie Addams*. Mais encore une fois, l'insistance romantique sur la « grande rupture » entre la jeune Carson et son amour impossible (il est vrai qu'elles ne se reverront qu'une quinzaine d'années plus tard) est-elle vraiment de mise ? On va jusqu'à faire remonter la décision de Carson de ne pas être musicienne à ce départ de Mary Tucker – alors que plusieurs témoignages, dont celui de Helen Jackson et de Carson elle-même, affirment que cette décision est antérieure, tandis que d'autres la présentent comme bien postérieure. Le départ de Mary Tucker, c'est surtout, pour Carson, la fin d'une certaine enfance. L'obligation de considérer que la réalité, parfois – souvent – fait obstacle au désir. On ne peut pas non plus écarter l'idée que Mary Tucker, en adulte, ait profité de son déménagement pour signifier à Carson un nécessaire « éloignement », la fin de cette passion adolescente, de cette « adoption ». Et tout ce qui tend à faire comprendre à Carson que l'adolescence – avec son refus d'accepter des compromis, de composer avec le réel – est un état transitoire, est vécu par elle comme abominable, scandaleux.

C'est probablement le choc de cette séparation non voulue et ressentie comme un abandon qui précipite la décision de Carson Smith de partir vers le Nord et d'aller étudier à

New York. En septembre, elle prend le bateau à Savannah (Georgie). Elle voit la mer pour la première fois. Mais pour quelles études s'en va-t-elle vers la grande ville? Il est très compliqué de démêler toutes les versions contradictoires des premières semaines de la vie new-yorkaise de Carson. En 1942, elle explique qu'à dix-sept ans elle est venue à New York «avec l'idée de suivre des cours à Columbia et à Juilliard». Mais le deuxième jour, poursuit-elle, «je perdis toute mon allocation d'étude dans le métro. Je fus engagée et mise à la porte d'une quantité de petits métiers à temps partiel et j'allais aux cours le soir [13]».

Dans son autobiographie, la version est assez différente :

«J'attendais une chose avec impatience : quitter Columbus et faire mon chemin dans le monde. D'abord, je voulus être pianiste de concert et Mrs Tucker m'encouragea dans cette voie. Puis je me rendis compte que papa ne pourrait pas m'envoyer à Juilliard ou dans quelque autre grande école de musique. Je savais que cela tourmentait mon père et, l'aimant comme je l'aimais, j'écartai toute idée de carrière musicale : je lui dis que j'avais passé en revue les professions et que j'allais devenir écrivain. C'était quelque chose que je pouvais faire à la maison, et j'écrivais chaque matin.

Mon premier livre s'appelait *A Reed of Pan* (Une flûte de Pan) et c'était, bien sûr, l'histoire d'un musicien qui, lui, faisait de vraies études et accomplissait des tas de choses. Cependant, je n'étais pas contente du livre et je ne l'envoyai pas à New York, bien que j'aie entendu parler d'agents et de ces sortes de choses. J'avais seize ans et je continuai à écrire. Cette fois, le livre s'appelait *La Rivière brune*. Je ne me souviens pas de grand-chose à son propos, si ce n'est qu'il était fortement influencé par *Sons and Lovers* [de D-H. Lawrence]. Ma grand-mère avait légué à sa petite fille aux yeux gris le seul objet de valeur qu'elle possédât : une très belle bague d'émeraude et de diamant. Je la passai à mon doigt juste une fois car je savais qu'il me fallait la vendre. Mon père, qui était bijoutier, la vendit, et c'est ainsi que je pus aller à New York pour suivre des cours de création littéraire et de philosophie. Au moins, je quittai la maison et je commençai mes études.

Une fille que je n'avais jamais rencontrée auparavant et qui suivait des cours à Columbia me proposa de partager une chambre avec elle. Mon père la vit une fois, et se montra réservé sur cet arrangement car elle avait les cheveux teints à une époque où seules les filles faciles se faisaient teindre les cheveux. Mais il me laissa aller. Je pris le bateau de Savannah à New York – et pour la première fois je vis l'océan, et plus tard, merveille des merveilles, je vis la neige [14].

On n'a qu'une certitude : l'argent de la bague en émeraude et diamant de Lula Waters a disparu. Dans quelles conditions ? Soit égaré par Carson elle-même, soit par son amie à laquelle elle l'avait confié – à moins que ladite amie ne se le soit approprié en le déclarant perdu.

On peut choisir la version que l'on préfère, et considérer que c'est, au fond, sans grande importance, comme y invite Margarita Smith, la sœur de Carson. Dans sa préface au recueil de textes posthume, *Le Cœur hypothéqué,* elle cite Tennessee Williams et son essai inédit, *Praise to Assenting Angels,* où il donne sa version de l'histoire avec son habituel humour.

« La grande génération d'écrivains qui a vu le jour dans les années 20, et qui compte des poètes comme Eliot, Crane, Cummings et Wallace Stevens, des romanciers comme Faulkner, Fitzgerald et Katherine Anne Porter, n'a pas encore été remplacée et ne s'est enrichie d'aucune personnalité d'égale stature, à la seule exception de ce jeune et prodigieux talent, révélé en 1940 par la publication de son premier roman : *Le Cœur est un chasseur solitaire.* Il s'agissait d'une jeune fille de vingt-deux ans à l'époque, venue de Columbus (Georgie) à New York pour y étudier la musique.

Si l'on en croit certaines légendes qui entourent ses débuts dans cette ville, elle aurait tout d'abord élu domicile, tout à fait innocemment, dans une maison de prostitution, trouvant les autres locataires extrêmement sympathiques et accueillantes, mais n'ayant pas le moindre soupçon du commerce illégal qu'on y pratiquait. L'une des pensionnaires de cette maison, devenue son amie, se serait chargée de guider ses pas à travers une cité que Carson McCullers a toujours trouvée si confuse qu'aujourd'hui encore elle hésite à traverser une rue, si elle n'est pas solidement encadrée. Une mésaventure lui arriva pourtant. Ayant placé en son guide équivoque une trop aveugle confiance, elle se rendit en métro à l'Académie Juilliard de musique, tandis que l'amie et la totalité de l'argent (destiné à payer ses cours) que cette amie lui avait proposé de garder, disparaissaient en même temps. Carson se retrouva donc sans un sou dans le métro. Certains prétendent qu'il lui fallut plusieurs semaines pour en découvrir la sortie [...]

Sans chercher à mesurer le degré d'invention contenue dans cette légende, il n'en reste pas moins vrai que sa carrière musicale a été abandonnée au profit d'une carrière littéraire, et qu'un jour, en un point des labyrinthes mystérieux et glacés du métropolitain new-yorkais – point qui se situe vraisemblablement entre un distributeur de chewing-gum et une machine à dire la bonne aventure – il sera nécessaire d'apposer une plaque de bronze à la mémoire de cette équivoque fripouille qui a disparu avec l'argent destiné aux études musicales de Carson. Car, pour paraphraser l'un des clichés favoris des rédacteurs de spots publicitaires destinés à la télévision, nous y avons peut-être perdu une grande musicienne, mais nous y avons gagné un grand écrivain [15]. »

Carson n'a donc plus l'argent qui devait payer son année universitaire. Elle lui faut travailler si elle veut rester à New York. Elle ne prévient pas ses parents, persuadée qu'ils vont tout simplement lui envoyer son billet d'autocar pour le retour. Mais il n'est pas aisé de trouver du travail dans ces années qui suivent la Grande Dépression. Et Carson est un peu perdue dans la ville. Souvent, elle passe l'après-midi à lire dans une cabine téléphonique des grands magasins Macy's, car l'endroit lui semble rassurant. La nuit, elle ne dort guère, car elle a peur dans cette chambre qu'elle est censée partager avec une fille toujours absente. Si elle veut vraiment passer une année à New York, où elle a commencé à suivre les cours du soir à l'université Columbia, elle doit déménager :

> «A la fin, je pensai qu'il fallait que j'aille demander conseil à la Directrice des études de Columbia, raconte-t-elle dans son autobiographie.
> – Quel âge avez-vous? me demanda-t-elle.
> – Dix-sept ans, dis-je fièrement.
> – Vous êtes beaucoup trop jeune pour vivre seule en ville. Et elle me suggéra un club pour étudiantes.
> Je ramassai mes affaires et je m'installai au Parnassus Club. Là, pour la première fois depuis plus d'une semaine, je dormis. Je dormis pendant vingt heures d'affilée.
> Au Club, une étudiante travaillait une fugue de Bach et je me sentis complètement chez moi. Je me fis facilement des amies. Quand ma meilleure amie me dit qu'elle allait déménager pour le Three Arts Club, je décidai de la suivre [16].»

Dans ces foyers de filles – au Three Arts Club résident environ cent cinquante jeunes filles, se destinant pour la plupart à des professions artistiques –, Carson se fait une ou deux amies, avec lesquelles elle sort un peu. Mais elle se tient tout de même plutôt à l'écart des groupes qui se constituent. Elle lit et écrit beaucoup. Elle envoie chaque jour une lettre à sa mère, dont elle reçoit quotidiennement un courrier : ces lettres n'ont pas été retrouvées, et elles manquent gravement pour qu'on tente de comprendre l'étrange relation de Carson et de Marguerite Smith. On peut toutefois remarquer que dans les romans de Carson McCullers – excepté le premier où la mère de Mick est une femme très effacée –, toutes les mères ont disparu, sauf dans les textes écrits après 1955, année de la mort de Marguerite Smith.

Pour gagner de quoi payer sa pension, Carson trouve divers «petits boulots», comme on dira plus tard, mais on ne la garde jamais très longtemps. Le piano d'accompagnement pour leçons de danse marche assez bien. Mais l'emploi dans le magazine *More Fun and New Comics* n'est pas une réussite – «Moi, un auteur tragique, relire des articles comiques!» dira-t-elle avec ironie dans *Illumination and Night Glare*.

> «Je leur fus sincèrement reconnaissante quand ils me mirent à la porte après deux mois [...] Après, il fallut trouver autre chose, ce que je fis auprès de Mrs Louise B. Fields, qui insistait pour m'appeler "représentante en biens immobiliers". Je donnai aux clients la liste des appartements (à vendre) de New York. La majeure partie du travail, je m'en souviens, consistait à aller chercher de la crème aigre pour Mrs Fields. Elle mangeait sa crème aigre avec une longue cuillère à glace. Mais une fois que je lisais Proust, cachée derrière un gros registre, et que j'étais au beau milieu d'une longue phrase proustienne, Mrs Field me prit en flagrant délit. Elle s'empara prestement du registre et m'en flanqua un coup sur la tête tout en accompagnant le geste d'un venimeux "vous n'arriverez jamais à rien!". Et elle m'assena un nouveau coup de registre. C'est ainsi que je fus une nouvelle fois mise à la porte.»

On espère que l'anecdote, qui est rapportée par tous les biographes, est vraie : quel bonheur pour un écrivain, après coup, d'avoir perdu un médiocre emploi temporaire par amour pour Marcel Proust, parce qu'on était tout entier absorbé dans la lecture de *Du côté de chez Swann*!

De cette période de «vaches maigres» témoigne une nouvelle, «Cour dans la 80ᵉ rue [17]», qui, bien que très réussie, ne sera jamais publiée du vivant de Carson McCullers. Une provinciale de dix-huit ans juste débarquée à New York et habitant un immeuble assez minable, observe, de sa fenêtre, ses voisins – le jeune ménage, la violoncelliste, l'homme aux cheveux roux... Elle les voit vivre, aller et venir, déménager et disparaître. Elle relève leurs manies, leurs petits ennuis, leurs difficultés à se supporter les uns les autres, leur détresse, leurs drames parfois.

Pendant que Carson fait sa première expérience d'indépendance à Columbus, Edwin Peacock rencontre un jeune militaire de Fort Benning très séduisant avec lequel il se lie d'amitié. « A cette époque, se souviendra Carson McCullers, mon ami Edwin m'avait écrit de Columbus qu'il avait rencontré à la bibliothèque un jeune homme, et l'avait invité à prendre un verre chez lui. Il disait qu'il était charmant, qu'il pensait que je l'aimerais beaucoup et que nous nous rencontrerions quand je serais de retour[18]. » Peacock a présenté son nouvel ami, James Reeves McCullers – qui n'utilise, comme Carson, que son second prénom, Reeves –, à la famille Smith. Marguerite a été conquise et l'a adopté, l'incluant, avec Peacock, dans le cercle de jeunes gens qu'elle aime à avoir autour d'elle.

Carson ne rentrera pas avant juin 1935. Elle a commencé ses cours d'écriture en février à Columbia avec Dorothy Scarborough et Helen Rose Hull. A la fin de l'année universitaire, elle repart vers le Sud et, dès qu'elle arrive chez elle, décide de travailler au journal local, le *Columbus Ledger*. Ce sera très bref. Elle pensait se rapprocher de l'écriture et demeurer dans les habitudes prises grâce aux cours – écrire régulièrement – en faisant un peu de journalisme. C'est un échec absolu. Elle est beaucoup trop lunaire pour ce travail. Totalement étrangère à l'excitation de l'information. Et, profondément, elle déteste cela. Elle expliquera bien plus tard à son premier biographe, Oliver Evans[19], qu'elle ne parvenait à se plier à aucune des contraintes minimales du métier et persistait, par exemple, à écrire « le meurtrier a été conduit à la prison de la ville », bien qu'on lui répétât chaque fois que la règle était d'écrire « le meurtrier présumé ». Elle estime qu'une telle profession ne peut convenir qu'à des êtres dépourvus d'imagination – personne n'a encore démontré qu'elle avait tort – et, en quittant le journal, elle dit bruyamment ce qu'elle pense : « Il faudrait que j'aie faim à en mourir avant de faire ce métier-là ! »

Si cet été 1935 offre à Carson la mauvaise surprise du journalisme, il lui fournit aussi « la » rencontre de sa vie.

> « Ainsi, je revins en juin et je rencontrai Reeves McCullers chez Edwin Peacock, écrit-elle dans ses mémoires. Ce fut un choc, le choc de la pure beauté la première fois que je le vis. Il était le plus bel homme que j'aie jamais vu. Il parla de Marx et Engels, et je compris qu'il était de gauche (*liberal*), ce qui était important, à mes yeux, dans une communauté arriérée du Sud. Avec Edwin et Reeves, nous passions des journées ensemble, et un soir que Reeves et moi nous promenions seuls en regardant les étoiles, j'oubliai le temps qui passait et quand Reeves me ramena à la maison, mes parents étaient fous d'inquiétude car il était deux heures du matin. Cependant, ma mère était elle aussi sous le charme de Reeves qui lui apportait régulièrement des disques.
> A cette époque, il était dans l'armée, à Fort Benning, en Georgie. Nous aimions tous les deux le sport, et souvent Reeves empruntait la bicyclette d'Edwin pour que nous allions au camp scout, à environ trente miles. Maman nous préparait un pique-nique et nous roulions côte à côte, nous arrêtant de temps à autre pour manger un morceau. Les échecs étaient sa passion et, après nous être baignés dans l'eau brune et froide, nous faisions une partie (il me battait toujours). Puis nous nous baignions encore et nous prenions le long chemin du retour.
> J'avais dix-huit ans et c'était mon premier amour [20]. »

Le caporal McCullers a vingt-deux ans – il est né le 11 août 1913 à Wetumpka, dans l'Alabama, et a passé sa petite enfance à Jesup, en Georgie, avant de retourner dans son État natal – mais il en paraît dix-huit. Carson, elle, en a dix-huit mais en paraît à peine quinze, en dépit de sa haute taille, quasiment égale à celle de Reeves. Les deux jeunes gens ne se quittent guère cet été-là. Et avec Edwin Peacock, ils forment un trio d'amis inséparables, ce qui réjouit Marguerite Smith. Reeves est charmant et Marguerite n'a pas attendu de connaître l'opinion de Carson pour en faire un de ses intimes. Chaque fois qu'il lui rend visite, il lui apporte des fleurs, ce qu'elle apprécie particulièrement – ainsi que des bonbons et des fruits pour les enfants. Après avoir fait la connaissance de Carson, il n'oubliera jamais, lorsqu'il viendra chez elle, la bière et les cigarettes qu'elle affectionne.

C'est en 1931, à la fin de ses années de lycée, que Reeves s'est engagé pour trois ans dans l'armée et a été affecté à Fort Benning. En novembre 1934, il a signé pour trois années supplémentaires. Avant d'entrer dans l'armée, Reeves avait été, au lycée de Wetumpka, tout ce que Carson n'était pas : un *leader*, très aimé de ses condisciples, admiré pour son charme, pour sa forme physique, envié des garçons parce qu'il séduisait les filles, bon au football et bon en classe. Pourtant il avait eu une enfance difficile, le petit James Reeves McCullers Jr., ballotté entre un père instable, qui avait «fait tous les métiers» – et buvait à l'excès – et une mère tout occupée à «faire face». Jessie McCullers (1888-1964) était énergique et solide, mais souvent elle avait dû envoyer ses enfants (elle en aura cinq, entre 1913 – Reeves – et 1921) chez d'autres membres de la famille, tant la vie était dure à la maison. Chez les McCullers, les femmes étaient fortes et les hommes faibles. C'est peut-être à cet atavisme que Reeves se sentira soumis. Dans la famille de Carson, c'est d'ailleurs un peu la même chose. Sachant tout cela, au début de leur histoire d'amour, Carson tentera de ne pas se montrer dominatrice et de conforter Reeves dans sa virilité.

Le portrait que trace de lui Oliver Evans, et qui doit certainement beaucoup à Carson McCullers – l'essai biographique d'Oliver Evans a été rédigé et publié de son vivant –, présente Reeves comme un jeune homme très attirant :

«Il avait [...] des ancêtres irlandais et il était d'une beauté virile – blond, les yeux gris-bleu et les traits exceptionnellement réguliers. Il avait un corps ferme et bien découplé qu'il maintenait en parfaite condition. Sa taille – peu élevée pour un homme – était approximativement la même que celle de Carson. Il n'avait pas été à l'université – ce qui devait devenir pour lui une source de frustration plus tard – mais il était intelligent, cultivé et il s'exprimait avec aisance. Il y avait même quelque chose de vaguement déconcertant dans son charme – non qu'il fût le moins du monde "professionnel" (il était au contraire suprêmement naturel) ni qu'il en jouât particulièrement, du moins consciemment, mais quiconque avait connu cet homme, dont la vie devait être si tragique, convenait qu'il y avait quelque chose d'étrange, de presque troublant dans la manière dont il séduisait tout le monde – toute sorte de gens, voire d'animaux. C'était un des points sur lesquels il différait de Carson : elle ne se faisait pas facilement des amis (encore qu'elle leur fût totalement loyale quand c'était le cas) tandis que Reeves aurait eu des difficultés, même s'il avait essayé, à se faire un ennemi [21].»

Dans leurs relations sociales, Carson et Reeves sont en effet très différents. Mais dans leur manière de voir le monde et d'envisager leur existence, ils ont beaucoup de choses en commun, à commencer par un goût immodéré de la littérature – non comme divertissement, mais comme manière de «lire le monde», et peut-être de tenter de l'écrire. Reeves, toutefois, est beaucoup plus un conteur qu'un écrivain. Il raconte magnifiquement. On l'écoute avec passion. Mais cela ne lui suffit pas. Est-ce pendant cet été de 1935, au côté de Carson qui écrit presque chaque jour (a-t-elle déjà pris l'habitude de se préparer, dès le matin, des thermos entiers de «hot sherry tea», contenant plus de sherry que de thé?), que Reeves commence à exprimer son désir d'être écrivain pour tenter de «devenir quelqu'un»? «J'écrivais depuis deux ans et Reeves affirmait qu'il voulait lui aussi devenir écrivain [22]», dira

Carson McCullers. Boit-il, lui aussi, déjà trop? Ce n'est probablement pas dans la famille Smith, où nul ne rechigne devant l'alcool – ce qui n'est pas exceptionnel dans le Sud de l'époque –, que l'on va le remarquer. Boivent-ils déjà ensemble, Carson et lui? Sans doute, mais comme on le fait dans ces interminables soirées où l'on discute à perte de vue. Rien à voir avec la pathologie qui se développera par la suite.

Surtout, dès ce moment de la première rencontre, au-delà des goûts identiques et de la séduction réciproque, il y a entre ces deux jeunes gens un lien plus profond et plus irrationnel, une bizarre «gémellité» que personne ne comprendra jamais vraiment, chacun s'acharnant à chercher qui porte la responsabilité de leur désastre commun, voulant trouver des fautes, de la méchanceté, du désir de destruction, de la volonté de nuire. Sans même relever qu'entre 1935 et la mort de Reeves, donc pendant presque vingt ans, ces deux-là n'ont jamais pu vraiment se séparer.

De cet attachement, de cette ressemblance secrète, c'est sans doute, comme souvent, la fiction qui rend le mieux compte, avec sa liberté d'«inventer vrai». Dans *Les Évangiles du crime*, la jeune romancière française Linda Lê consacre l'un des quatre récits qui composent ce livre passionnant à un certain «Reeves C.», mari d'une célèbre romancière américaine. Elle évoque leur histoire avec une grande sensibilité, touchant souvent plus juste que ceux qui prétendent la raconter de manière objective :

> «Celui qui joua les médiateurs du destin s'appelait Edwin. Il décida un jour de réunir ses deux amis, Carson et Reeves, et de les présenter l'un à l'autre [...] Ils se rencontrèrent un jour d'été. Reeves portait son uniforme de soldat, Carson un pantalon d'homme et une veste trop large pour elle [...] Au début, Edwin ne les quittait jamais, sa présence les empêchait de se reconnaître tout à fait, les obligeait à se sentir encore étrangers l'un à l'autre [...] Edwin finit par s'éclipser [...] Carson mettait sa main dans celle de Reeves, ensemble, ils se taisaient. Si j'étais passé à ce moment devant

la fenêtre de leur chambre, je me serais dit, en les voyant ainsi, main dans la main, le sourire aux lèvres : ces deux-là, avec leur air d'orphelins qui se suffisent à eux-mêmes, excitent l'imagination des bourreaux [...] Reeves lui déclara son amour [...] Il lui dit qu'il l'aimait comme un frère à l'avenir sinistré aime sa petite sœur un peu voyou [...] Carson le regardait de ses yeux fiévreux et tristes. C'était elle qui, d'habitude, agissait ainsi, elle qui sommait autrui de l'aimer, mais en faisant en sorte qu'on la rejette. Cet orgueil, elle se croyait seule à en être affligée. Cette manière qu'avait Reeves, à la fois cabotine et vandale, de mendier l'affection, elle se croyait seule à la posséder. Elle avait rencontré son double, et le double lui déclara son amour comme on profère une menace [23]. »

Reeves avait tant entendu parler de Carson qu'il en était peut-être déjà un peu amoureux avant de la connaître, selon Edwin Peacock. Peacock a gardé de ces mois de l'été 1935 un souvenir ébloui. Tout au long de sa vie, lorsqu'il est amené à les évoquer, il fait le récit d'un moment comme « hors du temps », avec l'indulgence et l'émotion qu'on a rétrospectivement pour cette si fugitive jeunesse où l'on s'est senti soudain puissant, maître de soi et capable d'agir sur le réel. Ensemble, on discutait à l'infini, de littérature et de politique, se rappelle Edwin Peacock. Mr Smith leur prêtait son cabriolet 4 cylindres. On posait le phonographe sur la banquette arrière et on allait se promener dans les environs de Columbus. Certains jours, quand il n'était pas libre, Carson et Reeves allaient se baigner dans l'étang le plus proche. En amoureux. Mais, précisera Carson McCullers, « nous n'avions jamais fait l'amour, parce que je lui avais dit que je ne voulais pas faire cette expérience avant qu'il soit clair pour moi que je l'aimerais pour toujours [24] »... On est bien loin de l'amazone triomphante et provocante, désinvolte adepte du travestissement, qui est évoquée ici et là.

Quand Carson repart pour New York, en septembre, elle se considère comme quasiment « fiancée » à Reeves. Elle s'inscrit au Washington Square College de l'université de New York, pour deux semestres de cours d'écriture avec Sylvia Chatfield Bates, un professeur qui a une excellente réputation pour sa sensibilité artistique, son ouverture d'esprit, sa manière de découvrir et d'encourager de jeunes talents. C'est certainement grâce à elle que Carson prendra définitivement la décision d'être écrivain, avec ce que cela suppose de risques et ce que cela nécessite de force, de capacité de résistance et d'obstination. Sylvia Chatfield Bates fait comprendre à Carson Smith qu'elle est vraiment douée. Au point de pouvoir « se lancer dans l'aventure ». On peut en juger par le commentaire de Mrs Bates à la nouvelle « Poldi », première d'une longue série d'histoires d'amour non réciproque – cette fois-ci entre Hans, le petit pianiste et Poldi Klein, la violoncelliste [25].

« Voilà un excellent exemple de nouvelle "picturale", commente Sylvia Chatfield Bates – c'est-à-dire dramatisation complète d'un thème très court, description d'une situation presque statique dont les éléments narratifs appartiennent au passé ou au futur. C'est une histoire assez banale, mais pas trop. Vous pouvez échapper à cette banalité – comme l'a fait Willa Cather dans *Lucy Gayheart* – grâce à la véracité, à la précision et à la richesse du détail. Beaucoup de nouvelles se vendent grâce à la qualité du détail. Comme je l'ai constaté déjà, les vôtres sont de cet ordre. Les détails sont bons. Très vivants.
Une nouvelle qui s'appuie sur une certaine connaissance technique peut avoir également des chances de succès. Votre connaissance de la technique musicale, qui est éclatante, sonne juste. Un musicien en jugerait mieux que moi. Le lecteur moyen aimerait que la nouvelle soit un peu plus vivante. Qu'elle avance davantage et qu'elle permette de mieux comprendre ce qui va arriver. Mais moi, je l'aime telle qu'elle est. Elle n'a aucun besoin d'être retravaillée. »

Cette reconnaissance des qualités littéraires de Carson par son professeur apparaît même dans la lecture que celle-ci fait d'un texte qu'on pourrait qualifier de prémonitoire – une scène entre deux alcooliques, une femme et son mari. Sylvia Chatfield Bates n'aime pas « Un instant de l'heure qui suit », où l'intrigue lui paraît trop mince et trop peu développée, où elle ne voit pas pourquoi « donner tant de détails désagréables, s'il s'agit seulement de découvrir que Marshall connaît un amour tellement grand qu'il risque d'être détruit par cet amour [26]. » Cette nouvelle lui paraît devoir être retravaillée, et même totalement réécrite. Mais le premier paragraphe de son commentaire est très révélateur de ce qu'elle pense du talent de son élève :

> « De tout ce que vous avez écrit, c'est ce que j'aime le moins. Vous voyez que je ne vous fais pas seulement des compliments. Voyons d'abord ce qui est bien : si je n'avais jamais rien lu de vous, je dirais quelques mots de la vigueur de votre style, et de l'acuité de votre perception. La façon dont chaque petit détail acquiert une force dramatique est excellente, et très originale. Les personnages existent parfaitement grâce à la réalité des scènes décrites. Le trait "saillant" de la nouvelle, la charmante "petite pincée de sel artistique", est donné par les deux personnages enfermés dans la bouteille. C'est très frappant, et très bon [27]. »

A Columbus, depuis que Carson n'est plus là, Reeves s'ennuie. Il a de plus en plus envie d'aller, lui aussi, « vers le Nord ». D'autant que son ami John Vincent Adams vient de s'installer à New York pour y entreprendre des études, et peut-être, dit-il, « écrire ». Mais pour se dégager de l'armée, avec laquelle Reeves a de nouveau signé l'année précédente, il lui faut payer environ 1500 dollars, et il n'en a pas le premier sou. Il essaie donc d'oublier ses rêves de départ, d'études, de livres et de redevenir simplement le caporal McCullers. Alors qu'il a décidé, contraint et forcé, de « prendre son mal en patience », une de ses tantes meurt, en janvier 1936, lui léguant un peu d'argent. Assez en tout cas pour rembourser l'armée. Reeves va donc pouvoir se libérer de ses obligations militaires, et, quelques mois plus tard, revenu à la vie civile, emménager à New York, chez John Vincent Adams, au 439 West 43ᵉ Rue. Puis s'inscrire à Columbia – en anthropologie et en journalisme – pour le trimestre d'automne.

Entre-temps, en juin, Carson est revenue à Columbus, épuisée par son année universitaire. Mais l'été idyllique de 1935 ne se renouvellera pas : Sylvia Chatfield Bates a conseillé à son élève de suivre, à Columbia, le cours d'été de Whit Burnett, excellent professeur qui, par ailleurs, dirige avec son épouse Martha Foley, *Story*, un magazine réputé pour la qualité des nouvelles qu'il publie et pour son aptitude à découvrir de nouveaux auteurs.

« Il est difficile, fait remarquer Oliver Evans, de mesurer l'extrême importance, dans les années 30 et 40, de cette revue qui publia les premières nouvelles de William Saroyan, J.D. Salinger, Tennessee Williams, Jesse Stuart, Frederick Prokosh, Truman Capote, Nelson Algren et Norman Mailer, et qui comptait parmi ses collaborateurs réguliers William Faulkner, Sherwood Anderson et Erskine Caldwell. A un moment ou à un autre Gertrude Stein, William March, Kay Boyle, James T. Farrell et Richard Wright y ont tous signé, aussi bien que nombre de bons auteurs d'outre-Atlantique : Frank O'Connor, Graham Greene, Sean O'Faolain et, en traduction, Ignazio Silone et deux prix Nobel, Luigi Pirandello et Ivan Bounine [28]. »

Grâce à Whit Burnett, Carson Smith sera publiée pour la première fois, en décembre 1936, dans *Story*. Le magazine a acheté « Wunderkind », l'histoire d'une enfant prodige, pianiste de quinze ans qu'on croit promise à un bel avenir et qui, soudain, comprend qu'elle ne sera pas une grande musicienne. Une manière, pour Carson, de prendre congé définitivement du rêve de sa mère – devenu un temps le sien – de faire d'elle une concertiste. Avec les 25 dollars qu'elle reçoit –

preuve qu'elle est vraiment écrivain, une professionnelle – elle s'offre des gâteaux au chocolat, une bouteille de vin et un livre de Thomas More. Whit Burnett a aussi acheté «Comme ça», une autre des histoires écrites par Carson Smith. Mais il ne la publiera pas (elle ne paraîtra pas du vivant de Carson McCullers et on la retrouvera dans les archives de *Story*), estimant que ce récit d'une puberté douloureuse, angoissée, par une enfant qui voit avec terreur sa grande sœur devenir adulte, et où l'on parle des règles des filles, est impubliable au milieu des années 30. Il faudra attendre, selon lui, des «temps plus libérés».

Avant de connaître ce qu'elle voit comme un premier succès, le début d'une carrière, Carson est tombée de nouveau très sérieusement malade, au mois de novembre. Reeves, qui suivait ses cours à Columbia, les a abandonnés pour la raccompagner à Columbus. On parle de tuberculose, et une fois de plus, on ne soigne pas le rhumatisme articulaire aigu dont Carson est atteinte. Elle incite Reeves à ne pas rester près d'elle, à repartir vivre sa vie à New York et, pendant sa longue convalescence, elle entreprend un projet d'ampleur. Un roman. Elle travaille beaucoup, bien qu'elle soit très faible. Elle ne mange guère et fume quelque trois paquets de cigarettes par jour. Mais elle ne pense qu'à son livre. Le héros s'appelle John Minovich, puis Harry Minowitz – un personnage portant ce nom demeurera dans le roman tel qu'il sera publié quatre ans plus tard, mais il n'en sera plus le héros – et enfin John Singer, un sourd-muet. Tout est en place, et Carson vient d'expérimenter ce qui sera sa méthode d'écrivain, cette manière de tâtonner, de piétiner, d'écrire pendant des jours des choses qui lui paraissent n'avoir aucun sens – ou en tout cas ne pas correspondre à ce qu'elle cherche – et puis soudain d'avoir ce qu'elle appelle une «illumination», cette sorte de «grâce du travail d'écrivain» dont elle parlera chaque

fois qu'on lui demandera de s'expliquer sur sa manière de travailler, et qu'elle détaille dans un passage d'«Un rêve qui
s'épanouit» (Notes sur l'écriture) :

> «Je ne comprends que par fragments. Je comprends les
> personnages, mais le roman lui-même reste flou. Le point se
> fait parfois, comme par hasard, à des instants que personne,
> et l'auteur moins que quiconque, ne peut comprendre. Ins-
> tants qui, chez moi, succèdent généralement à un grand
> effort. Révélations qui sont la bénédiction du travail. Toute
> mon œuvre s'est faite ainsi. C'est à la fois risque et beauté
> pour un écrivain d'être tributaire de ces révélations. Lorsque,
> après des mois de tâtonnements et de travail, l'idée s'épanouit
> enfin, la complicité est d'ordre divin. Le jaillissement prend
> toujours sa source dans le subconscient, et il est incontrô-
> lable. J'ai travaillé un an entier sur *Le Cœur est un chasseur
> solitaire* sans rien y comprendre du tout. Chacun des person-
> nages s'adressait à un personnage central, mais pourquoi? je
> l'ignorais. J'avais presque décidé de ne pas en faire un roman,
> mais un recueil de nouvelles. Quand cette idée m'est venue,
> je l'ai ressentie comme une mutilation de mon propre corps,
> et j'ai été désespérée. J'avais travaillé cinq heures de suite. Je
> suis sortie me promener. Brusquement, au moment où je tra-
> versais la route, j'ai su que Harry Minowitz, le personnage
> auquel les autres s'adressaient, était un homme différent, un
> sourd-muet, et son nom s'est aussitôt transformé en John
> Singer. Le roman entier m'est apparu alors avec précision et,
> pour la première fois, je me suis abandonnée de toute mon
> âme au *Cœur est un chasseur solitaire* [29]. »

III

La naissance de Carson McCullers

Quand Reeves retourne à New York pour un nouveau trimestre d'études à Columbia, Carson n'est toujours pas remise de ce qu'on croit être une tuberculose. Il a hésité à repartir vers le nord en laissant celle qu'il désigne désormais comme sa «fiancée», mais elle a insisté et lui a promis de lui écrire presque chaque jour. Reeves habite de nouveau avec son ami John Vincent Adams et il a, enfin, la vie d'étudiant dont il a si longtemps rêvé. Cela durera tout un trimestre – le seul de sa vie. Au printemps, quand les cours s'interrompent, les deux jeunes gens louent une maison campagnarde, à quelque quatre-vingts kilomètres au nord de New York, à Golden Bridge sur le lac Katona. Une chambre y attend Carson, dont il est prévu qu'elle les rejoigne, ce qu'elle fait dès qu'elle se sent assez de forces pour entreprendre le voyage. Reeves va la chercher à New York. Mais leur désir de séjour printanier en amoureux paisibles, seuls, loin de toute famille, tourne court : Carson est à peine installée depuis deux semaines qu'elle tombe de nouveau malade et souhaite, comme chaque fois qu'elle se sent mal, retrouver sa mère. Reeves la raccompagne et tous deux prennent le bateau pour la Georgie.

John Vincent Adams et Reeves McCullers avaient formé le projet de partir passer quelque temps au Mexique. Cette terre d'aventures et de légendes, ce pays à la longue et sinueuse histoire serait une terre d'inspiration pour son premier roman, prétendait Reeves. Mais Adams semble avoir pour le moins différé ses ambitions de devenir l'auteur du futur «grand roman américain» dont il se sentait porteur cinq ans plus tôt, lorsque Reeves et lui se sont connus à Fort Benning. Il a décidé de se marier et renonce au voyage. Alors Reeves se met lui aussi à penser au mariage. Avec Carson, bien sûr. Seulement, il lui faut un peu d'argent. Donc trouver du travail, ce qui ne va pas de soi en ces temps de crise économique. Après diverses tentatives infructueuses dans plusieurs villes, Reeves se rend à Charlotte, en Caroline du Nord, où est installé l'un de ses oncles, John T. Winn Jr, qui y vit fort chichement avec sa femme et ses deux jeunes fils. Il y espère un emploi de journaliste dans le quotidien local, l'*Observer*. C'est encore un échec. En dépit de tout, rendu pugnace par son désir de mariage, il ne se décourage pas, reste à l'affût de la moindre piste et finit par trouver, à la *Retail credit corporation*, une place de *credit investigator* presque uniquement rétribuée à la commission, où il a pour fonction de «placer» des emprunts après avoir enquêté sur les besoins mais aussi la solvabilité des emprunteurs potentiels, ce qui le contraint à des incursions dans la vie d'autrui qui ne sont guère de son goût. Tandis qu'il se plaint à John Vincent Adams de cette activité aussi peu stimulante que peu lucrative, il insiste, dans ses lettres à Carson, sur sa joie de pouvoir gagner l'argent nécessaire à leur mariage, sur le plaisir d'être à Charlotte dont le climat, nettement moins chaud, moins étouffant surtout, lui convient mieux que celui de Columbus : il est enfin débarrassé des incessantes crises d'asthme qui lui gâchaient la vie.

Carson, elle aussi, se prend à rêver de mariage et semble portée par ce projet. Elle se rétablit plus rapidement que d'habitude. Et non seulement elle tente de gagner un peu d'argent en donnant, au cours de l'été, une série de conférences sur la musique devant quelques femmes oisives de la société cultivée de Columbus, mais elle parle du trousseau qu'elle espère pouvoir ainsi constituer. C'est bien la première fois qu'on la voit se préoccuper d'achat de linge et de vêtements. Plus tard dans sa vie lui viendra le goût sensuel des étoffes précieuses et douces – de la soie blanche en particulier – mais dans sa jeunesse, rien n'est plus éloigné de ses préoccupations. Elle écrit à Reeves avec une grande régularité, ne lui cachant aucun des détails de sa vie quotidienne, aucune de ses rencontres. Notamment celle qu'elle a faite d'une des auditrices de ses conférences, Kathleen Woodruff, qui vient de passer un certain temps en Europe. Elle a habité Paris, sur cette fameuse « rive gauche » où se retrouvent intellectuels et artistes. Paris est une ville faite pour les écrivains, et bientôt, affirme Carson avec une tranquille conviction, ils iront y vivre. Le temps y est délicieux, le décor magnifique et à Saint-Germain-des-Prés, on dîne dehors. A Paris, lui a-t-on dit, « un écrivain trouve toujours du grain à moudre ». « Nous deviendrons alors riches et célèbres », conclut-elle à sa manière d'enfant impérieuse et butée.

On pourrait en déduire que c'est Carson qui a eu, avant celui qui allait devenir son mari, « un rêve d'Europe ». Ce serait hasardeux : de propos somme toute assez mondains, elle ne retient que l'adéquation faite entre Paris et la littérature. La ville n'est, dans la représentation qu'elle s'en fait, qu'un décor stéréotypé, une « fantaisie pour gens de lettres », et c'est à ce titre que sa présence y est à la fois nécessaire et obligée. A cette époque, ceux qui l'entendent ainsi parler de son avenir littéraire en rient, plus ou moins ouvertement. Ils ne croient pas à sa vraie détermination de devenir écrivain. Et moins encore qu'un tel destin soit accessible à la petite Sudiste, à la drôle de fille souffreteuse de Lamar Smith le bijoutier, et de sa fantasque épouse Marguerite.

En arrivant à la gare de Columbus, tôt dans la journée du 20 septembre 1937, Reeves McCullers sait qu'il n'a pas économisé assez d'argent, tant s'en faut, pour qu'il soit raisonnable d'épouser Carson Smith. D'autant qu'il a endommagé sa voiture dans un accident et qu'il a dû payer une importante réparation. Pourtant, il est absolument résolu à ce mariage et souhaite qu'il ait lieu au plus vite. Qu'à cela ne tienne : ce sera ce jour même, dans la maison des Smith, en présence de la seule famille de Carson et d'Edwin Peacock. Carson et Reeves ont pris leur décision en quelques minutes et le pasteur baptiste est attendu pour midi. Partout ailleurs, cela semblerait tout à fait extravagant, mais chez les Smith, on a l'habitude de ces sortes d'incongruités. Marguerite prend les choses, comme toujours, avec le plus grand naturel. Reeves porte un costume très simple ; Carson a fait l'effort de se procurer un tailleur, mais n'a pas renoncé aux lourdes chaussures plates – des talons la feraient plus grande que Reeves – et aux longues chaussettes blanches. Il était convenu que l'entrée des mariés dans le salon serait accompagnée par un extrait d'un de leurs disques préférés, le *Concerto pour deux violons en ré mineur* de Bach. La légende veut que Peacock se soit trompé de face, programmant ainsi un mouvement beaucoup trop rapide pour la circonstance, ce qui accentua encore l'étrangeté de la cérémonie. Elle veut aussi que Marguerite Smith, très attachée à Carson, bien qu'aimant Reeves presque comme le fils qu'elle avait espéré lors de sa grossesse, ait calmé son inquiétude de voir partir sa fille en répétant ces mots d'une vieille chanson : *«A son is a son 'til he gets a wife, a daughter's a daughter the rest of her life»* (un fils est un fils jusqu'à ce qu'il se marie ; une fille est une fille pour le reste de sa vie) [1]. Quant à Lamar Smith, comme souvent, on l'ignore, sauf pour mentionner qu'il était présent. Le soir même, Reeves McCullers et Carson – qui s'appellera désormais, pour tout le temps de sa vie et de sa postérité McCullers – prennent le train pour Charlotte. Il a vingt-quatre ans, et elle tout juste vingt.

Pourquoi ce mariage avec Reeves? C'est une question à laquelle Carson McCullers devra répondre bien des fois. L'une de ses réponses les plus fréquentes sera tout simplement : «parce que c'est le premier homme qui m'ait embrassée». Elle n'ignorait pas que, pour ses lecteurs, ce propos renverrait nécessairement à une scène qu'elle écrivit peu de temps après son mariage, dans son premier roman, *Le Cœur est un chasseur solitaire*. Même s'il faut se garder d'y voir un récit directement transposé, on ne peut éviter de s'y référer. D'autant que rien, ni dans ce qu'elle écrira ensuite, ni dans ce qu'on la verra vivre, ne viendra contredire ce malaise du corps, le poids de ce premier baiser pourtant quasiment nié, biffé de la conscience, qui cependant «entraîne toujours vers le péché», comme le dira bien plus tard Mollie dans *La Racine carrée du merveilleux*.

« "On devrait peut-être repartir si on veut rentrer avant la nuit.

— Non, dit-il. Étendons-nous. Juste quelques minutes." Il rapporta des poignées d'aiguilles de pin, de feuilles, de mousse grise. Elle suçait son genou en l'observant. Elle avait les poings serrés et son corps entier était tendu. "Maintenant, on peut dormir, comme ça on sera reposés pour le chemin du retour." Ils s'allongèrent sur le lit moelleux en regardant les bouquets vert foncé des pins dans le ciel [...] Ils se retournèrent au même instant. Ils étaient l'un contre l'autre. Elle le sentit trembler et serra les poings frénétiquement. "Oh, mon Dieu", ne cessait-il de répéter. Elle eut l'impression que sa tête se détachait de son corps et se projetait au loin. Ses yeux fixèrent le soleil aveuglant, tandis qu'elle comptait mentalement. Et puis voilà. Voilà comment c'était [...] " Il faut qu'on comprenne", reprit Harry. Il pleurait. Il se tenait parfaitement immobile, et des larmes coulaient sur son visage pâle. Elle était incapable de penser à ce qui le faisait pleurer. Une fourmi la piqua à la cheville; elle la ramassa entre ses doigts et l'examina de près. "Voilà, poursuivit-il. Je n'avais même pas embrassé une fille avant.

– Moi non plus. Je n'avais jamais embrassé de garçon. En dehors de la famille [2]."»

S'il était nécessaire à Carson de se marier, c'était peut-être pour des raisons qu'elle n'a jamais eu envie de totalement élucider, à aucun moment de sa vie. Quand elle décida d'aller vivre dans le Nord, jamais elle ne parvint à passer un long temps à New York sans tomber malade. En tout premier lieu à cause de sa santé fragile, bien sûr. Et aussi à cause du climat. Mais son impossibilité quasi pathologique à vivre seule ne peut être totalement écartée. Et même davantage : à dormir seule. «Nous avons partagé [...] la même chambre donnant sur les mêmes lilas des Indes et les mêmes magnolias du Japon, et, pendant les douze premières années de ma vie, le même lit d'acajou [3]», écrit sa sœur dans son introduction au recueil posthume *Le Cœur hypothéqué.* Tout au long de son existence, Carson ira volontiers se glisser de manière impromptue dans le lit de ses amis. Quelques-uns en concevront une gêne certaine, voire un sentiment de malaise, même s'il ne leur faudra jamais longtemps pour comprendre qu'il ne s'agissait en rien d'avances sexuelles, mais seulement d'un besoin enfantin de se blottir. D'une manière générale, Carson aimait toucher les gens avec lesquels elle parlait. C'était une façon de se sentir plus proche d'eux, d'être vraiment «avec». «[...] C'était ce qu'elle [Frankie] avait si souvent désiré pendant les nuits de cet été-là : que quelqu'un soit endormi dans le même lit qu'elle. Elle écouta respirer longtemps, allongée dans le noir, puis elle se souleva sur un coude [...] Elle avait pris une longue inspiration, et avait appuyé son menton sur la petite épaule moite et pointue, en fermant les yeux. Car, maintenant que quelqu'un dormait près d'elle dans le noir, elle avait un peu moins peur [4].»

«Durant les huit premiers mois de leur mariage, ils furent pauvres et heureux» : ainsi pourrait-on résumer un peu ironiquement les divers récits faits de cette époque par leurs amis. Carson elle-même, à la fin de sa vie – en un moment où sa vision de son existence commune avec Reeves est fort peu idyllique – la décrit d'une manière qui, si elle souligne leur dénuement, laisse aussi transparaître une forme de bonheur :

> «Le samedi soir, la maison étincelante et mes crayons bien taillés et rangés, nous allions acheter un litre de sherry et, de temps à autre, Reeves m'emmenait chez S & W, un restaurant bon marché de la ville. Il n'y avait alors rien en Reeves qui ressemblât à cette amertume et à cette frustration qui l'ont conduit plus tard au désastre. [...] Avec mon plein accord, Reeves bien sûr allait en ville pendant que j'attendais à la maison. La maison n'était pas très agréable sans lui. J'étais plus sensible à l'entourage misérable quand il était parti. C'était une petite maison conçue pour une seule famille mais redivisée en minuscules clapiers à lapin par des cloisons de contreplaqué, et munie d'un seul WC pour dix personnes ou plus. Dans la pièce d'à côté, il y avait une gamine malade, handicapée mentale, qui braillait toute la journée. Quand le père arrivait, il la frappait et la mère se mettait à pleurer. "Si je pouvais quitter cette maison…", me disais-je régulièrement, mais les mots étaient submergés par les cris de l'enfant et les efforts désespérés de la mère pour la calmer. J'avais horreur d'aller aux toilettes à cause de la puanteur. Je sais que mes parents m'auraient aidée s'ils m'avaient vue dans une telle misère mais j'étais trop orgueilleuse pour le leur demander[5]…»

Il faut bien ces débuts édifiants pour justifier, ensuite, l'histoire traditionnelle du couple qui se défait. Pour se conforter dans l'idée peu dérangeante que «les» McCullers ont été, au fond, «comme tout le monde». Alors qu'ils ne l'ont jamais été. Toutefois, en dépit des suspicions que peuvent légitimement susciter tous les témoignages, il semble que les mois passés à Charlotte soient les seuls moments de leur vie commune pendant lesquels Reeves et Carson ont été assez heureux ensemble. Ou, au moins, bien. Carson découvre l'étrange rythme de la vie à deux. Reeves est beau, charmant, il a du goût pour la littérature. Il croit en l'avenir d'écrivain de sa femme. Il a le projet d'être lui-même écrivain. Ils éprouvent une sorte de mutuelle fraternité ; un sentiment qui, en fait, ne les quittera jamais, en dépit de tout ce qui les opposera à l'avenir et que déjà, probablement, ils pressentent. « Ils vivent ce moment avec exaltation ; en même temps, ils ont peur. Ils ont peur l'un de l'autre, ils ont peur l'un pour l'autre. S'ils ont été appelés à se rencontrer, c'est à la manière de deux petits agneaux qu'on convoque pour les mener ensemble au sacrifice [6]. » Dans ses lettres à ses amies, la jeune Mrs McCullers raconte qu'elle vient d'épouser un homme merveilleux. Elle embellit quelque peu la biographie de son mari, enjolive son enfance, explique qu'il écrit, comme elle, lui invente des études menées à leur terme. Elle est plus exacte dans la description physique qu'elle en fait – mince, les cheveux blonds, bouclés, en un mot un fort bel homme. Elle insiste même sur le fait qu'il est légèrement plus grand qu'elle, ce qui est tout à fait souhaitable dans un couple (alors qu'il la dépasse d'à peine deux centimètres). Reeves, lui, agace son entourage en prenant des poses d'intellectuel. Quelques mois de cours de journalisme et d'anthropologie à New York, c'est quand même peu pour regarder de haut les travailleurs de Caroline du Nord. Cela dit, des années plus tard, ce couple singulier sera décrit, par ceux qui ont pu l'observer en cette année 1937, comme « très en avance sur son temps ». On aurait pu dire « moderne », si notre fin de siècle n'était marquée par la régression moraliste, puritaine et familialiste. On le comparera donc plutôt à un couple des années 60-70, au temps où l'on pensait que la vie pouvait s'inventer à deux et non se conformer passivement à de vieux modèles, des conventions bornées. C'est ainsi qu'ils concluent un accord, un pacte d'écrivains : ils consacreront, à tour de rôle, une année à l'écriture ; chacun, l'année où il n'écrira pas, devra gagner l'argent nécessaire pour faire vivre le couple. Promesse dangereuse, serment d'adolescents jumeaux qui ne voient que leur enthousiasme, leur désir de fusion et d'impossible égalité : «En amour, il ne faut jamais rencontrer son double. Deux amis qui se ressemblent concluent toujours un accord : l'un des deux choisit de rester en arrière, il jouera le rôle du double débonnaire, celui qui vient en se sachant d'avance vaincu – il sera, pour son alter ego, le confident, le factotum, le légataire universel. Spectacle rassurant que celui d'une paire d'amis inséparables. Un couple d'amoureux, quand chacun guette chez l'autre une apparition de soi-même, c'est un spectacle qui promet d'être sanglant [7]. »

Écrire. C'est à Carson de commencer. D'une part parce qu'elle a déjà publié et qu'elle a un manuscrit en cours. D'autre part parce que Reeves a un travail salarié qu'il ne peut courir le risque de perdre. Dans leur deux-pièces exigu, Carson ne trouve pas d'endroit agréable pour travailler. La cuisine est même trop petite pour contenir le réfrigérateur, qui empiète sur l'espace de la chambre à coucher. Les bibliothèques prennent une place démesurée dans un si petit appartement, mais Reeves déteste qu'on enferme les livres dans des cartons ou qu'on les exile au grenier. Carson écrit chaque jour et le soir, dit-on, elle lit à son mari sa production du jour. Ce Reeves écoutant est vite devenu, dans la représentation qu'on a voulu en faire pour amoindrir, voire nier la puissance créatrice de Carson, un Reeves corrigeant, orientant le travail du jeune écrivain : le «tableau» est donc à interpréter prudemment, mais il témoigne au moins d'une réelle connivence littéraire. Les soirées se passaient aussi à jouer aux échecs et, à défaut de faire de la musique – Carson se plaignait beaucoup de l'absence de piano – à en écouter sur le phonographe

«Victor Electric». Il fallait aussi se préoccuper de la cuisine et du ménage. Carson, qui avait toujours eu des domestiques, ne savait rien faire, et Reeves gagnait trop peu pour qu'on puisse engager ne fût-ce qu'une femme de ménage occasionnelle. Tout en essayant d'inculquer à Carson quelques rudiments de travail ménager – vider les poubelles par exemple –, le jeune mari se transformait, après ses heures de travail, en cuisinier et en homme à tout faire. Sans déplaisir apparent. En tout cas, sans rien en exprimer, comme le souligneront son oncle et sa tante, fort choqués, eux, par le peu de «qualités féminines» de Carson. Et par son allure. A leur première rencontre, ils l'avaient jugée sympathique, en dépit d'un accoutrement surprenant – une ample chemise brodée, à manches longues, sous une veste d'homme; mais le temps passant, ils s'étonnent que Reeves ne trouve rien à redire aux surprenantes tenues de son épouse.

Au début de l'hiver, les jeunes mariés emménagent dans un appartement plus spacieux, où Carson aura enfin une vraie table de travail. Elle écrit tous les jours, mais elle a parfois si froid qu'elle se réfugie à la bibliothèque municipale. Dans des lettres à ses amis, Carson confie que le soir venu, ils aiment boire et écouter de la musique. Ils ont une grosse bonbonne de sherry, qu'ils essaient de faire durer. Reeves apprécie aussi le vin, précise-t-elle; mais il est très exigeant et n'en boit que s'il est de qualité. Reeves, en effet, semble goûter ces moments passés à boire avec Carson et à écouter de la musique, bien qu'il soit en ce domaine moins passionné qu'elle, et qu'il ait des goûts moins affirmés. Carson aime particulièrement Bach, mais au piano, car elle déteste le clavecin. Quant à l'opéra, elle affirme très sérieusement qu'elle en apprécie les airs, tout en détestant les voix... Reeves paraît heureux de pouvoir dire à ses amis, notamment à John Vincent Adams, que Carson écrit avec une grande régularité et fait de constants progrès. Lui, en revanche, n'a guère le temps de s'y mettre, mais il s'affirme serein, assuré que son heure viendra. Déjà, pourtant, les soirées ne sont pas aussi quiètes que le récit fait par l'un ou l'autre. Déjà, l'alcool est trop présent. Déjà, certaines nuits ressemblent beaucoup à celles que Carson décrit dans la nouvelle qui n'avait pas plu à Sylvia Chatfield Bates – une intrigue trop lâche et pas assez d'anecdotes. «Un instant de l'heure qui suit» n'en demeure pas moins la très belle – et sans doute très révélatrice – description d'une sinistre nuit d'ivresse où s'inscrivent en filigrane les premiers signes de la destruction.

«Elle se dit qu'elle avait dû boire plus qu'elle ne pensait, car tous les objets de la chambre prenaient bizarrement l'air malade [...] Elle revint vers lui et attendit qu'il se lève. Elle eut alors un instant de panique en découvrant la terrible pâleur de son visage – les ombres qui avaient envahi la moitié des pommettes, le battement accéléré de l'artère qui apparaissait à hauteur du cou chaque fois qu'il était ivre ou fatigué.

– Marshall, boire de cette façon, c'est nous conduire comme des animaux. Je sais bien que tu ne travailles pas demain – mais tu as encore des années, beaucoup d'années devant toi – peut-être cinquante...

La phrase sonnait faux. Elle était incapable de penser plus loin que le lendemain matin [...] Elle se leva en frissonnant, se dirigea vers la bouteille de whisky. Toutes les parties de son corps étaient comme des accessoires inutiles. Seule la douleur derrière ses paupières semblait lui appartenir. Elle hésita, le goulot à la main. Ça ou un Alka-Seltzer dans le premier tiroir du bureau. Mais l'image du comprimé blanchâtre, venant mourir à la surface du verre, dévoré par sa propre effervescence, lui parut trop déprimante [...] L'alcool creusa jusqu'à son estomac une ligne brûlante, mais le reste de son corps demeurait glacé [...] [Marshall] cacha son visage blanc dans ses mains. Doucement, à un rythme qui n'était pas celui de l'ivresse, son corps se balança de gauche à droite. A travers le chandail bleu-vert, elle voyait trembler ses épaules [...] Épuisée de fatigue, elle avança une main, lui prit la tête et l'attira contre elle. Elle massa d'un doigt le sillon de la nuque, caressa doucement la broussaille des cheveux, monta vers le sommet du crâne où ils devenaient plus soyeux, descendit vers les tempes, vérifia de nouveau le battement du sang.

– Écoute…, répéta-t-il. Il redressa la tête et elle avait son souffle contre sa gorge.

– Oui, Marshall.

Il ferma les poings. Elle les sentit trembler un moment contre ses épaules. Puis il demeura si parfaitement immobile que pendant un instant elle fut prise d'une étrange frayeur.

– C'est ça, dit-il enfin d'une voix neutre. C'est ça mon amour pour toi, ma chérie. J'ai parfois l'impression – dans des moments comme celui-ci – qu'il finira par me détruire[8]. »

Après huit mois passés à Charlotte, Carson et Reeves sont contraints, en mai 1938, de s'installer à Fayetteville, toujours en Caroline du Nord, où Reeves a été promu et muté. On lui confie la responsabilité de l'agence locale de la *Retail Credit Corporation*. Cette petite ville de quinze mille habitants – pauvres pour la plupart –, comme posée dans un paysage tristement plat, leur déplaît d'emblée. L'air y est toujours humide, et on y respire encore moins bien qu'à Columbus. Ils regrettent les collines et la fraîcheur de Charlotte. En dépit de ses réticences, Reeves essaie de s'intégrer à la communauté de Fayetteville, de nouer quelques relations. S'il veut faire prospérer le bureau dont il a la charge, c'est une nécessité. Carson ne l'y aide guère. Elle fuit ces mondanités provinciales. Et quand elle y sacrifie, elle ne peut réprimer des remarques désagréables sur la ville et sur l'ennui qu'elle y éprouve, ce qui est d'un effet guère moins désastreux que son absence. A sa manière de s'habiller, qui déconcerte les autres femmes et suscite des chuchotements acerbes, elle ajoute une attitude jugée franchement scandaleuse : on l'a vue, dans la rue, adresser la parole à des Noirs, lier conversation avec eux. On a même vu un Noir – qui semblait être un invité et non un domestique – entrer chez elle. Décidément, on ne saurait fréquenter une femme à ce point indifférente aux codes qui régissent la petite ville. Carson, elle, déteste ouvertement la médiocre société de Fayetteville, et ne supporte pas le quartier qu'ils habitent : il est sale, pouilleux, malodorant et l'immeuble, avec ses cloisons trop fines, est insupportablement bruyant. A supposer qu'il y ait vraiment eu une lune de miel pour Carson et Reeves, à Fayetteville elle est bien finie. Leurs rapports se dégradent et Carson répète sans cesse qu'elle s'ennuie loin de sa mère, bien qu'elle reçoive d'elle une lettre quotidienne. Mais en dépit de son exaspération croissante, elle travaille chaque jour à son manuscrit.

Juste au moment du déménagement vers Fayetteville, Carson a envoyé un synopsis (connu aujourd'hui sous le titre «Esquisse pour Le Muet[9]») et six chapitres de son roman à une maison d'édition de Boston, Houghton Mifflin. Auparavant, elle avait soumis son travail à son ancien professeur, Sylvia Chatfield Bates. Cette dernière lui avait recommandé de le montrer au romancier William March, qu'elle lui avait présenté naguère à New York. Enthousiaste, William March avait eu peine à croire que ce texte – son style, sa maturité – fût l'œuvre d'une débutante n'ayant jamais rien publié. Forte de ces encouragements, Carson avait expédié son manuscrit chez Houghton Mifflin avec un peu moins d'angoisse. Mais la réponse tardait. Elle arriva au début de l'été : un contrat et une avance de cinq cents dollars – deux cent cinquante tout de suite, deux cent cinquante à la sortie du livre. Un premier pas dans l'accomplissement du projet de Carson – un premier et cinglant démenti pour ceux qui riaient de ce qu'ils jugeaient une affabulation. Cette bonne nouvelle, Carson va même pouvoir la fêter avec sa mère, qu'elle n'a pas vue depuis le jour de son mariage, il y a près d'un an : Reeves parvient, en juillet, à obtenir une semaine de vacances, qu'ils passent à Columbus, chez Marguerite et Lamar Smith. Carson ne se sépare pas de son chèque, son premier à-valoir, qu'elle montre à tous comme un trophée.

Chez les Smith, les discussions politiques sont vives, en cet été 38. Depuis plusieurs années déjà, Carson s'intéresse à la politique et singulièrement à l'Europe, où la guerre commence et menace de s'amplifier. Carson et Reeves sont des antifascistes et des antiracistes déterminés. Ils sont persuadés que le conflit va s'étendre à toute l'Europe et ils espèrent que les États-Unis s'y engageront, pour participer au combat commun contre le nazisme. Lamar Smith, au contraire, a peur de voir son pays entrer en guerre. Le frère de Carson, Lamar Jr., dix-neuf ans, et sa sœur Rita, dix-sept ans, ne quittent pas beaucoup la maison cette semaine-là. Ce qui s'y dit les intéresse, et on peut de nouveau entendre «Sister» jouer du piano. Elle joue toujours aussi bien. La semaine passe trop vite et Carson aurait aimé rester encore un peu à Columbus, sans son mari. Mais Reeves, avant de regagner Fayetteville, doit participer à un congrès, dans les montagnes, à Blowing Rock. Carson ne connaît pas cette région et le voyage promet d'être agréable. De fait, il l'est. Sur le chemin du retour, Carson et Reeves s'arrêtent à Charlotte. La mère et la sœur de ce dernier passent quelques jours chez les Winn – l'oncle et la tante qui ont aidé à l'installation de Reeves à Charlotte – et il est temps que Carson leur soit présentée. La sœur demeure réservée devant sa singulière belle-sœur, mais la mère, Jessie McCullers, se prend d'affection pour cette drôle de fille qu'a épousée son fils aîné – et préféré. Une affection réciproque. Cette femme plaît à Carson. Elle est séduite par l'énergie de sa belle-mère, la volonté de vivre qu'elle a conservée en dépit d'un mariage peu heureux, sa manière de décourager l'apitoiement et la condescendance.

A leur retour à Fayetteville, Reeves et Carson cherchent un appartement qui leur convienne mieux. Ils déménagent au début de l'automne dans un quartier plus cossu. Là, ils ont à nouveau vite mauvaise réputation : ils écoutent de la musique tard dans la nuit sans baisser le son du phonographe, ils boivent, ils se disputent. En décembre, Edwin Peacock vient les voir. Ils seront, comme toujours, des hôtes charmants et des amis chaleureux – Carson fait même la cuisine. Mais il constate qu'entre les deux jeunes gens quelque chose a changé. Comme ceux qui, bien plus tard, fréquenteront le couple en France, il parle de «tension». Sauf le soir du 31 décembre, où Reeves propose de sortir pour célébrer la fin de l'année. Peacock retrouve cette nuit-là ses vieux amis identiques à ce qu'ils étaient autrefois; riant beaucoup, joyeux de vivre, résolument optimistes dans un monde pourtant difficile.

Quand commence l'année 1939, ce devrait être au tour de Reeves d'écrire. Seulement Carson a un contrat. C'est donc elle qui continue. Reeves comprend que cette idée romanesque mais irréaliste de l'«alternance» est abandonnée. Et que, probablement, dans l'existence de Carson, le travail littéraire va prendre la première place. La réalité s'impose : son étrange épouse-enfant est un écrivain – bien qu'elle n'ait encore publié qu'une nouvelle dans un magazine –, et ce qui lui importe le plus, c'est ce qu'elle a envie d'écrire. Ce qui pour tous les autres est «la vie» passe au second plan, à supposer même qu'elle entraperçoive les exigences du quotidien.

En avril, le roman est terminé. Il porte toujours pour titre *Le Muet* et répond tout à fait à la définition qui en a été donnée dans les «remarques générales» de l'«Esquisse pour le muet» :

> «Le thème principal du livre est donné dans les douze premières pages. C'est l'homme en révolte contre sa solitude intérieure et son impérieux besoin de s'exprimer aussi complètement que possible. Plusieurs thèmes secondaires se développent autour de ce thème principal. On peut les résumer ainsi : 1° Pour apaiser le profond désir de s'exprimer qui

existe en lui, chaque homme s'invente un principe quelconque d'unification ou Dieu. Ce Dieu n'est qu'un reflet de l'homme qui le crée, et son essence est généralement inférieure à celle de son créateur. 2° Dans une société mal organisée, ces dieux personnels, ou ces principes, sont le plus souvent chimères ou fantasmes. 3° Chaque homme doit trouver sa forme d'expression personnelle – mais ce droit lui est souvent refusé par une société gaspilleuse et imprévoyante. 4° Les humains sont faits pour s'entraider, mais une tradition sociale contre nature les pousse dans les chemins où ils se trouvent en désaccord avec leur nature profonde. 5° Certains hommes ont une nature de héros, en ceci qu'ils donnent tout ce qui est en eux sans penser à l'effort que cela implique ou au prix dont ils seront payés en retour. Ces thèmes n'apparaîtront évidemment pas dans le livre de façon aussi schématique. Leurs divers harmoniques seront perçus à travers les personnages et les événements. Cela dépendra beaucoup de la perspicacité du lecteur et du soin avec lequel il lira le livre. Les idées qui servent de trame à l'histoire resteront parfois à l'arrière-plan, presque invisibles. Elles seront soulignées avec insistance à d'autres moments. Les divers motifs qu'on aura introduits de page en page sont repris avec concision, pour aboutir à une conclusion parfaitement cohérente.

L'esquisse de l'ouvrage est assez facile à décrire. Il s'agit de cinq personnages solitaires, en marge, qui cherchent un moyen de s'exprimer et de s'unir en esprit avec quelque chose qui les dépasse. L'un de ces personnages, John Singer, est sourd-muet – c'est autour de lui que s'ordonne le livre [10]. »

Après avoir envoyé son manuscrit définitif, Carson se plaint de son éditeur auprès de ses amis : on aurait mis longtemps à accuser réception de son texte ; elle aurait attendu en vain la deuxième partie de l'argent de l'avance, avant de comprendre qu'il ne lui serait versé qu'à la sortie du livre ; on lui aurait demandé de faire beaucoup de corrections – qu'elle aurait refusées, sauf sur quelques points mineurs. Du côté de l'éditeur, on cultive plutôt le souvenir de l'enthousiasme suscité par la lecture de ce premier roman, de la sensation, toujours exaltante, d'avoir découvert un jeune auteur prometteur. Le seul changement d'importance suggéré par l'éditeur – et accepté par Carson McCullers – aurait été celui du titre. *Le Cœur est un chasseur solitaire* vient d'un poème de William Sharp, «The Lonely Hunter» (le chasseur solitaire), où l'on trouve ces vers : «*But my heart is a lonely hunter that hunts/On a lonely hill*» (Mais mon cœur est un chasseur solitaire qui chasse/ Sur une colline solitaire) [11].

Épuisée, dans un état semi-dépressif, Carson part seule pour Columbus. Elle veut se faire dorloter par sa mère. Fuir aussi les reproches de Reeves, qui commence à s'irriter ouvertement du laisser-aller de l'appartement, du désordre qui s'accumule sans qu'il vienne jamais à l'esprit de Carson de prendre un moment pour faire un minimum de ménage. Mais elle revient très vite à Fayetteville où elle écrit, en deux mois, un bref récit, *Army Post* – qui deviendra *Reflets dans un œil d'or* [12]. Pour la première – et l'unique – fois de sa vie, elle a le sentiment que tout est facile, que le travail se fait tout seul. «J'étais très fatiguée, mais je ne pouvais pas m'arrêter, racontera-t-elle à Tennessee Williams, alors j'ai écrit *Army Post* d'une traite. J'écrivais comme on mange des bonbons. Soudainement tous les personnages m'apparaissaient clairement [...] Puis, quand ce fut terminé, je rangeai cette chose dans un tiroir[13].» Elle ne songe même pas à publier un jour ce qu'elle désigne comme «un conte» et qui serait né d'une anecdote racontée par Reeves : à Fort Bragg, près de Fayetteville, on avait mis aux arrêts un jeune soldat qui se faisait voyeur pour aller regarder par les fenêtres du quartier des officiers mariés. «Tandis que Reeves avait travaillé avec Carson sur *Le Cœur est un chasseur solitaire*, *Army Post* était entièrement la création personnelle de Carson», affirme Virginia Spencer Carr. C'est pourtant, on le verra, le livre qui lui sera le plus contesté : sans doute pense-t-on qu'il faut un regard et un imaginaire d'homme pour parler d'une garnison.

Carson, au moment où elle écrit, est loin de tous ces débats. Elle entame une grande période de créativité. Parce qu'elle est portée par la satisfaction d'avoir mené à bien un premier projet d'envergure – *Le Cœur est un chasseur solitaire* est un assez gros roman, à la structure complexe. Parce qu'elle a besoin d'oublier une situation qui lui pèse : l'insatisfaction grandissante de Reeves, qui pourtant tente d'éviter la mutation qu'on lui promet pour Savannah, en Georgie, de peur que Carson ne le suive pas dans ce Sud profond. Quand l'automne arrive, Carson retourne à Columbus. Elle confie à sa mère que son mariage a commencé de se détériorer. Dès qu'elle se sent mal, physiquement ou moralement, sa mère reste «le» refuge. A Columbus, elle reçoit d'assez mauvaises nouvelles professionnelles. Son agent littéraire, Maxim Lieber, lui écrit le 10 novembre pour lui expliquer que deux de ses nouvelles, «Sucker» et «Cour dans la 80e rue» ont été refusées par tant de journaux qu'il vaut mieux renoncer à leur publication :

> Je suis au regret de vous dire que vos deux nouvelles : «Sucker» et «Cour dans la 80e rue» ont été refusées par les journaux suivants : *The Virginia Quarterly, The Ladies, Home Journal, Harper's, The Atlantic Monthly, The New Yorker, Redbook, Harper's Bazaar, Esquire, The American Mercury, North American Review, Story,* pour la première. Et : *The Virginia Quarterly, The Atlantic Monthly, Harper's, The New Yorker, Harper's Bazaar, Coronet, North American Review, The American Mercury, The Yale Review, Story, The Southern Review, Zone, Nutmeg,* pour la seconde [14].

Il lui renvoie donc les textes. Pourtant, rien de tout cela ne semble être en mesure de briser l'élan de Carson, en cette année féconde. Elle entame un nouveau projet, qu'elle désigne comme *La Mariée et son frère* – anticipation de *Frankie Addams* – et qui prend probablement sa source dans son désespoir d'enfant lors du départ de son professeur de piano,

Mary Tucker. Pour travailler, elle rentre à Fayetteville et s'arrime chaque jour à sa machine. Mais les heures passent — et rien ne se passe. Elle ne parvient pas à trouver le nœud central de son roman, le point focal autour duquel l'histoire pourra se construire. « Quand j'ai commencé *Frankie Addams*, confiera-t-elle encore à Tennessee Williams, je n'avais encore jamais entrepris un travail aussi difficile et aussi excitant [...] Je me le représentais comme un poème en prose. Je ne crois pas qu'il faille faire la distinction entre prose et poésie. Je déteste ces deux mots, "prose", "poésie" [...] Je tentais de retrouver le sentiment poétique de mon enfance[15]. »

Au printemps de 1940, Marguerite Smith vient à Fayetteville, « chez ses enfants » : l'expression est à prendre au pied de la lettre, car elle a envers Reeves un véritable sentiment maternel, et celui-ci la considère comme sa mère, autant que Jessie McCullers qu'il voit beaucoup moins souvent. Marguerite sent que ce mariage est un échec, et elle voudrait pouvoir y remédier. Sa présence fait baisser la tension dans le couple et, certains soirs, elle retrouve « les enfants » espiègles et joyeux comme elle les a connus à Columbus. Mais la mère de Carson n'est guère en mesure d'enseigner à sa fille le comportement d'une honorable maîtresse de maison. Elle-même a assez peu de goût pour les travaux ménagers. Son mari ne s'en est jamais plaint, car la présence des domestiques lui a toujours permis de trouver une maison impeccable à son retour de la bijouterie. Ce n'est pas le cas de Reeves qui, lui, quand il rentre de son travail, doit se transformer en femme de ménage, cuisinier, et parfois en infirmier. Au moins la présence de Marguerite Smith lui épargne-t-elle la corvée quotidienne des repas. Marguerite suggère qu'ils aillent tous les trois passer un week-end à Charleston, chez Edwin Peacock. La ville est belle, mais Carson se sent peu d'humeur à faire du tourisme. Elle préfère rester dans l'île où Peacock s'est installé, et même dans la maison, à jouer et écouter de la musique.

Ces quelques jours améliorent cependant les relations de Reeves et Carson, et quand le trio familial rentre à Fayetteville, l'atmosphère est moins lourde. Du coup, Reeves essaie de trouver un travail plus au nord, et singulièrement à New York, toujours dans une société de crédit. Car il sait que rien ne pourra faire plus plaisir à Carson que de quitter définitivement le Sud.

Le 4 juin 1940, *Le Cœur est un chasseur solitaire* est en librairie. Le roman est dédié à Reeves McCullers et à Marguerite et Lamar Smith. Carson, qui a eu vingt-trois ans en février, devient la révélation littéraire de l'année. De la décennie, diront certains. Si les critiques ne sont pas toutes sans réserves — bien que les éloges l'emportent très largement — toutes reconnaissent qu'il y a dans ce livre un ton neuf, une vraie sensibilité d'écrivain, bref, que la jeune Carson McCullers est une découverte. « *Le Cœur est un chasseur solitaire* est un premier roman, écrit Rose Feld dans le *New York Times* du 16 juin 1940. On attend le deuxième avec un sentiment de véritable peur. Carson McCullers a placé la barre si haut qu'il ne semble pas possible qu'elle l'atteigne une nouvelle fois. » On s'étonne de la justesse de son ton, de sa connaissance profonde de la solitude humaine, de sa capacité à mettre en scène tout le petit monde d'une ville du Sud « des pauvres gens comme en dépeignait Dostoïevski, mais différemment bien sûr ». On relève la qualité de ses portraits, la force de ses personnages : John Singer, le sourd-muet autour duquel s'organise le récit ; Mick Kelly, une adolescente trop grande qui voudrait devenir musicienne (et derrière laquelle se profile à l'évidence l'ombre de la petite Carson Smith, qui avait grandi trop vite) ; Biff Brannon, le patron du café où les personnages se croisent ; Benedict Copeland, le médecin noir, intellectuel marxiste ; Jake Blount, le révolté alcoolique. « Voilà bien longtemps que nous attendions un nouvel écrivain, constate May Sarton le 8 juin dans le *Boston Transcript*, et en celui-ci nous pouvons mettre beaucoup d'espoir [...] On a du mal à admettre qu'il va falloir attendre un an ou deux avant de lire un nouveau livre de cette extraordinaire jeune femme. »

Le *Cœur* est en effet un roman magnifique, qui semble avoir été écrit par un écrivain confirmé, sachant doser le tragique et l'humour, le sentiment et l'analyse politique, la révolte et la passion. Dans la figure de Mick Kelly, tous les adolescents, toujours, retrouveront leur mal-être. On peut tout ignorer du Sud profond et reconnaître le vieux docteur Copeland. Jake Blount est à la fois pathétique et cocasse avec son air d'« homme qui a purgé une longue peine de prison, ou fait ses études à Harvard, ou bien vécu longtemps avec des étrangers en Amérique du Sud. Il paraissait être allé dans des endroits improbables ou avoir accompli des actes inouïs [16] ». John Singer est une figure hyperbolique de l'isolement : sourd-muet, il est séparé, dès le début de l'histoire, de son seul compagnon, un autre sourd-muet. Il deviendra le confident de tous les autres personnages. Mais lui ne peut rien confier, et il en mourra. Dans un très bel article, l'écrivain noir Richard Wright, que Carson McCullers rencontrera quelques mois plus tard, la compare à Faulkner mais insiste sur les qualités qui lui sont propres :

> « Ce qui m'impressionne le plus fortement dans *Le Cœur est un chasseur solitaire* est cet étonnant sens de l'humain qui permet à un écrivain blanc, pour la première fois dans la littérature du Sud, de mettre en scène des personnages de Noirs, avec la même simplicité et la même justesse que ceux de sa propre race. Ce n'est pas seulement une question de style ou de position politique. Cela prend sa source dans une attitude devant la vie, qui donne à Miss McCullers la possibilité d'échapper aux pressions de son environnement pour rassembler les hommes, blancs comme noirs, dans une même compréhension et une même tendresse (*New Republic*, 5 août 1940). »

Moins de deux semaines après la sortie du livre, Reeves et Carson quittent Fayetteville. Avec jubilation. Ils envoient tous leurs bagages par le train et s'embarquent sur l'Atlantic Coast Line Champion, à destination de New York. Ils emménagent au cinquième étage – sans ascenseur – d'un immeuble de Manhattan, au 321 W 11e Rue, avec la ferme intention de ne plus jamais retourner vivre dans un État du Sud. Carson, elle, est «lancée». Son rêve de notoriété adulée devient pour une part réalité. La vie de tous les jours n'est plus une morne suite d'obligations ennuyeuses mais répond enfin à ses désirs : on parle d'elle, des «gens importants» veulent la rencontrer ; on l'invite à des soirées, on la reconnaît dans la rue. Reeves et elle se promènent dans la ville, main dans la main, et s'arrêtent devant toutes les librairies pour savourer les vitrines consacrées à Carson, les piles de livres surmontées des photos de la jeune romancière vêtue d'une chemise de son mari. Dans le milieu littéraire, l'étonnement ressenti à la lecture du roman, la surprise qu'un auteur si jeune ait réussi un livre si composé, si dur parfois, et d'une telle maturité, devient véritable stupeur lorsque Carson McCullers apparaît. Chacun y va de son admirative stupéfaction devant celle que tous tiennent pour un petit prodige, car il est impossible de croire qu'elle vient d'avoir vingt-trois ans – on lui en donnerait tout au plus seize ou dix-sept. Reeves semble partager la joie de Carson. Pourtant, il a probablement compris que désormais les jeux sont faits. Des deux, l'écrivain, c'est elle. Et même s'il s'attelle à un projet, s'il le mène à bien, il ne sera toujours que le second. Et puis, imagine-t-on deux écrivains de la même génération portant le même nom ? Carson s'est approprié le sien. Il serait contraint au pseudonyme. A-t-il déjà pris l'exacte ampleur de son échec ? Sur le plan littéraire, sans doute. Mais il pense encore avoir en lui des forces, et la possibilité d'exister face à Carson, de devenir «quelqu'un», comme il en avait décidé dans son adolescence. Il ne se résout pas, comme il le fera quelques années plus tard, à ce que sa faiblesse soit première et qu'elle le domine définitivement.

Pendant que Carson et Reeves McCullers vivent leur beau printemps, en Europe, la guerre s'étend. La France, après une « drôle de guerre », s'incline devant l'occupant nazi. Mais un général orgueilleux, réfugié à Londres, appelle, le 18 juin, dans un discours radiophonique que bien peu de Français entendront, à la résistance à l'ennemi. Il refuse la défaite et demande qu'on le rejoigne pour poursuivre le combat. Si Londres devient le lieu de la Résistance, New York est celui de l'exil. Carson McCullers, nouvelle célébrité, va rencontrer certains des intellectuels européens réfugiés aux États-Unis, dont deux des enfants de Thomas Mann : Klaus, trente-quatre ans, et sa sœur aînée Erika qui, pour disposer d'un passeport britannique lui permettant de voyager plus facilement, a épousé, sans le connaître, le poète anglais Wystan Auden, lui aussi à New York à cette époque. Dans son journal intime, Klaus Mann note à la date du 26 juin : « Nouvelle rencontre curieuse : celle de la jeune Carson McCullers, auteur du beau roman *Le Cœur est un chasseur solitaire*. Tout juste arrivée du Sud. Étrange, ce mélange de raffinement et de sauvagerie, de "morbidezza" et de naïveté. Peut-être très douée. L'œuvre à laquelle elle travaille en ce moment sera l'histoire d'un nègre et d'un émigré juif : deux parias. Pourrait être intéressant [17]. » Carson McCullers se lie avec la famille Mann. Dans *Decision*, la revue littéraire qu'il a créée aux États-Unis et dont le premier numéro sort le 18 décembre 1940, Klaus Mann la publiera ainsi que d'autres écrivains du Sud, notamment Eudora Welty. Au sommaire du numéro de juin 1941, on trouvera, écrit-il le 2 juin 1941 dans son journal, « une nouvelle tout à fait curieuse, mélancolique et burlesque, d'Eudora Welty, dont il faut retenir le nom. (Elle vient du Sud profond, comme Carson McCullers, comme Faulkner, dont toutes deux – Welty et McCullers – ont subi l'influence.) [18] ». Au cours de ce printemps 1940, selon sa biographe Virginia Spencer Carr, la timide Carson, s'enhardissant, n'hésite pas, son livre sous le bras, à aller rendre visite à Greta Garbo, qu'elle admire depuis toujours. C'est une occasion de plus, pour Virginia Spencer Carr, d'enfermer Carson McCullers dans les stéréotypes simplificateurs. Carson aurait aimé Garbo pour son côté « mâle » et sa manière peu féminine de s'habiller. Elle lui aurait déclaré sa flamme, lui aurait demandé de devenir son amie et Garbo l'aurait courtoisement éconduite. Si cette rencontre a effectivement eu lieu, il est probable que Carson McCullers et Greta Garbo ont simplement constaté qu'elles avaient fort peu à se dire – comme on en fait fréquemment l'expérience quand on cède à la tentation de rencontrer « pour rien », juste parce que cela devient soudain possible, une star pour laquelle on éprouve une particulière prédilection. Cette prétendue anecdote sur Garbo en dit moins long sur Carson McCullers que sur la prudence avec laquelle il faut traiter certains propos biographiques.

En revanche, par ses amis européens, Carson se lie à une jeune femme suisse de trente-deux ans, Annemarie Clarac-Schwarzenbach, qui sera l'une des rencontres les plus troublantes et les plus importantes de son existence. Elles ont rendez-vous dans un bar, car Annemarie, qui a lu le *Cœur* – et l'a trouvé « bon, sans plus » –, veut rencontrer son auteur pour tenter de comprendre comment l'Amérique – où elle se sent si « étrangère » en ces temps où la guerre détruit l'Europe qu'elle a aimée – s'entiche ainsi brutalement de jeunes talents. Carson est séduite d'emblée par cette beauté androgyne et croit voir en elle un des « doubles » qu'elle cherche constamment.

> « Elle avait un visage dont je sus à l'instant qu'il me hanterait jusqu'à la fin de ma vie – elle était belle, blonde, avec des cheveux raides très courts. Elle avait sur le visage une indéfi-

nissable expression douloureuse. Bien qu'elle fût resplendissante, je ne pus m'empêcher de penser à la rencontre du Prince Mychkine avec Natalia Philipovna dans *L'Idiot*, et du sentiment de "terreur, de pitié et d'amour" qu'il éprouve alors. On me la présenta sous le nom de Madame Clarac. Elle était vêtue de ce qui se fait de mieux en matière de simplicité estivale où, même moi, je reconnus une création de grand couturier parisien [...] Elle me demanda tout de suite de l'appeler Annemarie et nous devînmes amies dans l'instant [19]. »

Annemarie, elle aussi, a publié à vingt-trois ans pour la première fois et a été remarquée. Elle avait financé elle-même l'édition de son récit *Les Amis de Bernard* – témoignage sur ce qu'on désignera comme «la génération perdue» –, et le livre avait obtenu un succès d'estime en Allemagne au début de 1931, et déclenché un véritable enthousiasme en Suisse. Annemarie, elle aussi, joue du piano depuis son enfance et est très douée pour la musique; Annemarie, elle aussi, aime avec exaltation la littérature; Annemarie, elle aussi, a du mal à affronter la réalité. Annemarie a tout ce qu'il faut pour séduire instantanément la petite Sudiste, mais loin d'être son double, elle est presque son exact contraire. Annemarie Schwarzenbach, qui a épousé en 1935 Claude-Achille Clarac, dont elle s'est très vite séparée, est la fille d'un riche négociant en soieries, un de ces grands bourgeois intellectuels, raffinés et cosmopolites, acteurs et témoins d'un monde et d'un mode de vie qui disparaîtront avec la Deuxième Guerre mondiale. De celle qu'il appelait «notre "petite Suissesse"» et qualifiait d'«excentrique héritière d'un vieux nom patricien», Klaus Mann avait écrit : «Elle est orgueilleuse, et délicate, et grave, elle a un front pur d'adolescent sous de doux cheveux cendrés. Est-elle belle? Comme elle déjeunait pour la première fois chez nous, à Munich, le Magicien [Thomas Mann, désigné ainsi par ses enfants] qui la regardait du coin de l'œil avec un mélange d'inquiétude et de plaisir, constata finalement : "C'est curieux, si vous étiez un *garçon,* vous devriez passer pour *extraordinairement* belle." Mais si, elle est belle, même en fille. Le poète français Roger Martin du Gard savait bien de quoi il la remerciait lorsqu'il écrivit cette dédicace dans un de ses livres : *Pour Annemarie – en la remerciant de promener sur cette terre son beau visage d'ange inconsolable* [20] ... »

Elle était belle, c'est certain. D'une curieuse beauté. « Son visage était un Donatello, écrira encore Carson McCullers dans un essai inédit, ses cheveux souples et blonds étaient coupés comme ceux d'un garçon ; son regard bleu foncé vous examinait avec lenteur ; sa bouche était enfantine et douce. [21] » Annemarie a beaucoup voyagé. Elle a vu tout ce qui fait rêver Carson. Quand elle accompagnait son père, celui-ci trouvait commode de l'habiller en garçon et de la faire passer pour l'un de ses fils. Comment Carson aurait-elle pu ne pas « tomber » follement amoureuse ? Les témoins comme les biographes, dans leur souci constant de trouver une explication et une seule à tous les comportements, s'affrontent pour dire tantôt que Carson s'est « jetée à la tête d'Annemarie », tantôt que la jeune Suissesse, mal à l'aise en Amérique, usant de trop de drogue, s'est accrochée à Carson. Comme si, dans les histoires de séduction, on n'était jamais *deux*. Carson McCullers, dans son essai – dont on ne sait avec précision quand il a été écrit, certainement assez tardivement – tente, et c'est légitime, de se donner le rôle du personnage équilibré face à cette pauvre petite fille riche qui pleure beaucoup, boit plus encore et se drogue de surcroît. Annemarie avait l'habitude d'être courtisée, et sans doute aimait cela. Elle a probablement accueilli l'adulation de la touchante enfant que semblait être Carson avec un certain plaisir. Mais elle-même avait très envie de séduire Erika Mann, et ne souhaitait pas se laisser envahir par une adolescente amoureuse, donc forcément insistante, comme on l'est lorsqu'on a peu vécu. Elle a toutefois passé de longues soirées avec Carson, ce printemps-là. Reeves, lui, se sentait délaissé. Il avait rencontré Annemarie et ils s'étaient tous deux fort bien entendus ; mais Carson, cette fois, n'avait pas envie de constituer un trio.

Annemarie est certainement la première et la plus importante de ces femmes que Carson et Reeves désignaient comme les « amies imaginaires » de Carson, et qui ont tant contribué à la dégradation de leur relation amoureuse. Reeves, explique Virginia Spencer Carr, supportait les passions de sa femme « si elles s'arrêtaient au bord du lit », mais désormais, avec Annemarie, il ne serait plus sûr de rien. Nous voilà revenus à l'homosexualité de Carson McCullers, ou plutôt à sa bisexualité – qu'on veut prouver en citant cette banale phrase de Biff Brannon dans le *Cœur,* « chaque individu par nature appartient aux deux sexes », ou bien en expliquant qu'elle se prétendait « née homme ». On pourrait arguer que, dans leurs lettres, Annemarie et elle disent s'aimer « comme des frères » et que Carson, racontant beaucoup plus tard leur dernière rencontre note : « Quand je m'approchai de la porte, Annemarie me suivit : "Merci ma chérie", dit-elle et elle m'embrassa. Ce fut la première et la dernière fois que nous nous embrassions [22]. »

En fait, ces classifications hasardeuses sont utilisées soit par les contempteurs de toute marginalité pour mettre à distance Carson McCullers en la rangeant définitivement du côté des « artistes a-normaux », soit par les zélateurs – ou les zélatrices – de cette même marginalité pour se l'annexer. A l'évidence, l'hypothèse exclue est celle qui remettrait en cause l'idée selon laquelle tout être serait doué pour les plaisirs du corps, fût-ce avec quelques « déviances ». Or, où voit-on dans l'œuvre de Carson McCullers, dans sa vie, dans ses lettres, la description, ou seulement la suggestion, des plaisirs physiques de l'amour ? Des emballements sentimentaux, oui. Une manière très adolescente, et sans doute passablement encombrante, de poursuivre les femmes pour lesquelles elle s'enflammait, assurément. Au point de les faire fuir, ou de ne pas même voir qu'elles ne s'intéressent absolument pas aux femmes, comme ce sera le cas avec Katherine Anne Porter. Mais certainement très peu de désir. Sauf celui d'aimer, en une sorte de « troubadourisme » que la maladie aggravera, mais qui devait être présent dès la rencontre avec Annemarie – et avant. Sans se risquer à une sorte de psychanalyse sauvage, on peut avancer l'hypothèse que, chez Carson, le désir demeure, dans son essence, « infra-sexuel », ou plutôt « infra-générique », et que c'est la raison même pour laquelle ses emballements sentimentaux la portent souvent vers les femmes qui, moins « différentes » d'elle, pouvaient lui paraître moins sexuées que les hommes. Un homme pourtant suscitera un engouement du même type, mais il s'agit de son médecin français, Robert Myers, « exempté », du moins déontologiquement, de toute sexualité dans le cadre de sa profession.

Dans les romans de Carson McCullers, le sexe est presque toujours lié à la honte, à la répulsion, à la noirceur, à la violence. Ainsi que le relèvera l'essayiste américain Alfred Kazin : « Chez Carson McCullers, ce qui occupe la place de l'amour homme-femme, c'est une sensibilité qui dote certaines personnes d'un don magique de perceptibilité. Elle irradie, dans toute son œuvre, un besoin d'amour si total que l'autre devient le donneur parfait et revêt donc un caractère magique. Le monde est si consternant qu'il est toujours sur le point d'être transformé […] McCullers avait l'intuition que les êtres humains pouvaient être des états psychiques si absolus et concentrés qu'ils se repoussent les uns les autres sexuellement[23]. »

Outre la désastreuse promenade à bicyclette avec Harry Minowitz, dans le *Cœur*, au cours de laquelle Mick fait – si mal – l'amour pour la première fois, dans *La Ballade du Café triste* Miss Amelia se marie et, dès sa nuit de noces, refuse d'être touchée. Quelques jours plus tard, quand son mari lui pose la main sur l'épaule, avant même qu'il ait pu dire un mot «elle lui lança son poing en pleine figure, avec une telle force qu'il alla s'aplatir contre le mur et perdit une dent de devant[24]».

> «Il y a celui qui aime et celui qui est aimé, et ce sont deux univers différents, écrit encore Carson dans *La Ballade du Café triste*. Celui qui est aimé ne sert souvent qu'à réveiller une immense force d'amour qui dormait jusque là au fond du cœur de celui qui aime. En général, celui qui aime en est conscient. Il sait que son amour restera solitaire [...] C'est pourquoi la plupart d'entre nous préfèrent aimer plutôt qu'être aimés. La plupart d'entre nous préfèrent être celui qui aime. Car, la stricte vérité, c'est que, d'une façon profondément secrète, pour la plupart d'entre nous, être aimé est insupportable. Celui qui est aimé a toutes les raisons de craindre et de haïr celui qui aime. Car celui qui aime est tellement affamé du moindre contact avec l'objet de son amour qu'il n'a de cesse de l'avoir dépouillé, dût-il n'y trouver que douleur[25].»

Que le «contact» soit immédiatement mis en rapport avec le fait d'être «dépouillé», perçu comme retirant quelque chose et non ajoutant — du plaisir, de la vie —, est à tout le moins un indice de ce risque majeur de captation que Carson semblait redouter dans la sexualité.

Seuls des esprits non conventionnels ont tenté de dire «les amours non partagées» de Carson et sa peur des corps, comme Jean-Pierre Joecker dans le dossier de la revue *Masques,* «revue des homosexualités», au printemps 1984 :

> «C'est que chez Carson, l'amour n'est pas celui d'Eros, c'est l'amour-amitié, celui qui est tout aussi difficile à vivre. Carson a horreur du sexe, et pourtant il est constamment présent dans ses livres [...] Il y a chez Carson comme un fossé entre la sexualité et l'amour, entre la fornication et le beau. Reeves était beau, elle l'a aimé comme un frère jumeau [...] Les corps chez Carson McCullers semblent s'ignorer, alors que le désir est à fleur de peau [...] La beauté ne peut

rencontrer le sexe. Ainsi Miss Amelia dans *La Ballade du Café triste* a épousé Marvin Macy "la beauté pure, le plus bel homme de la ville", mais elle le repousse violemment lorsqu'il veut se glisser dans son lit. Elle n'accepte que le contact physique de son cousin Lymon, le petit bossu sans âge […] Sensualité plutôt que sexualité. L'amour-amitié qui n'arrive pas à se vivre, et les personnages "anormaux" rendent compte symboliquement de cette impossibilité à trouver l'amour [26]. »

Le goût qu'avait Carson de s'habiller en homme, souligné par Anaïs Nin dans son *Journal* en 1943 – « Je vis une fille si grande et maigre que j'ai d'abord cru que c'était un garçon. Elle avait les cheveux courts, portait une casquette de cycliste, des chaussures de tennis et un pantalon » –, est certainement plus une manière de rester adolescente, de refuser d'entrer dans le rang des « femmes » que l'exhibition provocante de préférences sexuelles. Comme elle le dit dans son texte sur Annemarie Schwarzenbach, Carson McCullers voulait être « ce genre de filles qui ne cherchent pas à donner l'impression qu'elles veulent devenir des dames, des créatures qui apprécient un homme parce qu'il s'efface pour les laisser passer ou se baisse pour ramasser quelque chose qu'elles viennent de laisser tomber [27] ».

L'été 1940 est donc celui de la passion pour Annemarie. Il est aussi l'été de la découverte, pour l'écrivain débutant, de ses pairs. Grâce à Louis Untermeyer (Carson lira cette année-là son autobiographie, *From another world*), qui a été, aux États-Unis, le premier artiste à penser qu'elle était un grand écrivain, Carson McCullers est invitée à participer, au mois d'août, à la rencontre littéraire annuelle, la *Bread Loaf Writer's Conference*, à Middlebury dans le Vermont. C'est la haute figure du poète Robert Frost qui dominera ce moment intellectuellement exaltant. Eudora Welty, autre auteur du Sud, l'aînée de Carson de presque dix ans, y participe également ;

délicate, élégante et silencieuse, comme à son habitude. Eudora Welty, nouvelliste exceptionnelle, est une sage fille du Sud, qui vit «chez elle» – à Jackson, Mississippi –, qui raconte timidement comment elle a «fait du canot avec William Faulkner» (il la choisira pour lui remettre, à New York, la médaille d'or du roman de l'Académie des arts et lettres, en 1962, l'année de sa mort).

Timide, Carson l'était sans doute autant, sinon plus, qu'Eudora Welty. Mais à la retenue de celle-ci, qui plaisait tant à William Faulkner, elle oppose une manière de se comporter qu'on ne peut que remarquer : son corps de jeune garçon, ses chemises d'homme qu'elle change trois fois par jour, sa façon de boire, ses passions et ses textes cruels. Elle buvait du gin dans des verres à orangeade, se souviennent ceux qui ont partagé ce mois d'août. Louis Untermeyer l'appelait «la fleur du mal» et lui prédisait qu'elle mourrait jeune. Louis Untermeyer a confié que leur relation, cet été-là, avait été «une histoire platonique rendue plus intense par des baisers pas si platoniques que ça». «Un soir que nous avions tous pas mal bu, en lisant quelques passages de *Reflets dans un œil d'or*, a-t-il raconté, au moment de nous séparer – il était bien plus de minuit –, quand Carson m'a embrassé pour me souhaiter une bonne nuit, elle m'a dit : "Veux-tu coucher avec moi ?" De manière fort peu galante, j'ai répondu avec honnêteté : "Je crois que je suis trop fatigué." "Moi aussi, a dit Carson, mais j'ai pensé que ce serait gentil de te poser la question [28]." » Réponse qui, une fois encore, dénote plus une maladresse adolescente, une sorte d'inadéquation avec les «choses du sexe» qu'une aisance désinvolte.

Carson aime le temps passé à Bread Loaf. Mais elle souhaiterait qu'Annemarie vienne la voir. Elle le lui demande. Celle-ci n'en fait rien. Elle est dans l'île de Nantucket, en Nouvelle-Angleterre, où son amie la baronne Margot von Opel possède une maison. Elle explique à Carson qu'elle est en plein travail et ne saurait s'en distraire. En fait, elle ne va pas bien. Sa relation complexe avec la baronne est en train d'assez mal tourner, et l'insistance de Carson lui pèse. Déjà, en juillet, elle avait confié son malaise à Klaus Mann, dans une lettre :

> « Tu auras sans doute beaucoup de mal à comprendre que c'est la jeune Carson McCullers qui a déclenché une crise aussi intense ; elle est gravement malade et vit dans un monde imaginaire si bizarre et si éloigné de la réalité qu'on ne peut absolument pas lui faire entendre raison. Je pensais avoir agi avec toute la prudence requise et l'avoir traitée avec ménagement, mais elle s'attend, étant persuadée que je suis son destin, à ce que j'arrive un jour ou l'autre. Et maintenant, son mari l'a quittée à cause de cela. Bien sûr, Margot a raison de dire que l'on n'est pas tout à fait irresponsable de telles choses [29]. »

A la fin du mois d'août, en quittant Middlebury, Carson doit passer par Boston pour rendre visite à son éditeur, Robert Linscott, dans les bureaux de Houghton Mifflin. Une fois de plus, elle essaie d'entraîner Annemarie avec elle. Celle-ci demande à Robert Linscott de s'occuper de Carson et éventuellement de l'emmener, lui, à Cape Cod pour la consoler, surtout pour l'aider à regarder la réalité en face. « Cela me peine de ne pas être en mesure de faire quelque chose pour Carson. J'ai une grande affection pour elle et je voudrais que le monde soit différent, qu'elle puisse l'affronter plus aisément. Je voudrais être capable de ne jamais la blesser. Mais elle est très candide et ne peut pas admettre les difficultés du réel [30]. » Quand Carson rentre à New York après sa visite à Robert Linscott, elle se sent très mal. Son roman n'avance plus. Elle en veut à Annemarie d'avoir parlé longuement avec Reeves. Elle l'accuse même de « prendre le parti de Reeves ».

George Davis, le rédacteur en chef de *Harper's Bazaar* – avant de devenir celui du magazine *Mademoiselle*, où Carson publiera souvent – achète pour 500 dollars *Reflets dans un œil d'or*. Le roman, écrit en 1939 alors qu'elle est encore avec Reeves à Fayetteville, sera publié en deux livraisons, en octobre et novembre. Davis propose à Carson de venir dans la grande maison qu'il a louée, dans le très beau quartier de Brooklyn Heights. Carson quitte Reeves et s'installe, dès le mois de septembre, au 7 Middagh Street, où vivra, pendant quelques années, une communauté d'intellectuels et d'artistes. Outre George Davis, qui a pris l'initiative de louer la maison – après la mort de Kurt Weill, il épousera Lotte Lenya –, se retrouveront Richard Wright et sa femme, Klaus et Erika Mann, Benjamin Britten, Jane et Paul Bowles, Wystan Auden et la strip-teaseuse Gypsy Rose Lee, qui fascine Carson tant elle est l'exact contraire d'Annemarie, avec sa beauté épanouie et son peu de goût pour le tragique et les relations mortifères – encore qu'elle ait eu d'étranges rapports avec un certain Mr Wechsler qui venait souvent, aux heures les plus inattendues, dans une Packard noire aux épaisses vitres fumées avec chauffeur, «encadré de deux gaillards louches», et laissa, un jour, mille dollars sur le paillasson, en des temps où «mille dollars faisaient bien mille dollars», précise Carson. Le gangster amoureux fut tué à deux rues de leur maison, raconte encore Carson qui, visiblement s'amuse toujours près de vingt ans plus tard de cet épisode de film noir [31].

Selon Denis de Rougemont, que Golo Mann accompagnera l'année suivante chez Davis, il régnait dans cette maison une atmosphère composée d'«un mélange improbable de Kafka, d'*Enfants terribles* et de style vieux New York».

«On écrivait, on composait, on sculptait, on jouait du piano dans toutes les chambres aux portes entrouvertes, et l'on se réunissait pour les repas autour d'une très longue table que servaient deux ou trois énormes négresses. Wystan Auden y présidait avec une malicieuse dignité : c'est le plus grand poète anglais depuis Eliot. A l'autre bout de la table George Davis, rédacteur du *Harper's Bazaar*, tenait son rôle de propriétaire. Benjamin Britten et Paul Bowles représentaient la jeune musique, Gypsy Rose Lee la danse et le strip-tease, et tous les autres à quelque titre étaient des "creative people", parlaient de Kierkegaard, de Jung, de ballet, de sculpture précolombienne. Je crois bien que toute la jeune littérature, la jeune musique, la jeune peinture, la jeune chorégraphie américaines ont traversé cette maison de Brooklyn, seul centre de pensée et d'art que j'aie trouvé dans une grande ville de ce pays [32]. »

On croisera même Salvador Dali et Gala, dans cette « roulotte » dont auront raison la fin de la guerre et les bulldozers : en 1945, on rasera cette extrémité-là de Middagh Street pour percer une voie express facilitant l'accès au pont de Brooklyn. Si, en descendant Middagh Street, on ne peut plus aujourd'hui se laisser aller à la nostalgie en regardant la maison de Carson, espérant voir passer Klaus Mann ou l'étrange Annemarie, puisqu'il n'y a plus de numéro 7 et qu'on est submergé par les bruits confus de la voie express, il reste possible de retrouver les pas de Carson en se promenant un peu plus loin dans ce quartier toujours si tranquille, qui fait face, de l'autre côté de la rivière, à la pointe Sud de Manhattan. L'impression demeure celle qu'évoque Carson dans son article « Brooklyn est mon quartier » :

« Sur le plan de la dignité, Brooklyn est un endroit fantastique. La rue où j'habite dégage une impression de calme et d'éternité qui semble appartenir au XIXᵉ siècle. C'est une rue très courte. On y trouve, à un bout, de vieilles maisons confortables, avec des façades élégantes dissimulant de jolis jardins. A l'autre bout, elle est plus disparate, avec une caserne de pompiers, un couvent, une petite fabrique de bonbons. Elle est plantée d'érables. A l'automne, les enfants ramassent les feuilles mortes avec des râteaux et allument des feux de joie dans les caniveaux. C'est curieux, à New York, de vivre dans un vrai quartier [...] Comparer Manhattan à ce Brooklyn que je connais, c'est comparer une riche duègne, satisfaite d'elle-même, à sa sœur plus brillante et névrosée. Ici, tout va plus lentement qu'ailleurs (les tramways grincent encore paresseusement dans bien des rues), et partout règne une odeur de tradition. En fait, l'histoire de Brooklyn est plus respectable qu'excitante. Au milieu du siècle dernier, un certain nombre d'intellectuels de tendance libérale s'y sont installés. C'était alors un foyer d'activités abolitionnistes. Walt Whitman travaillait au *Brooklyn Daily Eagle*, mais ses éditoriaux antiesclavagistes ont fini par lui coûter sa place. Henry Ward Beecher prêchait dans la vieille église de Plymouth. C'est ici, à Fulton Street, que Talleyrand a vécu pendant son exil américain, et chaque jour il se promenait avec affectation sous les ormes. Whittier faisait de fréquents séjours chez le vieux Hooper [...] Ici, à Brooklyn, on sent que la mer est proche. Dans les rues qui la bordent, l'air a une odeur fraîche et salée, et il y a beaucoup de mouettes [33]. »

Dans les bars de Sand Street, on croise de drôles de femmes, des «douairières de la rue» qu'on appelle «la Duchesse» ou «Marie Sous-Marin». «Dans l'un de ces bars, il y a un petit bossu qui entre fièrement chaque soir.» Ces croquis rapides dessinent déjà les silhouettes de Miss Amelia et de Cousin Lymon... Ces mois à Brooklyn sont pour Carson, une «autre vie», une parenthèse de liberté et de paix qu'elle ne retrouvera pas, même lorsqu'elle reviendra dans cette maison. «Des fenêtres de mon appartement de Brooklyn, j'aperçois la silhouette des gratte-ciel de Manhattan. Jaunes et mauve pastel, ils se dressent contre le ciel comme de longues stalagmites», écrit-elle dans «Américains, regardez vers votre pays» – qui sera, en décembre 1940, sa première publication dans un journal depuis «Wunderkind» en 1936. «Mes fenêtres donnent sur le port, sur l'East River de couleur grise, et sur le pont de Brooklyn. La nuit, on entend la sirène isolée des navires sur la rivière et sur la mer. C'est ici, dans ce quartier du bord de l'eau, que vivaient Thomas Wolfe et Hart Crane. Je pense à eux souvent, quand je flâne d'une fenêtre à l'autre, observant les lumières, le mouvement des voitures sur le pont. Et la nostalgie monte en moi comme elle montait en eux [34]. »

Reeves n'habite pas là, mais il vient fréquemment au 7 Middagh Street ; il en repart, ayant le plus souvent beaucoup bu. Carson et lui se voient aussi à Manhattan, à l'hôtel Brevoort – aujourd'hui disparu –, sur la Cinquième Avenue, à hauteur de la 8e Rue, qui restera un de leurs endroits favoris, celui de tous les rendez-vous de réconciliation autour d'un « stringer » – un cocktail au citron. Carson tente de travailler au manuscrit de ce qui deviendra *Frankie Addams,* mais sans grand succès – ce qui n'est pas pour déplaire à Reeves. Il en conclut qu'elle ne peut pas travailler loin de lui. Presque tout l'automne, elle peine, passant en vain des heures devant sa machine. Puis soudain, le jour de Thanksgiving, elle a une de ces « illuminations », comme elle dit, qui lui donne la structure de son roman. « Frankie est amoureuse de son frère et de sa fiancée », s'écrie-t-elle, et elle veut faire partie de ce mariage, être « the member of the wedding » – titre qui sera finalement donné au livre et qui, en français, deviendra *Frankie Addams.* « C'était le jour de Thanksgiving. A Brooklyn, nous venions juste de finir de dîner, racontera Carson à Tennessee Williams ; Gypsy Rose Lee était là. Soudain, nous avons entendu des voitures de pompiers. Gypsy est fascinée par les incendies. Brutalement, j'ai dit : Frankie est amoureuse de son frère et de la mariée. Puis je me suis mise à pleurer. Et j'ai pleuré, pleuré. Ensuite j'ai pu me remettre au travail. Cette illumination m'avait permis de trouver le centre du livre tout entier. Mais je ne pouvais me contenter d'approximations. Je voulais que la langue soit parfaite... J'ai travaillé pendant cinq ans [35]. » Elle a souvent parlé de ses « révélations », « jaillissements », après de longs « tâtonnements » qui sont pour elle « la bénédiction du travail d'écrivain ».

La satisfaction de pouvoir enfin avancer dans son manuscrit n'empêche pas Carson de tomber malade, quand l'hiver du Nord devient rude. Sa mère vient la chercher, et dès qu'elle est en état de voyager, elles partent pour Columbus, peu avant Noël. Les rapports de Carson et de Marguerite Smith sont très complexes et mal connus, puisque aucune de leurs nombreuses lettres ne nous est parvenue. Virginia Spencer Carr raconte longuement le court séjour de Marguerite à New York, mais on n'y trouve rien que de très banal : une mère fière de la réussite de sa fille, et une fille fragile, partagée entre le besoin d'être protégée et le désir de liberté. Marguerite parle abondamment aux gens qu'elle rencontre de son «petit prodige», dont elle s'offusque qu'ils ignorent encore la récente «célébrité»; pour Carson, sa mère est à la fois un recours et une intruse dans sa nouvelle vie... Bref, l'ordinaire fort commun de beaucoup de relations mère-fille. La plupart des gens qui aimaient Carson aimaient aussi sa mère, précise la biographe. Seuls quelques-uns, dont Janet Flanner, la célèbre chroniqueuse du *New Yorker,* la jugeaient très néfaste pour la jeune femme : elle la décrit comme une mère abusive et catastrophique, «an abysmal mother». Rita Smith, la sœur de Carson, a elle aussi le sentiment que le lien unissant Marguerite à son enfant préféré est plus étrange qu'il n'y paraît. Du vivant de Carson, précisera-t-elle dans sa préface au recueil posthume *Le Cœur hypothéqué,* «[...] Je n'ouvrais jamais ses dossiers et j'ignorais ce qu'ils contenaient. J'ai été aussi étonnée de découvrir ce qu'elle avait gardé que ce qu'elle avait détruit. Je n'ai retrouvé aucune des lettres que notre mère lui écrivait chaque jour lorsqu'elles étaient séparées, mais toutes les cartes qu'elle avait reçues une certaine année pour Christmas. Je pense donc que le hasard a joué un rôle dans la constitution de ces dossiers – hasard dû à l'état de santé de Carson et aux caprices des secrétaires à mi-temps qu'elle engageait de loin en loin. Ceux que ce patrimoine littéraire intéresse souhaitent qu'il soit très vite déposé dans une bibliothèque et qu'il fasse l'objet d'une étude plus approfondie. Les essayistes

auront, malgré cela, le plus grand mal à cerner la vérité [36]. »
De fait, qu'il ne reste aucune trace d'une correspondance aussi
suivie semble moins relever du « hasard » – le même hasard en
aurait laissé subsister quelques-unes – que d'une prémédita-
tion dont on ignore d'ailleurs la nature.

Au moment où Carson tombe malade, à la fin de
novembre, Annemarie Schwarzenbach est hospitalisée dans
une clinique psychiatrique du Connecticut. Depuis plusieurs
années, elle se drogue et fait des tentatives de suicide. Ses amis
attribuent son actuelle dépression non seulement à sa difficile
histoire d'amour avec la baronne von Opel, mais aussi à son
sentiment de culpabilité pour n'avoir pas regagné la Suisse, au
début de novembre, alors que son père venait de mourir.
Carson lui écrit, mais ne sait pas si les lettres lui sont trans-
mises. Les visites étant absolument interdites, elle se laisse
convaincre de suivre sa mère à Columbus. Là, quelques
semaines plus tard, au tout début de 1941, elle apprend
qu'Annemarie s'est réfugiée chez un ami, à New York, après
s'être enfuie de la clinique. Carson prend le premier train
pour le Nord et va la rejoindre. Mais très vite, la police,
accompagnée d'un médecin, retrouve la fugitive et la fait hos-
pitaliser à Bellevue, à White Plains – un hôpital de sinistre
réputation. Carson rentre à Columbus et, peu de temps après,
Annemarie regagne l'Europe : elles s'écriront encore, mais ne
se reverront jamais plus.

Bien qu'elle ne fréquente plus l'intelligentsia new-
yorkaise, Carson McCullers est toujours l'écrivain à la mode
en ce début de 1941. Dès son numéro de janvier, *Vogue* publie
un bref texte, « Nuit de veille pour la liberté [37] », un appel à la
solidarité des États-Unis avec L'Europe. Puis le 14 février, jour
de la Saint-Valentin, cette fête des amoureux que les Américains aiment célébrer, *Reflets dans un œil d'or* – dédié à Annemarie Clarac-Schwarzenbach – paraît chez Houghton

Mifflin. Cinq jours plus tard, Carson a vingt-quatre ans. C'est Louis Untermeyer qui a écrit le «blurb», cette sorte de prière d'insérer que l'on retrouve en quatrième de couverture des livres américains et qui, lorsqu'il est écrit par un écrivain renommé, relève d'une élégante tradition de l'«adoubement littéraire» d'un jeune auteur par un de ses aînés. «L'histoire procède d'une sorte de pulsion intérieure aussi spontanée et aussi inéluctable que la vie elle-même. C'est une histoire qui coule de paragraphes en paragraphes, avec d'étranges et sinistres méandres et de brusques éclairs d'humour, mais qui va sans recours vers sa fin imprévisible et pourtant certaine. C'est pour moi l'œuvre la plus profondément différente de ce qu'on publie actuellement, l'une des histoires les plus attachantes et les plus troublantes jamais écrites aux États-Unis.»

Reflets dans un œil d'or est peut-être le livre le plus fort de Carson McCullers. Le plus provocant en tout cas. Le plus tenu. Tendu et sec. Le plus minutieux dans l'observation du quotidien, de la cruauté des relations humaines. Le plus dépourvu de sentimentalisme et le moins bavard. Le plus tranquillement impitoyable. Ce huis clos dans une caserne, en temps de paix – marqué par l'attirance mortelle du capitaine Penderton pour le soldat Williams, par la personnalité de la femme du capitaine, excellente cavalière qui subjugue les soldats et la pathétique Alison Langdon, épouse du commandant – commence ainsi : «Une garnison en temps de paix est un lieu monotone. Les mêmes événements s'y répètent inlassablement.» Tout est déjà suggéré dans ces quelques mots : l'enfermement, l'ennui et ce qui peut en naître de folie sous les plus rigoureuses apparences.

Reflets dans un œil d'or a dérangé, et même choqué. Les critiques furent plutôt défavorables, mais dissimulèrent leur profonde aversion pour ce livre sous des arguments quasi techniques et des comparaisons avec *Le Cœur est un chasseur solitaire.* Frederick T. Marsh, dans le *New York Times* du

2 mars 1941, exprime une déception mesurée. «Les lecteurs avertis, quels que soient leurs goûts et sympathies littéraires, avaient trouvé inoubliable *Le Cœur est un chasseur solitaire*. Ce roman, plus court et plus frêle, témoigne pour partie des mêmes qualités. Il lui est cependant très nettement inférieur.» Marsh suggère même qu'il aurait été écrit avant le *Cœur* et publié par l'éditeur «dans la foulée», pour que Carson McCullers demeure dans l'actualité. Les reproches principaux sont, outre une écriture insuffisamment travaillée – on sent que cela a été écrit trop vite, disent certains –, trop de goût pour le morbide et le bizarre, un penchant trop net pour l'anormal et le difforme, trop de perversité. Certains vont jusqu'à conseiller à leurs lecteurs d'oublier très vite ce livre. Rose Feld, qui avait été l'une des plus enthousiastes à la sortie du *Cœur* considère, dans le *New York Herald Tribune* du 16 février, que Carson a encore progressé dans sa capacité à maîtriser la construction d'un récit, mais elle demeure per-plexe sur la signification de certains détails – le cheval, par exemple, Firebird (Oiseau de feu) que le capitaine Penderton monte très mal. Surtout, elle précise :

> «On a comparé Mrs McCullers à William Faulkner; et de fait, ici, elle semble rechercher à dessein à l'égaler dans ce qu'il a de plus morbide. Qu'elle y parvienne n'ajoute cependant rien à sa puissance artistique. On est simplement impres-sionné et choqué par son arrogante et impitoyable audace qui, outre son effet déplaisant, trahit surtout sa jeunesse [...] *Reflets dans un œil d'or* est une incursion littéraire dans les bas-fonds du sentiment et, à ce titre, un texte intéressant. Mais on espère que Carson McCullers usera de ses très réelles aptitudes pour écrire un livre dont l'effet ne sera pas tout entier placé sous le signe du grotesque et de l'anormal.»

Ces sentencieuses déplorations sur son goût de l'«anorma-lité» ont conduit Carson McCullers à s'expliquer à de multiples reprises sur *Reflets dans un œil d'or*, et plus généralement sur la question du «normal» en littérature. Elle a tenté de résumer son propos dans ses «Notes sur l'écriture» :

> «Les accusations de morbidité sont injustifiables. Un écrivain peut seulement dire qu'il écrit à partir d'une semence qui s'épanouit peu à peu dans son subconscient. La nature n'est jamais anormale. Seul est anormal le manque de vie. Un écrivain considère tout battement, tout mouvement, tout déplacement à l'intérieur d'une pièce, et pour quelque motif que ce soit, comme humain et normal. Si John Singer est muet dans *Le Cœur est un chasseur solitaire*, c'est un symbole. De même si le capitaine Penderton est homosexuel dans *Reflets dans un œil d'or* – symbole d'impuissance et de handicap. Singer, le sourd-muet, est un symbole d'infirmité, et l'être qu'il aime est incapable de recevoir cet amour. Les symboles inspirent l'histoire, les thèmes, les événements, tous si étroitement emmêlés que personne ne peut savoir clairement où commence cette inspiration. Je deviens chacun des personnages dont je parle. Je m'enfonce en eux si profondément que leurs mobiles sont les miens [38]. »

Elle y revient en 1967, peu avant sa mort :

> Le *Cœur* est un livre [...] dans lequel je me suis confrontée à un certain nombre de problèmes moraux, comme ceux des préjugés et de la pauvreté dans le Sud; en tant que citoyenne du Sud, j'ai évidemment pris position sur le "problème" racial et l'émancipation des Noirs, comme on le sait, en faveur du libéralisme. C'était une position strictement d'ordre moral, très impliquante mais qui ne satisfaisait pas mon désir de manier le langage pour le seul plaisir des mots et de leur beauté. A cette époque, mon mari mentionna tout à fait par hasard qu'il y avait un voyeur à Fort Bragg, une caserne proche de Fayetteville. Je n'en sus pas plus mais l'idée s'ancra dans mon esprit [...] J'étais très prise par les travaux ménagers, le nettoyage quotidien de notre petit appartement. J'étais fatiguée, je n'envisageais pas de commencer un autre livre, mais sans que je le veuille, l'idée du soldat aux aguets avait pris possession de moi et j'écrivis : "Une caserne en

temps de paix est un lieu monotone." C'est le lieu qui a fait naître les personnages les uns après les autres, qui les a établis [...]. L'histoire avait envahi ma vie et jamais je n'ai écrit avec un tel plaisir. Le style du récit était d'une importance primordiale et chaque jour la merveille des mots me ravissait. Habituellement, j'écrivais en moyenne une page par jour mais, à ma surprise – et à mon plus grand plaisir – j'atteignais pour ce récit quatre, voire, parfois, six pages par jour[39]. »

Si aujourd'hui la plupart des critiques universitaires américains s'accordent, selon Margaret B. McDowell[40] pour penser que *Frankie Addams* et *La Ballade du Café triste* sont les deux livres les plus accomplis de Carson McCullers, le débat est toujours vif pour départager ses deux premiers romans, *Le Cœur est un chasseur solitaire* et *Reflets dans un œil d'or* – le second ayant des partisans très convaincus. A l'époque, seul Otis Ferguson, dans *The New Republic*, le 3 mars 1941, semble avoir compris le projet de Carson McCullers et sa réussite :

« Si la tranquille subtilité de ce minutieux traitement des passions humaines est bien un tour de force en dépit de son atmosphère du genre "incroyable mais vrai", de son décor de caserne gravé à l'eau forte, de sa quotidienneté, de son attention au temps qu'il fait, cela tient aux deux personnages principaux. Ils s'affrontent au travers de traits de caractères si singuliers, ils sont mus par des forces si obscures que presque n'importe quoi pourrait logiquement arriver à l'un ou l'autre. Pourtant, en terme d'inéluctabilité dramatique, rien ne s'est produit à la fin du livre, aucune libération, vengeance ou expiation, – aucun "mot de la fin" n'a été prononcé. Le lecteur ne peut s'identifier à personne. Et le prix d'une telle perfection dans l'absolue égalité et exactitude du traitement de tous les éléments vous contraint à jouer avec un jeu de cartes spécial, dont on aurait délibérément ôté tous les cœurs. »

Si l'on excepte ce constat, il faudra attendre la préface de Tennessee Williams à la réédition de *Reflets,* en 1950 chez

New Directions, pour que s'amorce une réévaluation du roman. Pour Tennessee Williams, ce deuxième texte est bien meilleur que le *Cœur* : «Les critiques dotés de quelque discernement auraient dû voir que ce récit était le contraire d'une déception puisqu'il témoignait d'une des qualités encore inaperçues dans l'étonnant éventail des dons de Carson McCullers : le triomphe de la maîtrise sur un lyrisme adolescent». Il relève l'austérité et «l'impassibilité grecque» de ce roman, ainsi que la «précision lapidaire» de son style. Se référant à Joyce et à Faulkner, il ajoute : «*Reflets dans un œil d'or* est l'une des plus pures et des plus puissantes de ces œuvres conçues avec ce Sens de l'Effroi qui est le noir fondement de la quasi-totalité de tout ce que l'art moderne compte de significatif, du *Guernica* de Picasso aux dessins de Charles Addams.» Il sera suivi par les essayistes, qui tous contredisent la première impression donnée par la presse.

En réalité, à la sortie du livre, le scandale ne fut pas tant littéraire que moral. Et si les journalistes, sauf les plus ostensiblement conservateurs, ont voulu s'en tenir à une évaluation prétendument esthétique dont, consciemment ou inconsciemment, ils cachaient les racines moralistes, le public et les groupes de pression dénoncèrent le geste d'indépendance et de refus du conformisme que manifestait le roman, surtout de la part d'une jeune femme. «Ça m'a causé tout un tas d'ennuis, confiera Carson à Tennessee Williams. Mon père, de rage, a jeté le livre à travers le salon, alors qu'il était en train de le lire. Le général Marshall a écrit à Mary Tucker, qui était la femme d'un officier de Fort Benning en même temps que mon professeur de piano, pour lui demander ce qu'il en était de sa vie privée à Fort Benning et "si toute la caserne avait perdu la tête après son départ ou si c'était la fille qui débloquait [41]".» Un soir, à Columbus, où était Carson au moment de la publication de *Reflets*, un membre du Ku Klux Klan a appelé chez ses parents pour lui intimer l'ordre de quitter immédiatement la ville si elle ne voulait pas qu'il «lui arrive quelque chose» : «Avec ton premier livre, on a su que tu aimais les nègres, et avec celui-ci on comprend que tu es une gouine. On ne veut pas de gens qui aiment les nègres et les pédés dans cette ville [42]. » Le père de Carson a passé la nuit assis sur le perron, avec un fusil chargé, mais rien ne s'est produit. Toutefois, la bourgeoisie sudiste ne pardonnera jamais cette liberté ainsi prise par un de «ses» écrivains, et propagera la légende d'une Carson McCullers odieuse et capricieuse. Jacques Tournier dans *A la recherche de Carson McCullers* raconte sa visite à Edwin Peacock, à Charleston et sa rencontre avec une femme qui, comprenant qu'il s'intéresse à Carson, le questionne : «On prétend qu'elle était odieuse [...] Est-ce vrai?» «Elle emploie le mot *bitch,* en pinçant les lèvres [43] », commente Tournier, dont on se demande pourquoi il a cru nécessaire de traduire par un euphémisme les propos de cette femme, à savoir «on prétend que c'était une salope».

Par-dessus tout, *Reflets dans un œil d'or* est le livre dont se sont emparés tous ceux qui souhaitaient suggérer que Reeves McCullers, peut-être, écrivait les livres que signait sa femme. A Columbus, où l'on a eu durablement une mauvaise opinion de Carson McCullers – mais dans quelle petite ville, surtout en Amérique, a-t-on une bonne opinion d'un bon écrivain? –, on refusait de croire, explique Virginia Spencer Carr, que Carson fût l'auteur de ses livres. Quand Carson a commencé à écrire, les vieux, qui se souvenaient que depuis son enfance Marguerite avait aimé raconter des histoires, se disaient qu'elle était le véritable auteur des romans de sa fille. C'est seulement après la mort de Marguerite, lorsqu'on vit que Carson continuait à publier, que ces gens de Columbus ont fini par admettre que «ce devait être la petite Lula Carson, malgré tout [44] ».

En dehors de la détestation éprouvée à l'égard de Carson elle-même, en dehors de la volonté très commune, même si

elle n'est pas toujours exprimée, de contester tout geste de
véritable artiste dans sa singularité, où trouver les raisons de
toutes ces rumeurs qui ont circulé à cette époque et après?
Dans le désir de Reeves de devenir écrivain et dans le pacte
d'«écriture alternée» qu'il avait passé avec Carson, certainement. Et dans l'anecdote, constamment rapportée, d'une
Carson lisant chaque soir à Reeves, à Charlotte puis à Fayetteville, ce qu'elle avait écrit dans la journée. Dans son retour à
Fayetteville pour écrire *Reflets dans un œil d'or* en deux mois,
alors qu'elle était partie à Columbus pour prendre un peu de
repos loin de Reeves. Dans le fait qu'en 1945, après le retour
de Reeves sur le territoire américain, elle termine très vite
Frankie Addams, elle qui était bloquée dans son travail depuis
plusieurs mois – et on oublie de préciser, dans ce dernier
«argument», que Reeves alors faisait la guerre en Europe, que
Carson craignait constamment qu'il y soit tué, et aussi qu'elle
est allée finir son manuscrit dans un lieu où, précisément,
Reeves n'était pas. Jacques Tournier, dans son essai, s'est intéressé à cette question. Il explique d'abord combien il trouve
absurde cette rumeur qui «veut que Carson ne soit qu'un
prête-plume» :

> «On peut lire aujourd'hui, dans certaines revues améri-
> caines, des articles qui vont dans ce sens. L'un d'eux laisse
> même entendre que *Reflets dans un œil d'or* n'appartient qu'à
> Reeves. Mais qu'après avoir pris connaissance du manuscrit,
> les autorités militaires l'auraient menacé, s'il le publiait sous
> son nom, d'être traduit en conseil de guerre. D'où l'étiquette
> Carson pour éviter… Pour éviter quoi, au fait? En octobre
> 1940 quand le *Harper's Bazaar* fait paraître le livre en pré-
> publication, il y a plus de quatre ans que Reeves a quitté
> l'armée. Que risquait-il? Et quand bien même? Je ne crois
> pas aux écrivains qui se sacrifient par amour. Ou qu'on
> décourage. A partir de 1940, rien n'empêchait Reeves
> d'écrire. Il n'avait pas de situation et Carson gagnait assez
> d'argent pour deux. On dit de Carson qu'elle étouffait son
> entourage. Encore fallait-il se laisser étouffer. Quel écrivain

a-t-il jamais empêché son frère, sa sœur, son mari, sa femme, ses enfants d'écrire ? Que d'épouses, au contraire, que d'enfants à la remorque d'une gloire qui évite la peine de se faire un nom. En donnant le sien à Carson, Reeves signait ses livres avec elle. Affirmait son rôle de mur et d'écho [45]. »

Toutefois, juste quelques pages plus loin, évoquant le cas précis de *Reflets dans un œil d'or*, il ajoute :

> « J'en suis presque à tenir pour vraies ces rumeurs qui voudraient que ce soit un livre de Reeves. Il est là, c'est certain. Beaucoup plus présent que dans le *Cœur*. Il est là, avec les images de Fort Benning, tout ce qu'il a vécu pendant quatre ans, qu'il est seul à pouvoir connaître. Carson y allait chaque samedi, c'est vrai, mais chez les Tucker, faire de la musique avec Mary [...] Le reste, les baraquements, les chambrées, la vie des soldats, tout ce qui donne sa vérité à ce monde d'hommes replié sur lui-même, c'est à travers Reeves qu'elle a pu le décrire. A travers la mémoire de Reeves. Ses carnets, peut-être, s'il en tenait. Quand je dis : on a l'impression que c'est quelqu'un d'autre, c'est si évident qu'elle n'y reviendra jamais. Tout ce qu'elle écrira ensuite retrouvera sa source en elle-même [46]. »

Curieuse démonstration : on ne voit vraiment pas pourquoi le fait que Carson ne reprenne pas ce décor de la caserne signifierait qu'elle n'est pas l'auteur du livre. Les « faubourgs de Carthage » ne sont pas fréquents dans l'œuvre de Flaubert : est-ce à dire que, pour avoir écrit *Madame Bovary*, il n'a pas écrit *Salammbô* – ou le contraire ? C'est aussi manifester une étrange conception de la littérature, au terme de laquelle il faudrait avoir personnellement « vécu » quelque chose pour pouvoir le muer en écriture, avatar de la sempiternelle règle de causalité directe entre l'homme-et-l'œuvre.

S'il est certes possible que Reeves ait raconté à Carson certains détails de sa vie militaire, ce serait réduire à bien peu de chose le fait littéraire que d'affirmer la prééminence de l'anecdote sur l'écriture. Pourtant la création littéraire et les couples ne font pas bon ménage de nos jours, et Jacques Tournier semble avoir, avec quelques autres, inauguré une sorte de « mode ». Aujourd'hui, on nous explique, non pas que Simone de Beauvoir a écrit l'œuvre de Jean-Paul Sartre – pas encore – mais que sa certitude de ne pas être une philosophe créatrice n'était pas une preuve de lucidité (qualité pourtant admirable chez Simone de Beauvoir, et pour laquelle elle survivra), mais le résultat d'une soumission à ce petit homme qui la « gouvernait [47] ». Mieux encore : Bertold Brecht, lui, c'est certain, n'a pas écrit ses pièces. Son génie était, dans le meilleur des cas, la « touche finale » au travail de ses épouses et de ses maîtresses, au pire rien, juste sa signature d'exploiteur [48]. Et tout cela, au nom d'une démagogie pseudo-féministe qui n'aboutit au fond qu'à amoindrir les femmes ; à restreindre encore leur libre arbitre et à nier la possibilité de rapports autres que de pure et mécanique domination entre les deux sexes. Dans le cas de Reeves et Carson, un schéma identique existerait, mais inversé : une femme-enfant, à la fois fragile et tyrannique, aurait fait travailler pour elle un homme faible et talentueux. N'est-ce pas simplement un peu sot, même si la relation de Reeves McCullers à l'écrit est à l'évidence complexe, et si la question de sa place dans le processus de création de Carson demeure ouverte ? Il faut alors examiner la vie et l'œuvre de Carson McCullers dans son ensemble et constater que si elle a écrit deux livres à côté de Reeves, « avec » lui, accompagnée par lui peut-être, elle a écrit ensuite « malgré lui », « contre lui », puis « en dépit de sa mort ». Et si des questions se posent, pourquoi faudrait-il toujours leur apporter des réponses – et de préférence une seule ? Est-ce une forme de folie démiurgique qui saisit le biographe et le pousse à vouloir tout expliquer, en trouvant généralement une solution étonnante et inattendue, un symptôme que Freud décrivait ainsi : « Celui qui devient biographe s'oblige au mensonge, aux secrets, à l'hypocrisie, à l'idéalisation et même à la dissimulation de son incompréhension, car il est impossible d'avoir la vérité bio-graphique, et même si on l'avait, elle ne serait pas utilisable. La vérité n'est pas praticable, les hommes ne la méritent pas. »

Si malgré tout, on a le goût de la recherche des sources, des réminiscences et des proximités, il est plus pertinent de rapprocher *Reflets* et la nouvelle de D.H. Lawrence « L'officier prussien [49] », non pas comme l'ont fait certains pour expliquer que Carson McCullers aurait plagié D. H. Lawrence, ce qui est faux, mais bien plutôt, comme le fait Oliver Evans – dans un chapitre ironiquement intitulé « Même le cheval n'est pas normal » – pour s'interroger sur les lectures de Carson et leur influence sur son travail [50]. En outre, dans une réflexion sur le voyeurisme, la référence à Faulkner ne peut être écartée, dont on peut penser que, pour une romancière, la lecture est d'un plus grand poids que des conversations avec son mari.

Bien qu'elle soit loin de New York – et loin de toutes les polémiques autour de son roman – Carson tombe de nou-veau malade, à la fin du mois de février. Soudainement. De terribles migraines s'accompagnent d'une perte de la vue. Elle est effrayée, elle a peur de ne plus pouvoir écrire. Les méde-cins de Columbus, une fois de plus, ne comprennent pas bien ce qui se passe. Sans doute ne peuvent-ils imaginer qu'à vingt-quatre ans, elle vient d'avoir une attaque cérébrale. La pre-mière d'une série qui allait profondément altérer son existence. Rien de ce qui affecte de façon décisive sa santé ne sera détecté. Peu à peu, elle reprend des forces, sa vision rede-vient normale. En un mois, environ, tout est rentré dans l'ordre, et elle s'estime hors de danger.

Reeves qui, sur ordre de Marguerite Smith, attendait que Carson se sente mieux pour venir la rejoindre, arrive à Columbus, et ils repartent ensemble pour New York en avril. Carson retourne dans l'appartement de la 11e Rue West, que

Reeves a continué d'occuper après leur nouvelle séparation. C'est à ce moment-là que *Harper's Bazaar* publie, le 1ᵉʳ avril 1941, «Les livres dont je me souviens», où elle évoque, avec beaucoup de simplicité et de finesse, des textes, importants littérairement ou plus éphémères, qui ont jalonné sa formation. «Tels sont les livres dont je me souviens à cet instant précis, conclut-elle. Se souvenir n'est d'ailleurs pas l'expression qui convient, car elle implique une possibilité d'oubli, alors que les livres qu'on a aimés font partie de vous, comme un muscle ou un nerf. En cherchant ainsi, au hasard, on ne peut que faire le tour de ceux qui ont compté. J'en oublie un, je m'en aperçois, qui n'avait aucun poids pour moi il y a quelques années et que je lis presque chaque soir aujourd'hui : la Bible[51].»

A New York, sur recommandation d'une femme dont elle avait fait la connaissance à Columbus, Carson prend rendez-vous avec Elizabeth Ames, qui dirige, dans l'État de New York, à Saratoga Springs, Yaddo Artists' Colony, un lieu (fondé en 1900) où les artistes peuvent venir se retirer et travailler en paix, généralement pour de courts séjours. Quand Elizabeth Ames voit la «timide et délicieuse fille de Columbus» qu'on lui a annoncée, elle constate que celle-ci a perdu la voix : «Je suis trop impressionnée de vous rencontrer», murmurera Carson. Charmée, Elizabeth Ames invite à Yaddo celle qui lui apparaît comme une toute jeune fille et l'autorise, ce qui est rare, à y passer l'été entier pour poursuivre la rédaction de ses deux manuscrits en cours, *La Ballade du Café triste* et *Frankie Addams*. Les hôtes de Middagh Street, eux, trouvent Carson plutôt mal en point cette année-là, quand elle vient leur rendre visite et prendre un verre. Elle tousse beaucoup et semble ne plus pouvoir se passer de son sirop, qui contient de la codéine, et dont elle abuse. Heureusement, va apparaître un nouvel ami, dont l'affection lui redonne de l'énergie. Au début de mai, Muriel Rukeyser lui présente un jeune compositeur, David Diamond. D'emblée, il séduit Carson et c'est réciproque, au point que, lors de cette première rencontre, il lui offre une bague qu'il porte. Il racontera plus tard que Carson avait un singulier pouvoir : dès qu'elle admirait un objet, son possesseur était pris de l'irrépressible envie de le lui donner immédiatement. Diamond se liera aussi à Reeves. Tous trois sortent ensemble le soir, boivent beaucoup. Une nuit que Carson parle de son admiration pour les écrivains, elle mentionne l'amour qu'elle porte à Djuna Barnes et manifeste le désir de lui porter immédiatement une bouteille de champagne. L'a-t-elle fait ? Et si oui, est-ce à ce moment-même, en pleine nuit ? La légende veut que Carson soit allée chez Djuna Barnes, qu'elle l'ait suppliée de lui ouvrir et que celle-ci, fidèle à sa volonté de ne plus voir personne (elle devait vivre ainsi quelque quarante années « cloîtrée » dans son appartement de New York) soit restée de glace. Le biographe de Djuna Barnes relate cette visite impromptue de manière un peu moins spectaculaire :

« [A la différence d'Anaïs Nin] Carson McCullers ne se contentait pas d'admirer Djuna Barnes de loin. Elle essaya de faire irruption chez elle mais Miss Barnes avait l'habitude de veiller à n'être pas dérangée, et elle était tout à fait capable d'ignorer tout simplement les coups de sonnette insistants si elle n'attendait pas quelqu'un. On a raconté que Carson McCullers avait pleuré et supplié pour qu'on la laisse entrer (elle avait déjà fait de même avec Katherine Anne Porter, que Djuna Barnes connaissait d'ailleurs vaguement et qu'elle trouvait extrêmement commune). Tout demeura silencieux, excepté quand Miss Barnes cria : "Qui que ce soit qui sonne, de grâce, laissez-moi en paix." Elle s'en alla, et il se trouva qu'elles se rencontrèrent des années après de manière totalement fortuite, quand Djuna Barnes devint membre de l'Académie des Arts et Lettres, en 1959, et qu'elle se retrouva au déjeuner assise entre Carson McCullers et Thornton Wilder [52]. »

A son arrivée à Yaddo, le 14 juin, Carson est immédiatement séduite par l'endroit, par les bois dans lesquels elle aime à se promener avant le petit déjeuner, par les deux lacs – tout un paysage de calme et de repos. Y sont dispersées une maison principale – où se trouvent les espaces communautaires, dont la salle à manger –, plusieurs petites maisons et des fermes. Dans certaines d'entre elles, il y a une cuisine et les occupants y sont plus autonomes, rien ne les obligeant à venir prendre les repas communs, auxquels Elizabeth Ames, la bienveillante directrice, déteste qu'on soit en retard. La plupart des musiciens, peintres et écrivains arrivés en même temps que Carson lui sont inconnus. Sauf sa compatriote sudiste, Eudora Welty, qu'elle a rencontrée un an plus tôt à Middlebury. Et un autre écrivain du Sud, qui est à l'époque la plus connue des artistes présents, Katherine Anne Porter. Elle est aussi l'aînée, et la plus belle, dans sa cinquantaine resplendissante. Assez petite, mince, élégante. L'année précédente, à Middlebury, Katherine Anne Porter était là aussi. Mais Carson n'avait même pas osé lui adresser la parole. Elle en était simplement «tombée amoureuse», avec le sens bien particulier que cela prenait chez elle. Cette fois, elle va donc lui dire tout simplement «je vous aime, Katherine Anne» et se fait un devoir de tenter de la suivre partout.

Katherine Anne Porter, qui est morte en 1980, a raconté cet épisode à Virginia Spencer Carr en 1971 [53]. Elle explique, sans beaucoup d'humour, qu'elle a «défendu Carson» contre son mari qui lui disait «cette femme est une lesbienne... je peux le deviner en lisant ses livres, en observant ce que les personnages font et disent». Bien qu'elle nie avoir été convaincue par ces propos, Katherine Anne Porter affirme avoir ressenti un malaise grandissant à l'égard de Carson, malaise aggravé par son comportement irréfléchi allié à cette curieuse manière de s'habiller avec des vêtements d'homme – détail qui semblait aller dans le sens des propos du mari. «Peut-être, au fond, n'ai-je pas compris Carson », confiait-elle trente ans plus tard, en insistant sur le fait que dès le *Cœur,* elle avait trouvé dans cette œuvre « la marque du génie ». « J'ai beaucoup d'amis homosexuels, et cela ne m'a jamais dérangée, ajoute-t-elle. Mais avec Carson, cet été-là, cette pensée m'était insupportable. »

Malheureusement, elle ne pousse guère plus la réflexion, ni sur Carson, ni sur elle-même. Était-elle troublée ? Était-elle agacée de n'avoir pas face à elle une femme lui avouant un penchant auquel on peut consentir ou s'opposer, mais une enfant « en demande », dont on sent, d'abord, la névrose et l'instabilité ? On ne peut évidemment exclure, de la part de Carson, un jeu sur son physique androgyne et son allure ambiguë, indéterminée. Pas plus que soient contestables sa sensibilité à la beauté des femmes, et l'émotion que lui causaient certaines d'entre elles. Mais il paraît raisonnable de ne pas exagérer la conscience, et surtout la maîtrise qu'elle en aurait eues. L'anecdote que rapporte Katherine Anne Porter est à cet égard assez révélatrice. Une fin d'après-midi, Carson vient frapper à sa porte, pour tenter d'avoir une conversation avec elle. Sans se lever de sa table de travail, Katherine Anne Porter lui crie qu'elle n'a pas envie d'être dérangée et refuse d'ouvrir la porte. Mais constatant qu'il est près de 18 h 30, et sachant qu'Elizabeth Ames admet difficilement qu'on soit en retard pour le dîner, elle doit sortir. Carson est là, couchée dans le couloir : « Je l'ai pratiquement enjambée et j'ai continué mon chemin vers la salle à manger. C'est la dernière fois qu'elle m'a poursuivie. » Après cet incident, les deux femmes ne s'adressèrent plus la parole.

A Yaddo, Carson se fait quand même un nouvel ami, Edward Newhouse, qui écrivait des nouvelles pour le *New Yorker,* et se souviendra toujours d'elle avec bienveillance. Contrairement à Katherine Anne Porter, il raconte ce qu'il a vu cet été-là avec beaucoup de drôlerie, soulignant que « parfois les maris craignaient pour leurs femmes» mais insistant surtout sur «le côté enfantin de Carson, ce que les gens qui ne l'aimaient pas qualifiaient de puéril», sur sa manière adolescente de s'attacher à quelqu'un ou de s'en détourner, son désir de se raconter, d'être écoutée, tandis qu'elle n'avait, elle, qu'une capacité d'attention très limitée, comme les enfants. Elle avait une très grande aptitude à bâtir des histoires qu'elle voulait qu'on tînt pour vraies, et auxquelles elle-même finissait par croire. Par exemple, elle prétendait avoir écrit une lettre de plusieurs centaines de pages à Greta Garbo pour lui déclarer son amour. Selon Edward Newhouse ce propos pouvait appeler diverses interprétations : «1) elle avait écrit la lettre ; 2) elle n'avait rien écrit ; 3) la lettre faisait plus de mille pages ; 4) elle ne faisait que neuf pages ; 5) aujourd'hui, on était mercredi... Oui, cette petite disait vraiment ce qu'il lui plaisait de dire et qui lui passait par la tête. Si j'avais le choix entre écrire sa biographie et être débarqué sur une île déserte avec Spiro Agnew [à l'époque vice-président des États-Unis], je crois que j'hésiterais...». Si Newhouse garde le sourire, même pour suggérer qu'il était parfois assez difficile de supporter Carson, son ego, ses tocades, ses emphases à propos d'elle-même, de sa certitude d'être un auteur important, d'autres, comme Gore Vidal, avouent qu'elle les mettait tout simplement hors d'eux : «Elle était vaniteuse, querelleuse, et géniale – hélas! Sa présence dans une pièce signifiait mon départ immédiat. Moins de cinq minutes de son discours d'autosatisfaction, et on était sûr que j'avais disparu[54].» Et il conclut : «Une heure avec un dentiste sans analgésique valait bien une minute avec Carson McCullers[55].»

Tout cela serait assez vain et en dirait plus long sur la personnalité de Carson McCullers et sur ses névroses d'angoisse que sur sa qualité artistique, si ce n'était accompagné d'un intense travail. Après sa promenade matinale dans les bois et le petit déjeuner, elle rentrait dans sa chambre à 9 h 30 avec une bière, une bouteille Thermos de son fameux « hot sherry tea » et un en-cas pour le déjeuner. Elle ne quittait pas son bureau avant 5 heures de l'après-midi, heure à laquelle elle rejoignait des amis pour un verre, avant le dîner de 18 h 30. Cet été-là, elle travailla toujours ainsi, avec une grande discipline, à ses deux manuscrits principaux, *La Ballade du Café triste* et *Frankie Addams*, mais parallèlement, elle composait quelques nouvelles. Ce fut une grande fierté pour elle d'en voir une, « Le jockey [56] », publiée le 23 août dans le *New Yorker*, grâce à son nouvel ami Edward Newhouse. Est-ce cette publication prestigieuse qui lui donna le désir de continuer ? « Madame Zilensky et le roi de Finlande [57] », ainsi que « Correspondance [58] » sont achetés par le *New Yorker* ce même été.

« Madame Zilensky », histoire loufoque d'une femme compositeur, est dans la veine humoristique de McCullers, aussi cocasse qu'est sombre « Le jockey », récit amer des déboires d'un homme chétif, dont l'apparence physique n'est pas sans parenté avec le Cousin Lymon de *La Ballade du Café triste*. On a voulu voir dans « Correspondance » un propos né de l'absence de contacts avec Reeves cet été-là. C'est surtout un assez joli exercice de style, plein d'humour, au travers de quatre lettres adressées par une étudiante à un correspondant brésilien dont elle a trouvé le nom sur une liste affichée dans son école. Si l'on ajoute la parution le 15 juillet, dans *Vogue*, de « Nous brandissions nos pancartes. Nous aussi, nous étions pacifistes [59] », d'un article, toujours en juillet, sur « Les réalistes russes et la littérature du Sud », dans la revue *Decision* de Klaus Mann, et, en novembre, d'un poème, « The Twisted Trinity [60] » (qui sera mis en musique, en juillet 1946, par David Diamond), il est assez clair que la jeune Carson McCullers commence, de manière assez prestigieuse, une belle carrière d'écrivain reconnu. « Nous brandissions nos pancartes » est un texte politique qui montre, de manière concise et efficace, le départ pour la guerre d'un jeune Américain, et la compréhension qu'il a de sa nécessité. Dans «Les réalistes russes et la littérature du Sud», Carson McCullers développe, avec lucidité et finesse, une problématique qui lui tient à cœur, et qui la conduit à contester l'étiquette commode d'«école gothique» qu'on tente d'appliquer aux écrivains du Sud, à commencer par elle-même.

«Depuis une quinzaine d'années est apparu dans le Sud un groupe d'écrivains suffisamment homogène pour conduire les critiques à parler d'"école gothique". Cette étiquette est pourtant inexacte. En peignant l'horreur, la beauté, l'ambivalence émotionnelle, un récit gothique peut produire le même effet qu'une nouvelle de William Faulkner. Mais cet effet n'a pas du tout la même origine : le premier met en jeu des ressources romanesques ou surnaturelles, la seconde un réalisme étrange et violent. Les nouveaux écrivains du Sud semblent plutôt influencés par la littérature russe. Ce sont les fils spirituels des réalistes russes. Et cette influence n'a rien d'accidentel. Les circonstances qui ont donné naissance à la littérature du Sud ressemblent, de façon évidente, à celles qui ont poussé les Russes à écrire. Ce qui caractérise avant tout l'ancienne Russie et le Sud jusqu'à aujourd'hui, c'est le peu de prix attaché à la vie humaine [...] La façon dont les écrivains du Sud réagissent à leur environnement rappelle celle des écrivains russes avant l'apparition de Dostoïevski et de Tolstoï. Ils transposent aussi exactement que possible la vie et la souffrance qu'ils observent autour d'eux, sans se permettre la moindre surenchère émotionnelle vis-à-vis de la réalité et des sentiments du lecteur. La "cruauté" qu'on reproche aux écrivains du Sud n'est, au fond, qu'une sorte de naïveté, une façon d'accepter toutes les contradictions spirituelles sans en chercher la cause, et sans tenter d'y offrir une solution. Cette vision lucide, liée à ce refus de toute responsabilité, ont évidemment quelque chose d'enfantin. Mais la littérature du Sud est au début de sa croissance. On ne saurait lui reprocher sa jeunesse. On peut seulement émettre quelques hypothèses quant à son développement futur ou à sa future régression. Elle a atteint la limite du réalisme moral. Si elle veut continuer à s'épanouir, il lui faut quelque chose de plus. Aucun précurseur du moralisme analytique, tel que l'ont pratiqué Dostoïevski et Tolstoï, n'est encore apparu. Mais le matériau qu'utilisent les écrivains du Sud exige, en lui-même, que soient posés certains problèmes fondamentaux. Le jour où ce groupe d'écrivains assumera ses responsabilités philosophiques – s'il en est jamais capable – il enrichira le ton et la structure de ses œuvres, et la littérature du Sud abordera alors une étape plus vigoureuse et plus complète de son évolution [61]. »

La rigueur de cette analyse, la culture littéraire dont elle témoigne soulignent encore l'étonnante partition, en cette jeune femme, entre une maturité intellectuelle indiscutable et l'ensemble des pulsions adolescentes qui la meuvent dans le domaine affectif.

Reeves McCullers, lui, ne va pas bien, cet été-là. La soudaine adoption de sa femme par un milieu dont il désirerait, lui aussi, la reconnaissance n'est sans doute pas pour rien dans ce malaise. Le départ de Carson pour le 7 Middagh Street, puis pour Yaddo, même si entre-temps elle est revenue quelques semaines avec lui, lui ont signifié, spectaculairement, la divergence de leurs deux destinées. En outre, il a confié à David Diamond que Carson et lui « n'étaient plus mari et femme », et n'avaient donc aucune raison de continuer à cohabiter pour juste se croiser hâtivement au cours de la journée ou de la nuit, dans un appartement commun. Il se perd en discours exaltés, comme ceux de Jake Blount dans le *Cœur*, au point de lasser même son fidèle ami Diamond – qui dédiera au couple son ballet de 1941, *Le Rêve d'Audubon* , et se dit que la vie avec Carson est certainement pénible mais « indubitablement une aventure plus exaltante qu'une relation continue avec Reeves ne pourrait l'être ». Reeves va vivre – jusqu'à la mi-novembre – à Rochester, chez David Diamond, avec lequel il a peut-être une aventure, soit par réelle attirance, soit par vengeance envers Carson qui a décidé de divorcer lorsqu'elle s'est aperçue qu'il avait imité sa signature sur quelques chèques et les avait encaissés en liquide – en particulier celui du *New Yorker* rétribuant l'achat de la nouvelle « le Jockey ».

Avant de rentrer à New York pour engager la procédure de divorce, elle profite de la faveur qui lui a été faite de rester un été entier à Yaddo (elle en partira le 30 septembre) et s'autorise, fin août, un voyage à Québec avec ses nouveaux amis de Yaddo, les essayistes Newton Arvin – auteur d'une biographie de Hawthorne, et qui sera le grand amour de Truman Capote – et Granville Hicks. Une promenade assez banale, si ce n'est qu'on constate la différence entre l'enthousiasme de Carson tel qu'il transparaît dans les lettres qu'elle envoie à ce moment-là et la manière dont elle se comporte avec ses compagnons. Elle ne les accompagne presque jamais – pas même dans leurs pérégrinations à l'île d'Orléans – elle reste dans sa chambre à boire et à rêver.

Le divorce lui paraît inévitable, mais la procédure lui répugne car, le consentement mutuel n'existant pas, il faut utiliser l'argument déplaisant de l'adultère. Elle sait bien aussi qu'un simple geste légal ne résoudra pas le problème profond de sa relation à l'homme qu'elle a épousé – chacun d'eux étant comme « le mauvais jumeau » de l'autre, à la fois destructeur et peut-être indispensable. Le refuge, bien sûr, c'est Columbus. Mais le jour même de son départ, à la mi-octobre, survient un curieux incident : au moment de quitter l'hôtel Brevoort, « leur » hôtel préféré, elle est incapable de signer le chèque qui doit régler sa note. Elle doit appeler son amie Muriel Rukeyser [62], qui témoigne de son identité et l'aide à écrire son nom. C'est évidemment de faits de ce genre que naîtra l'idée que Carson McCullers n'était pas frappée d'attaques cérébrales, mais souffrait de malaises psychosomatiques répétés. Qu'à toute situation de crise, elle répondait par des comportements portant la marque de l'hystérie. De là à dire qu'elle était uniquement hystérique et que toutes ses maladies, y compris sa paralysie, étaient psychosomatiques, il y a un grand pas, mais beaucoup l'ont franchi pour pouvoir enfin lui imputer, personnellement, l'entière responsabilité de son état de santé.

L'inquiétant épisode du Brevoort semble vite oublié, à Columbus. De nouveau, Carson se laisse bercer par l'atmosphère familiale, par la douceur de l'automne. Elle joue du piano et se lève tous les jours très tôt, deux heures avant le soleil, pour profiter de l'aube naissante. Mais, en décembre, elle est de nouveau gravement malade, pour la seconde fois dans l'année : une pleurésie et une double pneumonie. Les médecins craignent pour sa vie. L'incroyable force vitale de cette longue jeune femme qui semble si fragile se révèle alors. Contre toute attente, elle guérit très vite, se remet à manger – on lui a enjoint de prendre dix kilos – et au début de février 1942, elle a terminé la première partie du livre qui deviendra *Frankie Addams,* une première partie qu'elle récrira cinq fois et qu'elle appelle «The Listener». Elle commence la partie centrale, «The Nigger with the glass blue eye» (ces têtes de chapitre ne subsisteront pas dans la version finale).

Reeves semble avoir complètement disparu de l'horizon de Carson. Le 19 mars, il se réengage dans l'armée. A la fin de novembre, il sera de nouveau à Fort Benning, qu'il avait quitté avec soulagement six ans plus tôt. Il supporte plus mal que Carson le divorce, il s'ennuie et commence à admettre qu'elle est beaucoup plus forte que lui. A plusieurs reprises, à partir de cette époque-là, il la décrira comme «indestructible» avec une mélange d'admiration et d'exaspération. C'est encore probablement Linda Lê qui, en romancière, approche au plus juste, quelque cinquante ans plus tard, les deux forces en présence.

«Carson ressemblait à un petit animal roulé sur lui-même, le noyau de souffrance enfoui dans le creux de son corps. Elle pouvait être blessée, transpercée de coups de poignard, aucune arme ne paraissait de taille à entamer la force qu'elle avait concentrée en elle. Reeves, lui, n'en finissait pas de partir en morceaux. Il n'avait aucune résistance. Chaque attaque fêlait son visage. Il aspirait au drame, il ne s'attendait pas à cette humiliation répétée, à cette preuve quotidienne de son impuissance à lui et de sa ténacité à elle. Il assistait à l'accomplissement de son rêve – vivre dans le voisinage de la création –, mais lui qui se voulait un acteur plein de panache, il en était réduit à être un voyeur, un veilleur, celui qui monte la garde devant la porte d'entrée sans avoir accès au secret. Il tenait enfin quelque chose, on lui signifiait en même temps qu'il n'y avait pas droit. La petite Carson s'éloignait, elle tournait son regard vers lui, bien sûr, mais elle l'avait dépassé, elle ne se doutait pas encore qu'elle cherchait le moyen de s'échapper – pourquoi s'encombrerait-elle d'un double qui était à la traîne, qui ne faisait que gémir et mendier de la tendresse pour oublier ses ambitions déçues ? »

La préoccupation sentimentale de Carson, dans la première partie de l'année 1942, c'est à nouveau Annemarie Schwarzenbach. Elle s'écrivent beaucoup depuis l'automne 1941 et les lettres d'Annemarie, qui mettent souvent plus de deux mois à arriver, sont plus que chaleureuses : « Nous avons été toutes les deux stupides et ridicules l'an passé. Nous ne devrions pas tricher sur notre destin. N'oublie pas ma tendresse pour toi [63]. » Ces lettres, elles viennent d'endroits que Carson ne parvient même pas à imaginer : du Congo belge ; d'un bateau sur la rivière Congo ; d'un autre bateau qui vient de quitter l'Angola et fait route vers Lisbonne ; de Lisbonne ; du consulat de France à Tétouan au Maroc. Des lettres très longues, assez effusives, dans lesquelles Annemarie fait parfois le récit de ses journées et se livre à des considérations « philosophiques » – sur la vie et la création – qu'il n'est peut-être pas indispensable d'analyser longuement. Plus intéressante est sa manière d'encourager Carson à travailler, à ne se laisser divertir par rien de l'œuvre qu'elle doit s'attacher à construire.

« Je suis heureuse de te savoir au travail. Il faut écrire, ne vivre que pour ça. En ce moment, dans leur solitude, nos vies sont à peu près semblables. Moi je me suis mise à mon nouveau manuscrit le 22 octobre, qui était le jour de l'anniversaire de mon père […] Carson, il n'y a qu'à toi que je parle si facilement, trop, sur des choses qui sont au fond le sujet de mon livre : notre héritage, notre relation aux hommes, à la fois amis et ennemis, puis aux anges qui vont nous ramener vers une nouvelle naissance, dans le calme de la mort et de l'éternité […] Quelquefois, j'ai envie d'être de nouveau avec Erika et Klaus, à New York, et je pense à ce qui nous unirait, toi et moi, dans les moment difficiles : cette infinie tendresse et cette compréhension que nous avons l'une de l'autre. Tu es le seul écrivain dont je partage totalement la réflexion sur le processus de création et la difficulté de la tâche. C'est comme si nous étions frères […] J'espère que tu traduiras, toi et toi seule, mon livre, et je me prépare à traduire le tien [*Reflets dans un œil d'or*]. Ton poème "The Twisted Trinity" m'a sans doute donné le thème de mon livre, qui commence avec la scène d'un homme regardant un arbre et tentant de trouver le rapport évident entre cet arbre, son âme et le silence de Dieu. Toute mon affection va vers toi [64]. »

Le livre d'Annemarie Schwarzenbach – qui ne sera jamais publié – doit s'appeler *Le Miracle de l'arbre* et, curieusement, après qu'Annemarie lui aura écrit longuement sur ce projet, Carson interrompra son travail sur *Frankie Addams* pour s'atteler à une nouvelle dont les thèmes lui font écho. « Une pierre, un arbre, un nuage » n'est pas l'un des grands textes de Carson McCullers, bien qu'il figure dans l'anthologie des meilleurs nouvelles américaines de l'année 1942, et qu'Oliver Evans le considère comme excellent. Il est à noter toutefois qu'Oliver Evans a publié son essai du vivant de Carson McCullers, ce qui peut le conduire parfois à faire siens des jugements de l'écrivain. De fait, cette nouvelle comptait beaucoup pour elle, parce qu'elle datait du temps de sa guérison et était liée à sa passion pour Annemarie Schwarzenbach [65].

Carson y expose, assez sommairement et dans une symbolique un peu appuyée, ses préoccupations à propos de
l'amour, des rapports du plaisir et de l'amour, sous le prétexte
d'une discussion, dans un café, entre un petit vendeur de
journaux d'une douzaine d'années et un vagabond. «J'ai
médité sur l'amour, et peu à peu, j'ai fini par comprendre
d'où vient notre erreur. Quand un homme tombe amoureux
pour la première fois, de quoi tombe-t-il amoureux? [...]
D'une femme. Et il ne possède pas la science. Il ne possède
rien de ce qu'il faut pour entreprendre le plus périlleux des
voyages qui soient sur cette terre du Seigneur [...] Il commence à apprendre l'amour dans le mauvais sens. Il commence tout de suite par l'apogée. Comprends-tu pourquoi
c'est si désolant? Sais-tu comment l'homme devrait aimer?
[...] Sais-tu comment l'amour devrait débuter? [...] Un
arbre, une pierre, un nuage [66]. »

Pour couronner cette période positive – la santé revenue,
des lettres régulières et tendres d'Annemarie et un travail
constant, qui lui permet de terminer un premier jet de
Frankie Addams – Carson apprend le 24 mars qu'elle va recevoir une bourse Guggenheim, une récompense prestigieuse
puisque sur 1500 candidats il n'y a que 82 lauréats, dont John
Dos Passos. Elle voudrait l'utiliser pour séjourner et travailler
au Mexique avec ses amis David Diamond et Newton Arvin,
mais les médecins et les responsables de la fondation l'en dis-
suadent, estimant qu'elle est de santé trop fragile. George
Davis l'invite à revenir à Middagh Street, mais elle préfère
aller à Yaddo, sans doute à cause de la présence réconfortante
de la directrice, Elizabeth Ames. Elle y restera du 2 juillet au
17 janvier de l'année 1943. Ce sera un temps de lecture
intensive – Yeats, Tchekhov, Jane Austen, Djuna Barnes,
Céline – qui témoigne à nouveau, chez cette jeune femme
sans formation universitaire de type «académique», d'une
remarquable acuité littéraire. Elle joue du piano et écoute,

comme à son habitude, beaucoup de musique. Cette année-
là, la deuxième symphonie de Mahler est son morceau favori.
Elle reçoit également beaucoup de lettres – dont une, remarquable, de Henry Miller, qu'elle n'a pas encore rencontré, qui
lui exprime son admiration pour son sens de la psychologie et
lui envoie ses propres livres.

Pourtant l'année se termine très mal. Le 1er décembre, à
Yaddo, Carson apprend par Klaus Mann qu'Annemarie
Schwarzenbach vient de mourir en Suisse, chez elle, à Sils : le
6 novembre, elle a fait une grave chute de bicyclette ; trois
jours plus tard elle est tombée dans un coma profond et elle
est morte le 15 novembre. Les rumeurs les plus diverses ont
couru, à l'époque, sur les circonstances de cette mort. Surdose
de drogue ? Suicide ? Comme si cette jeune femme-là ne pouvait pas mourir de manière aussi banale. «Annemarie, notre
chère "petite Suissesse" [...] Un accident de bicyclette, à ce
que l'on me dit maintenant, écrit Klaus Mann. Oui, une vul-
gaire bicyclette qui s'est emballée comme un cheval sauvage.
En Engadine, il y a des routes très raides avec beaucoup de
virages – c'est ainsi que c'est arrivé. L'engin dont elle avait
perdu le contrôle a projeté notre petite Suissesse contre un
arbre, en Suisse, et sa tête – sa chère, sa belle tête : "son beau
visage d'ange inconsolable" – s'y est abominablement fracas-
sée. Elle n'est pas morte sur le coup [...] [67].»

Annemarie Clarac-Schwarzenbach avait eu trente-quatre
ans le 23 mai. Carson McCullers, elle, a vingt-cinq ans, elle
ne sait pas qu'elle a déjà vécu la moitié de son existence mais
elle comprend que la mort d'Annemarie scelle tragiquement
la fin de sa jeunesse.

IV

Une épouse de guerre

Pour Richard Wright, c'est en ce début de 1943 que devient absolument visible la tendance à l'autodestruction de Carson McCullers. Elle revient de Yaddo et se réinstalle à Middagh Street, dont il est, avec sa famille, l'un des locataires. George Davis n'attendait pas Carson avant le mois de février, et il est en train de réaménager l'ensemble de la maison, qui sent fort la peinture fraîche. Le jour de son arrivée, le 17 janvier, elle trouve donc sa chambre vide de meubles et pas encore repeinte. Peut-être cet incident, cette impression de ne plus avoir «son lieu», accentuent-ils son inconfort, son sentiment de précarité, son malaise. Elle se met à prendre trop de place. Elle buvait trop, elle parlait trop, elle se plaignait sans arrêt et ne parlait que d'elle, dira Richard Wright, naguère si touché par la farouche petite Sudiste soudain propulsée vers le succès. Pour lui, elle a détruit l'atmosphère de bonne entente qui régnait dans cette maison. Au point qu'il cherchera à déménager au plus vite. Anaïs Nin, qui fait sa première visite à Middagh Street en mars 1943, semble partager cette vision très critique. Dans son journal coexistent le plaisir de la découverte de ce «petit musée d'Amérique», aménagé par George Davis, et le déplaisir de sa rencontre avec Carson McCullers, qui pourtant, lui avait dit Davis, souhaitait la connaître. Pour ce qui est du plaisir : « Une maison étonnante, comme certaines maisons de Belgique, du nord de la France ou d'Autriche. » George Davis « l'a remplie de mobilier américain ancien, lampes à huiles, lits de cuivre, petites tables à café, vieilles tentures, lampes de cuivre, vieilles armoires, lourdes tables de salle à manger de chêne, napperons de dentelle, grosses horloges. On dirait un musée folklorique comme je n'en ai jamais vu. » Pour ce qui est du déplaisir : « Carson arriva […] et se fraya un chemin au milieu du groupe comme un taureau la tête baissée, sans regarder personne ni dire un mot. Je fus si déconcertée par son mutisme et son regard rivé au sol que je n'essayai même pas de lui parler [1]. »

De ce témoignage, et d'autres qui le recoupent, est née une bataille d'interprétations. Les amis de Carson insistent sur sa timidité, son mal-être. Ceux qui lui sont hostiles estiment qu'elle voulait toujours être le centre du monde, et que si quelqu'un lui volait la vedette – comme Anaïs Nin pouvait le faire ce jour-là avec le groupe de Middagh Street –, elle se fermait complètement. Personne ne paraît vouloir envisager qu'elle aurait pu avoir les deux attitudes, successivement ou tout à la fois, ni qu'Anaïs Nin – qui n'aimait sans doute pas davantage ne pas être la « star » d'une assemblée – et Carson auraient pu avoir un « coup de foudre d'antipathie », ce qui est probablement le cas. S'il n'y avait là que heurts de personnalités, affrontements de vanités, tout cela serait simplement anecdotique. Mais il y a chez Carson McCullers, comme l'a bien senti Richard Wright, une instabilité psychique, voire un schéma dépressif chronique, qu'elle cherche à compenser par l'alcool et que celui-ci souligne, et une santé physique défaillante avec laquelle l'alcool entretient le même rapport : tentative d'oubli et aggravation.

En quittant Yaddo pour Middagh Street, Carson, comme tous les hivers, commençait de se sentir franchement mal.

Une infection dentaire s'est rapidement déclarée, suivie d'une grippe. Marguerite Smith, comme toujours, vient soigner sa fille. Mais lorsqu'elle tente de la ramener avec elle à Columbus, Carson refuse, prétendant qu'elle doit rester dans le Nord pour travailler. Marguerite repart donc seule — sa fille ne la rejoindra que vers la fin d'avril.

Entre-temps, Reeves a repris contact avec elle, par une lettre tendre, touchante et assez adolescente, venant d'un homme de trente ans. Écrite le 23 février au centre d'entraînement de Camp Forrest dans le Tennessee, où Reeves — il est lieutenant — se prépare pour aller faire la guerre en Europe, elle a été envoyée à Yaddo et a suivi à Middagh Street. Les lettres de Reeves — une soixantaine figurent dans le dossier du Harry Ransom Humanities Research Center, à l'université d'Austin, Texas — sont souvent longues, la plupart manuscrites, au stylo plume, d'une belle écriture. Cette première lettre après deux ans de séparation est une nouvelle déclaration à Carson, et une timide demande d'amour, ou au moins d'attention :

« Je dois t'écrire, même si la lettre me revient sans avoir été ouverte.

Il s'est passé presque deux ans depuis cet après-midi pluvieux et horrible, le jour où je t'ai vue pour la dernière fois. Depuis, il n'y a pas eu un seul jour où ton image n'ait été présente à mon esprit.

Personne ne pourra jamais être pour moi ce que tu es. Je sais que ce genre de discours va te mettre mal à l'aise, alors je n'en dis pas plus.

Je n'ai parlé à aucun de tes amis depuis des mois, et je ne sais ni où tu es, ni ce que tu fais, mais je pense à toi, je souhaite que tu sois bien, et j'espère que ta vie actuelle est meilleure que ce que nous avons vécu.

Je suis assez profondément engagé dans cette guerre. Bien que je ne veuille pas mourir, je serai heureux d'être envoyé outre-Atlantique et loin des États-Unis. Je sais que je suis un bon soldat et je crois que je suis un bon officier avec mes hommes, je n'ai rien à craindre de plus que la peur normale. Quelqu'un a dit que notre génération a été conçue dans la pathologie et a grandi dans le désespoir, et c'est peut-être vrai. Mais les batailles sont tellement terribles et répugnantes, Carson, qu'elles conduisent les gens à perdre leur humanité. Je suis devenu quelqu'un qui est tout ce que je ne voulais pas être, même si c'est pour une bonne cause.

Si je sors vivant et indemne de cette guerre, j'espère passer plusieurs années en Europe, si je parviens à y trouver un travail. S'il ne m'est pas possible de vivre en France, alors, probablement, je me tournerai vers un pays scandinave. J'ai le sentiment que les États-Unis seront tout à fait déprimants, et que respirer à nouveau un air pur, dans n'importe quel pays, sera une très bonne chose.

Ce serait si bon d'être assis près de toi, de prendre un verre et de parler. Même si nous ne nous revoyons plus, ne pouvons-nous pas nous parler ?

Cette nuit est la plus belle depuis que je suis ici et c'est pour cela que j'ai décidé de t'écrire.

Quelque part, dans un tout petit coin de ton esprit, je voudrais que tu me souhaites bonne chance. Je ne suis pas superstitieux, mais cela peut aider.

Je m'inquiète de toi et des éventuels problèmes d'argent. Ici, je gagne plus d'argent qu'il ne m'en faut. Si cet argent peut t'être utile, je serai heureux de pouvoir te rendre un peu de tout ce que je te dois en t'en envoyant chaque mois. Bien entendu, cette proposition n'est en rien faite pour t'obliger à quoi que ce soit envers moi, et si tu as tout ce qu'il te faut, alors tout va bien.

Je te souhaite toutes les meilleures choses de la vie. »

Non seulement Carson répond, mais une correspondance très suivie s'engage entre elle et Reeves. Aucune des lettres de Carson ne nous est parvenue, car avant leur embarquement pour l'Europe, les soldats ont dû détruire tout leur courrier. Reeves la remercie de ses longues lettres et lui en envoie de très détaillées. Il parle de la guerre, du nazisme, de « ces temps si tragiques et si atroces que les hommes auront besoin de plusieurs années pour pouvoir redresser la tête ». Il évoque leur vie commune, à tous deux «si secouée, ambiguë». «Mais, ajoute-t-il, nous avons fait tant de chemin depuis. J'ai mûri et nous pouvons désormais être proches l'un de l'autre comme jamais. [...] Je ne laisserai pas entamer cet amour qui a survécu à des moments si difficiles [...] Maintenant, je suis fort et tu peux t'appuyer sur moi [...] Tu sembles avoir confiance en l'avancée de ton livre et je crois que New York est un endroit propice pour toi en ce moment [...] Carson, le travail est un fardeau, mais il est précieux. La plupart du temps, tu m'as connu sans travail. C'est seulement dans les trois dernières années que j'ai appris la valeur du travail et sa nécessité psychologique. Mais toi, Carson, tu as ton art et ton génie, et ton œuvre à portée de la main, alors ne gaspille rien [...] Je voudrais aller dîner avec toi dans un petit restaurant sur la Cinquième Avenue, et aller avec toi dans tous les endroits de New York que j'aime. Je pense à toi chaque jour, je serai toujours ton ami et je t'aimerai toujours profondément et tendrement.»

A cette correspondance privée, dont ne subsistent donc que les lettres aimantes de Reeves, Carson ajoute, en un geste assez spectaculaire, une déclaration publique. En avril, elle donne à *Mademoiselle* un texte intitulé, d'après le 116e sonnet de Shakespeare, «Love's Not Time Fool» (L'amour n'est pas le jouet du temps), qu'elle signe, anonymement et symboliquement «A War Wife» (une épouse de guerre) :

«L'armée dans laquelle tu t'es engagé va livrer combat à une monstrueuse machine, destinée à anéantir tout ce en quoi nous croyons : la rectitude morale, l'amour, la vie même. Ce n'est pas seulement pour notre amour à tous les deux que tu vas te battre. C'est pour défendre le droit qu'a tout être humain à vivre et à aimer dans un monde où règnent l'ordre et la sécurité. Aussi épuisant qu'il puisse être, le combat que tu vas mener est soigneusement défini et organisé, et ton devoir sera évident jusqu'au bout. Soyons lucides, l'un et l'autre : il peut conduire à l'ultime sacrifice. Quoi qu'il en soit, la part que tu vas prendre à la défense de notre amour te demandera un maximum d'énergie et de courage.

Tu as toujours voulu te battre à ma place, ces temps-ci, je le sais. Et c'est vrai que, dans cette guerre, ton rôle est plus immédiat que le mien. Mais moi aussi j'ai à me battre, comme toutes les femmes qui aiment d'amour un combattant – et ce n'est pas un combat tellement simple [...]

Ceci, avant tout : pour toi, comme pour moi, il existe un énorme mensonge que je me refuse à faire. Je me refuse à prétendre que je n'ai pas peur. La peur fait partie des temps que nous vivons. C'est une réalité capitale. En refusant de démasquer notre ennemi et d'avoir peur de lui, par ignorance ou apathie, nous avons bien failli perdre à jamais cet univers qui est le nôtre, et que nous aimons tant. C'est sain d'avoir peur, si on y puise le courage et l'entêtement nécessaires au travail qui nous attend [...]

J'ai voulu que tu saches que mon amour pour toi avait changé ma vie. Qu'il m'avait donné la vaillance et l'ardeur nécessaires pour affronter n'importe quelle épreuve – une ardeur et une vaillance que je n'aurais pas eues autrement. J'ai voulu que tu saches que, grâce à toi, j'avais pu nourrir et renforcer mon amour pour les autres, et ma croyance en la victoire finale de l'esprit humain. J'ai voulu que tu saches que j'étais décidée à me battre, avec toutes les armes dont je dispose, pour la défense de cet amour – exactement comme tu vas le faire, au loin, dans ton rôle de combattant. Nous savons contre qui nous allons nous battre. Nous savons que ce sera difficile. Que nous rencontrerons des obstacles tragiques et considérables. Mais un amour comme celui qui nous unit est capable de tenir tête à ce qui nous menace. Ce soir, je me répète, encore et encore, ce sonnet que tu aimes tant :

> *Non, je n'accepte pas qu'il y ait un obstacle*
> *A l'union de deux cœurs sincères.*
> *Non, l'amour n'est pas l'amour*
> *S'il change au moindre changement...*

Non. Notre amour est comme un étendard à jamais planté en terre, pour lequel nous allons travailler et combattre. Nous sommes séparés, c'est vrai, et nous ignorons pour combien de temps, mais notre amour ne sera pas le jouet du Temps. Le jour de la victoire finale, nous aurons gagné notre propre victoire. Nous aurons préservé notre amour et notre vie commune [2]. »

Cette année-là, avril est favorable à Carson. Le 9, elle apprend qu'elle va recevoir une bourse de 1 000 dollars de l'Académie américaine des arts et lettres. Le 22, elle arrive à Columbus et se prépare à revoir Reeves, qui lui écrit beaucoup. Le jour de Pâques, il est allé à la messe et « c'était bon d'entendre des voix claires et fortes chanter les vieux cantiques ». « J'ai attendu en vain une lettre de toi […] Depuis que je t'ai retrouvée, je m'inquiète encore plus de toi. Tant que je suis aux États-Unis je veux savoir où tu es et ce que tu fais. Je dis "tant que je suis aux États-Unis" parce que, ensuite, il n'y aura que de l'obscurité et du silence jusqu'à la fin de la guerre. Mais, crois-moi, ce n'est pas un sentiment de possession que je manifeste à ton égard. Je ne crois pas que qui que ce soit pourrait te posséder complètement. C'est tout simplement que je t'aime, Carson, profondément, avec force, et d'une manière que, je l'espère, tu comprends. » Il lui propose une rencontre et rendez-vous est pris pour le 5 mai à Atlanta. Les retrouvailles seront heureuses mais Carson, avant même de le constater, avait invité Reeves à venir passer ses cinq journées de permission à Columbus. « Je vais avoir un sentiment étrange en revenant à Columbus, écrit-il, mais si tu me dis que tu le souhaites, tout va bien [3]. »

Se retrouver ensemble à Columbus, dans la maison où ils s'étaient mariés, en 1937, était sans doute une bonne manière de faire le point, de savoir ce qu'il en était vraiment de leur désir de renouer. Ou plutôt, cela aurait été une bonne manière, à un autre moment qu'en un temps de guerre. Reeves, aux yeux de Carson et de ses parents – qui l'accueillent de nouveau comme un fils – est plus que lui-même en ce printemps de 1943. Il est la figure de l'Amérique

allant au secours de l'Europe meurtrie et menacée de mort.
Avant même ses faits de guerre, il est déjà presque un héros. Il
est un de ces « fils », de ces « époux » qu'exaltent la presse, et ce
symbole a certainement joué dans son invitation à Columbus,
les dissensions particulières étant tenues de s'effacer dans
l'unanimité patriotique. On peut d'ailleurs penser que Carson a momentanément trouvé une forme d'équilibre dans
cette solidarité des temps de guerre, dont sa « Lettre d'épouse
de guerre », dans *Mademoiselle*, témoigne :

> « Si tu pouvais me voir, certains matins, quand je vais
> prendre le métro – petit signe de tête par-ci, petit bonjour
> par-là, une main agitée vers le confiseur du coin de la rue –
> ah ! tu me ferais un grand clin d'œil complice, et... mais oui,
> mais bien sûr, tu rirais de moi, avec moi. Je serais désolée que
> ces relations de bon voisinage disparaissent, la guerre finie
> [...] Nous ne sommes pas du genre "copain-copain", toi et
> moi, mais d'après ce que tu m'écris de tes hommes, et d'après
> ce que j'éprouve pour les autres, je sais que cela nous fait du
> bien de ne plus vivre en marge, que nous sommes devenus
> meilleurs, plus authentiques [...] C'est drôle, mais en ce
> moment, ce n'est pas seulement en écoutant notre quintette
> de Mozart que je te rejoins, mais en expliquant à cette vieille
> femme sourde, qui habite à trois portes de nous, comment se
> servir de sa carte de rationnement.
>
> J'en arrive donc à ceci, que j'ai constamment à l'esprit : je
> ne suis pas seule. Je vois, autour de moi, des quantités de
> femmes dans la même situation. L'esprit de camaraderie pro-
> tège les soldats des horreurs de la guerre. C'est pareil pour
> nous [...]. Nous nous sentons plus fortes de savoir que nos
> émotions sont partagées par celles qui nous entourent. Voici
> venus les temps où l'on doit se tendre la main. Où chacun
> d'entre nous doit se sentir comme un fragment, minuscule
> peut-être, mais nécessaire, de quelque chose de beaucoup
> plus vaste et qui nous dépasse [4]. »

Nul doute que le « nous » de Carson et Reeves ait été largement conforté par ce « nous » collectif auquel Carson
s'intègre avec, semble-t-il, un enthousiasme sincère.

Les amis de Carson se souviendront que, dans ses lettres, elle insistait sur la force de Reeves, sur son entraînement, sur le fait qu'elle ne l'avait pas vu depuis des années dans une telle forme physique et qu'il était redevenu sobre. «Reeves était ici, pendant sa permission, le mois dernier, écrit-elle à Edwin Peacock, qui est dans la marine. Il est maintenant chez les Rangers. Il est en excellente forme, de tous les points de vue. Mais, Edwin, que c'était triste de repenser aux anciens jours et de prendre conscience qu'un certain type de relations que nous avons eu appartient au passé, et que nous devons maintenant l'un et l'autre affronter la vie seuls [5]. »

Quant à Reeves, il a besoin de réconfort, besoin de se sentir soutenu, entouré, aimé – en dehors même de l'amour et de l'admiration véritables qu'il éprouve, depuis leur première rencontre, pour Carson –, besoin de savoir qu'il n'est pas un soldat isolé partant à la guerre sans que personne s'en inquiète, et qui sera vite oublié. C'est évidemment le mélange de tous ces sentiments qui le rend si attendri à l'évocation du passé – au point d'en être parfois amnésique – et désireux par-dessus tout de s'attacher de nouveau Carson. Dès son retour à Camp Forrest, le 16 mai, il lui envoie une lettre de remerciements émus :

«J'ai eu, dans toute ma vie, peu de jours aussi reposants, doux et satisfaisants. Désormais, je peux faire face aux moments très durs qui sont devant moi [...] Tu m'as donné une dose énorme de force, de courage, que personne d'autre n'aurait pu me donner [...] Les hommes sont contents que je sois revenu. Ils ont eu une semaine difficile. Mon stoïcisme semble les réconforter. Ils ont une confiance presque absolue en moi, et à certains moments, cela me fait un peu peur. Tu as dit, quand nous étions ensemble, une chose avec laquelle je ne suis pas d'accord – j'y ai beaucoup repensé depuis –, que "Frankie" était l'expression de ton échec personnel. Quand j'étais avec toi, tu étais la meilleure épouse qu'un homme peut rêver d'avoir, quand il revient de son travail le soir, mais aussi le matin, au lit, au marché... Tu étais la personne la plus aimante qui soit, avec une totale considération pour l'autre.

Ce n'est pas notre faute si nous ne sommes plus mariés et si nous ne vivons pas ensemble dans une agréable petite maison, quelque part aux environs de New York. Je ne sais pas si cela nous arrivera jamais, mais je sais que même enfermés sur une île du Pacifique, nous pourrions vivre ensemble. Ce que je veux te dire, c'est que je t'aimerai de la manière que tu choisiras, qui te procurera le plus d'agrément et d'amour.

Tu as toujours aimé Bebe [la mère de Carson], mais tu dois savoir que tant que je serai en vie, tu ne devras jamais te sentir perdue, abandonnée, car tu seras toujours la personne essentielle dans ma vie, et la plus chère.

Travaille, mais sans te dépêcher. Ta créativité est de celles qui doivent suivre une lente maturation psychologique pour trouver leur rythme. Quand tu te sentiras prête, va à Yaddo et finis ton livre comme tu penses que tu dois le faire [...]. »

Et Carson suit le conseil de Reeves – ce qu'elle n'avait pas fait depuis bien longtemps. Le 1er juin, elle quitte Columbus pour New York, où elle ne reste que quelques jours avant de rejoindre Yaddo, d'où elle ne repartira que le 12 août. L'atmosphère de guerre qui règne sur toute l'Amérique fait que Yaddo est plutôt désert pour un plein été. Mais Carson a pris la précaution de venir avec son ami Alfred Kantorowicz. Le temps est splendide, ils se sentent en vacances. Ils font de longues marches, vont nager dans les lacs, parlent, jouent et lisent. Carson entreprend la lecture de Clausewitz, pour tenter de mieux comprendre la guerre. Et chaque matin, elle se remet au manuscrit de *Frankie Addams*. Le mois de juillet ramène à Yaddo quelques pensionnaires, dont Alfred Kazin, qui se prendra d'amitié pour Carson, et qui, des années plus tard, en 1971, sera l'un des seuls à parler d'elle à sa biographe sans excès – ni de dévotion ni de ressentiment :

« Dès que je l'ai rencontrée à Yaddo, pendant la guerre, j'ai été touché par ce sentiment très "sudiste" qu'elle avait de l'injustice. Elle avait un tel besoin d'affection et notre sympathie mutuelle était d'une nature si particulière qu'on pourrait presque dire que nous nous "aimions". Ma relation à Carson

était très personnelle sans pourtant être intime ou sentimen-
talement intense. Elle était malheureuse à un degré catastrophique, et quand nous nous sommes rencontrés, je lui étais si
reconnaissant de sa sympathie – de son talent aussi – que
c'était un vrai bonheur d'être ensemble. En fait, nous n'étions
pas très souvent ensemble, ni très longtemps ; j'ignorais une
part importante de sa vie – sa sexualité, qui fut toujours un
mystère pour moi, et peut-être pour elle-même, et bon
nombre de ses amis [6]. »

L'amitié de Kazin sera très précieuse à Carson dans les
semaines qui suivent leur rencontre, pour affronter ce qu'il
désignera, lui, comme « une tempête dans un verre d'eau », et
qui l'affectera, elle, profondément. En août, *Harper's Bazaar*
publie *La Ballade du Café triste* que le magazine avait acheté
quelques mois auparavant. Carson reçoit une lettre anonyme l'accusant d'antisémitisme à cause du passage sur Morris
Finestein :

> « Ce n'était pas chose courante de voir un bossu qu'on ne
> connaît pas arriver à minuit jusqu'à votre magasin, s'asseoir
> sur le perron et éclater en sanglots. Miss Amelia rejeta ses
> cheveux en arrière, et les hommes se regardèrent avec des
> mines déconcertées. Tout autour, la ville était calme.
> L'un des jumeaux dit enfin :
> "Que je sois pendu si ça n'est pas un parfait Morris
> Finestein !"
> Les autres tombèrent d'accord, car cette expression a un
> sens très particulier. Mais, comme le bossu ne pouvait pas
> savoir de quoi ils parlaient, il se mit à pleurer plus fort.
> Morris Finestein était un homme qui habitait la ville
> quelques années auparavant. Un petit Juif nerveux et sau-
> tillant, qui se mettait à pleurer chaque fois qu'on le traitait de
> déicide et qui ne mangeait que du pain azyme et du saumon
> en boîte. Un malheur l'avait obligé à déménager. Il vivait
> maintenant à Society City. Mais depuis ce temps-là, chaque
> fois qu'un homme faisait la fine bouche ou se mettait à pleu-
> rer, on disait que c'était un parfait Morris Finestein [7]. »

Bouleversée, elle écrit à presque tous ses amis juifs qui ont lu le manuscrit avant sa publication pour leur demander pourquoi ils n'ont pas relevé ce passage. Peut-être, suggère-t-elle, est-ce parce qu'ils la connaissent et savent fort bien qu'elle n'est en rien antisémite. Mais elle s'inquiète de savoir si ces propos peuvent offenser des lecteurs qui ne la connaissent pas, elle veut se justifier, bien que tous ses amis tentent de l'en dissuader. Elle écrit une lettre ouverte, qu'elle voudrait voir publier dans *Harper's Bazaar*, dans laquelle elle explicite ses positions antifascistes, affirmées dès son premier livre. *Harper's* ne publie pas cette longue autojustification, que tous trouvent disproportionnée par rapport à l'incident. L'accusation anonyme était, certes, infondée; toutefois, on peut comprendre qu'aux pires moments de la tragédie de la Deuxième Guerre mondiale, cette anecdote ait été jugée comme assez mal venue. Ce trait d'antisémitisme sociologique, non de Carson McCullers elle-même, mais de la communauté d'une petite ville américaine, n'apporte absolument rien à la singulière histoire – impeccablement menée par Carson McCullers – de Miss Amelia, de Marvin Macy et du bossu Cousin Lymon, et les circonstances commandaient sans doute qu'on s'en passât.

De Yaddo, Carson retourne à Columbus, en repassant par New York. Son père est malade. Il a eu une crise cardiaque et les médecins lui enjoignent de cesser de boire. Carson le veille, et rationne ses doses d'alcool avec une rigueur qu'elle ne sera jamais capable de s'appliquer à elle-même. Reeves continue de lui écrire, de s'inquiéter d'elle, de se désoler à l'idée de ne pas la revoir avant la fin de la guerre. Il lui envoie aussi de l'argent. Elle lui répond régulièrement. A la fin de septembre, Reeves et sa compagnie sont envoyés à Fort Dix dans le New Jersey. L'embarquement pour l'Europe approche. En octobre, Reeves et Carson s'écrivent énormément. De très longues lettres, comme s'il leur fallait faire le point sur tout avant le grand départ. Pour le seul 16 octobre, deux lettres de Reeves. Il raconte sa journée. Il parle de ses hommes, avec beaucoup de respect et de chaleur, comme toujours, de son désir de l'avoir, elle, près de lui : « Moi aussi, en un sens, j'aimerais que tu sois un homme et que tu sois dans ma compagnie. Tu ferais un très bon soldat et tu t'entendrais bien avec les hommes. » Il redit ses ambitions et ses projets pour l'après-guerre – hors d'Amérique – et se livre à une auto-analyse qui ne manque pas de lucidité, puis bascule dans l'irréalisme. « Je n'ai jamais vraiment trouvé mon identité en Amérique, je n'ai pas trouvé ma place dans ce pays bien que je l'aime. J'avais aussi une carence absolue d'amour jusqu'à ce que je te rencontre. Quand j'ai vécu avec toi, je me suis accroché à ta propre identité jusqu'à ce que je sois dégoûté de moi-même et devienne alcoolique cette année-là à New York. Mais le choc de ton départ m'a sorti très vite de cet état et je suis bien dans ma tête, depuis le printemps dernier [...] Je voudrais une maison en Nouvelle-Angleterre, travailler en Chine et rentrer tous les trois ou quatre ans. » Il l'encourage à travailler, à écrire. « Tu as la complète maîtrise de deux styles d'écriture. Je ne sais pas lequel va te rendre immortelle, mais je sais que tu dois travailler et ne pas te préoccuper de ces temps difficiles [...]. » Il lui dit et redit son amour : « Ce que tu es pour moi et à quel point tu comptes est absolument clair, mais je ne suis pas certain de ce que je représente pour toi [...] Avec toi j'ai appris la tendresse et le vrai sens de l'amour. »

Reeves souhaiterait que Carson vienne le voir avant son départ – « ce serait si important pour moi » –, et elle va le faire, dans la dernière semaine d'octobre. Entre-temps, elle a expliqué à David Diamond et à Newton Arvin que Reeves et elle avaient parlé de remariage, sur son initiative à elle. « Je me sens certainement – et je suis – plus proche de toi qu'aucun mari ne l'a jamais été de sa femme», répond Reeves [8] : «Tu sais, je crois, ce que je pense du mariage [...] Quand nous n'étions plus amis et que nous étions totalement séparés, j'étais presque détruit [...] Quoi qu'il en soit, je ne t'aime pas comme un petit freluquet de vingt ans [il a trente ans] Je t'aime avec une maturité, une profondeur, une compréhension et une tendresse qui est bien au-delà de l'amour des gens ordinaires. Mais je n'ai pas à te redire ça [...] Notre mariage donnerait évidemment une certaine légitimité à la situation. Même si nous n'avons pas assez de temps pour nous marier, te voir me ferait presque le même effet – pas tout à fait tout de même [...] Oh, ma précieuse Carson, je veux te tenir contre moi et te regarder et te dire que je t'aime... Quelques minutes, une heure, une journée...» Il lui donne des indications pour aller à Fort Dix, où Carson reste une semaine pour voir Reeves tous les jours. Lui-même obtient deux journées de permission qu'ils passent à New York où ils rendent une dernière visite à leurs amis communs – David Diamond, George Davis, Alfred Kantorowicz – avant le grand départ. «Ta visite a tant compté pour moi, probablement plus que n'importe laquelle de nos rencontres, écrit Reeves le 2 novembre. Ce moment m'a rempli de force et de volonté pour faire face à tout ce qui m'attend. Être avec toi m'a donné un sentiment de totalité et de complétude. Une vieille blessure s'est guérie, une blessure que je craignais d'emporter toujours avec moi [...] Sera-t-il possible pour nous d'être l'un près de l'autre après la guerre? Moi je le crois. Et toi? Je veux t'emmener dans des endroits où tu as toujours voulu aller et je veux être ton compagnon [...] »

Finalement, Carson et Reeves ont décidé de ne pas se remarier sur-le-champ, d'attendre la fin de la guerre pour faire des projets d'avenir.

Carson rentre à Columbus, et ils ne cessent de correspondre jusqu'à l'embarquement de Reeves à la fin de novembre.

« Ma chérie, mon amour, je viens de finir les trois lettres que tu as envoyées depuis ton retour, dit-il dans une lettre non datée. Tout ce que nous nous sommes écrit dans les trois dernières semaines a effacé le terrible et mortel sentiment que j'avais [...] Tu répètes que nous avons été sages de ne pas nous remarier. En fait tu le soulignes un peu trop, cela signifie que cela te préoccupe. Tu insistes sur l'absolue nécessité pour chacun d'entre nous de conserver sa liberté individuelle. Dans notre vie intime, dis-tu, comme dans notre travail. Et je sais que tout cela est juste. Un lien domestique ou conjugal ne nous convient pas. Je suis plus proche de toi qu'un mari ne l'a jamais été de sa femme [...] Cette nuit, j'étais un peu triste quand j'ai brûlé tes lettres des neuf derniers mois (nous ne devons rien emporter avec nous qui puisse nous identifier personnellement)

[...] Ma chérie, je sais que je te reverrai, et c'est ce que je désire et attends le plus au monde. »

Les deux dernières lettres postées aux États-Unis sont du 13 et du 15 novembre. Reeves n'a pas eu de nouvelles de Carson depuis dix jours : « Le courrier a été retenu par la censure. Il va falloir que je m'y habitue [...] Quand je me sens mal, je me dis que ton travail est bien aussi difficile que le mien [...] Je réalise à quel point il faut du courage et une force énorme pour écrire et pour créer, surtout en ce moment. [...] J'apprends le français et l'allemand. J'aime penser à nous, vivant en Europe ensemble, dans le pays où m'emmènera mon travail. Tu pourras aller et venir comme tu voudras, mais je voudrais que tu sois avec moi. Je peux donner tellement plus de moi même quand nous sommes proches l'un de l'autre. Si nous n'avions pas renoué, je ne serai pas le soldat que je suis [...] »

A titre de conjuration, en se quittant, Carson et Reeves se sont fixé rendez-vous après la guerre à la terrasse de l'hôtel

Brevoort, lieu de toutes leurs réconciliations. Quand elle écrit à Edwin Peacock, le 15 novembre, Carson est pleine d'une affectueuse admiration pour son futur héros :

> « Il est dans une forme splendide, et c'est un remarquable soldat [...] Reeves est si merveilleux que j'éprouve une sorte d'horreur, quand je le regarde, à penser aux dangers qu'il va devoir affronter. Je suis pourtant très heureuse de l'avoir vu. Nous avons traversé des moments terriblement douloureux ensemble, nous nous sommes ligotés dans des rapports de mutuelle destruction mais d'une certaine manière, ces derniers jours ont rendu tous ces épisodes affreux extrêmement lointains. Il était si heureux que je sois là. Si fier que je voie sa compagnie, que je rencontre les hommes avec qui il s'entraîne. Je l'ai toujours si tendrement aimé. Maintenant, sachant ce que vont affronter les Rangers, cela va être très dur d'attendre les lettres. Que Dieu l'aide [9]. »

Comme beaucoup de soldats américains, ce 23 novembre 1943, Reeves McCullers ne sait pas pour quelle destination exacte il part, sinon que c'est vers l'Europe, et pour s'y battre. En fait, son bataillon a été envoyé en Angleterre – il y arrive le 2 décembre 1943 – où il doit se soumettre, avec d'autres, à un entraînement intensif pour se préparer à débarquer sur les côtes françaises au « Jour J » – dont chacun, bien sûr, ignore la date. On retrouve ainsi le Deuxième Rangers à Bude, puis Tishfield et Folkestone [10]. Dès qu'il a un peu de temps – et il en a très peu –, Reeves écrit. A Carson essentiellement. Un peu à sa mère, Jessie McCullers, qui habite désormais Baltimore, dans le Maryland, et, plus rarement, à des amis.

Si Carson et Reeves vont beaucoup s'écrire, jusqu'au retour de celui-ci sur le sol américain, au printemps de 1945, on ne peut pas vraiment parler d'un échange de correspondance où chacun répondrait à l'autre, car le courrier, dans ce contexte de guerre, arrive de manière très irrégulière. Des lettres se sont perdues avant de parvenir à destination. Parmi

celles de Carson, ne demeurent que certaines des lettres pos-
térieures au débarquement du 6 juin 1944 en Normandie, et
que Reeves a pu rapporter en Amérique avec lui. Celles qui
sont arrivées en Angleterre entre janvier et juin 1944 ont été
détruites, comme il était de règle, avant que les soldats ne
quittent le sol anglais. Souvent, on ne peut déduire approximativement le sujet de ces lettres que des réponses qu'y fait
Reeves.

Leurs propos, à tous deux, sont assez répétitifs : la peur, le
manque, l'angoisse de ne rien savoir de l'autre. C'est surtout
ce qui caractérise les lettres de Carson : d'une part, elle est
celle qui «attend», d'autre part, il serait déplacé de trop insister sur un quotidien qui, même si les États-Unis sont en
guerre, n'a rien de comparable à celui d'un soldat, voire d'un
pays occupé ou menacé. Reeves, lui, en plus de l'expression
renouvelée de ses sentiments, a beaucoup de choses à raconter. La découverte d'un continent, même à travers la rudesse
de l'époque, la guerre au jour le jour d'un soldat ordinaire. Il
aime visiblement décrire, donner des détails. En Angleterre,
il est «bien installé, chez une veuve qui a une fille» à laquelle
il donne chaque semaine une ration de chocolat. Le pays lui
paraît «magnifique», la campagne l'enchante. «Un de mes
amis m'a acheté à Bristol l'édition anglaise de tes livres, se
réjouit-il le 5 décembre 1943. C'était un sentiment agréable
de voir qu'en Grande-Bretagne, ton nom n'est pas celui d'une
étrangère et que des gens achètent tes livres.»

Carson continue, semble-t-il, d'évoquer la question de
leur remariage, comme s'il lui fallait se disculper d'avoir été
celle qui l'a proposé avant de le repousser puisque Reeves lui
répond longuement, en février [11], en tenant bon sur ses positions : «Il me semble que tu ne m'as pas compris. Ce que je
propose n'a rien à voir avec le sentiment de possession, que
nous ne tolérons ni l'un ni l'autre [...] Bien que notre

mariage ait tourné au désastre, je continue de penser que nous être rencontrés est une bonne chose pour chacun de nous. »

Dans le récit autobiographique qu'elle entreprend quatre mois avant sa mort, Carson opérera une sorte de « relecture » de sa relation à Reeves, qui ne va pas sans quelques outrances : « Pendant tout le temps qu'a duré la guerre, les lettres de Reeves revenaient constamment sur le mariage. J'étais toujours très réticente à propos de notre remariage, bien que le sujet soit toujours au centre de notre correspondance. Je pense que si nous avions eu juste une relation amicale dénuée de toute possessivité, la vie de Reeves n'aurait pas fini dans un tel désastre. Mais il était absolument déterminé à me posséder[12]. »

Il n'est pas exact de dire que les lettres de Reeves marquaient une telle obsession du « remariage ». Certes, il en parle, on l'a vu, mais il est abusif d'en faire une sorte de harcèlement. C'est que Reeves se veut désormais adulte et responsable, incitant Carson à la patience. A propos du courrier. A propos de son travail :

« Tu es jeune et tu auras tout ton temps pour accomplir ton œuvre. J'ai confiance en toi, et en ta discipline. Peu importe qu'il faille encore un, deux ou même trois ans pour finir ce livre. Je sais que tu le finiras. Je t'aime depuis tant d'années, Carson […] Je connais l'oiseau sauvage qui parfois s'empare de ton cœur. La seule chose que je puisse en dire est que je comprends. Je n'ai aucun diagnostic à te proposer et je n'ai jamais essayé de te donner une réponse péremptoire […]. C'est toi qui trouveras la réponse qui te convient, si ce n'est déjà fait – et qui trouveras la bonne solution. Je sais que tu souhaites pour moi tout le bonheur possible, mais le fait est que, tout simplement, je n'ai pas besoin d'une femme, je n'en veux pas vraiment. Cela ne fait pas partie de ce qui est indispensable à mon bonheur. C'est dur de croire que tu as vingt-sept ans. Il n'est pas possible que huit ans aient passé depuis nos promenades du dimanche avec Edwin, nos marches, nos retours chez lui pour boire du vin, écouter de la musique et bavarder [...] Oh, Carson, nous avons vécu de si merveilleux moments ensemble [13]. »

A Columbus, où elle passe tout l'hiver, Carson est une fois de plus gravement malade. On diagnostique une pleurésie. Dès qu'il l'apprend, par une lettre de Marguerite Smith, Reeves supplie Carson de prendre soin d'elle. « Chérie, chérie, je t'en conjure, ne sois plus jamais malade. Occupe-toi de ton corps, de ta santé, et ne te torture pas l'esprit [14]. »

Reeves s'est fracturé le poignet dans un accident de moto au mois de février, mais il est remis à temps pour reprendre l'entraînement. Le 5 juin 1944, dans la nuit, en dépit du temps incertain et après toutes les tergiversations que l'on sait, le lieutenant James Reeves Mc Cullers embarque avec des milliers d'autres hommes. Destination : Omaha Beach.

Sur le bateau qui l'amène vers la côte normande, il décrit pour Carson l'extraordinaire déploiement des forces :

« Depuis hier, une vaste armada fait route vers la France pour attaquer l'Allemagne. Aussi loin que le regard peut porter, on ne voit que des bateaux, par milliers, entourés par d'énormes escorteurs. Au-dessus de nous, des avions tournent avec insistance comme des chiens de berger protecteurs. C'est le moment que nous avons tous tellement attendu. Le pouls de tous les hommes à bord bat très fort de l'excitation et de l'impatience d'affronter les Huns. Sur mon bateau, il y a une arme secrète conçue pour les surprendre. Notre principale préoccupation en ce moment est le temps. Nous prions pour que la mer, qui est très grosse, se calme. Nous venons de finir de dîner et je viens de lire aux hommes les lettres de nos chefs : Canham, Bradley, Montgomery, Eisenhower et le message du Président. Ce sont des mots très simples, des conseils et des encouragements pour les aider dans les jours et les nuits horribles, terrifiantes qui nous attendent [...]. Je dois veiller toute la nuit avec le commandant du bateau, mais il me reste une dernière bouteille de whisky mise de côté pour l'occasion, que je vais boire lentement en réfléchissant et en faisant des plans. Il fait un peu froid cette nuit mais j'ai mis le sweater bleu que tu m'as donné sous ma veste militaire et cela me réchauffe [...] Je ne crois pas qu'il y ait dans toute l'expédition un groupe d'hommes plus fermement décidé que le mien à faire son travail. [...]. Beaucoup d'entre nous seront tués mais ce ne sera pas pour rien. En tuant le plus de Nazis possible, nous laisserons un peu plus de liberté sur cette terre. Le commandant en chef de notre bataillon a assisté à la courte allocution du général Montgomery avant notre départ. Il a parlé de façon très calme et très précise, et il a dit que l'Allemagne serait défaite dans six mois, et le Japon six mois après. Je pense qu'il a raison.

Cet après midi, j'ai regardé deux photos de toi que j'ai avec moi – l'une a été prise dans notre maison, tu es au piano et ton visage est plein d'une calme tendresse. L'autre vient d'un magazine et a dû être prise à Yaddo. Tu as un petit sourire, comme si quelque chose t'avait amusé [...] Cette lettre risque d'être la dernière que je puisse t'écrire pour un certain temps car Dieu et le Commandement général savent seuls quand nous aurons un moment de répit. Mais tu seras toujours dans mon cœur et dans mes pensées [15].

Cette lettre ne devait pas beaucoup différer des centaines d'autres qu'écrivirent, cette nuit-là, des hommes dont beaucoup ne revinrent pas, mais il y a quelque chose de fort dans cette intersection d'un destin personnel si singulier et d'un moment si intense de l'histoire collective. Et, en dépit du danger, peut-être Reeves fut-il en ces temps de combat au plus proche de lui-même, réconcilié, unifié par un projet et une volonté qui n'étaient plus soumis à l'incertitude de ses propres contradictions.

Le bataillon de Reeves fait partie de la première vague du débarquement : ce sont les Rangers qui ont été chargés de prendre d'assaut la pointe du Hoc, sous le commandement du lieutenant-colonel James Earl Rudder, tandis qu'une compagnie devait débarquer à Omaha, sur la plage «Charlie», et attaquer les positions ennemies à la Pointe de la Percée. Le lieutenant Dutch Vermeer a raconté cette épopée de la pointe du Hoc. Il note que le lieutenant J.R. McCullers a été le seul à avoir pu faire approcher des côtes un bateau de matériel contenant des explosifs et des munitions – leurs seules munitions pendant tout le temps qu'ils durent rester sur la pointe. Dans ce récit pourtant purement militaire, il n'est pas sans intérêt de noter qu'après avoir remarqué ce que la compagnie devait à Reeves, Dutch Vermeer ajoute : « La femme de McCullers était l'auteur Carson McCullers, qui a écrit plusieurs livres de grosses ventes. »

Les pertes sont importantes mais la compagnie de Reeves est, semble-t-il, épargnée par le plus fort du feu ennemi. Pas de morts, et vingt-neuf blessés – dont lui, légèrement atteint à la main : « La blessure n'est pas grave et dans une semaine, je serai assez bien pour reprendre le combat [16]. » Le 20 juin, Reeves est effectivement à nouveau sur le front, où il a pris le commandement d'une compagnie. Du 12 au 16 juin, les Rangers ont avancé vers Vierville-sur-Mer et Grandcamp-les-Bains, puis se sont rapprochés de Valognes : « Les quatorze derniers jours, écrit-il à Carson, ont été les plus durs et les plus horribles que j'aie jamais connus. Ça a été aussi moche que je m'y attendais [...] Nous avons accompli notre mission mais il a fallu payer le prix fort. »

Depuis le 15 juin, Carson est à Yaddo où elle espère pouvoir travailler au manuscrit de *Frankie Addams,* un peu mieux qu'elle ne le faisait à Columbus. En vain. Mais il n'est sans doute pas nécessaire d'invoquer l'hypothétique aide indispensable de Reeves dans toute création de Carson pour comprendre que la jeune femme, dans ces circonstances, ait l'esprit passablement occupé. C'est à Yaddo que Reeves envoie, le 9 juillet, une lettre tapée « sur une machine à écrire allemande, dans un ancien quartier général d'officiers ».

« C'est vraiment bon d'être en vie, et de nouveau dans un immeuble avec un toit au-dessus de soi. J'ai pris mon premier vrai bain depuis plus de deux mois. Et il fait beau. J'ai ta deuxième lettre écrite de Yaddo, mais tu utilises encore un vieux n° APO, ce qui ralentit l'arrivée du courrier [...] Je sais que tu n'as aucune nouvelle de moi depuis le débarquement, mais il n'y a aucune autre communication possible que les lettres. J'en envoie beaucoup [...] Au cas où aucune d'entre elles ne serait arrivée, je répète : j'ai été légèrement blessé, mais je suis remis et de retour au front. Je commande de nouveau une compagnie. Je ne voudrais pas être ailleurs. Je suis ici de toutes mes forces, jusqu'à la fin, mais j'espère que cette fin est proche.

Te revoir à Columbus a été le tournant de ma vie. L'existence redevenait si claire, et douce, et je tenais de nouveau mon avenir fermement en main, j'étais certain de pouvoir désormais accomplir mon destin comme je le souhaite. Si tu n'avais pas vu que j'avais changé et n'avais pas renoué avec moi, quelque chose de vital en moi serait mort maintenant.

Ici on vit au présent, au jour le jour [...]

La guerre moderne est certainement différente des autres. J'ai passé plusieurs jours à Cherbourg à parler avec des gens du coin qui revenaient chez eux. Toi et moi, on savait depuis longtemps à quoi ressemblaient les nazis, mais je n'avais pas tout compris avant de parler avec les prisonniers allemands. J'ai appris ce qu'on faisait aux Juifs [...] C'est le témoignage personnel d'une victime qui fait devenir les choses réelles, beaucoup plus que les balles et les bombes qui tombent autour de nous [...] Il va falloir trois générations pour retirer de l'âme allemande ce que Hitler y a mis [...] Ma petite chérie, je sais que la tension en ce moment est presque insupportable pour toi, mais je ne peux rien faire pour l'alléger. Les temps sont durs pour toi et moi.

Je ne peux que redire mon amour.

Garde la fraîcheur que je te vois depuis que je te connais. Fais que chaque matin soit nouveau et plein de vie.

Travaille.

Avant un an j'espère frapper à la porte de la maison où tu seras et demander si tu es là [...]. »

En Normandie, Reeves découvre le café arrosé de calvados « un alcool à base de pommes, quelque chose comme

l'*apple jack,* mais en meilleur», dont il vante à Carson les vertus, et qu'il lui suggère de substituer à son traditionnel
mélange de thé et de sherry. Il décrit aussi ce premier 14 juillet
«libéré» :

> «Tout le monde était dehors, en habits du dimanche,
> marchant dans les rues. On était ému aux larmes à voir leurs
> timides sourires et leur fierté. C'était la première fois depuis
> quatre ans qu'ils pouvaient célébrer ce jour. Ils sont très réser-
> vés, et il est difficile de dire s'ils sont encore sous le choc
> causé par le boucan infernal qu'ont fait les Américains pour
> les libérer ou s'ils sont toujours sous l'effet des Boches. Quoi
> qu'il en soit, dès qu'on parle avec eux quelques minutes, ils
> sont très cordiaux, très sympathiques et sûrement les gens les
> plus charmants du monde [17].»

Et, dans sa lettre du 21 août, il exalte sa mission de «libérateur» : «Les heures d'agonie de la France sont presque ter-
minées et elle commence à revivre. C'est merveilleux d'assister
à la renaissance d'une nation.»

C'est à Yaddo que, le 1er août, Carson apprend la mort
subite de son père, d'une crise cardiaque. Au moment où il
allait fermer sa bijouterie, Lamar Smith s'est écroulé et sa
mort a été instantanée. Il avait cinquante-cinq ans. Carson
regagne Columbus où elle reste après les obsèques.

Reeves a su la nouvelle et en parle dans sa lettre du
21 août : «Je suis profondément bouleversé par la mort de
ton père [...] Il est plus sage que Bebe passe avec toi et Rita
un certain temps. Il y aura un moment où elle va se sentir terriblement seule et où elle aura besoin de vous.» La mère de
Carson ne veut pas rester dans le Sud, d'autant que Rita est à
New York depuis le printemps, où elle a commencé à travailler comme assistant-éditeur pour *Mademoiselle.* Marguerite Smith, qui a dû être hospitalisée le lendemain de
l'enterrement de son mari, n'a même pas voulu «remettre les

pieds » dans la maison de Starke Avenue. Après l'hôpital et avant de partir vers le Nord, elle habite chez sa sœur. Le 4 septembre, Carson, Marguerite et Rita emménagent à Nyack, dans l'État de New York – à une heure environ de la ville –, au bord de l'Hudson. Elles louent une maison au 127 South Broadway, juste en face de la bibliothèque, où Marguerite va régulièrement se fournir en romans policiers que Carson lit pour se détendre – « pour changer de rythme », disait-elle. Après avoir vendu la maison de Starke Avenue à Columbus, Marguerite Smith acquerra, en mai 1945, la maison du 131 South Broadway, que Carson lui rachètera en 1951, avec l'argent que lui aura rapporté la vente des droits cinématographiques de *Frankie Addams* à Stanley Kramer. Toutes deux, Marguerite et Carson, finiront leur vie dans cette belle maison victorienne de deux étages, avec un jardin et une terrasse donnant sur l'Hudson. Des années plus tard, dans un entretien radiophonique, Carson McCullers dira combien elle aime ce lieu, « cette paisible communauté de dix mille personnes » :

« [...] Bien que Nyack ne soit pas une de ces typiques "banlieues-dortoirs" de New York, la ville est très largement ouverte sur le monde. Nyack a acquis une renommée internationale grâce aux travaux de la Fondation Tolstoï. Notre communauté de Nyack et de ses environs s'enorgueillit à juste titre de ses artistes. Le peintre Henry Varnum Poor, qui excelle tout autant dans l'architecture et la céramique que dans la peinture. Le dramaturge Maxwell Anderson, les comédiens Katherine Cornell et Burgess Meredith et, dans le haut Nyack, l'écrivain Ben Hecht, Helen Hayes et son mari Charles McArthur [...] Nyack est ma ville adoptive depuis plus de dix ans. Quand j'ai souhaité m'établir avec ma famille dans la région de New York, je voulais être près de la ville mais pas à l'intérieur, ni dans une de ces zones suburbaines typiques. Je ne voulais pas vivre dans une communauté qui se gargarise de son côté "bohème" et Nyack, tout en étant très fière de ses artistes, est une ville sans prétention [18]. »

Tandis que Carson s'installe à Nyack, en Europe, Reeves est au plus fort de la guerre. Le plus dur pour lui est de voir mourir les hommes de son bataillon. Chaque fois, cela ravive sa peur et son désarroi devant cette loterie mortelle, au point que, pour la première fois, il fait allusion à sa possible disparition : «En ce moment, Carson, il faut que tu te prépares à tout. Le plus gros choc a été la perte de Meltzer. Il a été le seul ami proche que je me sois fait depuis des années, et je me sens comme si j'avais perdu un frère. Il était si vrai, si plein de vie... [...] et il avait tellement envie de te connaître [19].»

Robert Meltzer était, selon les documents concernant le Deuxième Rangers conservés au Mémorial de Caen, un scénariste de Hollywood qui avait rejoint la compagnie commandée par Reeves dix jours après le Débarquement. On trouve en date du 23 septembre 1943 – soit quelque temps après sa mort – dans le magazine américain *Collier's* un très savoureux récit signé de lui racontant une des nombreuses «virées» des soldats américains en quête de calvados. Et celle-ci, précisément, met en scène *Mac the Steady Drinker* – Mac la bonne descente – alias James Reeves McCullers, qui était régulièrement de la partie.

> «Ces patrouilles, dont les exploits ne faisaient pas l'objet de comptes rendus militaires, étaient en général formées d'un sérieux buveur et d'un soldat qui était capable d'exprimer en français certains souhaits de base. Il se trouvait que je savais le français, ce qui explique que juste après la chute de Cherbourg, je fis partie d'une de ces patrouilles. Aux côté de Mac the Steady Drinker, il y avait l'officier Dutch Vermeer et le conducteur de la jeep surnommé Pony Boy.»

La patrouille se retrouve dans un bistrot normand tenu de main de fer par une patronne «qui à l'évidence tyrannisait sa famille et ses employés depuis la chute de la Bastille». Pas de calvados, affirme-t-elle d'un ton peu amène – ce qui déclenche l'indignation d'un «Parisien» de passage qui, après avoir rappelé Sedan, Verdun et invoqué de Gaulle, plaide «que c'est une chose de cacher son stock de calvados aux Nazis, et une autre d'en refuser à nos amis, nos libérateurs américains». Le calvados sort donc de sa cachette. «Il peut en gros être comparé à la tequila ou à la vodka, et Mac crut bien que c'était de la nitroglycérine quand il vida son premier verre.» Premier verre suivi de tant d'autres que, copieusement éméché, le «Parisien» propose un raid contre une position ennemie distante de deux kilomètres, que ses nouveaux compagnons, également fort imbibés, acceptent. On n'y trouvera heureusement – compte tenu de l'état de l'équipe – pas d'Allemands mais, dans une ferme proche, d'autres bouteilles de calvados, ce qui arrache à Reeves-Mac the Steady Drinker une «longue litanie profane» sur les vertus de cette «putain de merveilleuse concoction, brûleuse d'estomac, ravageuse d'entrailles et incendiaire de cerveau». Cet «intermède normand» – selon le titre de l'article – se termine bien. Ce ne fut pas le cas de tous, puisque l'article conservé au Mémorial est accompagnée d'une note dactylographiée qui précise : «Après un temps de repos en Normandie, Meltzer et McCullers firent en Bretagne une autre escapade, semblable à celle décrite ici, au cours de laquelle Meltzer fut tué.»

Les combats s'intensifient, et chaque jour où l'on demeure en vie est vécu comme un miracle : «Tant de miracles se sont produits ces dernières trente six heures ! [...] Et le premier de tous : je suis vivant, je suis vivant, je suis vivant ! Quand on nous a relevés, j'ai dormi vingt-deux heures sans même me retourner [...] Un officier de la marine a entendu un de mes hommes m'appeler par mon nom et il m'a demandé si j'avais écrit le *Cœur*. Je lui ai dit qui en était l'auteur, nous nous sommes assis pour prendre un verre ensemble. Il avait trouvé le livre en France l'hiver dernier, et l'a beaucoup aimé [20].»

Le 5 octobre, l'en-tête de sa lettre est seulement «quelque part en Europe» :

> «C'est la première fois que je peux écrire en trois semaines. Je sais que tu t'inquiètes de ne pas avoir de nouvelles, mais je ne peux pas y remédier […] Les batailles sont difficiles. Chaque jour, c'est un miracle renouvelé d'être en vie. Je peux seulement dire que j'espère survivre et te revoir. La mort et le danger sont présents sur chaque centimètre carré du sol […] Beaucoup de gens que tu connais vont revenir de la guerre. Il faut que je sois l'un d'eux […]. »

Le même jour, il écrit une deuxième lettre, pour conjurer le pessimisme de la première :

> «Tout à l'heure je t'ai écrit un mot pas très heureux. C'est la tension qui est le plus terrible. Très difficile à supporter. »

Comme pour prendre un peu de distance par rapport à ce qu'il vit, il raconte :

> «On est toujours dans une grange. Pendant une semaine, on a vécu d'une manière atroce, pire que des chiens. Il y a même eu un jour ou deux où nous ne ressemblions plus vraiment à des êtres humains […]. Tout au long du dernier mois, j'ai vécu dans le vide, incapable de penser à autre chose qu'aux deux ou trois heures qui allaient suivre. Mais tu étais toujours là, quelque part, dans ma tête, et un sentiment de paix me vient quand je parviens à penser à toi […]. »

Les dernières lettres de guerre que nous ayons de Reeves, du 10 octobre au 8 novembre, viennent de Luxembourg – les Rangers sont arrivés en Belgique au début du mois d'octobre, puis ont rejoint les combats au Luxembourg le 21 du même mois avant d'entrer en Allemagne, où les affrontements sont très sévères.

Ce qui se passe ensuite, jusqu'à son retour aux États-Unis à la fin de février 1945, ce sont les lettres de Carson – rappor-

tées par Reeves ou, pour certaines, revenues par la poste sans
avoir atteint leur destinataire – qui en témoignent. «J'ai le
temps de t'écrire un mot avant de sortir faire ma ronde»,
signale Reeves le 10 octobre. Il veut que ses lettres soient «de
proximité», qu'elles disent précisément ce qu'il est en train de
faire, et à quel moment de la journée, comme si le fait d'écrire
et de décrire attestait sa survie :

> «Chez les Nazis, les fanatiques sont toujours au pouvoir.
> On voudrait en finir avant l'hiver. Je suis dans l'une des
> régions d'Europe qui a les plus belles fermes. Ici, les gens
> n'ont pas été très atteints par la guerre et ils sont très gentils
> […] Je sais que tu écris régulièrement, mais je n'ai pas sou-
> vent les lettres. Comme je me languis de pouvoir aller
> m'asseoir auprès de toi pour parler tranquillement.
> J'ai hâte de commencer vraiment mon avenir […]. »

Plus tard, le même jour, il décrit dans une nouvelle lettre
la fin d'après-midi et cet endroit, qu'il pourrait tant aimer si
l'on n'y faisait la guerre.

> «Quand les temps sont normaux, la vie est si plaisante et
> simple ici. Les gens sont comme ils étaient il y a des années et
> des années […] Même si je suis mort dans deux jours, j'aurai
> eu un bel après-midi. C'est une ville frontière, qui ressemble
> à ce que Kay [Boyle] a décrit dans *Avalanche*. Propre, fraîche,
> avec des nappes blanches […] On a bu du schnaps […] C'est
> bien de pouvoir être seul et avoir ses pensées pour soi.
> Au combat, on ne peut pas, les nuits surtout sont horribles,
> même s'il n'y a pas de tirs. Je pense que la guerre me change
> et va encore me changer, mais je ne veux pas trop vieillir.
> Comme toi, j'espère garder la fraîcheur, et l'espoir en la
> vie […]. »

Le 17 octobre, il est dans un de ces petits cafés qui, après
son retour, lui donneront la nostalgie de l'Europe. Il fait beau.

«La seule chose qui me manque pour que tout soit parfait, c'est toi. Nous allons nous revoir, n'est-ce pas, chérie? [...] Nous avons tant de choses à faire ensemble. Tu vas tellement aimer certaines parties de l'Europe. Moi j'aime bien les gens qui habitent ici. Il y a un petit garçon italien qui ressemble à l'adolescent de *Mort à Venise*. Il a treize ans et il parle quatre langues. Il me suit partout; je rêve de le ramener à la maison et de le garder avec nous. Mon unité se repose. Il y a encore d'horribles batailles en vue.»

Dans le petit café, les gens jouent aux cartes, on pourrait croire la paix déjà revenue.

«C'est vraiment dommage que les Américains n'aient pas l'équivalent du pub anglais et du café continental. En revanche, ce qui me manque, ce sont les cigarettes américaines [...]. »

Il s'inquiète de n'avoir aucune nouvelle de Carson depuis des jours : le courrier n'arrive pas. Mais quelques semaines plus tard, le 8 novembre, sont arrivées dix-huit lettres, presque toutes de Carson – la dernière étant datée du 22 octobre.

«Ce fut un des plus grands jours depuis le "D Day" [...] Oh, ma précieuse Carson, tes lettres étaient si bonnes, si bonnes. Je les ai lues et relues. [...] »

Effectivement, Carson écrit presque tous les jours, mais beaucoup de lettres se sont perdues. Toutes sont adressées au «Lt James Reeves McCullers 01301851. Company I 28th Infantry. 8th Division AP08 NY NY c/o Postmaster». Elle mesure que ce qu'elle tente de raconter de la vie quotidienne est «très loin» de Reeves, que tout cela doit lui sembler «bien étranger». Mais c'est sa manière à elle de vivre encore un peu avec lui. Et puis, dans son existence, pour le moment, il ne se «passe» rien. L'attente, le manuscrit qui n'avance pas, les malaises... Le 12 novembre, elle a enfin reçu une lettre, qui a mis plus d'un mois à arriver. Mais, dans l'autre sens, c'est pire.

Ses lettres à elle n'arrivent pas du tout, ce qui redouble son angoisse que Reeves se sente abandonné, et que sa vigilance à se préserver en soit émoussée :

> « Cela me désespère vraiment d'apprendre que mes lettres ne te parviennent pas. Oh, j'espère tellement que maintenant tu as régulièrement de mes nouvelles [...] Je lis le journal ligne à ligne dans l'espoir de tomber sur des informations concernant le 28ᵉ d'infanterie, ou plutôt je le crains autant que je l'espère, puisque cela signifierait que vous êtes au front [...] Ici, c'est un dimanche froid et lumineux [...] Oh, Reeves chéri, fais attention à toi, je t'en supplie [...]. »

Et le 12 novembre 1944 :

> « Reeves, mon ange,
> Ce matin, nous avons eu la première neige de l'année. De légers flocons tourbillonnent à la fenêtre, la rivière est voilée et on aperçoit seulement une petite maison brune avec deux cheminées rouges qui a l'air plus désespérément abandonnée que jamais [...] C'était des moments que nous aimions tous les deux [...] Les premières neiges étaient toujours une fête. Cette fois-ci, c'est tellement triste sans toi.
> Je n'ai toujours aucune lettre. Je suis malade d'inquiétude. J'attends, et pas un mot. La radio parle de la nouvelle offensive, et je scrute tous les journaux pour y trouver des nouvelles du 28ᵉ d'infanterie. Il y aura peut-être une lettre au courrier de cet après-midi [...] J'ai passé le week-end en ville [il s'agit d'une soirée chez leur amie l'écrivain Kay Boyle]. Nous avons mangé des homards et des plats suédois, et nous avons bu une quantité de choses très fortes qu'on apportait sur la table dans de grosses cruches. Nous étions six à table et nous sommes restés là, juste en changeant de chaise de temps en temps, jusqu'à deux ou trois heures du matin. Je n'avais pas eu ce genre de soirée depuis des années – et je dois dire que c'était un agréable changement. Mais tu me manques toujours autant [...] Si tu avais été là, nous aurions bu tranquillement un verre, et nous aurions fait une partie d'échecs. A la prochaine nouvelle neige, il faut que nous

soyons ensemble. Quant à celle-ci, je fais comme si elle n'existait pas. J'ai du chagrin et je suis triste. »

C'est bien là une lettre caractéristique d'une bonne « épouse de guerre » – et l'expression n'est en rien péjorative, elle souligne au contraire la parfaite « normalité » de Carson qu'on s'est tellement plu à décrire odieuse, égocentrique à un point pathologique, indifférente à tout ce qui n'est pas sa notoriété : elle est malade d'inquiétude d'être sans nouvelles, la première neige lui est l'occasion d'évoquer les heureux moments partagés avec Reeves ; bien sûr, elle a passé une soi-rée agréable, mais combien elle aurait préféré qu'ils soient seuls ensemble, à jouer tranquillement aux échecs. L'année prochaine, c'est sûr... Bref, juste ce qu'il faut pour ne pas feindre que toute la vie s'est arrêtée, mais dire en même temps l'absence insupportable. Est-il si difficile d'imaginer que Carson est *aussi,* singulièrement en ces moments, une toute simple jeune femme américaine de vingt-sept ans dont le mari combat, très loin, en Europe, sans savoir combien elle pense à lui ? Cette angoisse-là, au moins, disparaît :

« Reeves, mon chéri ! Comme je suis heureuse aujourd'hui ! Le télégramme est arrivé hier, juste après que j'ai posté cette lettre si triste à propos de la première neige. Et maintenant, voilà deux lettres, dont la dernière date seule-ment du 8 novembre ! Mon Dieu, quel soulagement ! Mais j'ai failli pleurer en lisant que pendant deux mois il n'est arrivé aucune lettre de moi – et si tu as reçu seulement dix-huit lettres, dont certaines d'autres personnes, c'est que tout mon courrier ne t'est pas parvenu. C'est un sentiment affreux, à me rendre folle, que de penser que mes lettres se sont perdues ou qu'elles ont été détruites avant de te parvenir.

J'aime beaucoup tout ce que tu écris à propos du Luxem-bourg. Mais je pense toujours à cette maudite ligne de front. Non, je ne peux ni ne veux "m'habituer" à l'idée qu'il pour-rait t'arriver quelque chose. Mon esprit s'y refuse tout sim-plement. Tu ne peux pas me demander cela. Il faut que je croie en la vie [...] Reeves, je sais que tu vas survivre – tu as devant toi tant de richesses, tant de promesses pour le futur. Mais pendant que je dis cela, je vis toujours sous une telle tension [...]

Reeves, il faut que tu me promettes que, quand la guerre en Europe sera terminée et qu'on commencera à embarquer les hommes vers le Pacifique, tu feras valoir ton temps au front, etc. Bien sûr, je sais que je ne devrais pas dire les choses comme ça, comme une exigence personnelle. Jamais je ne voudrais peser sur toi pour aucune des décisions vitales que tu souhaites prendre. Je veux que tu sois toi-même, nous en avons déjà parlé. Mais ce serait quelque chose à quoi se rac-crocher si je pouvais espérer que tu seras de retour avant l'été [...]. Kanto et Frield vont venir dîner avec nous pour Thanksgiving, et Louise Rainer viendra aussi. Je sais, mon chéri, que ces rencontres et nos petits "thés avec les Poor et Kay", dont tu parles, sont bien loin de toi. Ils sont bien loin de moi aussi, Reeves, et je ne t'en parle que parce que je veux que tu saches tout ce que nous faisons [...]. Pour en revenir à Thanksgiving, nous avons lu que chaque soldat mangerait de la dinde ce jour-là, encore que je n'en sois pas très sûre avant que tu ne me le dises [...] [21]. »

Carson suit avec une réelle attention, non seulement l'évolution de la situation militaire, puisqu'elle concerne directement Reeves, mais aussi l'évolution politique euro-péenne globale, comme le montre sa lettre du 5 décembre 1944 :

« Reeves, mon amour,
C'est la fin d'après-midi et j'ai travaillé à mon livre toute la matinée jusqu'à une heure et demie, puis je me suis plon-gée dans le français [...] La situation dans les pays occupés semble chaque jour plus préoccupante, particulièrement en Grèce. Pourquoi est-ce que Churchill va fourrer son nez de réactionnaire dans les affaires intérieures des autres pays ? Pourquoi faut-il que l'Empire britannique impose sa volonté aux nations qui veulent un gouvernement démocratique ? [...] Parfois, dans la fin d'après midi, je sors de ma chambre

pour aller jouer du piano. Les préludes et les fugues de Bach ont un son étrange sur ce piano désaccordé dans le grand hall vide. Mon piano me manque tellement [...]. »

Le 9 décembre, Reeves est blessé en Allemagne – « de très nombreux éclats de shrapnel dans le corps, et une mauvaise fracture de la main » – près de Rötgen, où il était retourné au front le 4 décembre. Quand elle l'apprendra, Carson en sera comme rassurée, car la vie de Reeves n'est pas en danger mais il doit être évacué – et elle espère qu'il ne retournera plus au combat. Pour l'heure, elle l'ignore et, dans cette incertitude, tout lui est difficulté ou angoissant présage :

« [...] J'essaie de travailler mais le passage sur lequel je suis en ce moment m'a paru si embarrassé et si lourd quand je l'ai relu aujourd'hui que je m'aperçois qu'il faudra le refaire. Mais d'abord, je vais le finir et je verrai ensuite comment l'arranger [...] Hier, maman et moi nous sommes allées au cinéma et comme le vent était mordant, je portais ma casquette de GI tricotée [...] Quand nous sommes sorties [...] la casquette avait disparu [...]. J'ai éclaté en sanglots comme une enfant. J'avais toujours fait tellement attention à cette casquette que tu m'avais donnée, et ça m'a paru une chose terrible que de l'avoir perdue. J'ai pleuré pendant tout le chemin de retour et maman était consternée. Mais quand nous sommes arrivées à la maison, il est apparu que la casquette perdue était celle de Rita, dont Frank lui avait fait cadeau quand il avait constaté qu'elle aimait la mienne (je l'avais prise par erreur) [...] Aujourd'hui, je ne sais pourquoi, j'ai du mal à voir. Je pense que j'ai pris un coup de froid à l'œil, car le droit est quasiment aveugle [...] [22]. »

Et c'est de nouveau l'angoisse à l'écoute des informations :

« La nouvelle contre-offensive allemande m'a terrifiée. Je me dis que tu es à l'endroit où se déroule le pire. Je suis suspendue à la radio, je marche de long en large, j'attends et j'ai peur. Mon précieux Reeves, s'il te plaît, ne va pas au front si tu as ton arthrose de la hanche. Tu n'es pas en état de combattre quand tu es malade comme ça [...] Excuse ce mot bizarre. Ces derniers jours, j'ai eu de gros ennuis aux yeux et je ne peux ni taper à la machine, ni lire, même les gros titres. Il semble que cela ne soit qu'une crise de tension suraiguë de l'œil, je me soigne en portant des lunettes noires et en me faisant des cataplasmes [23]. »

Cette lettre, Reeves ne la reçoit pas puisqu'il a, entre temps, été blessé et hospitalisé. Elle sera donc retournée à son expéditrice... le 2 mars 1945. Encore qu'un tel délai soit compréhensible dans les conditions d'acheminement du courrier à des soldats en perpétuel mouvement, on mesure l'extrême tension psychologique que pouvaient représenter à la fois l'ignorance du sort de l'autre – alors que chaque minute, depuis six mois, peut apporter la mort –, et la détresse de soupçonner que les mots d'amour et de réconfort qui disent la vie et l'avenir ne l'atteignent pas. Et l'on s'étonne que Carson McCullers ait quelque mal à avancer son manuscrit... Reeves, que l'on croit vouloir honorer en prétendant lire dans cette « panne » créatrice l'indice de son indispensable collaboration au travail de Carson, manifestait plus d'intelligente générosité que ses zélateurs ultérieurs quand il écrivait : « Je réalise à quel point il faut du courage et une force énorme pour écrire et créer, surtout en ce moment. » Peut-être Carson a-t-elle l'intuition d'un risque imminent puisqu'elle écrit trois lettres à peu près identiques en deux jours :

« Mon très précieux Reeves.
J'ai écrit une autre lettre, mais j'envoie celle-ci aussi dans l'espoir que tu la recevras avant. Cette nouvelle attaque allemande m'a tellement terrifiée ! Tu comprends, je sais que tu es là-bas. Nuit et jour, je suis hantée par la peur que j'éprouve pour toi. Je n'ai pas eu aussi peur depuis le D Day. Je laisse la radio en marche tout le temps, mais pour des raisons de sécurité, on nous donne très peu de détails.
Si seulement je pouvais te voir en cet instant, et savoir

que tu vas bien. Je suis suspendue à l'arrivée d'une lettre et j'ai un petit fil d'espoir en pensant que peut-être, grâce à ton arthrose de la hanche, tu n'étais pas directement au front quand l'attaque a eu lieu. Mais cela ne me réconforte pas vraiment puisque le 3 décembre, tu disais que tu allais retourner au front deux jours plus tard.

Tout cela est une telle angoisse. S'il te plaît, écris-moi à l'instant où tu recevras cette lettre. Je sais qu'il est impossible d'envoyer des télégrammes. Mais écris-moi tout de suite.

Souviens-toi que je suis toujours avec toi, par le cœur et par l'esprit [...] 24. »

« Heureusement », peut-on dire, à ce moment où Carson est très près de craquer — ce qu'en dépit de sa fragilité nerveuse, elle n'aura jamais fait pendant tout le temps où Reeves est au combat — elle reçoit le télégramme de l'armée annonçant sa blessure :

« Le télégramme du ministère des Armées vient juste d'arriver. Après ces atroces derniers jours, cela a été un indicible soulagement d'apprendre que tu as été "légèrement blessé" le 9 décembre. En même temps, je me souviens comme tu es vite retourné au combat la dernière fois où tu as été "légèrement blessé" [...] Je suis tellement agitée que je peux à peine écrire. Quand le télégramme est arrivé, ça a été le noir devant mes yeux et pendant un moment, après le "Nous avons le regret de...", je n'ai rien pu lire du tout. Et puis, quand j'ai su de quoi il s'agissait, je me suis mise à rire et à pleurer en même temps. J'essayais de t'imaginer allongé dans de bons draps propres, avec un bon livre et de bons repas servis sur un plateau, et avec une blessure au pied qui n'est pas douloureuse, pas grave du tout, mais qui mettra quand même *un tout petit peu de temps* à guérir. J'ai quand même peur des bombardements allemands sur ton hôpital. Donc, ne manque pas de m'écrire dès que tu reçois cette lettre. Reeves, écoute bien ce que je te dis : pendant que tu es à l'hôpital, consulte les médecins à propos de ton arthrose et de tes problèmes de sinusite. [...]

Les nouvelles qui filtrent en dépit de la censure sont effrayantes. Mais malgré tout, je pense que nous sommes encore capables de balayer les Nazis et de retourner cette situation désespérante à notre avantage. Je veux croire qu'Eisenhower et les autres généraux savent ce qu'ils font, et qu'ils avaient de longue date prévu la possibilité de cette offensive [...] C'est une sale affaire, très hasardeuse. Si nous sommes incapables de nous en tirer, la guerre peut encore durer longtemps [...] Je bois du thé chaud et je ne fais pas grand-chose. En réalité, je n'ai pas travaillé depuis dix jours et le livre est bien loin d'être terminé. Parfois, je me sens découragée. Mais cela va être bien plus facile de travailler dans les prochaines semaines, en sachant que tu n'es pas en première ligne pendant l'attaque allemande [...] [25]. »

Le 25 décembre, elle raconte longuement à Reeves cette journée de Noël qui, comme dans beaucoup de familles où le mari, le fils sont à la guerre, lui été dédiée.

« Tu as été avec nous toute la journée. Nous avons allumé pour toi une bougie qui a brûlé au centre de la table tout le jour [...]. Je suis touchée de voir combien les gens sont gentils et comme nos amis nous aiment [...]. Si je n'avais pas reçu ce télégramme me parlant de ta blessure, je me demande si j'aurais tenu le coup [...]. »

Enfin, le 27 décembre, elle reçoit une lettre de Paris. C'est le signe que Reeves est « sauvé » : on va l'envoyer en Angleterre, en attendant qu'il puisse rentrer aux États-Unis. Elle aimerait qu'on le rapatrie, ou bien pouvoir se rendre à son chevet en Angleterre. « Mais tout cela n'est quand même pas aussi angoissant que de te savoir sur le champ de bataille. Ça me permet de dormir un peu la nuit. » Kay Boyle, elle, part pour l'Angleterre le 1er janvier – un voyage prévu depuis quelque temps déjà. Elle va donc aller le voir et lui apporter ce qu'il demandera. Dans toutes les lettres écrites entre ce 25 décembre et les premiers jours de 1945, Carson se réjouit d'avoir reçu si tardivement le courrier contenant le récit de Reeves au moment des plus durs combats en Allemagne.

«Quand j'ai lu tout ça, je savais, heureusement, que tu n'étais plus au front, sinon cela m'aurait été intolérable [...] Reeves, mon amour, si jamais il t'arrivait quelque chose, l'équilibre de ma vie serait détruit à jamais. Je ne peux pas imaginer un monde où tu ne sois pas. Je n'en dis pas plus ; tu sais combien je t'aime [...] Je m'aperçois que mes lettres vont devoir passer d'Allemagne en Belgique pour atteindre l'Angleterre. Je voudrais tant avoir l'adresse de l'hôpital et t'écrire directement [...] Je lis et relis toutes tes lettres. A les rendre illisibles [...].

Les nouvelles de la guerre, de l'avancée de Patton sont meilleures, mais les pertes sont importantes. Je pense à toutes les femmes dont les maris sont morts [...].

Je suis encore au lit, avec une sorte de rhume. Je voudrais que tu sois là, couché contre moi. La journée est claire et froide. Le ciel est très pâle [...]. Mais la maison est agréable. Sur le lit, il y a la pagaille habituelle : deux volumes de Proust, plusieurs lettres de toi, deux boîtes de confiseries de Noël. Et c'est juste le moment de l'après-midi où il faut allumer la lumière [...] J'ai la table de jeu pliée sur le lit, qui me sert de support pour la machine à écrire. Je me demande comment tu vis, si tu as du whisky et des cigarettes [...]. Maman vient juste de me mettre un cataplasme à la moutarde. Je vais puer comme un sandwich au jambon toute la nuit [...]. »

Dans l'une des lettres du 28 décembre, Carson emploie pour la première fois depuis le départ de Reeves le mot « tranquillité ». « C'est parce que je te sais en Angleterre que je peux penser à toi avec tranquillité. Et si je bois un peu, alors me viennent immédiatement à l'esprit de délicieuses folies. J'imagine qu'on te renvoie vers moi. Je me vois faire mes bagages et prendre le premier train pour New York [...]. »

Quand commence l'année 1945, les lettres de Carson deviennent de plus en plus lyriques, enflammées. Elle a obtenu l'adresse de l'hôpital anglais et pense donc que le courrier va être un peu moins lent, ou un peu moins incertain. Heureusement, car «ces jours de brouillard, jusqu'à ce que je reçoive l'adresse de l'hôpital, étaient à la limite du supportable».

> «[…] Mon amour, mon mari et mon ami pour toujours, j'ai tant besoin de toi. Après tous ces mois fantomatiques et la souffrance qui en a résulté, je pense que nous devrions toujours être doux l'un pour l'autre. J'attends ton retour comme une délivrance.
>
> Kay emporte avec elle, pour toi, le merveilleux poème qu'elle nous a dédié […] Kay et moi avons déchiré un billet de 2 dollars, et nous en gardons chacune une moitié jusqu'à son retour […]
>
> C'est le 1er janvier. Maman fait des haricots rouges. Mais elle n'a pas pu trouver de joue de porc. Il semble que dans le Nord, on ne connaisse pas ça. Enfin nous avons les haricots et je penserai à toi à chacun d'entre eux.
>
> C'est un jour brumeux et sinistre. Demain, je vais faire un effort pour me remettre au travail. Je veux écrire quelques nouvelles pour que tu sois fier de moi. Je vais même essayer de gagner un peu d'argent. Il me semble que je t'en dois beaucoup. Mais la première chose à faire est de travailler. Je ne voudrais surtout pas te décevoir […].»

Pourtant, elle ne pense qu'au retour de Reeves, compte les jours depuis sa blessure – vingt-deux, vingt-six… ; elle ne parvient pas à se concentrer assez pour se remettre au travail. Alors elle lit Henry James «et ça en vaut vraiment la peine. Je voudrais partager ça avec toi.»

Carson reparlera de Henry James, qu'elle continue de lire assidûment, dans des lettres ultérieures : «Je ne m'étais jamais vraiment rendu compte à quel point il était bon. C'est un vrai plaisir que de se frayer un chemin à travers des pages d'ambiguïtés pour tomber brusquement sur ces lignes exquises, ces révélations presque inattendues. Je n'avais jamais mesuré combien il a influencé les poètes actuels – Eliot, Auden, etc. Il faut que nous lisions ensemble *La Bête dans la jungle*[26]. » Et le lendemain, elle décide de se remettre sérieusement au travail :

« J'ai fait un pacte avec moi-même : avoir fini cette monstrueuse histoire le 15 mars. Ce matin, j'ai travaillé plusieurs heures. Mais c'est le genre de travail que le moindre dérapage peut gâcher. Il y a des parties que j'ai travaillées au moins vingt fois. Il faut que je finisse bientôt et que je me sorte tout cela de l'esprit, mais en même temps, il faut que cela soit très beau, très bien fait. Car, comme pour un poème, c'est sa seule justification. De ce point de vue, la lecture de Henry James est passablement décourageante. Certaines de ses nouvelles sont parmi les meilleures que j'aie jamais lues. Je reste bouche bée devant, comme une gosse regardant un trapéziste à la foire. Ce sont vraiment des chefs-d'œuvre. »

Le 5 janvier elle reçoit « la magnifique lettre qu'[il a] écrite le 3 décembre », du camp de repos, en arrière du front :

« Je l'ai relue toute la journée, mais ça ne me dit rien sur ton état présent. Je t'imagine dans ton hôpital anglais, sans lettres et sans paquets de moi, et j'en pleure.

Je suis véritablement possédée par l'idée folle de ton retour imminent [...] Dès que le téléphone sonne ou qu'on frappe à la porte, j'ai le cœur battant [...]. Je rêve que j'ouvre la porte et que tu es devant moi... ou que, du couloir, j'entends ta voix [...]

Reeves mon chéri, j'ai lu beaucoup de livres sur la guerre, mais tes lettres sont ce qu'il y a de plus puissant, de plus réellement suggestif sur cette guerre que tu fais, au jour le jour. J'ai montré quelques-unes de tes lettres et on me dit qu'il faudrait les publier. Je suis sûre qu'elles n'ont pas été écrites dans cette intention ; elles ont été écrites pour moi, et sont le plus beau de mes trésors. Peut-être n'aimes-tu pas que je lise des passages de tes lettres à d'autres, pourtant je ne crois pas que tu seras furieux contre moi [...].

Je sais que mes lettres à moi sont, parfois, dénuées de sens. Ce ne sont que les propos d'une femme angoissée, un peu déséquilibrée par la peur. »

Certes, Reeves, à l'évidence, aime raconter, et il ne manque pas d'un certain «coup d'œil», d'un certain sens du croquis – les bistrots normands, les paysans luxembourgeois – mais cette correspondance de guerre, qu'elle vienne de Reeves ou d'ailleurs de Carson, vaut davantage comme témoignage que comme œuvre littéraire. Les conditions ne s'y prêtaient guère et, sans entrer dans une comparaison très précise, on peut toutefois noter que la Deuxième Guerre mondiale n'a pas suscité la même littérature épistolaire que la guerre 14-18. Non, on le sait trop bien que cette Première Guerre a été plus «tranquille» mais, fût-ce dans l'horreur des tranchées, elle était ponctuée de temps suspendus que n'ont pas connus, pour la plupart, les soldats débarqués le 6 juin 1944. Cela pour dire que ces lettres, quoi que prétende Carson par émotion ou affection, ne peuvent plaider ni pour ni contre la stature d'auteur de Reeves – voire de «vrai» auteur, dépouillé de son œuvre par une jeune femme ambitieuse et sans scrupule. Pour l'un et l'autre, ce temps de guerre est ailleurs qu'en littérature...

En dépit de ses résolutions laborieuses et de sa relative tranquillité concernant Reeves, Carson ne parvient pas à retrouver un calme propice au travail. Elle est de plus en plus impatiente. Comme s'il était anormal que Reeves ne soit pas déjà là. Comme s'il était «en retard». Comme si on lui avait fait une promesse qui n'aurait pas été tenue. Tout en prenant quelques précautions, en atténuant sa véhémence de quelques excuses, elle l'assaille de questions auxquelles il ne peut pas répondre, tout comme elle lui écrit, presque compulsivement, à un rythme effréné :

«Toutes ces lettres que j'ai envoyées depuis ta blessure vont mettre des mois à arriver. Mais il fallait que je les écrive, juste comme Noé envoyait ses colombes (ou était-ce des corbeaux?).

Je ne voudrais pas te rendre fou furieux avec mes questions, mais j'ai besoin de savoir :

1) Y a-t-il une chance que tu sois rapatrié?

2) Vas-tu être réformé pour raisons médicales?

3) Tu dis que tu ne retourneras pas au combat avant le 15 mars. Mais vas-tu vraiment y retourner? Avec ta main, tu ne peux plus tenir le fusil correctement. Dis-moi si tu penses qu'après ton rétablissement, tu seras transféré dans une autre unité.

Toutes ces semaines ont été irréelles [...]. Je sais, mon trésor, que je devrais tomber à genoux à cet instant et y rester tant que tu seras à l'hôpital. Je remercie Dieu de savoir que tu es sain et sauf. Mais en même temps, ce rêve fou de t'imaginer sur le chemin du retour s'est écroulé ce matin.

Pourquoi donc, pour tout ce qui te concerne, ai-je des exigences aussi monstrueuses? De toi comme de Dieu, je demande toujours plus et je ne suis jamais satisfaite. Mais pourquoi donc, mon amour? [...] [27].

Maintenant que je sais que tu es sain et sauf, après ces indicibles mois, je peux te dire que j'ai bien failli devenir folle de chagrin. Si je pouvais avoir la certitude qu'au moment précis, à l'instant précis où tu serais blessé ou tué, je serais moi aussi blessée ou tuée, si cela était possible, alors je pourrais être courageuse. Mais telles que sont les choses, je ne le peux pas [...]. Je veux tout savoir de l'hôpital, les horaires, ton traitement. As-tu du whisky? Peux-tu te procurer de la bière? Est-ce que ta main te fait mal? [...] [28]. »

Ayant appris que Reeves ne recevait pas ses lettres, elle lui envoie des télégrammes presque chaque jour pour redire son attente, son amour. Mais, imperturbablement, elle « entasse » aussi les lettres, qui redeviennent le récit de ses journées : le temps, le plein froid de l'hiver new-yorkais, l'ennui, les insomnies.

« Cet après-midi, j'ai continué à lire Henry James; mais pour le reste, la journée a été très mauvaise. La nuit dernière, je n'ai presque pas dormi et j'étais tellement fatiguée aujourd'hui que je n'ai pas pu travailler [...]. J'ai rêvé que je me réveillais et que tu étais là, allongé près de moi. C'était tout – je ne te voyais pas et je ne te touchais pas, mais je savais que tu étais là. Dans le rêve, rien n'évoquait la guerre et il n'y avait rien de surprenant à ce que tu sois là. C'était si merveilleusement naturel. J'étais simplement contente de savoir que tu étais là et, toujours dans le rêve, je me suis retournée et rendormie [29]. »

Déjà, dans la lettre écrite par Carson le 28 décembre, on pouvait noter que les « délicieuses folies » – pudeur d'expression ou réalité – déclenchées par l'alcool quand elle pensait à Reeves étaient tout au plus de l'irréalisme : « J'imagine qu'on te renvoie vers moi. Je me vois faire mes bagages et prendre le premier train pour New York. » Sans bien évidemment méconnaître la nature des rêves, dont l'interprétation diffère de ce qu'ils « racontent », on ne peut s'empêcher de remarquer que le type de « manque » qu'évoque celui-ci est dénué de tout érotisme, et simplement enfantin – désir du calme procuré par la seule proximité d'un corps aimé. Cela dit, si, en dépit de l'extrême attention (trop extrême ?) que lui porte sa mère, Carson souffre des conséquences d'une obscure carence affective, la douleur, pour être enfantine, n'en est pas moins intense – au contraire –, et peut expliquer ce déferlement d'angoisse maintenant, justement, que Reeves est à peu près hors de danger et qu'elle est moins tenue d'en contrôler l'expression.

Jusqu'au 19 février, jour de son anniversaire et date de la dernière lettre avant le retour de Reeves sur le continent américain, elle écrit de plus en plus longuement, à en devenir ennuyeuse, sauf peut-être pour un soldat blessé et désœuvré. Elle détaille les choses agréables – la cartouche de Camel envoyée par Edwin Peacock, qui est toujours dans la marine mais on ne sait pas exactement où –, comme les désagréments quotidiens. Elle commente la musique qu'elle écoute, la situation militaire et politique.

«Nous avons entendu le concerto en *mi* mineur de Mendelssohn, et cela m'a ramenée à ce dimanche après midi, à Charlotte, où nous avons entendu Yehudi Menuhin jouer ce même concerto à la radio des Sell – tu te souviens? […] Ce matin, j'ai vu dans le *Times* que 1 300 soldats allaient revenir aux États-Unis pour une permission d'un mois. Penses-tu que quelque chose de ce genre pourrait se passer pour toi? […] Reeves, est-ce que tu sais si on va t'envoyer dans le Pacifique quand la guerre en Europe sera finie? Je me dis que non : tu as été blessé deux fois, tu as été de nombreuses fois au combat et tu as plus de trente ans. S'ils t'envoyaient dans le Pacifique, je ne pense pas que je pourrais le supporter […] [30]. »

Dans presque chaque message, elle s'inquiète de savoir s'il a suffisamment de whisky, de cigarettes, et ajoute souvent des anecdotes ou réflexions personnelles. «A propos de cigarettes, j'ai acheté ce matin un petit appareil pour les rouler à la main et du bull Durham [31]. J'avais aussi acheté une pipe, mais ça m'a rendu tout de suite malade […] En fait, je me sens perpétuellement coupable de vivre dans un pays qui n'a pas souffert de cette guerre, si ce n'est, bien sûr, de la terrible angoisse d'avoir un des siens (et c'était le cas de la plupart) outre-Atlantique. Parfois, je pense que cette guerre serait plus supportable si nous avions un peu plus à subir les privations [32]. »

Quand elle parle de son travail, de ses difficultés avec son manuscrit et du contrat qu'elle a passé avec elle-même pour retrouver une discipline intellectuelle, elle évoque ses lectures : après Henry James, Marcel Proust, qu'elle lit tous les jours, à la fin de janvier, dans l'après-midi, «après le passage du facteur». «Aujourd'hui, je pensais à l'immense dette que j'ai à l'égard de Proust. Ce n'est pas tant qu'il aurait "influencé mon style", ou quelque chose de ce genre, mais c'est le bonheur de savoir qu'il existe quelque chose vers quoi on peut toujours se tourner, un grand livre qui ne se ternira jamais, qui ne deviendra jamais ennuyeux à force de trop grande familiarité. Bien sûr, c'est dû, pour partie, à la pure longueur de cette œuvre ; mais pour partie seulement. Ce matin, je lisais les pages sur Swann et les magnifiques scènes de Combray [elle écrit Cambray]. L'édition, évidemment, est celle que tu m'as donnée voilà des années. C'étaient des livres de ce genre que j'aurais voulu t'envoyer à l'hôpital. Je pense à toi constamment [33]. »

Le 27 janvier, lorsqu'elle commence par ces mots, en lettres capitales « MAY BE HOME SOON ! », elle sait que ce n'est plus un simple vœu : elle a reçu un télégramme dans lequel Reeves annonce son retour pour « bientôt ». Elle voudrait évidemment savoir ce qu'elle peut mettre exactement sous ce « bientôt » : « Je suis si impatiente. Ici, on ne peut parler de rien d'autre. Je lis et relis le télégramme [...] Je me vois en train de te couper la viande, ou juste de te regarder, de te toucher pour voir si tu es bien réel. Dis moi ce qui va se passer. Sinon je me sens comme en état d'apesanteur.

« Excuse cette lettre de cinglée. Dans ces circonstances, je ne peux pas faire mieux. » « Ce mois de février, écrit-elle quelques jours plus tard, est le mois qui passe le plus lentement, de tous ceux que j'ai connus »... « L'attente ne me laisse pas de répit. »

Reeves a finalement quitté l'Angleterre le 10 février. Le 24, Carson l'a retrouvé à New York, où son bateau venait d'accoster. Le 19 mars – un mois tout juste après le vingt-huitième anniversaire de Carson –, ils se sont remariés. Le 26 mars, elle écrit à Edwin Peacock, l'ami des années 30 qui avait, en 1937, été en quelque sorte l'« ordonnateur » du premier mariage, pour lui demander d'être, en dépit de l'éloignement, le « témoin » de ce second mariage : « Reeves et moi te demandons à nouveau ta bénédiction. Cette fois, nous nous sommes mariés légalement à New City [près de Nyack, dans le comté de Rockland, où leur ami Henry Varnum Poor – qui a peint un portrait de Carson, appartenant aujourd'hui à Mary Mercer – vivait avec sa famille]. Il n'y avait pas d'Edwin faisant passer notre concerto de Bach sur le gramophone : nous avons été mariés dans un palais de justice par un juge en robe noire. Mais qu'importe, nous sommes à nouveau heureux. »

Curieusement, dans le premier roman de Carson McCullers, *Le Cœur est un chasseur solitaire*, une des protagonistes vit cette expérience de remariage avec le même homme. C'est Lucile, la belle-sœur de Biff Brannon, la mère de Baby, l'enfant gâtée : « Tu as épousé cet individu à l'âge de dix-sept ans, dit Biff Brannon à Lucile, et ensuite ça n'a été qu'une suite de bagarres entre vous. Tu as divorcé. Deux ans plus tard, tu t'es remariée avec lui. Et maintenant il est reparti, et tu ne sais pas où il est. Cela devrait te démontrer une chose – que vous n'êtes pas faits l'un pour l'autre. Sans compter l'aspect plus personnel de la question – le genre d'homme que cet individu sera toujours [34]. » Plus tard, la pièce *La Racine carrée du merveilleux* reprend une situation identique, mais cette fois directement inspirée de la biographie de Reeves et de Carson. Il n'y a donc pas cette espèce de « prémonition de la fiction » qu'avec Lucile on peut voir à l'œuvre dans le *Cœur*. Dans la pièce, Mollie a épousé deux fois Phillip Lovejoy, et dans l'histoire désastreuse et pitoyable de Mollie et Phillip se joue beaucoup du destin tragique de Reeves et de Carson – avec une constante tentative d'autojustification de Carson. Ainsi Mollie Lovejoy ne peut-elle pas vraiment dire pourquoi elle a épousé Phillip une seconde fois. « J'étais… J'étais sous l'emprise d'un charme [35]. » « La première fois, avec Phillip, ce n'était pas contre ma volonté. » La seconde fois, « j'étais sous son emprise. L'amour ressemble beaucoup aux histoires de fantômes et de sorcières de l'enfance. Quand il s'adresse à vous, il faut répondre et aller où il vous dit d'aller, quel que soit l'endroit [...] Très souvent, Phillip me battait. Une fois, il a déchiré ma chemise de nuit et m'a jetée dehors... nue comme un geai. Et je suis restée là! [...] Malgré ses comportements affreux, Phillip avait énormément de charme. Un charme irrésistible [36]. »

Quant à Reeves, aux questions répétées de ses amis sur son remariage, il est censé avoir toujours répondu. « J'ai épousé de nouveau Carson parce que je pense que nous sommes tous des bourdons, et que Carson est la reine des abeilles. »

Les jugements portés sur ce remariage, expliquant à quel point il avait été une erreur, les réponses plus ou moins sollicitées d'amis toujours «bien intentionnés» lui sont bien sûr postérieurs, et de beaucoup. Que, en ce printemps de 1945, au sortir d'une guerre à laquelle Reeves a «miraculeusement» survécu et qui a, d'une certaine manière, magnifié, idéalisé leur relation en lui donnant une dimension héroïque, Reeves et Carson aient voulu officialiser leurs retrouvailles et l'aient fait avec bonheur, par désir, paraît être une hypothèse interdite, presque scandaleuse. Et pourtant. Quelle autre raison auraient-ils eue d'aller «devant un juge en robe», que la volonté de donner à leur amour – qu'ils se sont dit et redit au long de si nombreuses lettres – une réalité officielle? Leur manière de se choisir de nouveau – pour le pire, l'avenir l'a prouvé – déplaît, voire indigne. Carson avait quitté Reeves et n'aimait pas faire l'amour avec lui. Grâce à «sa» guerre, il existait enfin. Ses décorations, dont Carson était si fière, prouvaient ce qu'il avait accompli : quatre citations à l'ordre du régiment, la Silver Star – très convoitée –, trois Bronze Stars, plus la citation du régiment à l'ordre de la Nation, plusieurs médailles – dont celle de l'infanterie de combat et un Purple Heart, accordé en cas de blessure sur le champ de bataille. Revenu à la vie civile, il risquait de redevenir «le mari de Carson McCullers». Épouser de nouveau Carson majorait ce risque. Ce remariage était « néfaste » pour chacun d'eux. Il serait donc indispensable de trouver des explications – de préférence sinistres – à ce geste. De transformer ce signe de vitalité et d'espoir en annonce de destruction et de mort. Mais ils se sont remariés, et leur acte n'est pas réductible aux interprétations diverses. Pas même aux leurs, pas même à celle, ultime, que donne Carson dans ses mémoires :

> « Dès son retour à Nyack, il commença aussitôt un tir de barrage pour me convaincre de l'épouser. "Les remariages sont si vulgaires", lui disais-je. Quoique ravie de le revoir, je lui répétais : "Nous sommes beaucoup mieux comme amis, sans qu'il soit besoin de mariage." Mais le mariage était ce qu'il voulait.
>
> Je demandai son avis au grand peintre Henry Varnum Poor qui me répliqua qu'il ne pouvait m'en donner. Je parlai aussi au Dr William Mayer, mon médecin et mon psychiatre, qui ne put que dire : "Les hommes ne changent pas essentiellement à cause d'une guerre."
>
> J'avais espéré que les expériences de Reeves opéreraient une sorte de miracle en lui. Il était couvert de médailles et quand nous marchions dans la rue, tout le monde le regardait. Moi, cela va de soi, j'étais terriblement impressionnée. Il était si fichtrement charmant que j'en oubliais toutes les raisons qui m'avaient conduite au divorce [37]. »

Qu'ils aient peut-être cédé à l'euphorie du retour, comme à l'« image » qu'ils s'étaient donnée l'un de l'autre – le valeureux guerrier, la femme aimante qui craint, espère et attend – n'hypothèque en rien leur sincérité. Pire, ils se sont probablement remariés par admiration mutuelle. L'admiration que Reeves n'avait cessé d'éprouver pour Carson, et l'admiration toute nouvelle que Carson s'était découverte pour Reeves le héros, et le conteur. Du moins pour celui qui montrait enfin son désir d'écrire. Son plaisir à raconter.

Simultanément, de s'être confronté, même dans l'urgence, par le biais de ses récits de guerre, à une écriture qui soit autre chose que les propos informes qu'on écrit pour soi et qu'on refuse de montrer, Reeves semble avoir mieux compris les embûches du métier d'écrivain. A plusieurs reprises, pendant qu'il est en Europe, il dit à Carson à quel point il a conscience de la difficulté de mener à bien un livre. Il mesure quelle force il faut pour accomplir une œuvre, quel courage et quelle opiniâtreté. Une obstination qui fait passer tout le reste au second plan. En était-il vraiment capable? La question n'est pas secondaire puisque, dès qu'on s'intéresse à Carson McCullers, on entend et on lit, on l'a vu, qu'elle aurait «tué l'écrivain» en son mari, ou qu'elle l'aurait fait écrire pour elle, ou les deux à la fois. Seul John Brown, qui fréquenta beaucoup Reeves et Carson en France – et qui n'est pas particulièrement bienveillant à l'égard de Carson –, juge ce débat «ridicule» et tranche : «Reeves était un petit soldat américain. Il était bien incapable de créer, de faire un livre [38].» Toutefois, John Brown est peut-être aussi excessif que les tenants du meurtre symbolique du «bon génie» de Reeves par son odieuse épouse. Il est clair que Reeves McCullers a du goût pour la littérature. Qu'il «sait» lire et a envie d'écrire. Que son amour pour Carson ne se comprend pas sans ce désir-là. Pourquoi alors n'a-t-il rien écrit, sauf ses lettres de guerre? Est-ce le succès immédiat de Carson avec son premier roman qui l'a découragé? Est-ce une certaine lucidité, lui faisant comprendre qu'il n'était pas capable de réussir un aussi beau livre que *Le Cœur est un chasseur solitaire*? Est-ce la simple crainte de se mesurer à la réputation de Carson et d'en sortir encore plus amer, plus frustré?

Le biographe de Carson McCullers le plus attaché à valoriser la figure de Reeves est Jacques Tournier. Il a longuement interrogé, dans les années 70, ses amis John Vincent Adams et David Diamond [39]. John-Vincent Adams, le compagnon de ses vingt-cinq ans, de sa pleine période de rêves de création littéraire – celui avec lequel il est «monté vers le Nord» pour que tous deux deviennent romanciers –, n'a jamais lu un seul texte de Reeves McCullers. Il l'a «vu écrire», c'est tout. Il croit se souvenir qu'on lui aurait dit que le *New Yorker* avait acheté, en 1947, trois nouvelles de Reeves McCullers. Elles n'ont pas été publiées et on n'en trouve aucune trace. Nulle part. David Diamond, avec lequel Reeves a habité pendant plusieurs mois, à Rochester, au moment de son divorce, explique qu'il l'a encouragé à écrire. «Je sais, a-t-il confié à Jacques Tournier, qu'il travaillait à un récit inspiré du neuvième chapitre de *Moby Dick*, le sermon du père Mapple. Il avait une vénération pour *Moby Dick*. C'était sa Bible.» Diamond se dit certain du réel talent d'écrivain de Reeves, tout en affirmant que chaque fois qu'il a tenté de lire un de ses textes, celui-ci, qui avait «un caractère difficile», le brûlait ou le déchirait. Pourquoi alors être si certain de ses dons? Pour pouvoir blâmer Carson, évidemment : «Elle a tout fait pour le décourager.» Et si un écrivain était précisément quelqu'un qu'on ne peut pas «décourager»? Jacques Tournier se désole de ne rencontrer personne qui aurait lu un texte écrit par Reeves.

En cherchant bien… on trouve toujours. Avec le plus grand sérieux, Jacques Tournier raconte qu'une personne a lu – ou plutôt entendu lire – «du» Reeves McCullers et «s'en souvient encore après cinquante ans». Ethlyn Massey. Elle était en classe avec Reeves, en 1928, au collège de Jesup, et placée à côté de lui pour cause de proximité alphabétique. Dans un long article, publié par la revue *The Issue*, d'Atlanta, elle raconte que leur professeur leur avait proposé un jour comme sujet de devoir : «Écrivez une nouvelle». «Ayant jugé celle de Reeves meilleure que les autres, il l'avait lue à haute voix pendant le cours. La mémoire d'Ethlyn Massey est tellement fidèle – et le choc fut tel – qu'elle entend encore les phrases de Reeves tourner dans la salle de classe, faisant naître, grâce aux sortilèges de l'imagination, une beauté inattendue. "C'est un moment qui fait partie de moi, à jamais, écrit-elle.

Un moment intact dans mon souvenir, isolé, radieux. Le style de Reeves était étrange et beau. Il savait jouer avec les mots comme personne. Je dirais aujourd'hui qu'il était d'avant-garde. A l'époque – j'étais en seconde – je trouvais simplement que c'était superbe." » L'enfance d'un génie, en quelque sorte... «Un élève plus doué que les autres, commente Jacques Tournier, un devoir remarqué par un professeur, une classe qui écoute en silence et qui finit par applaudir – peut-être est-ce le premier symptôme de ce virus dévastateur, dont John Vincent Adams s'est guéri très vite, mais qui s'est incrusté en Reeves, l'a rempli d'amertume et de frustration, a fini par le dévorer [40]. » On se permettra de ne pas être vraiment convaincu.

Pendant la guerre en Europe, une partie de la vie de Reeves s'est exprimée dans l'écriture. Il devrait donc savoir un peu plus clairement que du temps de ses dérives et de ses conflits avec Carson ce qu'il veut et peut faire. En outre, il revient avec une stature de héros que sa femme se plaît à souligner devant tous leurs amis. Pourtant, très vite, son côté velléitaire reprend le dessus. Il passe plusieurs mois dans divers hôpitaux pour anciens combattants, en particulier celui d'Utica, dans l'État de New York. On soigne sa main blessée. On envisage une greffe, à laquelle on renonce. Mais Reeves ne pourra plus jamais se servir de sa main gauche comme avant. Certains médecins plaident pour qu'il soit réformé et pensionné. Finalement, les autorités militaires tranchent en faveur d'une «mise en disponibilité limitée». Le seul projet auquel Reeves ne renonce jamais, c'est celui de retourner en Europe. Il essaie de se faire engager par le gouvernement militaire américain, mais on lui dit que les effectifs d'hommes envoyés en Europe sont déjà dépassés.

Heureusement, Carson et lui sont dans une de leurs rares périodes d'idylle, comme de vrais jeunes mariés. Elle reste une semaine entière à Utica, à son chevet. Lui, lorsqu'il est auto-

risé à sortir de l'hôpital, va passer des week-ends à Nyack.
Carson, en outre, lui écrit régulièrement, des lettres d'amoureuse, comme celle-ci, du 2 avril :

> «Mon adoré,
> Je me suis réveillée ce matin en me demandant comment
> s'était passé ton voyage de retour. J'ai peur que tu ne sois très
> fatigué. Toute la journée, j'ai été auprès de toi. Mon Reeves,
> sais-tu combien je t'aime? Je voudrais qu'à chaque instant tu
> sentes ma tendresse, dans chacun de tes nerfs, muscles et os.
> Moi je sens ton amour pour moi de cette manière-là [...]
> Mon amour et ma certitude de toi, c'est ce qui me fait
> tenir. Nous voulons vivre et travailler, tranquillement et avec
> une certaine dose de sérénité. Il y a tant de choses devant
> nous, tant de choses à faire.
> Je n'ai pas assez de mots tendres pour te nommer.
> Prends soin de toi, bois peu, comme je tente de le faire.
> Trop boire est très mauvais pour nous deux [...]
> Étudie et travaille. Notre avenir à tous deux, nos chances
> d'être ensemble pour les années futures, dépendent peut-être
> du français et de l'allemand que tu vas apprendre dans les
> mois qui viennent [...]
> Ceci est juste une lettre d'amour [...].»

«Tu es toujours avec moi», dit-elle un mois plus tard, le
8 mai, jour de la victoire. «Après avoir écouté le programme
spécial pour la Victoire, j'avais tellement envie que nous
buvions tranquillement un verre de vin ensemble.

«Je ne peux m'empêcher de penser à tous ces hommes qui
ne reviendront pas. Mais toi, tu es de retour et je n'en remer-
cierai jamais assez Dieu.

«Je voudrais savoir quelle chance tu as d'être dégagé de
l'armée. J'attends un coup de téléphone de toi. Mon chéri, je
suis vraiment raisonnable. Pas plus de deux doses de whisky
par jour. Et, quotidiennement, je sors pour une promenade à
pied [...].»

En juillet, Reeves redevient sombre. Dans le cadre de

cette mise en disponibilité limitée à laquelle on le contraint, il est muté au camp de Wheeler, tout près de Macon, en Georgie. Après les épreuves de la guerre et les espoirs du retour – le remariage et les tentatives de départ pour l'étranger – il lui est intolérable d'être renvoyé dans ce Sud qu'il avait passé vingt ans à essayer de fuir. Pour, après y être parvenu, devoir revenir. Cette régression lui pèse, mais il ne veut pas mettre en danger sa promotion comme capitaine, qui est en cours.

Carson n'a pas réussi à terminer son manuscrit pour le 15 mars, contrairement à la promesse qu'elle s'était faite et qu'elle avait confiée à Reeves. Pour le terminer, elle se rend à Yaddo où elle arrive le 26 juin. Et un autre « argument » des tenants du « Reeves était le créateur » s'écroule. Dès que Reeves revient de la guerre, disent ceux-là, Carson, qui ne parvenait pas à terminer son livre, « boucle » son histoire en quelques semaines. C'est vrai. Mais elle est à Yaddo, dans le nord du pays, et Reeves en plein Sud, en Georgie : on ne voit pas comment il lui aurait quotidiennement tenu la main, comme on prétend qu'il l'aurait fait pour ses premiers romans. En réalité, il semble que le refus obstiné de prendre en compte, très simplement, l'angoisse de Carson, dans ces temps de guerre et de combats meurtriers, tient à un présupposé d'insincérité, ou à une vision extrêmement simplificatrice – voire partiale – de l'amour : Carson a peu de désir physique pour Reeves, donc elle ne l'aime pas, donc ses inquiétudes sont au pire feintes, au mieux une petite poussée d'émotion au moment d'écrire une lettre, disons une heure dans la journée, ce qui laisse quand même un bon moment pour réfléchir sereinement à sa création… A tout prendre, il serait plus intéressant de se demander pourquoi Carson n'a pas pu, ou pas voulu, s'immerger dans la fiction pour fuir l'angoisse. Serait-ce par ce sentiment très proustien – elle qui admire tant Proust – que se « distraire » de l'autre est le mettre en péril, l'effacer physiquement par cette amnésie ?

Comme l'été précédent, il y a peu de monde à Yaddo et Carson travaille avec une grande rigueur. Elle reprend plusieurs fois certains passages qu'elle fait lire à la directrice de Yaddo, Elizabeth Ames, à laquelle elle est toujours très liée. Celle-ci l'encourage et la maintient dans la discipline qu'elle s'est fixée. Pendant deux mois, elle ne relâche plus son effort. L'un des derniers jours du mois d'août, par une soirée qui fut inoubliable pour Elizabeth Ames [41], une Carson épuisée – et aussi timide qu'à leur première rencontre à New York, quelques années plus tôt – apporte son manuscrit en disant d'une voix à peine audible : « Cette fois, c'est fini. » Elizabeth Ames en achève la lecture tard dans la nuit, vers deux heures du matin. « J'ai su que c'était enfin parfait », dira-t-elle.

Il faudra encore plusieurs mois avant que le livre ne sorte, au printemps de 1946. D'autant que Carson hésite sur la maison d'édition à laquelle elle veut donner son texte. Son éditeur Robert Linscott, en qui elle a une réelle confiance, travaille désormais chez Random House. Elle a envie de le suivre mais finalement elle reste chez Houghton Mifflin. Elle a le sentiment que son œuvre est de nouveau sur les rails. Qu'en conservant cette discipline, elle va mener à bien tous ses projets littéraires. Si on lui disait que son œuvre est presque close, peut-être en mourrait-elle. Et pourtant, elle vient de terminer son troisième ouvrage – *La Ballade du Café triste,* longue nouvelle, ou petit roman, qui sera publiée bien plus tard, et toujours en recueil avec d'autres textes – et il lui faudra quinze ans pour pouvoir en mener à bien un autre. Au moment même où elle croit être en pleine expansion, quelque chose, au contraire, est en train de finir.

Pourtant, forte de ses vingt-huit ans, de son manuscrit achevé, de son amour retrouvé, Carson se sent en pleine maturité. Au point même de devenir l'«aînée» qui conseille, soutient et encourage un jeune auteur. Au printemps de 1945, un drôle de jeune homme de vingt et un ans – d'une très petite taille – était venu dans les bureaux de *Mademoiselle* proposer une nouvelle. Celle-ci avait été refusée par George Davis, mais le texte et le jeune homme avaient beaucoup plu à son assistante, Rita Smith, la sœur de Carson. Rita avait revu ce garçon, qui écrivait sous le nom de Truman Capote, et elle avait décidé qu'il devait rencontrer sa sœur. En pensant qu'ils se séduiraient mutuellement, Rita Smith ne se trompait pas. «Carson et Truman sympathisèrent immédiatement, comme il se devait», remarque Gerald Clarke, le biographe de Truman Capote, et il rapporte ce propos de Capote sur leur première rencontre : «La première fois que je l'ai vue – longue liane souple légèrement courbée en avant, et un visage fascinant à la fois joyeux et mélancolique – je me souviens d'avoir été frappé par la beauté de ses yeux : de la couleur d'un café léger ou d'une bière brune mise à tiédir devant le feu. Sa voix avait la même qualité, la même chaleur douce, comme un jour béni d'été lent à s'écouler mais sans somnolence [42]. » Tous deux avaient grandi dans le Sud. «Son écriture même et celle de Truman avaient des traits communs, écrit encore Gerald Clarke, non dans le style mais dans l'inspiration, traitant l'une et l'autre de la solitude et de la perversité de l'amour.» «J'aimais énormément Carson, dira toujours Truman Capote. C'était un démon, mais je la respectais.» Bien sûr, ils se brouilleront, mais à travers la jalousie, et même la détestation, ce respect demeurera. Reconnaissance d'un écrivain par un autre et complicité instinctive de «Sudistes». «Carson exigeait beaucoup de ses amis, mais elle leur donnait autant qu'elle recevait, et elle n'aida aucun autre jeune écrivain comme elle aida Truman, insiste Gerald Clarke. Assistée de Rita, elle lui trouva un agent, Marion Ives, et elle écrivit une chaleureuse lettre de recommandation à Robert Linscott, l'un des responsables de la maison d'édition Random House [...]. Le 22 octobre 1945 il signa avec Truman un contrat pour *Les Domaines hantés*[43]. »

Au moment où Carson quitte Yaddo pour rentrer à Nyack, Reeves la rejoint. Il revient du Sud pour une permission. Mais il lui faudra encore quelques mois – presque jusqu'à Noël – pour pouvoir remonter définitivement dans le Nord et s'y installer. Il quitte alors l'armée : il s'est arrangé pour avoir une « mise hors cadres pour infirmité », qu'il obtiendra le 16 mars 1946. « S'installer à Nyack » est sans doute une expression qui aurait fait horreur à Reeves McCullers. Tandis que Carson, à la fin de 1945 et au début de 1946, exprimera son désir d'aller « se ressourcer dans le Sud » – et n'ira pas –, Reeves ne parvient pas à se contenter d'avoir échappé au Sud en revenant à Nyack. Il veut partir plus loin. Il désire retrouver l'Europe. Du côté du Gouvernement militaire américain, il ne s'estime pas vaincu. Mais cette fois, on lui signifie clairement que seules des personnes extrêmement spécialisées – des chimistes, des ingénieurs en électricité, etc. – sont désormais recrutées pour aller en Europe aider à la reconstruction. Il se dit alors qu'il doit reprendre des études et, cette fois, les mener à bien. Ce qui lui plairait le mieux est la médecine. Mais tout le monde, sauf Carson, l'incite à renoncer à cette entreprise en raison de son âge – il a trente-deux ans. S'il ne peut redevenir étudiant, alors il lui faut trouver un travail. Il n'y parvient pas. A chaque échec, il n'entrevoit qu'un seul remède : l'Europe, comme si le seul fait d'être ailleurs dénouait tous les problèmes, résolvait toutes les contradictions. Ailleurs, et singulièrement en Europe où, en dépit de la menace constante, il a si fortement existé. Mais là-bas, aussi il faut avoir du travail pour survivre. Là-bas surtout, sur ce continent meurtri où tout est à refaire. Il n'y a pas de place pour les étrangers oisifs, même dans ces petits villages du Luxembourg qui demeurent très présents à sa mémoire.

Pour ne pas redevenir «Monsieur Carson McCullers», il est urgent de quitter l'Amérique et d'aller sur un continent que lui seul connaît. Il pourra être le guide, sinon le maître. Il emmènera Carson, enfin, sur son terrain à lui. Il lui fera découvrir le charme des petits ports de Bretagne, mais aussi l'étrange magie de la campagne française, de ces dizaines de paysages différents, antinomiques, rassemblés sur un si petit territoire – plus petit que le seul Texas. Le capitaine James Reeves McCullers revenant «avec sa femme» dans le pays qu'il a libéré, voilà une vision qui lui plaît. Toute son énergie va être mobilisée pour que l'image se transforme en réalité. Mais ce n'est pas cette volonté qui le ramènera en Europe, c'est plutôt une sorte de hasard – venu de Carson, et sans doute voulu par elle.

V

Frankie « l'Européenne »

C'est le 19 mars 1946 que paraît le livre, qui, aux États-Unis, identifie le plus fortement Carson McCullers, *Frankie Addams,* dédié à Elizabeth Ames, la directrice de Yaddo et dont, dès janvier, la première partie avait été publiée dans *Harper's Bazaar.* Certains commentateurs voient même son « chef-d'œuvre » dans ce huis-clos sudiste où, durant quelques mois de 1944-1945 (mais l'action, sauf la scène d'épilogue, est concentrée en quelques jours de la fin août 1944) [1], une adolescente dit son mal de vivre, son isolement. « C'est arrivé au cours de cet été vert et fou, lit-on à la première ligne du roman. Frankie avait douze ans. Elle ne faisait partie d'aucun club, ni de quoi que ce soit au monde. Elle était devenue un être sans attache, qui traînait autour des portes, et elle avait peur. » Frankie ne veut plus sentir cet espace de vide entre les autres et elle. Elle affirme violemment son désir fou de « faire partie » de quelque chose, d'« être membre du mariage » de son frère Jarvis avec Janice. « Ici, aux États-Unis, dit l'exécutrice littéraire de Carson McCullers, Floria Lasky, vouloir être *"the member of the wedding"* est presque devenu une expression courante pour désigner ceux qui désirent passionnément "appartenir" – à un groupe, à une communauté –, être acceptés. » En français, cette association inhabituelle de mots n'a jamais trouvé un équivalent satisfaisant, et le roman a été désigné par le nom de l'héroïne, Frankie Addams, au prix d'un appauvrissement du sens du titre, voire de sa connotation ambiguë.

Frances Jasmine Addams, qui se désigne alternativement comme «Frankie» ou comme «F. Jasmine», est une «sœur» de la Mick Kelly du *Cœur est un chasseur solitaire*; sœur aussi de Carson McCullers et de toutes les adolescentes constatant, effrayées, la transformation de leur corps et l'inévitable marche du temps qui va les contraindre à devenir adultes. Comme Mick, comme Carson elle-même, Frankie résiste et se déteste : «Je voudrais être n'importe qui excepté moi [2].» Elle a les mêmes rêves de neige et de froid que Mick et que Carson dans son enfance. Elle désire voir «cette neige, si blanche et si froide et si douce [3]». Comme Mick et comme Carson, «elle avait tellement grandi cet été-là qu'elle avait presque l'air d'un phénomène de foire, avec ses jambes trop longues, ses épaules trop étroites [4]». «Frankie était devenue trop grande, cet été-là, pour aller sous la treille, comme elle le faisait avant. Les autres enfants de douze ans pouvaient le faire, y jouer la comédie et s'amuser. Même certaines femmes de petite taille pouvaient aller sous la treille. Mais Frankie était déjà trop grande. Cet été-là, elle devait se contenter de tourner autour, comme les grandes personnes, et de grappiller ce qu'elle pouvait de l'intérieur. Elle regardait attentivement les vrilles noires de la vigne, et il y avait une odeur de poussière et de raisins écrasés. Debout près de la treille, dans le soir qui tombait, elle avait eu peur brusquement. Elle ne savait pas d'où venait cette peur, mais elle était effrayée [5].»

Frankie a deux interlocuteurs, Berenice Sadie Brown, la servante noire – qui affirme depuis plusieurs années déjà avoir trente-cinq ans, et qui a un œil de verre, bleu, alors que l'autre est très noir – et son cousin John Henry, un gamin de six ans, qu'elle juge agaçant et qu'elle aime sans en avoir conscience.

Ce trio n'est pas celui de ses rêves. Elle veut en constituer un autre, avec son frère et sa fiancée – le mariage étant le moment où doit s'affirmer, se montrer à tous cette union qui lui assurera le bonheur. «Jamais, tout le long de ma vie, j'ai entendu parler que quelqu'un il était devenu amoureux d'un mariage, dira Berenice. Des choses vraiment bizarres, j'en ai connu beaucoup, mais cette chose-là, jamais [6]». Frankie a un père, qui apparaît peu, et sa mère est morte. De cette étrange situation, qui se dénoue en quelques jours tout aussi étranges (Frankie rencontre un soldat, le mariage a lieu), et que clôt une sorte de post-scriptum (F. Jasmine, qui a treize ans, reprend son véritable prénom, Frances, et John Henry meurt d'une méningite), Carson McCullers a su faire une histoire à la fois elliptique et poétique, qui ne tombe jamais dans le pathos – la mort de John Henry ne donne lieu à aucun excès descriptif, à aucun commentaire sentimental. Quant au fameux mariage autour duquel tourne toute l'intrigue – ou l'absence d'intrigue –, il est «expédié» en une phrase. Comme dans le roman d'Eudora Welty, *Delta Wedding*[7], paru cette même année 1946, mais qui est un livre beaucoup moins réussi : Eudora Welty, au fond, a peu de goût pour le roman et parvient mal à adapter son style de nouvelliste, très dense et précis, à la plus longue distance que suppose le récit romanesque.

La musique tient moins de place ici que dans *Le Cœur est un chasseur solitaire* où Mick voulait être musicienne, mais la construction musicale, comme toujours chez Carson McCullers, structure et organise le propos. C'est Oliver Evans qui a le mieux montré la composition de *Frankie*, conçue comme une partition avec sa coda – «la courte scène, plusieurs mois après l'action principale, où l'on découvre une jeune femme dont le nom est désormais Frances» – et jouant d'effets musicaux : «Le dialogue est plein de répétitions stratégiques qui rappellent les refrains en musique, et l'effet global évoque les groupes qui, dans le Sud, interprètent certaines ballades folk. Sans cesse, les propos se rapprochent de la chanson ou du chant[8]. »

Dans le récit, les allusions musicales sont elles aussi très présentes. Dès la première page, on sait que les trois personnages principaux, Frankie, Berenice et John Henry « restaient assis tous les trois autour de la table de la cuisine, parlant de choses, toujours les mêmes, les répétant à l'infini, si bien que pendant ce mois d'août les mots s'étaient mis à rimer les uns avec les autres, en produisant une étrange musique[9] ». Berenice parle avec une « voix sombre de jazz » « comme dans les chansons » du Sud. Parfois, au lieu de parler, les trois protagonistes préfèrent chanter ensemble un chant de Noël ou un air de blues.

Dans sa préface à la traduction française du roman, en 1949, le critique René Lalou présente de manière fort pertinente la « Frankie » de Carson McCullers :

> « En lisant le troisième roman, *Frankie Addams*, qu'elle publia en 1946, j'ai eu l'impression que Carson McCullers y avait uni les qualités que nous admirions dans ses deux premiers ouvrages. F. Jasmine Addams (que vous apprendrez à chérir sous le nom de "Frankie") est évidemment une sœur de la Mick Kelly du *Cœur*. Mais son histoire est contée avec la même densité classique qu'attestait le récit des *Reflets*. Elle est enclose en quarante-huit heures, d'un vendredi à un dimanche de la fin d'août. La majeure partie s'en déroule dans l'atmosphère étouffante d'une cuisine de Georgie : là, Berenice, la vieille négresse, égrène, pour Frankie et son cousin John Henry, le chapelet de ses souvenirs où flottent les ombres de quatre maris.
>
> Plus essentielle néanmoins que ces adroits aménagements de l'espace et du temps sera ici l'unité d'action. Qu'est-ce que cette Frankie de douze ans espère si passionnément du mariage de son frère ? Le droit, en y participant, d'échapper enfin à l'accablante sensation de n'être qu'elle-même. Avec quelle ardeur elle a souhaité être englobée dans cette union de

Jarvis et de Janice ! "*Ils sont mon nous à moi*", se répétait-elle, à la veille de la cérémonie. Du coup, s'illuminait tout son passé ; ce qui l'avait tourmentée jusqu'alors, ç'avait été d'être réduite à toujours dire et penser : je. A présent, elle allait connaître le bonheur que ressent un être humain quand s'établit la communication qui lui permet d'appartenir à un nous.

Le drame de sa désillusion est retracé par Carson McCullers avec une délicatesse qui défie toute analyse [...] La cruelle expérience de Frankie, un critique doit se borner à en marquer l'étendue. La veille du mariage, cette enfant se persuadait que « *chacun de ceux qu'elle voyait était, d'une certaine façon, relié à elle-même et qu'entre les deux s'opérait une immédiate reconnaissance* ». Déçue, la voilà de nouveau en proie à l'ancienne hantise : le monde est séparé d'elle et lui oppose un bloc hostile. Ce que cela signifie, elle le sait depuis longtemps. Lorsque Berenice lui affirmait que nous étions tous "*prisonniers*", Frankie lui demandait s'il ne serait pas plus juste de dire que nous sommes tous "détachés".

Cette souffrance, causée par un isolement qui n'a rien de commun avec la liberté, Carson McCullers l'a exprimée ici avec une force particulièrement poignante. Il est hors de doute qu'elle dénonce ainsi une anxiété qu'éprouvent beaucoup d'Américains et dont ils n'ont point à rougir, car pareille inquiétude peut leur être la première étape d'un salut spirituel. Mais nous-mêmes, héritiers d'une Europe où des siècles de division accumulèrent les désastres et les ruines, aurions-nous l'arrogance de contempler en pharisiens les âmes troublées qu'évoque la romancière d'outre-Atlantique ? Pouvons-nous nous vanter d'avoir mieux réalisé notre solidarité avec ce monde dont nous sommes les parcelles ? Ne sentons-nous pas plutôt que l'appel à une communion humaine – message ingénu de Mick et de Frankie, recueilli par Carson McCullers, leur sœur aînée – s'adresse véritablement à la conscience universelle [10] ? »

Les immenses qualités de ce livre sont exprimées par René Lalou avec beaucoup de justesse. Et on en garde l'idée que *Frankie Addams* est l'histoire très réussie d'une adolescence blessée, un grand texte, bien dans la logique des deux premiers romans de Carson McCullers, qui marquaient la découverte d'un écrivain.

Mais considérer *Frankie Addams* comme « le chef-d'œuvre des chefs-d'œuvre » et le meilleur roman de Carson McCullers, loin devant les autres, est peut-être une dérive de lecteurs plus soucieux du biographique qu'ils ne veulent se l'avouer. Ce texte est, certes, le plus clairement autobiographique de l'œuvre de Carson McCullers (si l'on excepte la pièce *La Racine carrée du merveilleux*), une affirmation spectaculaire de l'adolescence comme moment essentiel de la vie, moment d'un paroxysme d'étrangeté – et, au fond, de lucidité – qu'on ne pourra plus jamais atteindre. Carson a *été* Frankie, elle a connu une crise violente, avec la même intensité, probablement au moment où son professeur de piano, Mary Tucker, a quitté Fort Benning et la région. Un départ que la petite Carson a vécu comme un abandon, une trahison. Toutefois, cette survalorisation de *Frankie Addams* par rapport aux trois autres romans de Carson McCullers, et aux autres textes, est une manière de diminuer la force de son œuvre, de tenter d'en réduire la singularité, d'effacer son mystère qui demeure, donc dérange. Dans ce roman, la souffrance, l'angoisse, le malaise peuvent être décrits, analysés, résumés, mis à distance – à tort mais non sans confort – en les rangeant dans une catégorie connue, « l'histoire d'une crise d'adolescence extrême ». On peut « compatir » sans être atteint. Le malaise de *Reflets dans un œil d'or*, ou, plus tard, celui de *L'Horloge sans aiguilles*, vise plus directement le lecteur, qui se défend – on le voit dans les critiques –, de peur de devoir s'interroger vraiment, et reconnaître que la fiction lui en dit autant sur lui-même que sur l'auteur ou les protagonistes de l'intrigue.

La projection de Carson dans Frankie n'est toutefois pas seulement un fantasme de lecteur. Sa sœur Rita commence

ainsi son introduction au *Cœur hypothéqué* : «De tous les personnages créés par Carson McCullers, celui qui, d'après ses
parents et amis, lui ressemble le plus est Frankie Addams : adolescente vulnérable, aussi exaspérante qu'attachante, à la
recherche de son "nous à moi" [11].» Pour Oliver Evans, c'est
aussi un texte très autobiographique, dans le portrait de cette
adolescente trop grande et embarrassée d'elle-même se vivant
comme «anormale», comme dans la description de la maison
«blanche à un étage, avec une grande cour ombragée» qui est
exactement celle du 1519 Starke Avenue, dans laquelle Carson
a passé son adolescence [12]. Evans considère aussi que Carson,
dans ce troisième livre, se libère des influences littéraires anté-
rieures et qu'elle réussit, mieux que dans aucun autre de ses
ouvrages, à mêler le réalisme à l'allégorie : c'est pourquoi elle
approche là ce qu'on peut appeler la perfection, conclut-il [13].
Mais ce ne sont malheureusement pas cette aptitude à manier
l'allégorie et cette libération d'une imagination qui aurait été
jusque-là bridée qu'il analyse. En revanche, il insiste de nouveau sur les éléments autobiographiques, en relevant que,
dans la pièce qui naîtra du roman où l'unité de lieu fait partie
de la recomposition de l'intrigue, le mariage de Jarvis et
Janice, qui crée le désordre mental de Frankie, a lieu dans le
salon des Addams, comme eut lieu chez les Smith le mariage
de Carson et de Reeves – le premier – en 1937.

    Anticipant ces constatations, les critiques furent plus
favorables que pour *Reflets dans un œil d'or*, voire franchement
élogieuses, comme celle de George Dangerfield, publiée dans
la *Saturday Review* du 30 mars 1946, qui dit à quel point,
selon lui, Carson McCullers est un écrivain «unique».

    «C'est un écrivain de la suggestion plus que de l'élo-
quence, précise-t-il, et souvent elle nous propose moins un
sens qu'une allusion. Et cependant sa prose est claire et ferme
[...] En fait, ce livre se rapproche de plus en plus, comme par
le passé, d'un monologue incarné par différents personnages.

Car le travail de Carson McCullers m'a toujours paru une forme de mise en scène personnelle. Il est vrai qu'on le dit de la plupart des romans immatures. Mais Miss McCullers est à la fois un écrivain maîtrisé et subtil. Elle ne se met pas en scène au simple sens autobiographique, mais au sens où elle investit les différents aspects de sa personnalité d'attributs habilement empruntés au monde extérieur […] D'une part, le livre échappe à ce que T.E. Lawrence appelait "le jardin d'enfant de l'imagination" ; d'autre part, il ne tombe jamais dans la simple série d'images névrotiques. Il garde un merveilleux équilibre entre ces deux écueils. C'est un ouvrage qui révèle une imagination forte, courageuse, indépendante. Il y a, dans la littérature contemporaine, des écrivains plus importants que Carson McCullers. D'elle, on ne peut que répéter une fois de plus qu'elle est unique. »

Dans le magazine *Time* du 1er avril, on insiste sur cette tentative – réussie – de retrouver « ce moment insaisissable où l'enfance entre en confluence avec l'adolescence », tandis que dans le *New York Times* du 24 mars, Isa Kapp compare Carson McCullers à Thomas Wolfe et ajoute : « Mais rarement les turbulences des sentiments ont été aussi finement décrites. Le langage de Carson McCullers a la fraîcheur, le charme et la délicatesse de celui d'une enfant sensible. » Bref, chacun à sa manière se dit touché par « le parfum d'enfance » de *Frankie Addams*. Ce qui pose du même coup certaines limites à la réussite littéraire du roman. Ainsi, le même 24 mars, dans le *New York Herald Tribune*, Richard Match, tout en notant la qualité du style et son intensité, estime que le livre « manque de souffle » et que tout ce qui se passe dans la cuisine demeure « trop statique ». Diana Trilling, dans *The Nation* du 6 avril, pense elle aussi que le roman souffre d'une trop grande identification de l'auteur avec ses personnages, ce qui essouffle le livre, et que Carson McCullers n'a pas été capable de trouver avec ses souvenirs la nécessaire distance, comme Proust a su le faire dans *Du côté de chez Swann,* Mark Twain dans *Huckleberry Finn* et Elizabeth Bowen dans *The Death of the Heart.*

Toutes ces réserves ne sont rien si on les compare avec les très mauvaises critiques qui ont accueilli, quelques mois plus tard, la sortie du livre en Grande-Bretagne. Cela tiendrait essentiellement, selon Oliver Evans, à l'impossibilité d'« acclimater » sur le sol britannique le rythme de la parole du Sud, que Carson McCullers reproduit si fidèlement dans ce texte où le dialogue compte beaucoup[14]. Certaines recensions, comme celle du *Times Literary Supplement* du 15 mars 1947, en profitent pour expliquer que Carson McCullers a été « surévaluée » – c'est l'un des lieux communs de la critique amère et conformiste – et que ses deux premiers romans ont été beaucoup trop admirés et célébrés, aux États-Unis comme en Europe. Dans le *Spectator* du 7 mars, D.S. Savage – type même de ces critiques qui se croient préservés, par leur fonction même, du ridicule – ne craint pas d'évoquer « la remarquable insensibilité de Carson McCullers, dans ce roman écrit dans une prose embarrassée et pompeuse à la manière du pire Faulkner ou Gertrude Stein, dépourvue de la moindre image visuelle claire ou perception d'une pure émotion ».

Aux États-Unis, la critique la plus dure, qui est celle du très prestigieux Edmund Wilson dans le *New Yorker* du 30 mars, n'a évidemment rien à voir avec ces prétentieuses sottises. Wilson est trop intelligent, lui, pour ne pas suggérer qu'il pourrait avoir tort. C'est aujourd'hui surtout, au vu de la postérité, que son article a, dès son titre, quelque chose d'assez incongru : « Deux livres qui vous laissent froid : Carson McCullers, Siegfried Sassoon[15] ». Wilson prend la précaution de rappeler que Carson McCullers est un écrivain de talent, d'une indubitable sensibilité, mais « qui semble avoir quelques difficultés à appliquer ses possibilités à un véritable sujet dramatique. Son dernier roman, *Reflets dans un œil d'or*, était dramatique, mais tout à fait irréel. Je ne veux pas simplement dire que ce qui s'y passait relevait du fantastique, mais qu'il n'avait de validité ni comme roman réaliste supposé se dérouler dans le monde réel, ni comme poème en prose de pure imagination mais vrai du point de vue de l'expérience psychologique. Le dernier roman de Mrs McCullers, *Frankie Addams,* n'a aucun ressort dramatique du tout ». Après avoir résumé de manière extrêmement banale le livre, Wilson conclut : « J'espère que je ne me montre pas stupide à propos de ce livre qui m'a laissé le vague sentiment d'avoir été dupé. »

Stupide, sans doute pas. Edmund Wilson ne saurait l'être. Mais un rien conventionnel et inattentif, peut-être bien. Par exemple, pour prouver que Carson McCullers ne mène pas son récit avec cohérence, il explique qu'après la bagarre entre Frankie et le soldat roux aux yeux bleus rencontré dans un bar – qu'elle laisse inanimé après l'avoir frappé sur la tête avec une carafe en verre – on ne sait plus ce qu'il advient du soldat. « Il restait allongé, immobile, avec une expression de stupéfaction sur son visage couvert de taches de rousseur, écrit Carson McCullers. Il était devenu très pâle. Un peu de sang moussait autour de ses lèvres. Mais il n'avait pas la tête cassée, ni même fendue, et elle ne savait pas s'il était mort ou non [16]. » On est à la fin de la deuxième partie de l'histoire. Ensuite a lieu le désastreux mariage, puis Frankie décide de s'enfuir de sa maison et de la ville. Dans sa fugue, elle repasse par La Lune bleue, le bar où a eu lieu son affaire avec le soldat. C'est là qu'un policier la reconnaît, l'interroge – « Vous êtes la fille de Royal Addams ? » – et téléphone au commissariat pour dire qu'il l'a retrouvée. « Le représentant de la police resta long-temps au téléphone – et pendant qu'elle regardait droit devant elle, elle vit deux personnes quitter l'une des stalles et commencer à danser, serrées l'une contre l'autre. Un soldat fit claquer la porte d'entrée et traversa le café, et l'étrangère loin-taine qui vivait encore en elle fut la seule à le reconnaître ; quand il monta l'escalier, cette étrangère pensa seulement, avec une parfaite indifférence, qu'une chevelure aussi rouge et aussi bouclée que celle-là devait être en ciment [17]. » Le soldat aux cheveux roux est donc bien vivant et Carson McCullers n'a pas laissé une partie de son intrigue « en l'air », demandant aux lecteurs de « supposer que l'homme a survécu, parce que sinon on aurait entendu reparler de lui ».

Cette erreur d'Edmund Wilson n'a pas consolé Carson McCullers de l'appréciation négative du très grand critique sur un livre qui avait accompagné cinq ans de sa vie. C'est à Yaddo, où elle est retournée dès le 23 mars, quelques jours après la sortie de *Frankie Addams* – elle y restera jusqu'au 31 mai – qu'elle apprend la publication de l'article de Wilson dans le *New Yorker*. Elle ne peut s'empêcher de pleurer, à plusieurs reprises, et même en public. Comme si Wilson, par sa stature et sa réputation, effaçait les éloges des autres. Il est proprement insupportable, surtout, que le livre l'ait « laissé froid », comme il le dit. Pourtant, dans une lettre de mars 1946, un autre critique – son nom ne figure pas sur le document – explique à Carson qu'à lire tant de mauvais romans pour son travail il lui devient difficile de prendre plaisir à la fiction, sauf si elle possède une forme de magie, de vrai talent dans l'expression des sentiments et des sensations, et un style. « Quand cela arrive, j'en pleurerais de joie. Sincèrement, j'ai lu seulement deux ou trois romans dans les cinq dernières années qui m'ont enchanté comme *Frankie*. C'est une réussite exceptionnelle. » Mais on n'imagine sans doute pas très bien, aujourd'hui en France, ce qu'un commentaire d'Edmund Wilson – qui a publié, en 1946 aussi, son fameux *Mémoires du comté d'Hécate* [18] – représentait à l'époque, à New York, pour un romancier. Peut-être ces quelques lignes d'un article de Michel Mohrt paru dans *Le Figaro littéraire*, en 1966, éclaireront-elles le désespoir de Carson McCullers en ce mois de mars 1946 :

> « Scott Fitzgerald aurait été bien étonné si on lui avait dit, peu de temps avant sa mort [1940], qu'il serait célèbre en France vers 1966 et que les éditeurs se disputeraient les plus

médiocres de ses nouvelles, alors que son camarade de Princeton, Edmund Wilson, ne serait connu que des spécialistes de la littérature américaine. Il n'y a pas d'homme que Scott Fitzgerald ait admiré autant que "Bunny", comme il l'appelle familièrement dans ses lettres ; pas de critique dont le jugement lui ait importé autant que le sien. Il l'admire pour sa culture, pour sa merveilleuse intelligence, qui lui permet d'assimiler une théorie philosophique ou économique, d'analyser une situation politique, de déceler les mérites et les défauts d'une œuvre littéraire. Pour Scott, comme pour la plupart des écrivains américains de son temps, Edmund Wilson a été le plus écouté, le plus lucide des témoins et des guides. Il a été le Sainte-Beuve de sa génération. De même que Sainte-Beuve s'est identifié au romantisme, s'essayant dans tous les genres où il s'est illustré, partageant ses espoirs, épousant ses querelles, de même Edmund Wilson, poète, critique, conteur, a-t-il connu les encouragements et les déceptions, vécu les folies de la grande génération de 1920, la "génération perdue". »

Carson fut donc durablement blessée par les réserves d'Edmund Wilson et elle se promit de ne plus jamais lire ce qu'on dirait de son travail – promesse qu'elle ne tint évidemment pas. Elle n'était toutefois pas de ces écrivains qui ne veulent aucune lecture critique de leurs textes, le mot fût-il entendu dans son sens le plus négatif. Sur celui-ci en particulier, *Frankie Addams*, elle avait pris le conseil de Kay Boyle qui, au milieu de compliments, lui avait fait une seule objection, comme le rapporte Carson dans une lettre à Newton Arvin : « le passage concernant le soldat est assez évasif » – ce qui n'est pas sans rapport avec les remarques de Wilson, même si ces dernières sont, dans les faits, erronées.

La lecture du jeune Truman Capote, qui n'avait pas encore vingt-deux ans, fut plus positive. Il apprécia, lui, que le soldat soit demeuré dans les marges du récit principal. Mais Truman n'était pas à Yaddo pour réconforter Carson après l'article d'Edmund Wilson. Il allait pourtant y passer du

temps cette année-là, grâce à Carson, mais il n'arriva que le
1er mai – et partit le 17 juillet. Il fit quelques descriptions
savoureuses de ce séjour, scrupuleusement rapportées par son
biographe, Gerald Clarke[19]. Elizabeth Ames lui semblait
« inquiétante ». « Silencieuse et sinistre comme la Mme Danvers
de *Rebecca*. Elle passait son temps à espionner, à voir qui travaillait, qui ne travaillait pas et à quoi s'occupait tel ou tel. »

Carson et Truman Capote passèrent donc un mois – mai
– ensemble à Yaddo, et y semèrent une certaine perturbation.
Ils se comportaient comme frère et sœur. « Tout ce qui était à
lui, elle le voulait, précise le biographe de Capote, elle portait
ses vêtements, même ses souliers, et lui chipait ses chemises
blanches à longs pans chaque fois qu'elle le pouvait. Fouillant
un jour dans sa commode, elle découvrit un papier avec son
nom d'origine et menaça de révéler à tout le monde qu'il était
un imposteur, non pas Truman Capote, mais un individu
portant le nom calamiteux de Truman Streckfus Persons.
« Vas-y, ne te gêne pas mon petit loup, lui dit-il froidement.
Et je leur dirai que ton véritable nom est Lula Smith. »

Les voir danser ensemble – « Carson la grande perche se
trémoussant gauchement tandis que Truman le courtaud exé-
cutait de petites pirouettes de son invention » – était un spectacle inoubliable, qui étonna même Katherine Anne Porter,
laquelle décida de danser aussi avec Truman Capote, ce qui
lui valut, dans une lettre dudit Truman, un commentaire peu
flatteur. « Elle doit avoir près de soixante ans, mais pour la
danse du ventre elle est imbattable. Elle essaie de se comporter comme une belle Sudiste de seize ans, ou peu s'en faut.
Elle manque à ce point de sérieux qu'on a du mal à la croire
capable d'écrire. Elle me prend pour un danseur merveilleux
et me fait danser avec elle à jet continu ; c'est tout simplement
affreux car elle n'a pas la moindre notion du plus simple pas
de danse. » Katherine Anne Porter, elle, prétendra plus tard

que Capote était un arriviste qui se «cramponnait» à elle à cause de sa célébrité.

En dépit de ces péripéties, surtout cocasses parce qu'elles se déroulent à Yaddo, lieu géométrique de toutes les rivalités entre jeunes – et moins jeunes – écrivains et artistes, le séjour de Carson est plutôt triste. Elle boit de plus en plus. Elle se sent mal. Elle est obsédée, chaque jour, par la peur de s'évanouir en public. Les autres pensionnaires la trouvent pesante, voire encombrante ; pas assez autonome, cherchant continûment à être réconfortée, entourée, aimée d'une manière qu'ils jugent envahissante et vivent comme une sorte de violence. Des comportements que, plus tard, on attribuera à sa maladie et à son infirmité, lorsqu'elle sera paralysée, apparaissent déjà dans les descriptions des témoins. Une manière de vouloir être prise en charge tout en affirmant son indépendance par une parole constante sur soi, sur son «moi d'écrivain», une façon de ne pas reconnaître l'autre comme un individu singulier, et de ne s'intéresser à lui qu'en fonction de soi-même. Tout cela pouvant être soudain contredit et annulé par un élan, un charme irrésistible, une tendresse non feinte, une sincérité désarmante et un regard dont l'intensité est comme un cadeau fait à celui qui le reçoit.

Il est temps pour Carson de «changer d'air», de s'échapper de l'univers de Yaddo et sa protection de couvent, mais aussi ses relations perverses et son enfermement. Quand elle apprend, le 15 avril, qu'elle vient d'obtenir une deuxième bourse Guggenheim, elle sait que grâce à cet argent elle va revenir vers Reeves – dont la figure est remarquablement absente pendant tous les séjours à Yaddo, y compris celui-ci – et pourtant il suit de peu leur second mariage. Apprenant la bonne nouvelle, rasséréné par cette rentrée d'argent inespérée, Reeves s'autorise à reparler de son désir d'Europe. Le vieux rêve devient projet. Il va montrer l'Europe à Carson. Paris surtout. Et mieux encore : ils vont s'installer à Paris.

Carson a fait sienne cette idée. Ils seront de nouveau, et vraiment, mari et femme. Mr et Mrs McCullers vont, enfin, partir ensemble, prendre, pour le plaisir et non pour la guerre, le bateau qui traverse l'Atlantique et accoste en Europe. Mr et Mrs McCullers vont vivre à Paris.

Pour l'heure, à peine de retour à Nyack, au début de juin, Carson va repartir, laissant une fois encore Reeves seul. Elle se rend dans l'île de Nantucket, au large de la Nouvelle-Angleterre, pour rejoindre Tennessee Williams, qu'elle n'a jamais rencontré. Ce sera le début d'une amitié vraie, qui durera jusqu'à la mort de Carson et au-delà. Tennessee Williams, toujours, défendra Carson McCullers, écrivant des articles, des préfaces : allant jusqu'à accepter de faire l'avant-propos de la biographie de Virginia Spencer Carr pour, une fois de plus, récuser les clichés qui ont cours sur son amie et sa maladie.

A la mi-mai 1946, Tennessee Williams était venu de La Nouvelle-Orléans – avec Pancho Rodriguez, qu'il appelle Santo dans ses *Mémoires* – à New York, où se jouait depuis plusieurs mois, avec un grand succès, sa pièce *La Ménagerie de verre*. C'est un soir de mai, à New York, qu'il se met à lire *Frankie Addams*, récemment paru. Il est si enthousiaste qu'il envoie immédiatement un mot de félicitations à Carson. Lui, le jeune dramaturge à succès, écrit, à trente-quatre ans, sa première lettre de *fan* à un écrivain : le garçon de Columbus, Mississippi, dit son admiration à la fille de Columbus, Georgie. Il insiste sur le plaisir qu'il aurait à faire sa connaissance et lui précise qu'il a loué à Nantucket une maison pour l'été, au 31 Pine Street. «Ce devait être une lettre bien persuasive, écrit-il dans ses *Mémoires*, puisque, quelques jours plus tard, Carson débarqua à Nantucket par le ferry. Elle était très grande. Elle portait un pantalon et une casquette de baseball ; elle découvrait, avec son délicieux sourire, des dents qui poussaient de travers. » Elle trouve « merveilleux » l'ami de Williams, surtout après une « sortie » très violente qu'il fait à deux vieilles dames sur la plage, alors qu'il est, comme presque toute la journée, passablement éméché. « Vous avez de la chance de l'avoir avec vous », dit-elle à Tennessee Williams qui commente : « Je n'en étais nullement convaincu, mais nous sommes néanmoins rentrés tous les trois à la maison et nous nous sommes installés au 31 Pine Street. C'était avant que Carson ne tombe malade. Elle était bonne cuisinière, elle mit de l'ordre dans la maison tout en préparant de bons repas [20]. »

Voilà des souvenirs qui ne coïncident pas avec l'image de Carson à Charlotte ou à Fayetteville, mais il y a loin entre des rangements éphémères, la préparation de « petits plats pour les amis » dans un endroit de vacances, et la tenue journalière d'une maison, d'un « ménage », comme on disait. Carson fit plus de cuisine pendant le mois qu'elle passa à Nantucket qu'elle n'en avait fait depuis son mariage...

Tennessee Williams a raconté à plusieurs reprises ce séjour. Parfois, d'un souvenir à l'autre, quelques détails diffèrent. Pancho Rodriguez l'a raconté aussi à Virginia Spencer Carr, avec une certaine emphase. Il se souvenait surtout de Carson jouant du piano « Bach, Schubert, mais aussi des mélodies populaires, pour que nous chantions tous ensemble », et de l'acquisition d'un vieil électrophone Victrola pour écouter les disques qu'ils avaient découverts dans l'une des pièces inoccupées de la maison. C'est dans son essai *Praise to Assenting Angels* que Tennessee Williams fait le récit, sinon le plus juste, du moins le plus agréable parce qu'il est écrit – et non rapporté à un témoin qui le répète plus ou moins bien.

« J'aimerais vous raconter ma première rencontre avec Carson McCullers. C'était au cours d'un été où je me considérais comme mourant. J'avais loué, dans l'île de Nantucket, une sorte de bicoque en bois, toute de guingois, que j'avais remplie d'une assez remarquable collection de créatures humaines et animales. Il y avait là un jeune homme d'origine mexico-indienne, qui était un ange de bonté, sauf lorsqu'il avait bu. Il buvait malheureusement sans arrêt. Il y avait également une jeune fille qui souhaitait devenir cantatrice, et une autre qui enduisait de peinture tous les détritus rejetés par l'océan, faisant ainsi régner au premier étage de la maison, où elles les disposaient comme des natures mortes baptisées "arrangements", une odeur humide et glacée. S'il avait fait beau et chaud, nous les aurions facilement supportés. Mais le temps était constamment détestable, et l'excessive humidité des "arrangements" ne faisait rien pour me détacher de mes pensées morbides. Une nuit, un violent orage éclata. Toutes les vitres de la façade nord volèrent aussitôt en éclats, comme si, depuis un an, elles n'attendaient que ce signal. La jeune femme aux "arrangements", la cantatrice et le jeune Mexicain à l'heureux caractère se réfugièrent alors dans la partie sud de la maison, où je tentais d'écrire, au prix d'infinies difficultés, une pièce mettant en scène l'Ange de l'Éternité. A cet instant précis, une chatte pleine se faufila dans la maison et mit bas cinq ou six chatons sur le divan de la chambre du rez-de-chaussée. L'arrivée de Carson sur notre île suivit immédiatement cette tempête et cette invasion de chats. Elle répondait à l'invitation de venir me voir que je lui avais faite après avoir lu son roman *Frankie Addams* – première lettre d'admirateur que j'aie jamais adressée à un écrivain.

Si ma mémoire est fidèle, les deux jeunes femmes nous ont quittés en même temps, le matin même de son arrivée, l'une avec son recueil d'arias, l'autre avec plusieurs malles bourrées d'"arrangements" humides et de toiles pas tout à fait sèches, me remerciant assez évasivement de mon hospitalité, et regardant la nouvelle débarquée avec une secrète compassion.

L'état de la maison n'entama en rien le moral de Carson. Elle avait déjà vécu dans des endroits bizarres. Elle s'enticha sur-le-champ du jeune Mexicain enivré, et se prit pour les chats d'une telle passion qu'elle insista pour partager avec eux la chambre du rez-de-chaussée, assurant qu'elle y serait parfaitement à l'aise. Presque immédiatement, l'été s'améliora. Le soleil revint, et sembla vouloir durer. Le vent tourna au sud et il fit suffisamment chaud pour se baigner. Dans le même temps, tout de suite après l'apparition sur notre île de Carson et du soleil, l'idée romantique d'être un écrivain mourant m'abandonna. J'oubliais mes divers symptômes psychosomatiques. Il faisait clair et chaud dans la maison, avec une agréable odeur de cuisine, et l'éclat presque oublié des assiettes propres et de l'argenterie. Je trouvais surtout l'occasion longtemps espérée de conversations cohérentes. Longues soirées que nous passions à parler, en buvant du thé et du rhum bouillant, lectures de poèmes à voix haute, randonnées à bicyclette, promenades à travers les dunes baignées de lune, et même, une nuit, miraculeuse apparition d'une aurore boréale, rayonnement immaculé de longues écharpes frissonnantes déployées au-dessus de l'île, donnant aux maisons de pêcheurs et à leurs enclos une blancheur fantomatique. Cette nuit-là, ce ciel transfiguré par un mystérieux phénomène, resteront à jamais liés à la naissance de notre amitié, ou, pour être plus précis, à l'âme de cette nouvelle amie enfin découverte, qui semblait aussi curieusement et merveilleusement étrangère à notre monde que la nuit elle-même [21]. »

Cette amitié déplaira, bien sûr. Maintenant que tous deux sont morts – Tennessee Williams en 1983 – et ne peuvent plus défendre leurs sentiments, on oublie volontiers ce qu'ils ont dit l'un de l'autre. Par exemple, ce beau texte de Tennessee Williams, publié le 23 septembre 1961 dans la *Saturday Review* [22], où il rappelle : « Dès notre première rencontre, Carson, avec sa phénoménale compréhension de tout être vulnérable, n'éprouva rien d'autre pour moi que cette affectueuse compassion dont j'avais tant besoin et qu'elle était capable de donner avec une telle liberté, une liberté inégalée dans le monde littéraire. » On préfère passer sous silence les descriptions qu'ils ont faites l'un et l'autre du bonheur d'être ensemble, pour insister sur la jalousie de Carson à l'égard de Tennessee Williams, meilleur dramaturge qu'elle. Cela permet d'écrire que Carson McCullers « n'était pas facile à vivre », comme le fait l'essayiste Georges-Michel Sarotte dans le dossier de la revue *Masques* [23] : « Caractérielle, égocentrique, jalouse des autres écrivains, elle finissait toujours par se brouiller avec eux après s'être jetée à leur tête. » Pour parfaire le tableau et emporter la conviction en recourant aux plus grands auteurs américains, Georges-Michel Sarotte conclut ainsi son article :

> « Lire la biographie de Carson McCullers, de Tennessee Williams ou de Truman Capote, c'est lire la vie d'éternels enfants terribles, de monstres sacrés, de sacrés monstres, empêtrés dans leurs contradictions, englués dans leur narcissisme d'adolescents égoïstes. Ce n'est pas un hasard si Hemingway et Faulkner, ces géants, les évitèrent soigneusement.
>
> Si un homme ne marche pas au même pas que les autres, disait Thoreau, c'est peut-être qu'il entend un autre tambour. Il faut rendre à McCullers et à son groupe ce qui leur appartient : dans les années 40 et 50, ils ont su faire entendre une autre musique. Ayant eux-mêmes souffert d'être différents (ils étaient homosexuels ou bisexuels) à une époque de conformisme à tous crins, ils ont réussi à remodeler la sensibilité américaine, annonçant de très loin – et à leurs risques et périls – non seulement la Beat Generation mais aussi l'explosion raciale, sociale et morale de la fin des années 60. A leur époque, il fallait un courage que l'on a peine à imaginer aujourd'hui pour mettre en scène un capitaine homosexuel, un sportif homoérotique ou un joli adolescent efféminé. Ils ont bien mérité de la grande patrie des homosexuels du monde entier... »

Propos très caractéristique du discours sur ces écrivains, et singulièrement sur Carson McCullers : reconnaître leur liberté – sans que le mot soit jamais écrit –, souligner leur courage pour autant qu'on peut l'annexer à sa cause, tout en laissant une image parfaitement antipathique de leur personnalité et de leur vie.

Ces deux écrivains prétendument « englués dans leur narcissisme », Tennessee Williams et Carson McCullers, vont pourtant se mettre à travailler tous les jours à la même table, chacun d'eux à une extrémité – « et c'est la première fois, dira Williams, que je me suis senti à l'aise en travaillant dans la même pièce qu'un autre écrivain [24] ». Peu après l'arrivée de Carson, en effet, Tennessee Williams lui avait suggéré de faire une adaptation de *Frankie Addams* pour le théâtre. Pour elle, c'était un défi, puisque certains critiques – Edmund Wilson en particulier, dans le *New Yorker* – avaient reproché à son roman de manquer de ressorts dramatiques, d'être dépourvu du sens de l'action. Elle n'avait aucune expérience de l'écriture théâtrale et pouvait compter sur les doigts d'une main les fois où elle était allée au théâtre. Mais là, elle avait l'occasion de profiter des conseils d'un professionnel et se mettre au travail, pendant que Tennessee Williams tentait de terminer *Étés et Fumées*. Bien évidemment, au fil des ans, on n'a pas manqué de suggérer que *Frankie Addams,* la pièce, devait beaucoup au talent de Williams. Dans un entretien avec Virginia Spencer Carr, lorsque celle-ci faisait son enquête pour sa biographie, il s'en explique : « Je n'ai été le mentor de Carson à aucun sens du mot. Si elle voulait me demander quelque chose ou lire à haute voix un passage pour voir ma réaction, elle le faisait. Mais c'était rare. Carson n'acceptait quasiment aucun conseil sur la manière d'adapter *Frankie Addams.* Je ne lui ai pas plus d'une ou deux fois suggéré une réplique et, dans ces cas là, elle avait généralement sa propre idée. Elle me disait : "Tenn, mon ange, merci beaucoup, mais je sais tout ce que j'ai besoin de savoir." J'étais moi-même occupé à mon propre script et nous restions assis là, à travailler de façon très indépendante. Ce n'est que lorsque Carson a été dans l'île que je lui ai suggéré d'adapter son livre pour en faire une pièce. Et elle a fini tout le script pendant qu'elle était là [25]. »

La présence de Carson était très stimulante pour Tennessee Williams. Il aimait son acharnement à écrire et ses encouragements répétés pour qu'il écrive aussi – tous les matins, avant de prendre les bicyclettes pour aller à la plage. « Tennessee avait emprunté une machine à écrire pour moi, et nous nous sommes installés tous les deux à la table de la salle à manger », écrira Carson McCullers dans la préface à *La Racine carrée du merveilleux*. « Nous travaillions de dix heures du matin à deux heures de l'après-midi puis, les jours de beau temps, nous allions à la plage et, les jours de pluie, nous nous lisions des poèmes. Tennessee et moi avons passé depuis de nombreux étés ensemble au bord de la mer, et notre amitié m'est une source perpétuelle de joie et d'inspiration [26]. » Alors que Tennessee Williams commençait à désespérer de finir son propre manuscrit, elle lui a rendu confiance : « Quand je lui ai dit que je pensais que mes pouvoirs de création étaient épuisés, elle m'a répondu avec une grande sagesse et une grande vérité qu'un artiste ressentait toujours cette terreur, cet effroi quand il avait terminé un travail dans lequel il avait tellement mis de lui-même que la fin de ce travail semblait marquer sa propre fin, puisque ce pour quoi il vivait avait disparu comme la neige de l'année passée [27]. »

A la fin du mois de juin, Carson rentre à Nyack pour quelques jours et invite Reeves à l'accompagner à Nantucket pour le week-end de la fête de l'Indépendance, le 4 juillet. Il ne restera que peu de temps, regagnera vite Nyack et ne reviendra que pour chercher Carson, au milieu de l'été, quand elle aura fini l'adaptation de sa pièce. « C'était un ancien marine et je ne l'aimais pas particulièrement à l'époque, se souvient Williams dans ses *Mémoires*. Il n'était pas de bonne compagnie ; il paraissait morose et replié sur lui même ; je me renfermai, moi aussi, et ce fut la fin de notre heureux compagnonnage. »

Reeves boit tristement. Mais Carson n'a pas attendu qu'il soit là pour trop boire, elle aussi, et pas seulement avec ses amis. Le soir venu, elle s'asseyait sur une marche de l'escalier avec une bouteille de whisky qu'elle était allée acheter et restait une partie de la nuit à rêvasser en buvant – souvent la bouteille entière –, s'inventant des histoires d'amour, impossibles bien sûr, en particulier avec une jeune femme du voisinage qui s'intéressait surtout à Tennessee.

Quand l'été se termine, Carson a en main le script de sa première pièce, qu'elle confie à Ann Watkins, son agent depuis 1943, pour qu'elle cherche un producteur. Au même moment, elle reçoit l'argent de sa bourse Guggenheim et le projet de séjour en Europe se précise. Grâce à George Davis, Carson rencontre des Américains installés à Paris. Elle revoit John Brown, qu'elle avait connu comme éditeur à Houghton Mifflin et qui vit désormais à Paris, avec sa femme française, Simone. Il l'avertit que la vie en France, dans cet immédiat après-guerre, est encore difficile et qu'il ne faut attendre ni une qualité de nourriture, ni un confort comparables à ceux des États-Unis. Mais il lui assure qu'il sera là, à la gare, pour les accueillir, elle et Reeves, s'ils maintiennent leur voyage. Reeves, lui, retrouve soudain le goût d'être avec les autres, de parler, de raconter ses préparatifs de voyage. C'est un homme gai, comme rajeuni, qui s'embarque avec sa femme sur le paquebot *Île-de-France*, le 22 novembre 1946 à New York. Dans le bus qui les conduit au port, en compagnie de la mère et de la sœur de Carson, de leurs amis Truman Capote et Marguerite Young, Reeves exprime bruyamment sa joie, se réjouit à voix – très – haute de son départ pour l'Europe.

Six jours plus tard, John Brown est ponctuel, à la gare Saint-Lazare, quand Carson et Reeves descendent du train qui les amène du Havre. John Brown a prévenu la communauté intellectuelle de Paris qui s'intéresse à l'Amérique et à la littérature de l'arrivée de Carson McCullers, dont on vient de traduire *Le Cœur est un chasseur solitaire* et *Reflets dans un œil d'or*. Le petit prodige américain est attendu par son éditeur,

André Bay – qui dirige la collection étrangère de Stock –, ses traducteurs, les critiques, et, déjà, des amis. Henri Cartier-Bresson, que Carson connaît depuis quelque temps – il est venu la photographier à Nyack –, lui fait rencontrer sa sœur Nicole : «Elles se sont beaucoup plu, se souvient Henri Cartier-Bresson. Ma sœur était, comme moi, très touchée par Carson, par sa sensibilité. Elles se voyaient souvent. Nicole écrivait des poèmes, et elles aimaient à parler de littérature ensemble. Elle a invité Carson et Reeves à aller passer quelques jours chez mes parents en Sologne. Je ne me souviens plus si j'étais là à ce moment-là. Peut-être pas. Mais une anecdote sur l'arrivée de Carson est restée célèbre dans la famille. Elle avait apporté une caisse de whisky à mon père, qui n'avait jamais rien bu d'autre que du vin rouge et du vin blanc. Il a mis la caisse sous son lit, et elle y est restée longtemps…» «Quand j'ai rencontré Carson aux États-Unis, ajoute-t-il, grâce à Mrs Snow et à George Davis, qui me faisaient travailler pour *Harper's Bazaar* –, j'ai fait des photos de George Davis et de Carson sur une plage – j'ai tout de suite aimé son côté adolescent, à la fois fragile et fort, sa finesse, cet air comme translucide. J'ai tout de suite perçu qu'il y avait quelque chose de curieux, d'un peu trouble même, dans ses rapports avec Reeves. Carson, c'était la sensibilité même. Le mot qui s'impose à moi quand je l'évoque, c'est "frémissant" [28]. »

La photographe américaine Louise Dahl-Wolfe, qui a fait dès 1940 de très belles photos de Carson, vit elle aussi à Paris, tout comme Kay Boyle et son mari. Carson ne se sent pas vraiment à l'étranger grâce à cette communauté. Janet Flanner, en 1972, se souvenait que «Carson – mélodramatique, géniale – explosa dans Paris comme une petite fiole de verre [29]». Carson, elle, se recommandait de Janet Flanner – qu'elle connaissait aussi depuis le temps de Middagh Street – et a toujours dit que sa vie à Paris en avait été facilitée car «dès qu'on prononçait le fameux Genêt [Janet avec un accent français], toutes les portes du Paris littéraire s'ouvraient »...

Dans ce Paris d'après-guerre où l'on voulait oublier en dansant, en sortant beaucoup, Carson et Reeves étaient invités à plus de fêtes qu'il n'en fallait pour passer toute une nuit sans dormir. Ils ont assisté aux balbutiements de ce qui allait devenir « Saint-Germain-des-Prés ». Juliette Gréco n'en était pas encore l'énigmatique symbole, silhouette étrange avant d'être chanteuse et incarnation d'un mythe, mais déjà la jeune Anne-Marie Cazalis était là, qui plaira à Carson, et ce fut réciproque. Sartre et Simone de Beauvoir passaient par là, bien sûr, mais Carson ne fut jamais de leurs intimes. Pour son enquête biographique, Virginia Spencer Carr envoya quelqu'un interroger Simone de Beauvoir, en 1972. Celle-ci parla surtout de la littérature de Carson McCullers, dont elle aimait la singularité et l'absence de moralisme, mais ne se rappelait qu'une soirée chez elle où elle avait invité Carson – ainsi que Richard Wright qui avait choisi de s'installer à Paris –, soulignant que jamais Carson ne fut de ses amies. On imagine bien l'espèce d'agacement que devait ressentir Simone de Beauvoir devant cette perpétuelle adolescente fragile et comme égarée, ne faisant aucun effort pour comprendre le français et semblant aussi « dépendante » que Simone de Beauvoir se voulait autonome. De même, on voit mal Carson McCullers lisant *Le Deuxième Sexe* – auquel Simone de Beauvoir est en train de travailler – et s'y reconnaissant. Pour toute femme qui, comme Beauvoir, voulait être à parité avec les hommes, la fragilité qu'affichait Carson était comme une menace, un exemple que, toujours, les hommes mettraient en avant pour prouver que « les femmes » ont besoin d'être aidées, soutenues, voire secourues...

Claude Roy, lui, n'avait pas, et pour cause, de telles craintes. Il pouvait donc se laisser aller à être séduit par Carson – qu'il avait rencontrée à New York, grâce à Cartier-

Bresson – comme il le rapporte, avec beaucoup de délicatesse, dans *Nous* : «Une amie de Cartier-Bresson me séduisait-inquiétait autant que les beaux livres d'elle que nous venions de lire : Carson McCullers, croisement pâle de la fleur nommée sensitive et du lévrier des tapisseries de la Dame à la licorne. Un effleurement de regard trop aigu, un mot un peu plus fort qu'un autre rétractaient et repliaient Carson, si vite tremblante, terrorisée [30].» Cette inquiétude soudaine, cet air étrange de «personne déplacée», André Bay le remarqua dès sa première – et très curieuse – rencontre avec Carson. En éditeur attentif et courtois, il avait, comme il se doit, pris rendez-vous avec son auteur pour déjeuner.

«Je n'avais jusqu'alors jamais été en contact direct avec elle, se souvient-il. C'est par John Brown, qui avait été éditeur chez Houghton Mifflin avant de devenir attaché culturel à Paris, que j'avais connu son œuvre. Comme je lui demandais ce qu'il fallait lire en matière de jeune littérature américaine, il m'avait conseillé Carson McCullers et Robert Penn Warren. J'ai pensé qu'il fallait les publier tous les deux. Ce qu'on a fait. De Carson McCullers, on a traduit dès 1946 *Le Cœur est un chasseur solitaire* et *Reflets dans un œil d'or*. Quand Carson est arrivée pour sa première visite en France, j'ai donc demandé à l'inviter à déjeuner. Elle a dit oui, comme toujours. Elle disait oui à tout, sans bien comprendre de quoi il s'agissait et sans chercher à se le faire expliquer. A l'heure prévue, je suis donc passé la chercher, comme convenu, à l'hôtel de France et Choiseul, rue du Faubourg-Saint-Honoré, où elle était installée. On m'a demandé de monter dans sa chambre. Je me suis trouvé devant une femme avec un drôle d'air d'enfant, en chemise de nuit, encore au lit, une bouteille de cognac à côté d'elle et un verre de cognac à la main. Je lui ai fait remarquer qu'il était plus de midi et que j'étais venu la chercher pour aller déjeuner. Elle ne semblait pas bien comprendre. Quand elle eut compris, elle m'expliqua qu'elle ne pouvait pas sortir, qu'elle était prise d'une sorte d'agoraphobie et était incapable de faire deux pas dans la rue. Moi, je voulais sortir, j'avais faim. J'ai décidé de la porter après qu'elle eut mis un manteau, puisque, à cela, elle ne s'opposait pas. Elle était mince, mais elle était vraiment très grande, donc assez lourde quand même. Nous sommes sortis de l'hôtel dans ce curieux équipage. Je ne suis pas allé très loin, je me suis arrêté au premier bar. J'ai pu manger. Elle a bu. Nous avons parlé, comme si tout cela était absolument banal. Elle semblait toutefois être un peu toujours comme dans un rêve, comme parfois les gens qui boivent sans cesse, du matin au soir. Je crois que c'est ce jour-là que je lui avais apporté un exemplaire de *Reflets dans un œil d'or* en français et je l'ai gardé car elle m'a fait cette dédicace qui lui ressemble. Une belle écriture et une signature bien affirmée, aux côtés de dessins enfantins – un sapin comme on en dessine quand on est vraiment tout petit, et un œil en amande.

Ce n'était que la première de nombreuses rencontres, mais elle était, évidemment, inoubliable. Il n'est pas très fréquent de rencontrer l'un de ses auteurs en chemise de nuit, et encore moins de le prendre dans ses bras. C'est peut-être cette intimité involontaire qui m'a rendu assez insensible à ce qu'on disait du côté "garçonne" de Carson McCullers. Ce jour-là, en chemise, dans son lit, c'était vraiment une femme. Et le corps que je portais dans mes bras était bien celui d'une femme [31]. »

A Paris, Carson est très entourée, mais Reeves n'en est pas pour autant délaissé. Sauf quand il s'agit de rencontres strictement littéraires ou professionnelles, ce sont « les McCullers » qu'on veut voir. Dès qu'on a appris que Reeves avait débarqué en Normandie à l'aube du 6 juin 1944, on a voulu le fêter comme le héros qu'il avait été. Il retrouve la joie de ses premiers contacts avec les Français deux ans auparavant, le sentiment d'être un libérateur. Il raconte sa guerre, comme il le faisait dans ses lettres à sa femme, avec le même sens du récit, avec des bonheurs d'expression. Il parle comme il aurait voulu écrire, et on l'écoute avec plaisir. Il a appris un peu le français, et même s'il ne peut pas tenir une conversation, il s'exprime volontiers dans cette langue, contrairement à Carson qui ne fait aucun effort pour apprendre quelques mots. « C'est bien pour cela qu'il est tout à fait faux de prétendre, comme Reeves le faisait dans ses lettres à ses amis restés aux États-Unis que "le tout-Paris littéraire était tombé aux pieds de Carson" », dit John Brown, toujours aussi peu complaisant à son égard mais cependant précis dans les informations qu'il donne. « Elle est arrivée précédée d'une réputation de bon écrivain et de personnage non conformiste, mais ses contacts avec les intellectuels français sont restés limités aux personnes qui s'intéressaient particulièrement à la littérature américaine et qui parlaient bien l'anglais. Elle n'était pas du tout dans le sillage des Camus, Sartre ou Malraux, elle n'a en rien été touchée par l'effervescence intellectuelle de la France de l'immédiat après-guerre [32]. »

Reeves dit à qui veut l'entendre — et il l'écrit dans ses lettres — que ce retour en Europe est pour lui comme une seconde naissance. Qu'il veut rester de ce côté-ci de l'Atlantique et y trouver du travail, auprès de l'ONU ou de l'Unesco. « Tout cela était largement fantasmatique, estime John Brown ; en fait il en parlait beaucoup, Carson acquiesçait et insistait, mais je doute qu'il ait fait de vraies démarches. » Reeves affirmera aussi — et il l'écrira à Edwin Peacock — que la General Motors et les services de l'aide américaine à la France lui ont proposé des emplois qu'il a dû refuser, car il aurait été obligé de beaucoup voyager alors qu'il ne souhaitait pas quitter Paris. Toujours selon John Brown — et c'est une hypothèse tout à fait recevable –, il s'agissait de ne pas laisser croire que Reeves vivait aux crochets de sa femme sans se préoccuper le moins du monde de gagner lui-même quelque argent.

En dépit de son amour de Paris, du plaisir qu'il prenait, comme nulle part ailleurs, à aller de café en café, avec ou sans Carson, à explorer la ville presque rue par rue, Reeves, comme presque toujours, se laisse gagner par l'ennui et le désœuvrement. Il recommence à boire à l'excès. Carson aussi. Pourtant, l'une des promesses qu'ils s'étaient faites l'un à l'autre en se remariant était de boire plus modérément. Les cafés parisiens ouverts jusqu'à deux heures du matin, voire toute la nuit, ne les incitent évidemment pas à la sobriété. Ils ont une préférence pour la rive gauche, car leurs amis leur ont fait découvrir le Flore, les Deux-Magots et une pléiade de petits cafés de Saint-Germain-des-Prés aujourd'hui disparus. Et puis, pour les nuits un peu folles, on va au Tabou, qui est en train de devenir «le temple de l'existentialisme». L'enfant de Columbus, Georgie, ne comprend pas très bien ce qui se passe dans ce minuscule périmètre de la capitale française, ce qu'une jeunesse cherche à affirmer et à conjurer, dans ces rythmes, cette musique, ces fêtes qui choquent le bourgeois. Elle en sait pourtant un peu plus que d'autres, grâce à Middagh Street, à Klaus Mann, à Annemarie Schwarzenbach. Elle en sait un peu plus que Reeves, même s'il a, lui, directement connu la guerre. Elle entrevoit vaguement que ces jeunes gens du Paris de 1946 sont des survivants, mais aussi des enfants perdus, orphelins de l'Europe d'Annemarie, de Klaus et d'Erika Mann. Une idée de l'Europe et de la civilisation est morte du côté d'Auschwitz et de Dachau. Ceux qui dansent là, dans les caves et les boîtes, n'auront pas assez de leur vie pour s'en consoler, et pour reconstruire, à défaut de pouvoir restaurer.

Certains soirs, Carson et Reeves traversent la Seine, font une incursion rive droite, jusqu'au Lido, ou d'autres cabarets moins prestigieux. Ils vont volontiers au music-hall. Carson aime tout particulièrement Edith Piaf, elle est touchée par sa voix, par son jeu, par tout ce qu'elle porte en elle de tragédie profonde, et qui dispense de comprendre les paroles de ses chansons. Mais ils reviennent vite rive gauche, où ils poussent souvent jusqu'à Montparnasse, sur les traces d'Ernest Hemingway, qu'ils ne rencontreront cependant jamais. Nul ne peut dire s'il l'aurait souhaité ou, au contraire, s'il les aurait prudemment évités, comme le prétend Georges-Michel Sarotte : à aucune de leurs visites, il ne sera à Paris.

L'hiver 1946-1947 se passera ainsi, avec un temps pas très beau, très typique de l'Île-de-France, gris et pluvieux, assez triste, tout ce qu'il faut pour stimuler le désir d'alcool. Carson et Reeves boivent jusqu'à une bouteille de cognac entière par jour… chacun. Le printemps est magnifique et Reeves recommence ses explorations urbaines – «arrosées» –, tandis que Carson accepte l'invitation d'un couple d'amis à passer quelques jours dans le Tyrol italien, se réjouissant d'être dans de hautes montagnes, couvertes d'une neige profonde. Entretemps, en février 1947, est arrivé un événement qui fait partie de «la légende dorée» de Carson, mais ne semble pas avoir subi d'altérations visant à l'enjoliver. Tous les témoignages concordent. Carson elle-même a raconté ce «contretemps», selon son propre mot, dans un article paru en 1950 dans *Theatre Arts*, «La vision partagée» :

«C'était peu après notre arrivée à Paris. Un charmant jeune homme est venu nous voir, et m'a longuement parlé en français. Son débit était aussi rapide et, pour moi, aussi inintelligible que celui d'une cascade. Je n'ai donc rien compris de ce qu'il m'a dit, sinon qu'il me demandait quelque chose avec insistance. Mon amabilité et un manque total de bon sens m'ont poussée à lui répondre l'un des rares mots de français que je connaissais : "Oui." Le jeune homme m'a serré la main avec force, s'est incliné, et a dit en s'en allant : "Ah bon ! Ah bon !" Il est revenu deux autres fois et la même cérémonie s'est déroulée. Comme tout semble étrange dans un pays que l'on ne connaît pas, je ne me suis inquiétée de rien jusqu'au jour où l'une de mes amies a débarqué à notre hôtel en me demandant ce qui, pour l'amour de Dieu, m'avait prise brusquement ! Elle a tiré de son sac une carte d'invitation, je l'ai lue dix fois et je me suis écroulée sur mon lit. Cette carte d'invitation, merveilleusement imprimée, annonçait que Carson McCullers ferait à la Sorbonne, amphithéâtre

Richelieu, une conférence sur les mérites comparés des écrivains français et américains contemporains. Cette conférence devait avoir lieu le lendemain soir. Mon mari a lu la carte et a préféré faire aussitôt nos bagages. J'ai téléphoné à un vieil ami de l'ambassade américaine, et il est venu nous voir. Il a ri, j'ai pleuré, et pendant quelques heures nous avons bu du scotch. Après avoir réfléchi, ce vieil ami m'a dit : "Comme il n'est pas question que vous fassiez demain soir à la Sorbonne une conférence en français, essayez de penser à ce que vous pourriez faire." J'ai jeté un coup d'œil vers mon mari, qui continuait à faire nos bagages, et j'ai pensé à un poème que j'avais achevé récemment. Notre ami, ancien critique littéraire, a écouté mon poème et a estimé qu'il ferait l'affaire. Il a rédigé à mon intention quelques lignes d'excuse en français qui commençaient ainsi : "Je regrette beaucoup, mais je ne parle pas français." Le lendemain, je me suis rendue à l'amphithéâtre Richelieu, j'ai récité mon poème, et je suis restée assise sur l'estrade, en essayant de prendre un air intelligent, pendant que deux critiques discouraient sur les mérites comparés de nos deux littératures dans une langue que je ne comprenais pas [33]. »

L'« ami américain » appelé au secours était, comme souvent, John Brown, et, une fois de plus il a sauvé la situation en prenant la direction des opérations et en convoquant René Lalou. Celui-ci rencontrait Carson McCullers pour la première fois, et la soirée lui a laissé un tel souvenir qu'il la raconte au début de sa préface à la première édition française de *Frankie Addams* :

« L'actif directeur du club "Maintenant" avait organisé, en Sorbonne, dans l'accueillant amphithéâtre Richelieu, un débat sur les tendances et les réussites de la "nouvelle littérature américaine". Bien des propos avaient été échangés — et tout d'abord sur le sens de cette expression. Du moins n'apparaissaient-ils point totalement stériles, car ils permettaient à nos auditeurs de mieux lutter contre une dangereuse simplification. Il en ressortait, en effet, que, depuis une bonne décennie, nos Français s'étaient satisfaits de réserver, assez arbitrairement, le titre de "jeunes Américains" à quelques romanciers – tels Faulkner, Hemingway, Steinbeck, Caldwell – qui naquirent entre 1897 et 1900...

Ce fut alors que Georges-Albert Astre pria Carson McCullers de prendre la parole. On vit donc se lever une frêle jeune femme que trois beaux romans, publiés avant qu'elle ait atteint sa vingt-sixième année, autorisaient bien à témoigner pour cette fameuse "nouvelle littérature américaine". Avec la gracieuse gaucherie qui naît d'une farouche réserve, elle s'excusa de ne point s'exprimer dans notre langue et de ne pas nous distribuer, même en son propre idiome, des formules de théoricien. Tout simplement, en signe de bonne volonté, elle était prête à nous offrir le dernier poème qu'elle avait composé et promenait depuis lors dans la poche de son manteau.

Ces douze vers, elle les lut d'une voix égale, sans rechercher aucun effet, avec une ferveur contenue, comme pour une amicale confidence. Sans doute n'eus-je point tort de trouver dans ce ton d'intimité recueillie un encouragement à lui demander de me laisser une des deux copies qu'elle allait remettre dans sa poche. Car elle y consentit fort gentiment, après avoir, d'un coup de crayon, remplacé au dernier vers, un *goes* pour un *runs* plus expressif. Peut-être suis-je beaucoup moins inspiré aujourd'hui en essayant de traduire cette pure effusion lyrique; mais je ne saurais rien proposer pour nous mieux orienter :

Lorsque nous nous sentons perdus, quelle image a une valeur?
Le néant ressemble au néant ; pourtant, ce néant n'est pas un
                                                            [vide.
C'est l'enfer qui a pris figure :
D'horloges observées dans les après-midi de l'hiver,
Étoiles maléfiques, réclamant un contenu,
Toutes isolées, l'air circulant entre elles.
La terreur. Naît-elle de l'espace? ou du Temps?
Ou de l'imposture combinée des deux visions?
Pour les égarés, transpercés au milieu des ruines qu'ils
                                    [s'infligèrent à eux-mêmes,
Tout cela est absence d'air – si ceci encore n'est point illusion –,
Pure souffrance figée. Tandis que le temps,
Immortel imbécile, parcourt en hurlant l'univers[34].

Évidemment, je ne me flatte point d'avoir, à une première audition, discerné les liaisons et les nuances variées de
ce défilé d'images. Mais j'avais été particulièrement frappé
par la netteté de ce sixième vers : *"All unrelated and with air
between."* Je n'avais encore lu aucun livre de Carson
McCullers et ne pouvais apprécier leur valeur que d'après des
échos. Libre de toute opinion préconçue, j'eus l'impression
qu'il y avait dans ces dix syllabes, en même temps qu'une
douloureuse constatation et un appel, une clef peut-être à
toute son œuvre.

Singulièrement pathétique me semblait cet aveu d'isolement, mais surtout une si tranchante lucidité [...] [35].

En avril, Carson se rend à Rome, sans Reeves. Comme à
Paris six mois plus tôt, elle est fêtée, elle rencontre ce que le
pays compte d'écrivains importants – au premier rang desquels Alberto Moravia – et on la présente comme l'une des
jeunes romancières américaines les plus prometteuses. Une
opinion qui sera partagée cette même année par le journal
américain *Quick Magazine*, qui, en décembre 1947, désignera
Carson McCullers comme l'un des meilleurs écrivains américains de l'après-guerre. De même, le 30 avril, l'écrivain et critique britannique Cyril Connolly, réputé à la fois pour son
esprit et pour son peu d'indulgence envers ses contemporains,
lui écrit, au nom de la revue *Horizon*, avec beaucoup de considération : « J'étais tout à fait désolé que vous ne fussiez pas en
Amérique l'hiver dernier quand je me suis rendu à New York,
car j'aurais eu le plus grand plaisir à faire votre connaissance.
J'espère vraiment que nous pourrons nous rencontrer une
autre fois. J'aimerais vous demander si vous accepteriez de
nous donner quelque chose pour le numéro spécial d'*Horizon*
consacré à l'art en Amérique, et que je compte sortir cet
automne. Bien sûr, j'aimerais beaucoup une nouvelle qui n'a
jamais été publiée, ou le chapitre d'un roman que vous seriez
en train d'écrire (pour le 1er juin) [36]. »

Elle ne ferait certainement plus sourire les voisins de Columbus avec ses rêves fous, Mrs McCullers «l'Européenne», écrivain célèbre et célébrée, installée à Paris. Elle va même quitter son hôtel, lieu de transit pour «étrangers», d'abord pour aller passer une partie de l'été à la campagne, à Rosay-en-Brie, dans une propriété prêtée par des amis, avant de revenir au cœur du 5ᵉ arrondissement, 53, rue Claude-Bernard, dans une vraie maison qui avait été le domicile de Richard Wright avant son emménagement rue Monsieur-le-Prince. Elle aimera ce petit pavillon dans un jardin étroit, même s'il n'est pas très confortable. Il lui semble «tellement parisien».

C'est à Paris que Carson McCullers vient d'avoir trente ans, et elle ignore, bien sûr, qu'elle vit son dernier printemps de jeune femme certes de santé fragile, mais n'apparaissant pas au premier regard comme malade. Dans quelques mois, tous ceux qui la verront feront un constat immédiat, avant même qu'elle n'ouvre la bouche : ils ont devant eux une infirme.

Les versions diffèrent sur ce qui a conduit à cette infirmité. Selon le récit que Carson aurait fait à Richard Wright — et qui est rapporté dans sa biographie de Richard Wright par Constance Webb[37], le premier accident — diagnostiqué comme une attaque cérébrale — serait arrivé au milieu de l'été à Rosay-en-Brie. Une nuit. Reeves était absent. Selon Carson, il était à l'hôpital américain de Neuilly, pour faire soigner une infection de la jambe. Elle dormait donc seule, et s'est réveillée brutalement en ayant extrêmement soif. Elle s'est levée, mais à peine avait-elle fait quelques pas dans la chambre qu'elle est lourdement tombée et n'a pas pu se relever, le côté gauche de son corps refusant de se mouvoir. Elle ne pouvait pas parler, ne pouvait donc demander du secours; elle voyait mal, mais elle est restée tout à fait consciente pendant les quelque huit heures qu'elle a passées sur le sol. Finalement, Reeves est rentré, l'a trouvée et elle a été transportée à l'hôpital américain. D'autres témoignages placent cette très grave attaque plus tard dans l'été – elle aurait eu lieu rue Claude-Bernard –, et indiquent qu'elle avait été précédée d'une alerte un peu moins grave – dont le moment et le lieu ne sont pas précisés. Il semble bien, si l'on en croit le courrier de Carson, qu'il y ait eu en effet plusieurs « épisodes ». Le 28 juillet 1947, Carson écrit à sa mère du 53, rue Claude-Bernard, chez Mme Vercoustre, et elle fait allusion à un problème de vision. « Nous sommes dans un nouveau lieu que j'aime. Notre petit appartement est au-dessus d'un potager et il y a deux arbres au pied de notre escalier. Ces derniers jours à Paris, il a fait le temps le plus chaud depuis des années (presque 100° Fahrenheit) et j'aimerais bien avoir de la glace, ou au moins un endroit où garder la nourriture au frais. Tu me manques, tu nous manques. Je vais mieux mais il reste le problème de l'œil droit. Les médecins disent que ça va revenir. Le repos et l'absence de tourment sont les meilleurs remèdes. C'est bien qu'on se soit installés et qu'il y ait un endroit pour travailler. »

L'attaque dont parle Richard Wright – quels que soient le moment et le lieu où elle est survenue – eut des conséquences beaucoup plus graves et plus longues que ce à quoi Carson fait allusion dans cette lettre : un problème d'œil, pour lequel les médecins sont optimistes. Elle est restée plusieurs semaines à l'hôpital américain. A sa sortie, elle était bien décidée à demeurer encore en France ; elle se réjouissait de ses rencontres à venir – avec « Sylvia Beach, l'amie et éditrice de James Joyce », par exemple. Elle se sentait en sécurité avec les médecins qui l'avaient prise en charge et voulait se mettre sérieusement au travail, sur un nouveau manuscrit. Mais on lui avait fait interdiction absolue de boire, et elle ne parvenait pas à s'y soumettre. Elle buvait de la bière toute la journée et passait au cognac en fin d'après-midi.

Au début de novembre, elle est de nouveau hospitalisée, pour une infection rénale. Le lendemain de son admission, elle a une nouvelle attaque, qui aggrave la paralysie de son côté gauche. Pendant trois semaines, les médecins tentent de combattre à la fois la terrible douleur qu'elle ressent dans ses membres paralysés et la paralysie elle-même. Sans succès. Ils décident qu'elle doit rentrer aux États-Unis, pour être traitée à l'institut neurologique de l'hôpital Columbia à New York.

Le 1ᵉʳ décembre 1947, Marguerite Smith attend donc «ses chers enfants» à l'aéroport de New York. Elle est au pied de l'avion. Avec deux ambulances. Dans l'une on place le premier brancard, qui transporte Carson paralysée, et dans l'autre, un second brancard sur lequel est attaché Reeves, qui a eu pendant le voyage une crise de delirium tremens. La «mère abusive» que décrivait Janet Flanner, va pouvoir, désormais, régner vraiment à sa guise.

C'est une image que combat le cousin de Carson, Jordan Massee, qui, dans son journal, dans toutes les notes prises au fil des années ou ses entretiens avec les divers biographes et essayistes, défend la figure de Marguerite Smith.

«De Bebe [Marguerite] que puis-je dire qui ne soit totalement inadéquat? Je l'admirais plus que je ne saurais le dire, et je l'aimais autant que j'aimais Carson. A ces gens de Columbus, Georgie, qui ont suggéré que les problèmes de Carson étaient dus à une mère trop aimante, laissez-moi dire simplement que sans cette mère, le génie de Carson McCullers n'aurait jamais survécu ni même fleuri. Ce fut certainement une plante délicate qu'elle nourrit, avec un amour égal à toutes les exigences. Elle passa d'un milieu étroit et provincial à celui bien plus large dans lequel Carson se mouvait en esprit libre et en auteur célèbre, et le fit avec une grâce et une souplesse qui m'étonnent encore [38].»

La dévotion de Marguerite Smith, réelle quelles qu'en soient les motivations, fait aussi partie, bien sûr, de la « légende dorée ». Reste que l'injonction faite à Carson par certains amis à l'époque de Middagh Street de se « dégager de l'emprise » de sa mère – et qu'elle n'a jamais suivie, l'appelant au secours au contraire, chaque fois qu'elle retombait malade – n'est plus de mise en cette fin 1947. Carson, désormais, aura toujours besoin d'être « assistée ».

Cette année passée en France a été si désastreuse qu'on n'imagine pas Carson et Reeves y retournant un jour. Sans que le pays y soit pour grand-chose évidemment, Carson en revient infirme. Sur le plan intellectuel et littéraire, il ne semble pas que les contacts aient été d'une importance décisive. Quant à Reeves, son échec est plus grand encore, à la mesure de l'espoir qu'il avait mis dans ce voyage et qu'il s'avère une fois de plus incapable de transformer en réalité, si modeste fût-elle. Et rien n'indique vraiment que la responsabilité en incombe à d'insupportables exigences de Carson.

Carson, en outre, n'a pas travaillé. Que peut-elle montrer aux gens de la fondation Guggenheim pour prouver qu'elle a bien utilisé sa bourse et pour, éventuellement, solliciter son renouvellement ? Une nouvelle d'une dizaine de pages, « The Sojourner » (« Celui qui passe ») – l'histoire de John Ferris, qui revient de France pour assister, en Georgie, à l'enterrement de son père. Un récit très délicat, comme Carson McCullers sait les faire, avec une grande justesse, où un *Prélude et fugue* de Bach ranime « le désordre confus [des] souvenirs [...] un flot de plaisirs anciens, de déchirements, de désirs ambivalents [...] "L'improvisation de la vie humaine" [en français dans le texte], dit-il. Rien ne fait mieux comprendre l'improvisation de la vie humaine qu'une musique inachevée – ou un vieux carnet d'adresses ». La nouvelle se termine à Paris par « une nuit nuageuse. Une couronne de brume s'accrochait aux réverbères de la place de la Concorde. Les lumières des cafés encore ouverts se reflétaient sur les trottoirs mouillés. Comme toujours après un vol transatlantique, le changement de continent était trop brutal. Le matin à New York, Paris à minuit. Ferris entrevoyait le désordre de sa vie : tant de villes, d'amours éphémères, et le temps, le glissement sinistre des années, le temps toujours [39] ». Ce texte sera publié en mai 1950 dans le magazine *Mademoiselle* et repris l'année suivante dans le recueil contenant *La Ballade du Café triste*. Si réussi soit-il, ce petit récit est un peu mince pour justifier une bourse d'un an.

Quelle aubaine que cette « impasse créatrice », comme la décrit Virginia Spencer Carr, pour rendre Carson McCullers coupable de sa maladie. « Une grande part de la maladie de Carson a été attribuée, peut-être injustement, à l'impasse créatrice dans laquelle elle se trouvait », écrit la biographe. Le « peut-être injustement », sorte de précaution pour lecteurs réticents, est vite oublié puisque Virginia Spencer Carr développe longuement « un autre facteur qui peut avoir contribué à sa maladie : son désespoir devant ce qui arrivait à sa pièce tirée de *Frankie Addams* ». Ann Watkins, l'agent de Carson McCullers, ne parvenait pas à trouver de producteur pour la pièce. Lorsque, finalement, la Guilde du théâtre accepta de produire *Frankie Addams*, elle posa une condition : un dramaturge confirmé devait revoir le script.

Cette dépossession déplaisait fortement à Carson McCullers, mais, de guerre lasse, elle y avait consenti et avait signé un contrat avec Greer Johnson, qu'on lui avait suggéré – presque imposé – de prendre comme coauteur. Lorsque le nouveau manuscrit lui parvint, à Paris, à l'automne de 1947, elle le trouva exécrable. « Et c'est justement au moment où elle lisait la nouvelle mouture de sa pièce, écrit Virginia Spencer Carr, avec son éternelle apparence de neutralité, que se développa une grave infection des reins et que, le lendemain, elle eut une nouvelle attaque. »

Ainsi tout est d'une cohérence parfaite : Carson McCullers, romancière « en panne » à trente ans, après trois livres étonnants, auteur dramatique mort-né, se réfugie dans une maladie extrêmement invalidante – et dans la terreur constante d'une autre attaque – pour biaiser avec la cruelle réalité de l'extinction de ses facultés créatrices. Ce sera l'avis de certaines personnes plus ou moins proches de Carson McCullers, au fil des années, notamment de la dramaturge Lilian Hellman [40], la brillante et caustique compagne de Dashiell Hammett, qui parlait du bonheur de Carson à se vautrer dans la maladie et expliquait sa singulière hostilité à l'égard de cette femme par quelques phrases définitives : « Carson était un fardeau pour quiconque s'approchait d'elle. Si vous désiriez les fardeaux, si vous les aimiez, vous acceptiez Carson et son affection. Ce n'était pas mon cas [41]. » Lilian Hellman ne prétendait certainement pas, elle, à l'objectivité. Bien au contraire, elle exprimait une exaspération toute personnelle dans laquelle on peut la reconnaître, ou se reconnaître – et rien n'interdisait à Virginia Spencer Carr de se retrouver dans cette détestation de la maladie, et d'une certaine faiblesse transformée en prise de possession des autres. Mais sa manière d'enquêtrice « non engagée », loin de laisser la liberté nécessaire à la propre interprétation de chacun – qui s'exerce sur un récit biographique comme lors d'une rencontre personnelle avec un individu –, loin de préserver l'espace de la compassion comme celui de la détestation, tend à imposer une lecture, à gauchir l'image, à susciter une antipathie progressive et inconsciente qui, finalement, s'imposera comme « la » vérité de Carson McCullers.

VI

Cinq cents jours à Broadway

A l'approche de Noël 1947, quand Carson McCullers quitte l'hôpital neurologique de New York où elle a passé tout le mois de décembre, elle ne va guère mieux qu'à son arrivée. Elle est ramenée à Nyack – où Reeves est toujours soigné par Marguerite Smith pour ses crises de delirium – mais ne peut quitter le lit. Elle est probablement en train de connaître le plus terrible moment de sa vie. Certes, plus tard, dans les années 50 et 60, elle ira vers de plus en plus de solitude et de maladie, et son état ne fera que s'aggraver, sauf à de rares périodes de répit. On pourrait donc ne voir en cette année 1948 que le début d'une existence très difficile et penser : « le pire est à venir ». Le « pire », cependant, c'est sans doute d'accepter ce qui vient de se passer. De se demander si on peut supporter, à trente ans, de devenir soudain absolument dépendante. De s'épuiser à imaginer comment on va résister, comment on va surmonter l'infirmité – à moins qu'on décide de s'abandonner, ou même qu'on ne décide rien, qu'on laisse faire, et qu'on s'abîme dans le ressentiment.

La peur de dépendre des autres, mais l'envie d'être prise en charge par eux est une contradiction avec laquelle Carson a beaucoup joué. A Yaddo, pendant l'été de 1942, elle confiait à ses compagnons qu'elle était hantée par une crainte obsédante, à la fois pendant le jour et dans ses cauchemars nocturnes : elle rêvait qu'elle était extrêmement malade, qu'elle allait avoir besoin d'une aide et d'une attention constantes pendant tout le reste de sa vie ; et dans son rêve, lui venait la terreur que personne ne soit là pour s'occuper d'elle. Désormais, elle a réellement besoin d'être « aidée », physiquement, pratiquement, pour la majorité des actes de la vie courante – s'habiller, monter et descendre un escalier, couper la nourriture… Dépendre d'autrui n'est plus une alternative qu'on craint et désire simultanément, être prise en charge est une nécessité. Elle sait que quelqu'un est là, qui ne l'abandonnera pas. Mais c'est sa mère, ce qui, fatalement, la ramène à l'état de petite fille malade.

Sa mère, justement, qui s'occupe de Reeves avec un dévouement identique – même si elle ne peut s'empêcher de lui attribuer quelque responsabilité dans la maladie de Carson –, essaie de leur préparer à tous deux un vrai Noël d'enfants, avec beaucoup de petits paquets de toutes les couleurs, des cadeaux insignifiants et drôles, de la musique, des plats traditionnels du Sud. Rien n'y fait. L'année se termine de manière sinistre et 1948 commence de la même façon, avec, pour tout arranger, un blizzard comme on n'en avait pas vu depuis bien des saisons. Carson qui, habituellement, passait parfois dans une même journée de l'euphorie au désespoir, du rire à la colère ou aux sanglots, est d'humeur égale : triste, infiniment. Même ce qui devrait la mettre au comble de la joie – la reconnaissance publique de la qualité de son travail littéraire –, lui arrache à peine un sourire, ou quelques larmes. Pourtant, la période est faste : après avoir été retenue par les critiques littéraires de cinq grands journaux comme l'un des six meilleurs écrivains américains de l'après-guerre (à l'initiative du magazine *Quick*[1]) elle a été désignée par *Mademoiselle* comme l'une des « dix jeunes femmes les plus méritantes » de l'année 1947 en Amérique[2]. Elle reçoit le « Mademoiselle

Merit Award» pour «une prestation littéraire exceptionnelle de la part d'une jeune femme».

Si ces bonnes nouvelles ne sortent pas Carson de sa dépression, elles enfoncent Reeves dans la sienne. Bien qu'il se mette en quête d'un emploi dès la mi-janvier 1948, il ne croit guère en ses chances de trouver une situation qui le valorise. Dans «sa» guerre, il avait pensé être devenu «quelqu'un», sans Carson et en un lieu où l'on ne pourrait jamais les comparer. Il sait maintenant que ce n'était que provisoire, et parce qu'on était, en effet, dans un univers sans Carson. C'était touchant, après l'angoisse de la bataille, de s'entendre demander si l'on était l'auteur du *Cœur est un chasseur solitaire*. C'est difficile, dans la vie civile, de devoir expliquer son lien avec Carson McCullers. Reeves sait désormais qu'il n'écrira pas. C'est une blessure plus grave qu'il n'y paraît, car il n'a aucun «substitut» qui puisse lui donner, en dépit de ce renoncement, une image positive de lui-même. Depuis qu'il a quitté l'armée en 1946, Reeves a vécu principalement de l'argent de sa femme – sa pension de militaire étant loin de suffire au genre de vie qu'il avait, surtout en Europe. Quand il a dû admettre, en 1945, qu'il était trop vieux pour entreprendre de longues études comme celles de médecine, il a compris qu'il n'exercerait pas non plus un de ces métiers qui vous «posent» socialement. «Mon mari voulait être écrivain et son échec dans ce domaine a été une des déceptions qui l'ont conduit à la mort», écrira Carson McCullers bien plus tard dans sa préface à *La Racine carrée du merveilleux*[3].

De nouveau, ils se séparent – un mois seulement après la sortie d'hôpital de Carson. Reeves prend un appartement à New York, dans Manhattan. Une dernière fois, il va vraiment essayer de redevenir quelqu'un qu'il puisse lui-même respecter : un homme qui ne boit pas, qui travaille et assume l'entretien du ménage. Pense-t-il encore ce qu'il n'a cessé de répéter depuis 1943, la «nécessité» de partager son quotidien avec Carson ? «Nous avons juste besoin de vivre ensemble pendant cinq ans sans interruption», écrivait-il en août 1945 pour toutefois ajouter aussitôt : «<u>Ma grande peur</u> [souligné par lui], la seule peur qui me reste, est que les amis imaginaires s'interposent entre nous au point que cette fois j'en sois détruit [4].» Il est à noter que Reeves, dès ce moment-là, parle de «destruction», comme s'il avait déjà un pressentiment. Quant à l'expression «amis imaginaires» – d'ailleurs plutôt à accorder au féminin –, elle était, depuis le début des années 40, la manière plaisante, en tout cas la moins agressive possible, qu'avaient inventée Reeves et Carson pour désigner les passions de Carson. Trop souvent, ils tenaient – pendant quelques semaines ou quelques mois – toute la place dans sa vie et dans son esprit ; et Carson profitait de ce qu'elle appelait son «amour» pour refuser un peu plus péremptoirement de se laisser approcher par Reeves et toucher par lui. Cette nouvelle séparation – elle va, une fois de plus, être provisoire – est pour la biographe de Carson McCullers l'occasion de revenir sur les problèmes sexuels du couple «dus surtout au penchant de Carson pour les femmes». Ce «penchant», on l'a vu, est probablement très peu sexuel – «ma sœur, à mes yeux, était asexuée», estimait Lamar Smith Jr. De toute façon, dans ces premières semaines de 1948, la question des «problèmes sexuels» est extrêmement secondaire. Imagine-t-on Carson McCullers, qui n'est que douleur depuis plusieurs mois, et a tout un côté du corps paralysé, ayant cet hiver-là des relations sexuelles ?

Pour mieux comprendre ce qu'il en est de certains «emballements» de Carson pour telle ou telle personne, on peut se reporter à une lettre envoyée à Tennessee Williams, en Italie, le 15 février, alors qu'elle est encore très mal. Elle avait quitté Paris en pensant se mourir d'amour pour l'homme qui l'avait soignée, le Dr Robert Myers. Tennessee Williams a rencontré le médecin et a écrit à Carson, de Naples, lui précisant qu'il n'était pas du tout séduit par lui :

> « Savez-vous une chose bien étrange, répond Carson le jour même où elle reçoit la lettre. A peine avais-je lu que vous n'aimiez pas Bob Myers – mes sentiments pour lui ont changé du tout au tout. Cette vieille douleur qui me dévorait s'est éteinte et (merveille !) j'ai découvert que je n'aimais plus Bob Myers, et que je ne l'avais jamais vraiment aimé. J'ai compris que la triste situation dans laquelle je me trouvais n'était qu'une conséquence de ma maladie – et de ma consternante "vie amoureuse". Il faudrait vraiment que je me libère moi-même de ces complications, vous savez. Quoi qu'il en soit, votre lettre m'y a aidée, cher Tenn. Vous êtes l'être que j'admire le plus au monde, et si vous n'avez pas l'ombre d'une affection pour Bob Myers, ça me fait réfléchir, et je mets les choses au point. La vie me paraît beaucoup plus supportable, maintenant que j'ai réussi à ne plus voir les choses sous l'angle d'un amour non abouti. Je vous envoie la lettre qu'il m'a écrite, au bout de six semaines. Avouez, Tenn, c'est comme une balle de tennis hors jeu, non [5] ? »

C'est, on le sait bien, le fait de tout amour que d'être aussi une construction dans laquelle l'autre est support de fantasmes, objet investi tout autant que sujet autonome, mais Carson semble pousser à l'extrême cette « déréalisation » de ses « passions », qui n'existent que dans la mesure où elles s'intègrent à son univers mental du moment. Il suffit qu'il y ait conflit entre pulsions affectives pour que, très inconsciemment mais avec un assez remarquable sens vital, Carson rejette immédiatement l'élément perturbateur. Exit le Dr Myers.

Car vivre, ou survivre, est l'enjeu de ce début d'année 48, et le seul désir auquel Carson tente vraiment de se raccrocher est le désir d'écrire. Et c'est évidemment à Tennessee Williams qu'elle choisit de le dire, sachant que lui seul la comprendra. Dans la même lettre du 15 février, elle demande son attention et ses conseils, car elle veut réviser le texte de sa pièce,

Frankie Addams, et tout faire pour qu'elle soit enfin montée. Elle aimerait qu'il en lise le script. « J'ai envie d'écrire un recueil de nouvelles et je voudrais vous en parler, lui confie-t-elle aussi. Oh! Cher Tenn, c'est un moment si difficile. La semaine dernière, j'ai touché le fond de l'enfer. Le Dr William n'a pas pu venir jusqu'ici, pendant trois semaines, à cause de la tempête de neige. J'étais incapable de dormir, incapable de manger. Je rêvais que je nageais avec vous dans la Méditerranée… Si je n'avais pas cette vie imaginaire, je deviendrais folle […]. J'attends le Dr William cet après-midi. Sa visite, votre lettre de Naples – oui, les choses sont en train d'aller mieux… Je suis encore très malade. La douleur ne me fait pratiquement jamais grâce. Penser à vous dans ces moments-là représente beaucoup plus que vous ne pouvez l'imaginer. »

Mais Tennessee est loin, en Europe, où Carson craint de ne jamais pouvoir retourner. Les journées sont longues et emplies de souffrance. Comment écrire quand la douleur accapare toute l'attention? Et l'hiver n'en finit pas. Alors, au début de mars, elle tente de se suicider en s'ouvrant les veines. On l'hospitalise à la clinique psychiatrique Payne Whitney à Manhattan. Au bout d'un mois, sa mère l'aidera à en sortir, contre l'avis des médecins. Carson déteste son psychiatre, dont elle considère qu'il s'acharne à la détruire en lui expliquant qu'elle refuse d'admettre sa maladie et son infirmité. Heureusement, elle peut se confier à un autre psychiatre, un jeune homme qu'elle n'a encore jamais rencontré, mais qui lui a écrit en février pour lui dire son admiration. Carson lui explique que ce médecin de la Payne Whitney est un esprit normatif et borné, qu'il refuse sa manière à elle de se défendre contre la maladie en s'efforçant de continuer à travailler, parce qu'il considère qu'écrire est en soi une névrose dont il vaudrait mieux qu'elle se guérisse. Même au plus fort de l'accablement et après une tentative de suicide, Carson McCullers n'était pas disposée à laisser entamer son identité d'écrivain et les propos de ce médecin – qu'il les ait réellement tenus ou qu'elle ait cru les deviner – l'ont simplement conduite à quitter au plus vite l'hôpital.

Ce printemps-là, elle tentera de croire, elle aussi – ce qui nourrira les rumeurs futures – au caractère psychosomatique de sa maladie. Plutôt que de s'accepter «paralysée à vie», il était évidemment préférable de penser que cette immobilité du bras et de la jambe gauche était provoquée par un problème psychologique. Ainsi redevenait-elle maîtresse de la situation. Elle pouvait, elle, Carson, «se» guérir. Et elle n'avait pas à craindre l'aggravation de son état; ni à redouter une nouvelle attaque. Elle ne parviendra probablement pas à s'en convaincre elle-même, car elle vivra dans la terreur constante d'un accident, jusqu'à ce que, à la fin des années 50 seulement, on parvienne à lui donner une explication cliniquement précise de ce qui lui était arrivé. En revanche, l'argument de la maladie psychosomatique sera constamment utilisé par tous ceux – et ils sont nombreux – qui tiennent absolument à lui faire porter la responsabilité de son état. Est-ce pour conjurer la terreur que provoque une telle maladie chez une si jeune femme? Est-ce par jalousie, plus ou moins consciente, de son talent – cet étrange ressentiment que suscitent souvent les artistes? Un peu des deux, sans doute.

Quand travailler est si difficile que cela devient quasi impossible, quand Tennessee Williams est si loin et qu'elle est trop faible pour le rejoindre – bien qu'il l'ait invitée à venir à Rome –, que reste-t-il comme réconfort? Où est ce «*we of me*», ce «nous de moi» que désirent pareillement Frankie Addams et Carson McCullers? Du côté de Reeves sûrement. Celui qu'elle cherche quand elle est perdue, tout comme il la cherche quand il s'égare. Celui auquel, seul entre tous, elle ne parvient pas à garder rancune des blessures qu'il lui inflige. Avec les autres, elle est inflexible. Ce qu'elle considère comme un manquement à l'amitié est une faute impardonnable.

Ainsi s'est-elle fâchée avec Kay Boyle, à Paris, parce que celle-ci voulait occuper, avec sa famille, la maison de campagne promise à Reeves et elle.

Cette fois-ci, on ne sait pas exactement comment le couple a renoué, mais vers le milieu de l'été, Reeves est de nouveau accueilli comme un fils par Marguerite Smith. Il est toujours le bienvenu à Nyack. Il ne boit plus, il a rejoint les Alcooliques Anonymes. Il travaille comme comptable dans une station de radio new-yorkaise (WOR), et en conçoit une fierté enfantine, insistant sur sa joie d'avoir une secrétaire pour lui tout seul. Un jour, il apporte à Carson une machine à écrire électrique. La frappe en est plus souple, et demande un effort physique moindre que l'ancienne machine. Cependant, Carson ne peut taper véritablement qu'avec une main. Pour reprendre l'adaptation de *Frankie Addams*, elle préfère donc dicter. Tennessee Williams l'a encouragée et conseillée, comme elle le lui avait demandé et, cette fois-ci, contrairement à ce qui s'était passé en 1946, elle suit ses indications, car elle déteste ce qui a été fait par Greer Johnson — il la menace d'un procès puisqu'elle refuse qu'il soit considéré comme coauteur de ce travail. Finalement, après arbitrage, un accord sera trouvé.

En dépit de son courage, de l'attention de Reeves et du retour en Amérique de Tennessee Williams, qui la réjouit, il lui semble que son état physique empire, que sa jambe est plus raide et douloureuse, que le coude de son bras gauche se relève et s'écarte du buste — tandis que ce bras reste raide et impossible à tendre — sans qu'elle puisse le contrôler.

Peut-on parler de «consolation» à propos des deux publications qui ont lieu en septembre, alors que sa signature n'était plus apparue dans les journaux depuis 1945 ? Rien ne saurait vraiment la «consoler» de ce qui l'a transformée, à vie, en malade, et pourtant chaque signe d'existence — comme écrivain surtout — est une victoire. Ce qui naguère n'était qu'un épisode banal de son activité littéraire devient une preuve de survie. Ainsi de ce bref texte sur ses débuts, «Comment j'ai commencé à écrire [6]», (paru dans *Mademoiselle)* et de deux poèmes, «Quand nous sommes perdus» – celui qu'elle avait lu aux étudiants de la Sorbonne en février 1947 – et «Le Cœur hypothéqué [7]», qui donnera son titre au recueil posthume de ses nouvelles, articles et poèmes (tous deux parus chez New Directions).

Par ailleurs, Tennessee Williams la convainc de sortir, de marcher – elle s'aide désormais d'une canne –, de s'adapter à ce qui doit devenir sa vie «normale». Ainsi assiste-t-elle à ses côtés, le 6 octobre, à la première, dans un théâtre de Broadway, d'*Étés et Fumées* – la pièce à laquelle Williams travaillait lors de leur première rencontre à Nantucket, et qu'il lui a dédiée. C'est une dure soirée. Le spectacle est mal accueilli. Dans ses *Mémoires,* Tennessee Williams se souvient du cocktail qui suivit la représentation, et du moment où il a dit à Carson : «Allons-nous-en vite.» «Ce fut aussi une longue et atroce sortie. Tout le monde nous regardait, les critiques avaient paru... et elles n'étaient pas fameuses. J'habitais alors dans un appartement conçu par Tony Smith sur la 58ᵉ Rue Est. Je me réveillai le lendemain matin, au son d'une musique de Mozart : Carson était arrivée dans l'appartement et avait branché le tourne-disques pour me réconforter à mon réveil. Je n'étais disposé ni au réconfort ni à la pitié. Je dis à Frank Merlo ([...] avec qui j'ai vécu très très longtemps) d'arrêter le Mozart et de mettre Carson dans un taxi. Je voulais me remettre au travail : seul et tout de suite [8].»

Toutefois, quelques semaines plus tard, Williams invite Carson à venir partager son hiver à Key West, en Floride. Elle accepte avec joie. Elle écrit à son ami Edwin Peacock, à Charleston, qu'elle va passer le voir en descendant en voiture vers le Sud avec Tennessee. Ce voyage n'aura pas lieu. Tennessee Williams a-t-il eu peur de partir avec une amie si affaiblie pour un tel parcours? Quoi qu'il en soit, il a renoncé à passer l'hiver à Key West pour aller au Maroc, à Tanger, où se sont établis Paul et Jane Bowles. Il propose à Carson de l'accompagner, ce qui est assez irréaliste. Elle ne le souhaite pas, ce ne serait pas très prudent, et surtout, explique-t-elle à son ami, c'est dans le Sud qu'elle a envie de retourner, dans ce Sud natal où il lui faut faire une «plongée» de temps en temps «pour renouveler [son] sens de l'horreur». Il lui faudra attendre encore plusieurs mois avant de retrouver le Sud – et le plus grand bonheur de cette année 1948 sera sans doute d'en voir la fin... Dans le pays, le dernier trimestre de 1948 est marqué par l'élection présidentielle. Carson McCullers signe, avec vingt-sept écrivains – dont Truman Capote – à l'initiative du prix Nobel Sinclair Lewis, un texte de soutien au démocrate Harry Truman – qui sera réélu. Cette profession de foi, parue dans le *New York Times* du 27 octobre, appelle au «vote utile» :

> «Nous ne voterons pas pour ce qui a toujours été le parti de la réaction, et nous ne contribuerons pas non plus à sa victoire en votant pour des candidats mineurs dont les campagnes sont chimériques, ou pire [...]. Les déclarations de Harry Truman en faveur des droits civiques, son constant plaidoyer pour l'aide à l'Europe, sa résistance effective au totalitarisme aux États-Unis et à l'étranger [...], ce sont là des gages démocratiques qui justifient le ralliement de tous les libéraux.»

Ceux qui veulent accréditer l'idée d'une Carson McCullers entièrement tournée vers elle-même, vers ses problèmes physiques, intellectuels, sentimentaux – au point qu'on se demande parfois comment ils ont lu *Le Cœur est un chasseur solitaire,* ce qu'il y ont perçu de la lucidité de Carson McCullers, de sa compassion, de sa conscience politique aussi – ne voit dans cette prise de position publique que la marque de Reeves. Reeves McCullers était un homme de progrès, c'est certain; et dans les années 30, il a sans doute beaucoup contribué, par son goût du débat idéologique, par sa curiosité en ce domaine, à la formation de celle qui allait devenir sa femme. Mais on ne peut pas douter de l'engagement personnel de Carson McCullers dans le combat politique, aux côtés des forces les plus «libérales» au sens américain du terme, c'est-à-dire les plus «à gauche». La lutte en faveur des droits civiques lui a toujours tenu à cœur, et elle est l'une des rares «Sudistes» à être intervenue sans relâche pour demander qu'ils soient reconnus, puis respectés. En février 1948, au plus fort de son désarroi, elle avait dicté un texte pour le courrier des lecteurs du *Columbus Ledger Enquirer*. Elle voulait dénoncer l'injustice faite à la communauté noire, dont elle avait appris qu'elle n'avait pas accès à la nouvelle bibliothèque municipale :

> «Personne, je pense, n'a une plus grande dette que moi à l'égard de la Bibliothèque publique de Colombus. Pendant mon enfance et les années qui formèrent ma jeunesse, notre bibliothèque fut ma maison spirituelle. Je crois comprendre qu'il y a eu une controverse concernant la latitude donnée à tous les citoyens, blancs ou noirs, d'utiliser la nouvelle bibliothèque publique de Colombus. Je comprends mal les enjeux concrets, mais trop bien les abstraits. Il m'est toujours apparu comme une intolérable honte de savoir que les Noirs ne jouissaient pas des mêmes privilèges intellectuels que les Blancs. En tant qu'auteur figurant au catalogue de la bibliothèque, je me sens le devoir de m'exprimer non seulement en mon nom, mais en celui des augustes morts présents sur les rayonnages et vis-à-vis desquels ma dette est incalculable. Je pense à Tolstoï, Tchekhov, Abraham Lincoln et Thomas Paine. C'est à eux (qui ont modelé la conscience de notre civilisation) que nous devons la liberté pour tout citoyen, quelle que soit sa race, de profiter de leur sagesse, qui est notre plus précieux héritage [9].»

L'indignation de Carson McCullers – sa lettre a été publiée dans le journal et un double en a été remis à la direction de la bibliothèque – n'a pas fait fléchir les réactionnaires de Columbus, et il faudra attendre de nombreuses années encore avant que les citoyens noirs puissent utiliser la bibliothèque.

Cet engagement en faveur du parti démocrate, Reeves, bien sûr, en était enchanté. Il aimait la Carson combattante, défendant leurs idéaux communs. Mais à chaque geste spectaculaire de sa femme, il devait affronter sa propre absence d'image personnelle. Il ne pouvait prendre, lui, aucune position publique sauf à se la voir refuser – qui êtes-vous et au nom de quoi prenez-vous la parole ? –, ou à s'exposer à entendre ou lire que « le mari de Carson McCullers pense lui aussi qu'il faut voter pour la gauche… » Par chance, au moment de la campagne de Harry Truman, il est heureux avec Carson et il ne boit pas. Tout cela n'a donc aucun effet négatif et contribue plutôt à les rapprocher. Alors, une fois de plus, ils veulent vivre ensemble. Carson va passer tout le mois de janvier 1949 dans l'appartement de Reeves, au 105 Thompson Street, à Manhattan, à deux pas du Washington Square et de leur cher hôtel Brevoort. Reeves n'a pas recommencé à boire, va régulièrement aux réunions des Alcooliques Anonymes et a toujours son travail à la radio. L'appartement étant au cinquième étage, Reeves est obligé de porter Carson dans l'escalier. Ils doivent en rire comme deux enfants. Elle recommence à penser qu'elle peut vivre heureuse avec son infirmité. Elle écrit son bonheur à Tennessee Williams : « J'habite New York avec Reeves. Imaginez simplement que si vous étiez là, vous aussi, on se verrait tous les jours. Reeves est envers moi d'une douceur et d'une gentillesse constantes. Il s'occupe merveilleusement de moi, fait la cuisine, rentre déjeuner tous les jours, se conduit en parfaite maîtresse de maison. Un seul ennui : l'appartement est au cinquième étage, et je suis incapable de sortir seule. Reeves est obligé de m'aider. C'est tout à

côté de Washington Square. Nous payons dix-huit dollars par
mois. Reeves a su l'aménager et le rendre très confortable [10]. »
Elle dessine le plan de ce petit trois-pièces, parle de son médecin qui « pense que cette maladie est définitivement jugulée, et
qu'il ne s'agit absolument pas d'une faiblesse des vaisseaux san-
guins », remercie Tennessee qui lui a offert une bague appartenant à sa sœur Rose – grave malade mentale, constamment
hospitalisée –, et précise ses nouveaux projets de vie avec
Reeves. Depuis longtemps celui-ci rêve d'une ferme. « Nous
pensons toujours mettre de l'argent de côté, Reeves et moi,
pour acheter une ferme. Un verger, avec des pommes peut-être.
Nous avons l'intention de passer deux ou trois mois en Europe,
chaque année. Ce serait vraiment merveilleux, avouez : un verger, une maison confortable, quelques animaux, et une
chambre pour 10 [11]. Vous pourrez regagner la ferme dès que les
lumières de la ville commenceront à pâlir [12]. »

Il n'est pas sûr que tout cela soit vraiment du goût de
Marguerite Smith qui, en dépit de son affection pour Reeves,
nourrit depuis le retour de Paris une certaine méfiance à son
égard. Et qui, plus que jamais, pense qu'elle est « la » gar-
dienne de sa fille, la seule garante d'une possible amélioration
de l'existence de Carson. Elle presse celle-ci de venir passer
son trente-deuxième anniversaire, le 19 février, à Nyack. Ce
qu'elle fait, avec Reeves. On reparle là, très sérieusement, du
voyage dans le Sud dont Carson a envie depuis plusieurs
mois. Reeves écrit à Edwin Peacock pour lui annoncer leur
venue à tous deux à Charleston, en Caroline du Sud, où
Peacock tient une librairie avec son ami John Zeigler. Auparavant, Carson se rendra avec sa mère à Columbus, puis à
Macon (en Georgie aussi) pour y voir son cousin Jordan
Massee. Autant le retour à Columbus sera décevant, autant la
visite à Jordan Massee sera décisive, par le lien qu'elle créera
entre les deux cousins. Massee aimera et soutiendra Carson

tout le temps qui lui reste à vivre et, depuis sa mort, il défend sa mémoire avec la plus totale fidélité. Des dizaines de témoins rencontrés par Virginia Spencer Carr, à une époque – le début des années 70 – où presque tout l'entourage de Carson était encore en vie, il est celui qui « défend » avec le plus de constance Carson mais aussi la famille, principalement la mère, Marguerite Smith, qu'il désigne toujours par son diminutif « Bebe ». Grâce à la consultation de son journal, on peut suivre, au fil des ans, les péripéties de sa relation avec sa cousine.

Carson, apparemment, n'avait pas eu conscience de l'imprudence qu'il y a à revenir sur ses pas, sur les lieux de son enfance. A peine descendue du train, le 13 mars, elle comprend que revoir Columbus est une mauvaise idée. Elle voudrait que les quatre jours prévus avant que Jordan Massee ne vienne la chercher pour l'emmener chez lui, à Macon, soient déjà passés. Évidemment, ils vont être interminables. Son sentiment de malaise est sans doute accru par la présence de sa mère, et plus encore par le regard que portent sur elle les gens de Columbus. Son succès interdisait le discours ironique qui avait eu cours si longtemps sur les ambitions littéraires de « la petite Lula Carson, que sa mère tenait pour un génie ». Son infirmité autorise maintenant une certaine condescendance, qui lui est insupportable. Aussi essaie-t-elle d'échapper le plus possible aux retrouvailles, aux invitations. Quand elle se contraint à en accepter une, elle ne fait pas l'effort de courtoisie minimale. Le seul bon souvenir qu'elle gardera de ces journées est d'avoir lu *Les Fleurs du mal,* de Baudelaire (en traduction bien sûr), et *La Ferme africaine,* de Karen Blixen, qu'elle relit chaque année depuis qu'elle l'a découverte, en 1937. De l'un de ses plus mauvais souvenirs – heureusement sans conséquence –, elle est entièrement responsable. Le dernier matin, le 17 mars, elle décide d'aller chez le coiffeur pour se faire faire la coiffure à la dernière mode : la « permanente ».

Non seulement ces frisettes trop femme-femme la rendent assez ridicule, mais le produit utilisé pour la permanente lui provoque une allergie immédiate. Son visage gonfle et se couvre de boutons. Quand Jordan Massee arrive, elle est très gênée de son aspect physique. Lui, qui craignait le pire après le récit de sa maladie, la trouve «en meilleur état» qu'il ne l'avait imaginée – n'étaient la coiffure catastrophique et l'allergie. En revanche, Marguerite Smith lui paraît «très atteinte par ce qu'elle a vécu depuis deux ans [13]». Sans doute aussi par un alcoolisme chronique qui s'aggrave sérieusement.

La semaine que Carson passe à Macon est très agréable, à tous points de vue, bien qu'elle aussi boive trop, surtout de la bière. Elle ne semble jamais ivre, sa voix ne subit aucune altération et sa parole garde le même débit, lent, avec un fort accent du Sud. Avant de se coucher, rituellement, elle boit une dernière bière. «Les médecins avaient dit à Carson qu'elle pouvait prendre deux boîtes de bière le soir et un grand verre – ou deux petits, souligne Jordan Massee. Malheureusement, ils n'avaient pas précisé ce qu'ils appelaient "grand" ou "petit".» A Macon, Carson rencontre des journalistes et tout se passe étonnamment bien. Avec eux, et avec les amis de Jordan Massee, elle est souriante, à l'aise, simple, directe, comme elle parvenait rarement à l'être depuis sa paralysie.

A Jordan Massee, qu'elle appelle «Boots», elle peut dire son trouble à avoir constaté qu'elle ne supportait plus de revenir à Columbus, et discuter de son avenir, ses projets, ses amours, en écoutant de la bonne musique. Ainsi, toute la matinée du 18 mars, elle entretient Boots de son nouveau roman, qui s'appellera *L'Horloge sans aiguilles* – il ne paraîtra que douze ans plus tard. Elle lui décrit les personnages; il suggère quelques modifications, par exemple que tel personnage soit plutôt amateur de lieder allemands que de Mozart. Elle le laisse «jouer à construire un roman», mais elle a, elle, «son idée». Carson «pose des centaines de questions sur les activités du Klan à Macon [...], sur les comportements des deuxième et troisième générations de Sudistes après la guerre civile [14]».

Elle raconte les petites histoires de ses amis : l'altercation de Truman Capote avec Marguerite Smith, laquelle l'a traité de «petit escroc», un soir, à Nyack, la manière dont, à son avis, Truman est en train de «courir après Tennessee en Europe». Le 21 mars, Carson reçoit une lettre de Reeves et la lit à la cantonade : «Une partie concernait l'attitude des sénateurs du Sud qui avaient contrecarré les plans du Président [Truman], note Jordan Massee dans son journal ; et comment il n'y avait que rarement des sanctions pour de tels agissements, mais un jour, peut-être ces hommes auraient-ils ce qu'ils méritent.» Carson, ensuite, confie à son cousin combien elle aime Reeves «à quel point il lui est nécessaire» : «Tu sais, Boots, toi et moi nous nous ressemblons, ajoute-t-elle ; mais tu as la chance que tes amours te soient arrivées à la suite, tandis que les miennes se font concurrence.»

Son amour pour Annemarie Schwarzenbach est toujours très présent – sans doute ravivé par la mort précoce d'Annemarie, voilà cinq ans déjà. Elle affirme que c'est une histoire inoubliable, et il est vrai qu'elle s'y référera toute sa vie. Jordan Massee sait l'écouter et la comprendre. C'est à lui qu'elle écrira quelques semaines plus tard, quand «le temps d'Annemarie» lui reviendra violemment et tristement en mémoire, à la lecture, dans le journal, de la nouvelle de la mort de Klaus Mann – il s'est suicidé en France, à Nice.

De Macon, Carson devait se rendre directement à Charleston chez Edwin Peacock. Mais le 21 mars, elle apprend que quelques écrivains habitués de Yaddo tentent d'obtenir la démission de la directrice qu'elle aime tant, Elizabeth Ames – à laquelle elle a dédié *Frankie Addams* –, en l'accusant d'être liée au parti communiste. Le maccarthysme a de beaux jours devant lui… En dépit de ses difficultés à se déplacer, Carson prend le premier train pour le Nord. Quand elle arrive à New York, l'affaire est déjà réglée, et son amie « innocentée [15] ». Elle rentre donc à Nyack, mais elle voudrait repartir terminer son périple dans le Sud. Elle attend les premières vacances de Reeves depuis son engagement à la radio WOR, qui débutent le 13 mai. Ils partent le jour même, pour revoir enfin leur ami de jeunesse, témoin de leur première rencontre. Ils ont prévu de rester deux semaines entières, et Carson peut-être plus longtemps si elle parvient à bien travailler chez Peacock – ils ont apporté la machine à écrire électrique de Carson. Reeves est plein d'attentions ; il ne boit pas, il s'occupe de Carson comme jamais. Peacock réunit de vieux amis. Cela pourrait ressembler à des vacances de rêve. Pourtant, sur une photo prise lors de ce séjour, Reeves a l'air sombre et tendu qu'on lui connaîtra à Paris, trois ans plus tard. Et puis Carson, qui aime aller à la plage, doit chaque jour regarder les autres se baigner et attendre. Elle ne nagera plus jamais. Soudain elle tombe malade, elle a une forte fièvre, elle s'affole et veut rentrer très vite à Nyack. Elle a simplement pris froid, mais tout malaise, même bénin, est maintenant source d'angoisse.

Pendant sa maladie, elle reçoit le texte de la préface écrite par Tennessee Williams pour une nouvelle édition de *Reflets dans un œil d'or*. Elle ne peut même pas l'en remercier, tant elle est faible. Il lui faut attendre avril pour le faire et expliquer à son ami les nouveaux projets de Reeves – son côté velléitaire semble avoir repris le dessus, et Carson, comme une enfant irréaliste, adhère à ses divers projets. Après le rêve bucolique de retour à la ferme, c'est le retour dans l'armée qui lui fait maintenant envie.

« Tous ces derniers mois, nous avons envisagé, pour Reeves, la possibilité de reprendre du service dans l'armée. Ce qui veut dire qu'il ne touchera plus sa pension de 2 000 dollars par an. Mais, comme capitaine, il pourra obtenir, sans beaucoup travailler, un salaire équivalent – et ça lui laisserait du temps pour lire et se distraire. Nous aurions une maison à nous, peut-être une voiture et une domestique. Et (ceci tout spécialement pour vous), il y a toujours des piscines dans les camps militaires, et d'excellentes bibliothèques. C'est une image qui me séduit parfois, car maman et Reeves s'affrontent de temps en temps, ce qui crée un climat de tension souterraine de plus en plus sensible.

Le problème est avant tout : viendrez-vous nous voir à l'Armée? Il y aura toujours une chambre pour vous. Vous pourrez y installer votre quartier général, vous envoler pour vos safaris personnels, puis y revenir. Je viens d'écrire à la main neuf pages et demie de mon livre, et je suis épuisée [16]. »

Les projets, les rêves de bonheur avec Reeves, l'amitié, le travail : Carson essaie d'emplir son existence quotidienne pour oublier sa douleur physique. Dans ses lettres, elle se plaint parfois, mais donne peu de détails. Sauf un jour de juin, quand elle apprend que Tennessee Williams rentre d'Europe et qu'elle espère le voir. C'est un récit froid que fait Carson, sans pathos, comme ses livres. Si, dans sa correspondance, elle est parfois effusive, cela ne concerne jamais son corps, sa santé. Mais la situation qu'elle décrit la rend pathétique. On imagine mal qu'elle puisse tenir longtemps ainsi, ni physiquement, ni surtout moralement – il lui reste pourtant dix-huit ans à vivre :

«Ainsi vous rentrez! Oh! cher, cher Tenn, pouvez-vous comprendre ce que ça représente pour moi? Je ne peux pas vous dire à quel point cette année a été difficile. Ma santé a empiré de jour en jour. C'est à peine si je peux faire le tour de l'immeuble à pied, je ne peux plus jouer du piano, bien sûr, ni taper à la machine. Je n'ai pas le droit de fumer, ni, hélas, de boire. Et je commence une névrite. Mes nerfs sont tellement abîmés qu'ils n'arrêtent pas d'être douloureux et de trembler. Cet été, tous les microbes se sont donné rendez-vous au 131 [South Brodway]. Le Dr William est en vacances, et la semaine dernière le médecin de Nyack était absent. J'ai été prise d'une effroyable migraine – avec nausées et profond abattement. J'ai souffert pendant trois jours sans arrêt. Finalement, un drôle de docteur est venu. Il m'a donné des comprimés pour vomir. Une glande s'est infectée dans mon cou, et, après une si longue période de douleur incessante, j'ai eu une sorte de crise de convulsions. La douleur était tellement variée, tellement lugubre, qu'on aurait presque pu la trouver plaisante, si elle avait été infligée à quelqu'un comme Isle Koch [une tortionnaire nazie]. Mais, Tenn, pourquoi faut-il que je souffre à ce point? Qu'ai-je fait? Je voudrais appeler à l'aide, mais il n'y a aucune aide possible. Et, ce qui est pire que tout, je vis dans la terreur d'une nouvelle catastrophe. Dans la terreur que ce délabrement physique s'étende encore. Pas la mort, non, ce n'est pas la mort qui me fait peur.

Et pourtant, sur le plan de mon travail, cela ne s'est jamais aussi bien présenté. J'ai une vision complète de mon roman. Et tout ce qui se passe pour la pièce est passionnant. C'est Harold Clurman qui se charge de la mise en scène. J'ai fait un changement très important il y a deux jours. Je ne peux pas aller plus loin, maintenant, la pièce est terminée. Clurman ne demande aucune autre retouche. J'aime ses intuitions de metteur en scène. Il a tout de suite mis à nu le thème principal – cette recherche d'une identité, et cette volonté de faire partie de quelque chose –, et il a parfaitement dessiné le contrepoint des voix autour de ce thème. J'espère que vous aimerez le spectacle. Il devrait s'en dégager un rayonnement semblable à celui du rondo en *la* mineur de Mozart.

J'ai un tel besoin de vous voir, cher Tenn. Je suis couchée depuis neuf heures ce matin. J'attends le médecin [17]. »

Tout écrivain, s'il n'est pas un auteur dramatique confirmé, doit déployer une immense énergie pour parvenir à faire produire et monter une pièce. Pour Carson McCullers, affaiblie, peu mobile, souffrante, il faut une force exceptionnelle. Et elle l'a. Pendant tout l'été et le début de l'automne 1949, elle suit pas à pas les progrès de la production de

Frankie Addams : la recherche d'un metteur en scène – ce sera donc Harold Clurman – et celle des acteurs. Pressentie pour le rôle de Berenice Sadie Brown, la comédienne noire Ethel Waters refuse dans un premier temps – elle ne veut pas jouer «dans une pièce sans Dieu». Elle finit par accepter, à condition qu'on ajoute dans son rôle une ou deux répliques d'inspiration religieuse. Frankie, douze ans, sera jouée par une actrice de vingt-trois ans au visage d'adolescente, Julie Harris, à laquelle on coupera les cheveux très court pour accentuer l'effet de jeunesse. La veille de la première, le metteur en scène lui demandera même de se les recouper elle-même, encore plus court et mal, comme Frankie l'avait fait. Quand Carson la verra ainsi, elle en sera bouleversée. Pour John Henry, on recrute un petit garçon qui n'a encore jamais joué – il sait à peine lire – et qui se révélera impressionnant dans le rôle : Brandon De Wilde, le fils de l'acteur Fritz De Wilde (lequel sera le frère de Frankie, Jarvis, le marié). Le 28 novembre, tout est en place et Carson assiste à une première lecture de la pièce par tous les acteurs. Puis les répétitions commencent. Au début, elle vient presque chaque jour, avec Reeves – la pièce lui est dédiée –, qui est très intéressé par le travail de mise en scène, par la direction d'acteurs, par les ajustements quotidiens qu'exige la réalisation du projet. Carson, elle, n'aime pas vraiment ce qu'elle considère sans doute comme des tâtonnements – quelque chose comme ses propres brouillons. Elle est surtout attentive à Julie Harris. En l'écoutant, elle cherche «sa» Frankie. La voir incarnée lui permet de la détacher d'elle. Frankie n'est plus une sorte de double de la jeune Lula Carson, mais il faut qu'elle parvienne à restituer le malaise de l'adolescente dégingandée de Columbus.

Le 22 décembre, la pièce est jouée à Philadelphie, en avant-première – pour la roder avant New York. Surtout pour voir comment la couper car elle dure quatre heures, ce qui est considéré comme beaucoup trop long pour le public de

Broadway. Tennessee Williams, que Carson a supplié de venir de Key West pour la soutenir – « Je vous attends. J'ai besoin que vous soyez là[18] » –, est présent, avec d'autres amis proches. A l'entracte, ils découvrent Carson et Reeves ivres morts devant l'entrée du théâtre. Trop angoissés pour assister à la représentation, ils étaient allés au bar de l'autre côté de la rue, et avaient bu en attendant le premier tomber de rideau…

Dès Philadelphie, on peut être sûr que la pièce aura, au moins, un succès critique. Dix ans après des débuts très remarqués avec *Le Cœur est un chasseur solitaire,* Carson McCullers va revenir sur le devant de la scène. D'ailleurs, tout arrivant toujours en même temps, deux autres textes d'elle sont publiés en décembre : dans *Mademoiselle,* « Chez moi pour Noël [19] », une évocation de ses Noëls d'enfant, et dans *This Week Magazine* du *New York Herald Tribune* « La solitude, cette maladie américaine ». Dans ce bref article, Carson McCullers, dont toute l'œuvre est marquée par des personnages solitaires, marginalisés, et essayant vainement de rompre avec leur isolement, tente de comprendre en quoi cette solitude est spécifiquement américaine. Elle y reparle de Frankie : « Frankie Addams, cette charmante petite fille de douze ans, exprime ainsi ce besoin universel : "Le terrible, avec moi, c'est que pendant longtemps je n'ai été qu'un Je. Tout le monde fait partie d'un Nous, sauf moi. Si on ne fait pas partie d'un Nous, on se sent vraiment trop seul [20]". » Selon Carson McCullers, « bien à l'abri derrière ses liens familiaux et ses sévères obligations de classe, l'Européen ignore tout de cette solitude morale que les Américains reçoivent en naissant. Les artistes européens forment volontiers des groupes ou des écoles esthétiques. L'artiste américain agit toujours en franc-tireur – non seulement par rapport à la société (ce qui est le fait de tous les créateurs), mais par rapport à son art lui-même […] Nous, Américains, à travers les plaisirs champêtres de la campagne ou le labyrinthe des villes, nous poursuivons cette même recherche. Nous marchons, nous interrogeons. Mais la réponse appartient à chaque cœur distinct – la réponse à la question : qui suis-je, et comment maîtriser la solitude pour occuper enfin ma place dans l'univers [21] ? »

Juste après les représentations de Philadelphie, Carson passe quelques jours à l'hôpital où elle a été transportée après une fausse couche. Alors qu'elle refusa toujours d'y faire seulement allusion, elle en propose un étrange récit dans ses derniers écrits autobiographiques :

« Le lendemain de la première, je rentrai immédiatement à Nyack avec ma mère [...] qui me trouva très mauvaise mine.
– Je me sens foutrement mal, lui dis-je.
– Soigne ton langage, ma chérie.
– Mais c'est vraiment vrai, répliquai-je.
Elle appela donc le médecin qui m'examina et, après quelques tests, l'informa que j'étais enceinte.
– Mais ça n'est pas possible, s'écria Maman.
Quoique surprise, j'étais contente. Mais je concentrai mon attention sur la scène entre le médecin et ma mère.
– C'est la manière qu'a Dieu de compenser sa mauvaise santé, dit le docteur.
– Vous ne savez pas ce que c'est que d'avoir un bébé, dit ma mère, méprisante mais volubile dans son indignation. Ça tuera mon enfant.
– N'aimeriez-vous pas être grand-mère ?
– Grand-mère, alors que mon enfant serait morte ? Non ! D'ailleurs j'ai un parfait petit-fils en Floride. Je ne laisserai pas Carson avoir ce bébé.
– Qu'entendez-vous faire à ce sujet ? s'enquit le médecin.
– Je vais faire quelque chose, hurla-t-elle, oui, quelque chose. Je sais ce que c'est que d'avoir des bébés, moi, et vous non.
Le médecin qui avait vu naître plus de cinq cents enfants ne releva pas le propos.
– Oui, je vais faire quelque chose, répéta-t-elle. En attendant, nous n'avons plus besoin de vos services !
Maman téléphona aussitôt au Dr Mayer, mon psychiatre,

qui se montra aussi horrifié qu'elle : "Préparez-vous à l'envoyer à l'hôpital immédiatement. Je vais tout organiser."

Ceci se passait un vendredi et nous devions attendre le lundi pour obtenir une chambre. La dispute entre Maman et le médecin m'avait tant agitée que je fis une fausse couche sur-le-champ. Ce qui ne fut pas une mince affaire. Maman, qui avait une peur absurde soit qu'on me remette le bébé dans le ventre, soit qu'on fasse quelque chose qui finirait par me tuer, refusa d'appeler un autre médecin. Je souffris donc jusqu'au lundi, où un taxi m'emmena à New York. A l'arrivée, la voiture était inondée de sang et le Dr Van Etten, le gynécologue en chef du Neurological Institute dit à Reeves : "Pourquoi avez-vous attendu jusqu'à aujourd'hui ? Votre femme est mourante [22]". »

A propos des enfants, elle affirmera toujours qu'elle les aime beaucoup – mais son infirmité leur faisait peur – tout en souhaitant ne pas en avoir, car ils la gêneraient dans son travail.

Le 5 janvier, quand *Frankie Addams* débute dans un théâtre de Broadway, L'Empire, Carson est sortie de l'hôpital. Lorsque les comédiens viennent saluer, la salle entière se lève. Au petit matin, alors que se termine la soirée de célébration de la première, arrivent les critiques des quotidiens : elles sont toutes bonnes, et certaines excellentes. Dans le *New York Times*, Brooks Atkinson parle de la «grâce», à la fois de Carson McCullers et des acteurs, et conclut : «Au regard de la rare qualité du texte et du jeu des comédiens, le fait que [*Frankie Addams*] n'a pratiquement pas de ressort dramatique est de peu d'importance. Il se peut que ce ne soit pas une pièce de théâtre mais c'est de l'art. Et c'est ce qui importe [23]. » Dans le *New York Daily Telegram*, William Hawkins remarque qu'il n'avait encore jamais assisté à «ce qui s'est produit hier soir au tomber de rideau de [*Frankie Addams*] quand des centaines de gens ont acclamé d'une seule voix Ethel Waters et Julie

Harris. Les deux comédiennes sont splendides, incomparables, dans cette curieuse tragédie de la solitude [24]. » Seul de tous les quotidiens, le *New York Herald Tribune* est réservé. Son critique, Howard Barnes, a apprécié la performance des acteurs, mais la pièce lui paraît mal structurée et tout à fait « a-dramatique ».

Le succès public est immédiat – et durable. La pièce tiendra l'affiche jusqu'au 17 mars 1951, pendant cinq cent une représentations. Cette réussite assurera la survie matérielle de Carson McCullers, qui, sans cette très grosse rentrée d'argent, aurait sans doute eu, dans les années 50, de graves problèmes financiers.

Dans les périodiques, où les articles sont faits avec plus de recul, l'accueil n'est pas moins enthousiaste. La plupart des critiques célèbrent à la fois la pièce – le travail de Carson elle-même – et le parfait équilibre de la production : bonne mise en scène, bons acteurs etc. Comme pour le roman, certains déplorent le manque de ressort dramatique, la faiblesse, pour ne pas dire l'absence, de l'action. Mais globalement, l'impression demeure bonne. « L'adaptation dramatique qu'a faite Carson McCullers de son roman est indiscutablement la première pièce nouvelle d'importance montée à Broadway cette saison, écrit Wolcott Gibbs, en introduction à son article du *New Yorker.* Elle dit un grand nombre de choses émouvantes et fort subtiles, elle possède un humour singulier, fantasque [...], on est parfois très près de la poésie, et l'ensemble est illuminé par une magnifique prestation d'Ethel Waters et deux comédiens inspirés, Julie Harris et un jeune garçon de sept ans, Brandon De Wilde [25]. »

Dans le *Saturday Review,* même tonalité, avec John Mason Brown : « L'étude que fait Mrs McCullers de la solitude d'une adolescente de Georgie dotée d'une singulière imagination donne une pièce peu ordinaire. C'est finement senti, observé, et écrit avec une exceptionnelle sensibilité. On y parle des rêves torturants, de la quête affamée de soi et des détresses de l'enfance d'une manière aussi rare que bien venue. En plus de la magie du jeu des comédiens, la pièce a une magie qui lui est propre. Le texte brille d'un éclat inoubliable. C'est tout simplement une œuvre d'art, le travail d'un auteur qui n'en reste pas aux lieux communs et qui regarde les êtres avec ses propres yeux et non avec des lunettes empruntées. Le langage habituel devient inhabituel dans l'usage qu'en fait Mrs McCullers [26]» Au terme d'un long développement sur la pièce – où il cite Tchekhov – il rend hommage à la qualité des acteurs, en tout premier lieu Ethel Waters qui, dans le rôle de Berenice, la cuisinière noire, «démontre une fois de plus combien ses dons sont exceptionnels». Quant au metteur en scène, «Harold Clurman n'a jamais réalisé une meilleure mise en scène. Il a monté la pièce avec beauté, émotion et sensibilité. Non seulement il a rassemblé une excellente distribution, mais il s'est montré attentif à chaque nuance d'un texte peu commun. Et il en résulte une soirée aussi exceptionnelle par sa qualité que rayonnante par ses mérites». Le très réactionnaire critique dramatique d'*Esquire,* George Jean Nathan – qui détestait Tennessee Williams, et ne devait donc pas être favorablement disposé à l'égard de Carson McCullers – publie, lui, un véritable éreintement. Il estime que le peu d'action qu'il y avait dans le roman a entièrement disparu dans la pièce de théâtre et que l'on s'y ennuie ferme [27].

Harold Clurman est exaspéré par ces accusations sur l'absence de ressort dramatique, que l'on trouve même dans les propos de ceux qui ont aimé le spectacle, et il s'en explique dans un article publié par *The New Republic,* à la fin du mois de janvier :

«Il n'est pas possible de mettre en scène une pièce où il n'y a pas d'action. Quand une pièce est bien jouée, cela signifie qu'on y a trouvé une ligne dramatique. Cela veut dire

qu'elle avait un ressort dramatique, si obscur soit-il à première vue. Sans action, pas de pièce. La raison pour laquelle
La Mouette de Tchekhov a paru sans ressort dramatique
quand on l'a montée pour la première fois est que la compagnie ne l'avait pas trouvé […] Une fois renouvelée en la sensibilité et la conscience esthétique de notre public de théâtre
new-yorkais est peut-être la plus grande leçon que je tire de
Frankie Addams[28].

A cette prise de positon fait écho un échange de lettres
entre Carson McCullers et le dramaturge John Van Druten –
tous deux auront, jusqu'à la mort de celui-ci, en 1957, une
relation lointaine mais très admirative. Malheureusement, il
ne reste de cet échange que la réponse de Carson, dans
laquelle elle reprend plusieurs points sans doute évoqués par
son interlocuteur, points figurant aussi dans une ébauche
d'article sur la pièce, aujourd'hui conservée dans ses archives :

J'ai reçu de nombreuses lettres de gens qui ont vu
Frankie Addams. Mais aucune n'approche votre troublante
compréhension de ce qui a été tenté avec cette pièce. Ceci
vaut pour les critiques professionnels qui, pour la plupart,
n'en ont perçu que les aspects les plus visibles. Il me semble
que le théâtre moderne n'a pas l'habitude de se confronter
aux abstractions dramatiques. Comme vous le dites, c'est une
pièce de l'*intériorité* et les conflits sont intérieurs. L'antagonisme n'est pas personnifié, mais c'est un élément de la
condition humaine : le sens de l'isolement moral.
Un autre élément d'abstraction que vous notez est le fait
que la pièce met en scène le poids du temps, l'aléatoire de
l'existence humaine, les obstacles du hasard. C'est la réaction
des personnages à ces phénomènes inaperçus qui imprime
son mouvement à la pièce. *Theatre Arts Magazine* m'a
demandé d'écrire un article sur "ce qu'est la pièce". J'espère
que vous ne verrez pas d'inconvénient à ce que j'utilise et
développe votre si lucide appréciation. Je crois qu'un artiste
est le mieux qualifié pour comprendre les intentions d'un
autre artiste et mesurer sa valeur. Aussi, quand un artiste

d'une stature telle que la vôtre m'écrit comme vous l'avez fait, je me sens à la fois très reconnaissante et très humble [29]. »

En avril paraît l'article auquel Carson fait ici allusion, sous le titre «La vision partagée». C'est un texte très personnel où, comme souvent, elle défend avec une grande sensibilité la singularité des artistes :

«Au lieu de répondre ici à la question : "Qu'est-ce qu'une pièce de théâtre?", je préférerais dire un poème. Je ne crois pas, en effet, qu'il soit tellement raisonnable d'établir des qualifications arbitraires pour quelque forme d'art que ce soit, et l'expérience que je peux avoir de la création ne m'est d'aucun secours pour juger des différentes valeurs esthétiques. Qu'il soit question de prose ou de poésie (et j'estime qu'il n'existe aucune différence fondamentale entre les deux), l'écriture est une création de hasard. J'entends par là que certains passages, certains paragraphes sont faits pour que l'imagination du lecteur se mette à vagabonder à partir d'une notation sensuelle, d'une nuance de sentiment, d'un éclair de désir ou de mémoire. Une étude esthétique a une fonction opposée. L'attention du lecteur ne doit jamais vagabonder ni rêver. Elle doit au contraire être constamment maintenue dans un univers précis, lucide et cérébral.

Le devoir de l'artiste est d'aller jusqu'au bout de sa propre vision et, l'ayant fait, de continuer à la tenir pour vraie. (Si j'emploie les mots "artiste" et "vision", au risque de paraître pédante, c'est par souci d'exactitude et pour bien faire la différence avec les écrivains de métier dont les problèmes sont tout autres.) Il faut malheureusement reconnaître que l'artiste est en butte à toutes sortes de pressions extérieures venant des éditeurs, des agents, des directeurs de journaux. L'éditeur prétendra que tel personnage ne doit pas mourir, que le livre doit avoir une "fin heureuse". L'agent souhaitera quelques effets mélodramatiques. Des amis, des spectateurs proposeront diverses options. L'écrivain de métier peut obéir à ces pressions et ne penser qu'à l'effet produit sur le public. Un créateur doit être convaincu de ses propres intentions et protéger son œuvre de toute influence étrangère. Ce qui le conduit souvent à la solitude. Nous avons peur de nous sentir seuls. Mais si le créateur subit pendant longtemps des pressions extérieures, il connaîtra une autre sorte de peur [...]. Je pense aux longues années de lutte que James Joyce a menées contre ses éditeurs, contre la pruderie de son époque, et finalement contre les plagiaires du monde entier. Je pense également à la patience jupitérienne de Proust, à sa foi dans la grandeur de son travail. Il arrive que la communication s'établisse trop tard et que la part terrestre d'un artiste n'en soit pas récompensée. Poe est mort sans avoir vu sa vision partagée. Avant de s'enfermer dans sa folie, Nietzsche a écrit à Cosima Wagner, dans une lettre désespérée : "Si deux personnes seulement pouvaient me comprendre [30] !" »

A propos de *Frankie Addams,* elle reprend les propos de sa lettre à John Van Druten, parfois au mot près, avant de conclure :

«Je pensais que le lyrisme tragi-comique de la pièce poserait un autre problème. L'humour et la souffrance coexistent souvent dans la même réplique, et je me demandais comment le public y répondrait. Mais Ethel Waters, Julie Harris et Brandon De Wilde, admirablement dirigés par Harold Clurman, ont joué leurs rôles comme on doit jouer une fugue, avec une précision et une harmonie surprenantes.

Certains critiques se sont demandé si un drame aussi peu conventionnel que celui-ci méritait le titre de pièce de théâtre. Je suis incapable de répondre à cette question. Je sais seulement que *Frankie Addams* est une vision que l'amour et la fidélité de quelques artistes ont permis de rendre vivante [31].»

C'est aussi en avril que *Frankie Addams* obtient le prix de la meilleure pièce de la saison – qui va du 1er avril 1949 au 31 mars 1950 – décerné par le cercle des critiques dramatiques. Carson McCullers recevra deux autres distinctions, le prix de la première pièce d'un auteur produite à Broadway – *The Donaldson Award* –, puis la médaille d'or du meilleur auteur dramatique de l'année – *The Theatre Club Gold Medal.* Une fois de plus, à son premier essai dans un domaine inconnu, elle triomphe de manière spectaculaire. Elle a, sans en posséder la maîtrise technique, le sens du théâtre moderne. Aux yeux des spécialistes américains, sa pièce est devenue un symbole qui compte «dans l'histoire du théâtre américain, non seulement par ses qualités propres mais parce qu'elle transgresse ce qui traditionnellement définissait le concept d'action au théâtre». Aussi «parce qu'elle est un des très rares exemples d'adaptation réussie d'un roman, avec un ou deux autres, dont *La Harpe d'herbes* de Truman Capote», insiste Gerald Weales [32] dans son livre *American Drama since World War II.* «*La Harpe d'herbes,* précise-t-il, est pleine d'échos de Carson McCullers, et cela ne tourne pas à son avantage [Carson, elle, accusera tout simplement Capote de l'avoir plagiée] [...] car les emprunts de Capote ne sont pas aussi importants que ce qu'il n'a pas réussi à emprunter – une qualité, un ton, une substance.»

Cette réussite se mesure aussi en dollars. Avec une pièce qui attire beaucoup de spectateurs, on gagne beaucoup plus d'argent qu'avec un roman, même à succès. Carson et Reeves sont éblouis. Pour la première fois en treize ans de vie commune chaotique, ils ont de l'argent. Ils se sentent même riches, fût-ce de manière éphémère. Pour se le prouver, ils emménagent dans l'un des immeubles chic de la ville, le fameux Dakota, sur Central Park West, où, quand on est une star, on se doit de passer à un moment ou un autre de sa vie. Ce sont ces gestes d'enfants bohèmes – qu'ils retrouvent toujours spontanément quand ils sont ensemble – qui les rendent, au fond, si touchants l'un et l'autre. Autre surprise joyeuse et émouvante pour Carson, Mary Tucker, son professeur de piano de Fort Benning – dont le départ provoqua un grand trouble chez elle et dont le souvenir n'est probablement pas sans rapport avec le personnage de Frankie Addams – lui écrit pour la féliciter, après quinze ans de silence. Elles se revoient, elles resteront désormais toujours en contact et Carson, à l'avenir, ira parfois se réfugier chez les Tucker, en Virginie, pour se reposer – la première fois pendant deux semaines, cette même année, à l'automne.

Voyant glorieusement récompensé l'effort énorme qu'elle a fait pour rester vivante et active, Carson pense qu'elle doit de nouveau essayer de mener la vie qu'elle aurait pu avoir sans le handicap créé par ses attaques. Elle souffre, mais elle est « indestructible » comme le répète Reeves, ce que semblent confirmer ces nombreux voyages qu'elle entreprend, le plus souvent avec son aide.

C'est pourtant seule qu'elle décide de s'embarquer le 20 mai pour l'Irlande ; elle a fait le projet de rendre visite à la romancière Elizabeth Bowen, qu'elle vient de rencontrer à New York et pour laquelle, dira-t-elle, elle s'est prise – à nouveau – de passion. Elle s'est quasiment invitée elle-même à Bowen's Court, le splendide manoir de la famille Bowen, construit en 1775, en affirmant qu'elle y serait très bien pour travailler à son nouveau manuscrit, *L'Horloge sans aiguilles*. Avant même son départ, le séjour a assez mal commencé : elle s'est trompé dans le calcul des fuseaux horaires et a appelé le château en pleine nuit. Un maître d'hôtel, très britannique, lui a répondu : « Madame, il est quatre heures du matin, puis-je vous suggérer de rappeler un peu plus tard ? » Cet incident, qui avait déclenché chez elle un colossal fou rire, faisait les délices de Carson. Mais ni le maître d'hôtel ni Miss Bowen n'avaient dû trouver hilarante une telle incongruité, commise par quelqu'un qui n'avait pas même pris la peine de s'en excuser par la suite.

A Bowen's Court, Carson est impressionnée par la magnificence des lieux ; mais elle y est comme une personne déplacée, à tous les sens du mot. Elle ne comprend rien à la retenue d'Elizabeth Bowen, à son extrême mais distante courtoisie, à ses manières, à sa parfaite éducation, peaufinée depuis des générations. Elle ne travaille pas et elle s'ennuie. Elle qui croyait avoir des choses à partager avec cette femme, d'artiste à artiste, s'aperçoit qu'elles n'ont rien en commun. « Dès son arrivée, Carson, dont la visite était bien venue, se montra, je dois dire, assez accaparante, pour user d'un euphémisme », dira, en 1971, Elizabeth Bowen à Virginia Spencer Carr, dans un entretien qui dut être assez savoureux, mais qui montre avant tout une subtile lucidité, et une certaine tendresse pour l'inquiétante enfant qu'était Carson McCullers :

> « J'ai toujours ressenti Carson comme une destructrice, et c'est la raison pour laquelle j'ai choisi de ne jamais me lier trop intimement avec elle. De l'affection pour elle, j'en avais très réellement, et il se dégageait indéniablement d'elle une aura de génie qui forçait le respect. Il est possible que son entourage n'ait pas été bon pour elle [...] En tous cas, nos relations ne peuvent être décrites comme une "profonde amitié" – au sens où, je m'en réjouis, je suis liée par une "profonde amitié" à cette autre représentante du Sud profond qu'est Eudora Welty. [...] Carson reste dans mon esprit comme un génie enfant, bien que son art, nous le savons, soit grand, sombre et par-dessus tout extrêmement maîtrisé. Je me souviens de son visage, de sa manière d'être, d'écouter avec un affectueux pincement de cœur, et il en sera toujours ainsi [33]. »

Carson envoie un télégramme à Reeves en lui disant qu'elle s'ennuie de lui, et lui donne rendez-vous à Londres. Il n'attendait que ce signe pour bouger, et surtout pour avoir une raison « valable » de quitter son travail à la station de radio, dont il était las. Il rejoint Carson à Londres, et tous deux partent très vite pour Paris, ville qui semble exercer sur eux le même singulier attrait. Dès leur arrivée, ils font des projets pour s'y installer de nouveau de manière permanente. Ils descendent à l'hôtel de l'Université, puis chez leur ami

John Brown, toujours d'un grand secours. Tennessee Williams est lui aussi à Paris ; il voit assez souvent Carson et Reeves, qui ont repris leur « vie parisienne » – amis, cafés, sorties nocturnes. Reeves est censé ne boire qu'un peu de vin mais, pour lui comme pour Carson, « un peu » reste une notion passablement indéfinie.

Tennessee Williams vient d'écrire *La Rose tatouée* pour Anna Magnani, qui le fascine. Il semble que Carson, en ce mois de juin 1950, ait dîné avec l'actrice, un soir qu'elle était avec Tennessee [34]. Voilà bien une rencontre sur laquelle on aurait aimé en savoir plus, tout comme on aimerait mieux comprendre ce voyage erratique du printemps 1950 : alors que Carson se déplace avec difficulté, elle passe en quelques semaines de Londres à Paris, puis de Paris à Londres, avant de revenir avec Reeves à Bowen's Court – ils y rencontreront la romancière Rosamond Lehmann, qui les séduira beaucoup et sera émue par eux –, et de repartir assez vite pour New York. Dès leur retour, au début d'août, ils se séparent une fois encore. Reeves prend un nouvel appartement à Manhattan et Carson rentre à Nyack auprès de sa mère, après quelque temps passé chez des amis, à New York et à Fire Island.

Il est clair que Reeves s'est remis à boire, et que Carson en est très angoissée, au point de n'être un peu rassurée que lorsqu'elle est reprise en charge par sa mère. On parle de nouveau de divorce. Mais Reeves affirme qu'il va se reprendre. Il retourne aux Alcooliques anonymes et se remet à chercher un emploi – il trouve un travail de bureau pas très exaltant à la Banker's Trust Company. A partir du mois d'octobre, ses visites à Nyack redeviennent régulières, les week-ends.

Ce même mois, Jordan Massee se rend à Nyack. Il n'avait pas vu sa cousine depuis son retour d'Irlande. Il raconte longuement dans son journal les deux jours passés avec « le clan Smith-McCullers [35] ». Carson va plutôt bien, même si elle

passe beaucoup de temps au lit. Quant à Reeves, il est réins-
tallé dans le rôle du mari revenant de la grande ville à chaque
fin de semaine. Il semble pourtant qu'avant l'arrivée de Jordan,
il y ait eu quelque tension dans la maison, et que Carson soit
particulièrement heureuse que quelqu'un fasse diversion. En
outre, il y a eu «une dispute très désagréable après le dîner».
Carson se retire dans sa chambre, invitant son cousin à la
suivre pour parler avec elle. Elle est très troublée : une amie
lui a raconté qu'on disait du mal d'elle. Et Jordan Massee se
demande assez naïvement, au cas où ces propos désagréables
auraient effectivement été tenus, pourquoi «l'amie» les a
répétés… On sent, dans ce journal intime, toute la vraie tendresse de Jordan Massee pour sa cousine, sa compassion, son
bon sens aussi : jamais il ne se laisse entraîner sur le terrain
des fantasmes de Carson. Ainsi quand elle lui dit qu'ils
auraient dû se marier ensemble, qu'ils se seraient très bien
entendus et auraient été heureux : «Elle se disait certaine que
si nous nous étions rencontrés plus tôt, avant le temps de
Reeves, nous nous serions mariés. J'étais un peu mal à l'aise,
parce que je savais que cela n'aurait jamais marché, mais cette
idée avait l'air de lui faire tellement plaisir que je me suis bien
gardé de la contredire. »

Le lendemain matin, la maisonnée semble plus calme, le
petit déjeuner se passe à parler de politique, dans la chambre
de Carson. C'est un sujet sur lequel Reeves est à son aise, et
disserte volontiers : «Reeves pense toujours que le capitalisme
a échoué et est en train de craquer aux entournures, mais il
n'est pas du tout pro-soviétique, bien au contraire. On a parlé
d'Emma Goldman [militante anarchiste et féministe] et de la
noblesse de sa désillusion. Je leur ai raconté ce mot d'Isadora
Duncan arrivant à Paris à son premier retour d'Union sovié-
tique : "Ils ont embaumé la révolution sur la place Rouge." »

Quelques jours plus tard, Jordan Massee va revoir Carson
à New York, à une soirée que donne Tennessee Williams en

l'honneur d'Edith Sitwell. Sa réputation, tant d'aristocrate britannique excentrique que de poète, avait terriblement donné à Carson l'envie de la rencontrer. Jordan Massee, dans son Journal, à la date du 31 octobre, fait une description plaisante de l'entrée haute en couleur d'Edith Sitwell « très digne, très grande dame, mais d'une manière très naturelle, comme une reine authentique, sans prendre la pose. Très grande dame et en même temps très simple, en dépit d'une bague ornée d'un topaze de la taille d'un œuf. »

> « Elle portait un énorme bracelet en or – oriental, je crois – des chaussures de marche anglaises à talons plats, une longue robe noire sous une longue cape noire qui descendait jusqu'au sol et qu'elle n'a pas quittée, et enfin un chapeau plutôt singulier. Elle s'installa au centre du canapé et on nous présenta à elle. Elle était d'une grande simplicité, et son charme tranquille, ses histoires amusantes mettaient à l'aise immédiatement. Je m'étais attendu à une sorte de comportement exotique destiné à "épater le bourgeoise" [*sic* en français dans le texte] mais je pense qu'elle osait simplement être elle-même. Carson s'est assise à côté d'elle et elles ont parlé longuement. Le Dr Sitwell l'a traitée aussi gentiment qu'on traite un petit enfant nerveux et lui a promis, de retour en Angleterre, de lui envoyer tous ses recueils de poèmes, et même de lui recopier des poèmes encore inédits. Carson demanda au Dr Sitwell si elle pouvait lui envoyer ses propres poèmes et celle-ci a répondu : "Ma chère, j'espère bien que vous le ferez. Cela serait si gentil". Carson ayant dit à plusieurs reprises au Dr. Sitwell que j'étais son cousin préféré, elle nous a invités tous les deux à assister à la répétition de sa lecture de poésie au musée d'Art moderne. C'était ma seule chance de l'entendre lire, car le musée, l'an dernier, faisait payer la place 25 dollars, et ce serait probablement la même chose cette année [36]. »

Jordan Massee et Carson se rendent donc avec joie à cette invitation. Carson joint ensuite à sa lettre de remerciement un exemplaire du *Cœur* et un de *Frankie Addams*. Après les avoir lus, Edith Sitwell lui écrit le 21 novembre une longue et belle lettre [37], dans laquelle transparaît sa réelle admiration pour ce qu'elle vient de découvrir du talent d'écrivain de Carson McCullers — et de l'écart qui existe entre la maturité de son travail et son air de perpétuelle enfant. «Vous êtes un écrivain exceptionnel, écrit Edith Sitwell. Il ne peut y avoir le moindre doute à ce sujet.» Le *Cœur*, dont elle évoque plusieurs passages qui l'ont particulièrement touchée, lui paraît être «un chef-d'œuvre de compassion, de compréhension et d'écriture. Quel écrivain-né vous êtes!» *Frankie Addams* lui plaît tout autant, et l'impressionne peut-être plus encore par la qualité poétique de son style. «Vous avez vraiment l'œil, l'esprit, la sensibilité d'un grand poète en même temps que l'intelligence, le sens de la construction et des personnages d'un parfait grand écrivain [...] Aucun livre ne m'a à ce point impressionnée depuis des années [...] Puis-je vous dire mon affection, ce que bien sûr je fais, et ma plus profonde admiration.» Elles se reverront à plusieurs reprises, dans les années à venir. Pour Edith Sitwell, une telle émotion de lecture était inoubliable et, ce qui témoigne de sa très grande qualité, elle accueillera toujours Carson chez elle, en Angleterre, avec la plus extrême prévenance.

Au début de 1951, Carson vend les droits cinématographiques de *Frankie Addams* à Stanley Kramer. Cette nouvelle rentrée d'argent lui permet donc de racheter à sa mère la maison de Nyack et d'avoir le sentiment d'être enfin quelque part «chez elle». A ce confort s'ajoutent, tout au long de l'hiver et du printemps, de nombreux signes qui avèrent son importance dans la littérature américaine de la seconde moitié du XXᵉ siècle. Un grand portrait d'elle et de Tennessee Williams parait dans *Vogue* le 15 avril, qui met en avant à la fois sa réussite littéraire et son immense succès à Broadway. Les critiques sont nombreuses — et favorables — quand, en mai, est publié en édition omnibus, par Houghton Mifflin, *La Ballade du Café triste et autres nouvelles*, recueil qui contient un inédit, « Un problème familial[38] » – petit concentré de l'humour et de la cruauté méthodique de Carson McCullers.

Emily habite avec son mari, près de New York, une maison avec vue sur l'Hudson qui ressemble à celle de Carson à Nyack. Son mari, Martin, travaille à la ville, mais le jeudi, jour de congé de la domestique, il prend bien soin de rentrer tôt, car sa femme, depuis quelque temps, est déprimée, alcoolique, et il en craint les conséquences pour leurs deux enfants. Il n'a pas tort. Ce jeudi-là, « son baiser sentait le sherry » et elle avait fait aux enfants des tartines saupoudrées de poivre de Cayenne, qu'elle avait confondu avec la cannelle... Comme dans « Un instant de l'heure qui suit[39] » que n'avait pas aimé – à tort – Sylvia Chatfield Bates, Carson McCullers décrit avec beaucoup d'intelligence l'alcoolisme, la manière dont s'installe la dépendance, dont on la nie. Et elle sait mettre suffisamment à distance cette question, qui pourtant la concerne autant que Reeves, pour que jamais la nouvelle ne ressemble à une plainte ou à une confession.

« Tout en s'occupant du dîner, il cherchait une fois de plus à comprendre comment un tel problème avait pu atteindre son foyer. C'est vrai qu'il avait toujours aimé boire lui-même. C'est vrai qu'en Alabama, ils trouvaient tout naturel de se préparer des cocktails. Et que, pendant des années, ils avaient pris l'habitude de boire deux ou trois verres avant le dîner, et un dernier verre avant de se coucher. Et qu'à la veille des vacances, il leur arrivait de faire la bombe et d'être un peu éméchés. Mais jamais Martin n'avait considéré l'alcool comme un problème. Comme une dépense, plutôt, qui devenait de plus en plus lourde avec le développement de sa famille. Rien de plus. Il avait fallu qu'il soit nommé à New York pour s'apercevoir que sa femme buvait trop. Qu'elle sirotait pendant la journée.

Le problème découvert, il avait essayé d'en analyser la

cause. Le transfert d'Alabama à New York avait sans doute perturbé Emily [40].»

La vie au Nord, trop rigide, pas assez conviviale, pèse à Emily. Elle a la nostalgie de la ville qu'elle aimait tant, Paris – c'est-à-dire Paris-City, Alabama... Les scènes de ménage, entre Emily et Martin, sont terribles. «Il voyait sa jeunesse s'effriter sous les coups d'une ivrogne, sa propre virilité subtilement minée [41].» Mais devant Emily endormie ressurgit l'émotion, et le récit se termine sur cette image : «Sa main tâtonna vers ce corps et le chagrin se doublait de désir dans la complexité infinie de l'amour [42].»

Les critiques du volume paru chez Houghton Mifflin sont excellentes et le livre se vend bien. Le *New York Times* se félicite que l'Amérique soit le pays de Carson McCullers et de William Faulkner [43]. Sans avoir la puissance de Faulkner – mais elle n'a que trente-quatre ans, et nul ne peut savoir comment se serait développée son œuvre sans la maladie –, Carson McCullers sait comme lui créer des atmosphères, des personnages inoubliables, et un réseau symbolique aux répercussions infinies. Quand on l'a lue, curieusement, les situations qu'elle décrit demeurent fidèlement en mémoire. C'est Oliver Evans qui a le plus longuement analysé, à propos de *La Ballade du Café triste,* les liens entre le fascinant personnage de Miss Amelia et l'Emily d'«Une rose pour Emily» de Faulkner, recluse dans sa maison, où personne, sauf un serviteur noir, n'a pénétré depuis dix ans. Toutes deux sont des femmes indépendantes, revendiquant leur force sans redouter la marginalisation qui s'ensuivra. Toutes deux sont considérées comme un peu folles. Les deux histoires provoquent le même malaise et on éprouve une admiration identique pour la justesse avec laquelle elles sont écrites. «C'est d'une superbe concision d'écriture, écrit Coleman Rosenberger à propos de *La Ballade* dans le *New York Herald Tribune* du 10 juin 1951, qui porte si aisément le lecteur sur la vague du récit qu'il peut ne pas mesurer, de prime abord, combien il est profondément immergé dans le symbolisme. »

Le magazine *Time* estime que, de manière indiscutable, Carson McCullers fait partie de la douzaine d'écrivains américains contemporains qui comptent [44]. L'année suivante, lors de la sortie du livre au Royaume-Uni, le *Times Literary Supplement*, qui avait été constamment défavorable à Carson McCullers, la place désormais « au tout premier rang des jeunes écrivains américains [45] ». Mais le texte le plus important, signé de V. S. Pritchett, paraîtra – en Angleterre aussi – le 2 août 1952 dans *The New Statesman and Nation* :

« Ce que nous guettons, c'est le surgissement du génie américain – comme Faulkner par exemple – qui construit ses propres structures imaginatives ou intellectuelles [...] C'est un génie de cet ordre que possède Carson McCullers, à mon sens la plus remarquable romancière de sa génération qu'ait donnée l'Amérique [...] C'est un auteur typiquement du Sud, mais son paysage mental a cette classique et mélancolique autorité, cette indifférence au conformisme qui paraît plus européen qu'américain. Elle connaît l'originalité, l'audace et la compassion qui l'habitent. Les courts récits et les deux ou trois nouvelles publiées dans *La Ballade du Café triste* [...] produisent un choc qui rappelle l'impression faite par des écrivains aussi profondément différents que Maupassant et D.H. Lawrence. Avant tout, ce qu'elle a, c'est une imagination courageuse ; c'est-à-dire une imagination assez hardie pour considérer ce qu'il y a de terrible dans la nature humaine sans perdre ni sang-froid, ni calme, ni dignité, ni amour. Elle a cet "œil d'or", que rien n'effraie, d'un de ses romans [...] On peut objecter que l'extrême étrangeté des personnages dans une histoire comme *La Ballade du Café triste* relève du folklore, et en fait des figures mineures venues de quelque contrée à la Powys, version américaine. Ils deviennent les objets de dérision d'une ballade locale. Mais la compassion de l'auteur leur donne leur moment de dimension homérique dans l'universelle tragédie. Il y a un instant où ils deviennent "grands". On définirait plus exactement la nature de son génie en disant qu'elle observe la destinée humaine dans le seul cœur. [...] Dans sa capacité à montrer l'émergence de l'inconscient, Miss McCullers est remarquable. C'est une merveilleuse observatrice – chose rare chez les auteurs anglo-saxons – des formes de l'amour. Ses grands dons littéraires en font un écrivain de très haute volée, mais sous-tendant ceux-ci, et non moins important, est son sens, à chaque instant, de l'expérience humaine dans tous ses états. »

Il faut bien à Carson McCullers ce succès renouvelé, cette reconnaissance – au début de l'année suivante, 1952, elle sera élue à l'Académie nationale des arts et lettres –, cette place avérée parmi les grands écrivains, pour l'aider à supporter les nouvelles difficultés. D'une part, elle a appris, à la fin de 1950, en consultant plusieurs médecins, la réalité de ce qu'elle pressentait : elle ne retrouvera jamais la mobilité de ses membres. D'autre part, Reeves a quitté la Banker's Trust pour entreprendre une nouvelle cure de désintoxication. Il est donc de nouveau accueilli à Nyack, entre deux hospitalisations. Carson y organise quelques soirées. Ceux qui la critiqueront si durement après sa mort, à commencer par Lilian Hellman, font volontiers le déplacement jusqu'à la petite ville pour y participer.

Les cinq cents représentations de *Frankie Addams* à L'Empire ne sont sans doute pas étrangères à ce soudain regain d'intérêt. David Diamond, qui avait un peu perdu de vue Carson et Reeves, se rend à l'une de ces «parties», en juin – ce qu'il note dans son journal sur l'alcoolisme de Carson semble à Virginia Spencer Carr d'une si grande importance qu'elle y consacre plus de place qu'à la réception critique de *La Ballade du Café triste*. Le jeune homme, qui avait eu une brève histoire sentimentale avec Reeves lorsqu'ils habitaient ensemble à Rochester au début des années 40, est venu de New York avec lui, ce soir du 26 juin 1951. Il trouve que Carson n'a jamais paru aussi malade, aussi fragile, angoissée et fermée sur elle-même – bien que sa paralysie lui semble moins handicapante qu'il ne l'avait craint (il ne l'avait pas revue depuis son attaque). Il souligne qu'à son arrivée, elle était en train de boire du whisky comme on boirait de l'orangeade, et qu'elle vit presque constamment dans une sorte de brume alcoolique – ce qui est certainement assez vrai – sans en avoir une exacte conscience – ce qui est moins sûr.

Si David Diamond avait lu la nouvelle «Un problème familial», il aurait sans doute été moins affirmatif. Mais dans aucune de ses interventions rapportées par Virginia Spencer Carr lors de sa minutieuse enquête, David Diamond ne semble prendre en considération le travail d'écrivain de Carson. Presque tout, chez lui, se réduit à l'anecdote biographique et aux spéculations sentimentalo-sexuelles. En outre, ce soir-là de 1951 précisément, ce qu'il note dans son journal a une tonalité très antipathique. Peut-être est-ce seulement parce qu'il supporte mal d'être confronté au souvenir de sa jeunesse avec Carson et Reeves, et de leurs communes dérives alcooliques. Il se réjouit de voir Reeves se désintoxiquer et «redevenir quelqu'un avec qui il est agréable de parler». Il affirme même que la mère de Carson, elle aussi, a cessé de boire, et s'entend donc mieux avec son gendre – ce qui est contredit par le témoignage de Lilian Hellman. Ayant passé la nuit à Nyack, elle a trouvé Marguerite Smith ivre morte, le matin à 6 heures, dans la cuisine.

Tout juste un mois plus tard, le 28 juillet, Carson s'embarque pour l'Angleterre sur le *Queen-Elizabeth*, alors que Reeves doit être de nouveau hospitalisé pour reprendre sa cure de désintoxication. Cette traversée est l'un des épisodes les plus romanesques de leur existence commune, une scène de ces délicieuses comédies américaines des années 50 passant de l'écran à la réalité. C'est du moins l'impression produite par le récit de Carson, et peut-être enjolivé au fil des années. Sous cette forme [46], il participe de la «légende dorée». Mais quels que soient les ajouts «littéraires», le fait demeure : Reeves s'est embarqué clandestinement sur ce bateau, comme dans un «jeu d'enfant» grandeur nature. Carson a raconté qu'elle avait aperçu à plusieurs reprises, dans une coursive, une silhouette ressemblant étrangement à Reeves. A la troisième «rencontre», elle fut si intriguée par la similitude d'allure qu'elle se décida à aller consulter la liste des passagers. Aucun James Reeves McCullers n'y figurait. Le troisième jour de traversée, un garçon de cabine lui aurait apporté un mot signé de Reeves, lui indiquant qu'il était à bord et avait besoin de son aide. Elle dit lui avoir envoyé un message en retour : «Serais-tu, par hasard, libre à déjeuner?» Jolie «chute» encore que peu vraisemblable : le personnel d'un navire transmet rarement des invitations aux passagers clandestins... Il est plus probable que Reeves, qui n'avait rien mangé depuis le départ, s'est montré. Carson doit régulariser sa situation, payer son voyage. A leur arrivée, les autorités britanniques refusent de le laisser débarquer : il est sans passeport. Il faut qu'un consul des États-Unis se rende à bord et que l'ambassade se porte garante de son identité.

La comédie tourne au sordide : il obtient de rester quinze jours, pendant lesquels tout se passe mal. Il accompagne Carson dans les soirées auxquelles elle est conviée, notamment chez Edith Sitwell, et il s'enivre jusqu'à rouler par terre. On finit toujours par le retrouver écroulé dans un coin. Les hôtes britanniques de Carson semblent regarder tout cela avec le flegme qu'on leur prête traditionnellement, mais Carson, elle, se montre plutôt soulagée de voir repartir Reeves. A nouveau, il se retrouve sans travail; et il rentre à Nyack, où, en tête à tête avec Marguerite Smith, il attend le retour de sa femme.

Il attendra trois mois. En Angleterre, les amis de Carson, figures du milieu littéraire, au premier rang desquels David

Garnett – qui la tient pour l'un des seuls écrivains américains qu'il puisse respecter –, David Gascoyne, Rosamond Lehmann et quelques autres, ont le sens de l'hospitalité et accueillent avec plaisir d'autres artistes sous leur toit pour quelques jours.

Carson, toutefois, n'est pas une invitée de tout repos. Aussi demeure-t-elle peu de temps chez chacun, sauf chez David Gascoyne, où elle passe la plus grande partie de son séjour. Elle travaille à un long poème commencé sur le bateau – « L'ange double : méditation sur l'origine et le choix ». Elle ne le terminera qu'en décembre à Nyack car elle tombe malade à Londres et s'engage dans une nouvelle aventure, sentimentalo-médicale cette fois-ci. C'est chez David Gascoyne qu'elle a fait la connaissance de Katherine Cohen, épouse de son éditeur anglais, et psychiatre. Celle-ci porte un intérêt immédiat au cas clinique que représente Carson et la persuade de se laisser soigner par elle. Carson, très séduite par le Dr Cohen, accepte.

Dans ses lettres à Reeves, la plupart non datées et peu lisibles, écrites au crayon [47], elle est très prolixe sur cette nouvelle « amie imaginaire » qui a quarante-six ans et « a seulement commencé ses études à trente-sept ans, [car] elle avait dû quitter l'école à quatorze ans pour gagner sa vie ». Carson entre à l'hôpital pour des examens. Tous les résultats prouvent, selon Katherine Cohen, que Carson McCullers ne souffre d'aucune maladie organique. Sa paralysie serait d'origine psychique, et non pas due à une attaque cérébrale. Il serait donc possible de la soigner. Et de la guérir.

Aujourd'hui, après le diagnostic précis qui a été fait, prouvant que Carson McCullers avait eu dans son enfance un rhumatisme articulaire non soigné, on mesure mieux la cruauté de cette nouvelle erreur, avec l'espoir fou qu'elle fait naître. Katherine Cohen lui propose un traitement par hypnose. Carson s'y soumet avec enthousiasme, tant elle est persuadée de pouvoir ainsi retrouver la mobilité de ses membres gauches.

Dans ses lettres, elle évoque avec une totale confiance le succès assuré du traitement proposé. Avec un regain de tendresse et d'attention pour Reeves, qui, répète-t-elle, lui manque. Elle s'inquiète de lui, l'incite à être courageux, «tu dois te battre pour te rétablir et rester en bonne santé. Je crois en toi et je te fais confiance. Je sais, dans mon cœur, que tu ne vas pas me trahir». «Je me demande si tu penses encore aujourd'hui à ce désir que tu avais de devenir médecin, dit-elle dans un autre courrier. Tu as un esprit scientifique, et une telle chaleur, une telle humanité[48].» Écrire à Reeves lui est un besoin impérieux, et elle le fait même quand elle se sent assez mal. D'où, dans cette correspondance, beaucoup de passages totalement illisibles. Dans la lettre la plus longue, non datée mais arrivée à Nyack le 25 août – un cachet postal en témoigne –, Carson tente de dire à quel point elle a été malade. Outre sa «détresse mentale», elle n'a pas pu dormir ni marcher pendant trois jours :

«Puis il y a eu une sorte de miracle. Tu te souviens de ce kaléidoscope que m'avaient offert les Poor [Henry Varnum Poor est son ami peintre] cette première année où j'ai été malade sans arrêt? En regardant à travers lui toutes les couleurs et les formes, mystérieusement, toutes les horreurs qui m'avaient envahie se sont modifiées. Elles n'ont pas disparu mais les images se sont transformées. Et l'obscurité est devenue rayonnement. J'ai appelé Katherine Cohen. Tu te souviens, je t'ai parlé d'elle, la femme de Dennis Cohen. Nous sommes devenues amies. Je t'imagine en train de boire une bière au gingembre et te disant que maintenant le drame va commencer. Tu peux rire si tu veux. C'est en effet assez drôle. Elle est médecin, et elle est le premier vrai médecin que je rencontre qui ne s'en va pas en m'abandonnant à ma maladie. Je n'ai jamais eu une telle affinité avec qui que ce soit. Tu sais maintenant qu'elle est mon amie imaginaire. Mais elle est réelle. Tu as souvent dit que tu redoutais le moment où je rencontrerais vraiment l'amie de mes rêves. Tu craignais de te sentir exclu. Non, Reeves, cela n'arrivera pas. Personne ne sait mieux que Katherine quelle erreur est notre séparation, donc cela n'arrivera pas, à moins que toi tu ne le souhaites, comme ce fut le cas à de nombreuses reprises.

Je vais me rétablir dans mon corps et dans mon esprit et je serai une amie beaucoup plus agréable, plus facile à supporter dans la maison. Tu sais, Reeves, j'ai souvent redouté de rencontrer l'amie de mes rêves. Je ne pensais pas qu'elle serait bien jolie. Si elle avait été borgne ou handicapée après des attaques, je suppose que je l'aurais acceptée ainsi. Mais Katherine est d'une beauté à couper le souffle. Il y aurait tant à dire et je suis submergée par les images [...] Encore un mot, mon chéri. Je voudrais te remercier de ta compréhension – ta sagesse – qui rend possible le fait que je t'écrive cette lettre. Je suis, d'une certaine manière, exaltée. Naturellement, cela ne va pas durer longtemps. Cette illumination va disparaître. Mais elle reviendra, encore et encore [...] Dans quelques jours, Katherine part pour Amsterdam. Quelque chose d'elle va rester avec moi, et elle va revenir. Ton énervement à toi, devant la séparation géographique (le fait que je parte seule pour l'Europe ou ailleurs) est dû à une faiblesse de ton amour pour moi, un manque, une impossibilité à comprendre que l'amour et la confiance ne font qu'un [...]. »

Reeves lui aussi veut croire en ce traitement, comme il veut croire, toujours, chaque fois, que ses rapports avec Carson vont se pacifier, par une sorte de miraculeux retour à l'origine qui effacerait tous les désastres intermédiaires... De fait, c'est constamment ce qui se produit, très provisoirement : ils se séparent pour se retrouver ; puis se quittent à nouveau, avant de se revenir.

A Londres, comme on pouvait hélas s'y attendre, l'échec de l'hypnose est total. Carson est si désespérée qu'elle affirme avoir la sensation d'une aggravation : ses membres seraient encore plus raides et plus douloureux. Elle voudrait au moins que Katherine Cohen la console en l'entourant d'affection. Celle-ci, sans doute humiliée d'avoir préjugé de ses compétences, devient au contraire de plus en plus distante, froide, «professionnelle». Carson télégraphie à Reeves et rentre à Nyack à la fin d'octobre. Elle est, on le conçoit, très déprimée. Pour lui «changer les idées», Reeves propose un voyage à La Nouvelle-Orléans, où elle tombe immédiatement très malade, souffrant d'une fièvre violente. Ils reviennent dès qu'ils le peuvent et elle va directement à l'hôpital où on la soigne pour une broncho-pneumonie et une pleurésie. Après cette nouvelle alerte, tous deux, Reeves et Carson, décident enfin de cesser de se fuir l'un l'autre, ou de fuir ensemble vers tel pays «providentiel» qui, à lui seul, leur assurerait une relation idéalement pacifiée. Ils affirment à leurs amis qu'ils vont, pour un bon moment, rester en Amérique et réapprendre à vivre ensemble.

Une promesse vaine. Un engagement «pour la vie» qui ne durera que quelques semaines.

VII

« Tomorrow I'm going West »

Comme les adolescents velléitaires qu'ils ne peuvent cesser d'être, Carson et Reeves commencent l'année 1952 en faisant exactement le contraire de ce qu'ils venaient de décider. Ils vont repartir pour l'Europe. D'abord pour l'Italie – leur ami David Diamond est installé à Rome –, ensuite... ce sera selon leur humeur. Avant de s'embarquer, Carson travaille, pendant tout le mois de janvier. A une partie de *L'Horloge sans aiguilles*, qu'elle appelle «Le Pilon» (et qui paraîtra l'année suivante dans *Mademoiselle* et dans la revue italienne *Botteghe Oscure*), et à la lecture du scénario du film tiré de *Frankie Addams*. Si ses visiteurs ont l'impression qu'elle vit perpétuellement dans un brouillard alcoolique, comme le notait quelques mois auparavant David Diamond, Carson, dès qu'il s'agit de son travail, est tout à fait précise. Elle sait où est la véritable condition de sa survie : dans son œuvre, et rien ni personne ne peut l'en déposséder – pas même elle. Elle écrit longuement à Fred Zinneman, le réalisateur le film, pour lui expliquer que le script lui semble très faible, totalement dépourvu de la tension nécessaire à l'atmosphère du drame : «En premier lieu, le thème de base de la pièce manque, c'est-à-dire le besoin d'appartenance. Frankie veut être partie prenante du mariage à cause de sa conception toute personnelle de ce qu'est "être ensemble". Je pense que le soldat a lui aussi un besoin désespéré d'appartenance – [« *he is someone who is desperately longing to belong* » selon la très belle expression de Carson]. Le script manque de cohérence et d'un quelconque sens de la forme [1]. »

Ce script, elle l'analyse presque scène par scène et ses remarques sont toutes très pertinentes. Elle admet que ce ne soit qu'un premier jet et attend un travail plus achevé. Elle demande à Zinneman de lui écrire à Rome, chez David Diamond, et lui donne rendez-vous à Paris en automne. Il approuvera ses remarques et ils engageront une correspondance suivie, tout au long de l'année, pour la mise au point précise du scénario.

Le 30 janvier, Carson, Reeves et leur chienne boxer Kristin prennent le paquebot *Constitution*, en route vers Naples. De Naples, ils vont en voiture à Rome, et descendent à l'hôtel Inghilterra avant d'emménager dans un appartement qu'ils ont loué à Castel Gandolfo, une petite ville non loin de Rome, connue pour être la résidence d'été des papes. Heureusement, l'avocate Floria Lasky a pris en main les intérêts financiers de Carson. Elle envoie des mensualités, ce qui contraint Reeves et Carson à calculer leurs dépenses : ils doivent vivre sur la pension de Reeves et l'envoi mensuel de Floria Lasky. Les trois mois passés en Italie seront assez chaotiques et marqueront la fin de leur amitié avec le compositeur David Diamond. Il est très loin, le temps où ils croyaient former un trio d'amitié amoureuse et créatrice, où, en 1941, Diamond leur dédiait son ballet : *Le Rêve d'Audubon*.

Il est sans doute vrai que Reeves est sombre et abattu ; que Carson noie sa propre mauvaise humeur dans les alcools forts et devient insupportable. Elle ne se sent pas à l'aise en Italie, et puis elle n'aime pas cet appartement de Castel Gandolfo… Pourtant elle ne se décide pas à partir. A dire vrai, elle ne sait pas précisément où elle a envie d'aller. Quant à Reeves, il suit.

On veut bien croire que le couple n'a plus grand-chose de son ancienne séduction, surtout pour quelqu'un qui les a connus dix ans plus tôt. Il n'en demeure pas moins que le témoignage de David Diamond a, là encore, quelque chose de déplaisant. Que dire d'un homme qui, près de vingt ans plus tard, quand Virginia Spencer Carr l'interroge, ne semble pas capable d'analyser les choses avec une certaine distance, et qui préfère donner, tels quels, à une biographe, des fragments de son journal intime ? Dans ce journal, il répertoriait minutieusement ce qu'il croyait être « les faits », c'est-à-dire toutes les petites mesquineries du quotidien, tous les clichés, toutes les pensées médiocres – les siennes et celles de ses interlocuteurs – qui traversent les journées de chacun, quels que puissent être par ailleurs son talent, voire son génie. Et voir cet homme ironiser sur l'immaturité de Carson McCullers pour ensuite noter imperturbablement qu'en regardant son nouveau compagnon, Reeves avait dû penser : « Enfin David a trouvé quelqu'un qui peut lui donner ce que j'étais incapable de lui donner », ne manque pas de sel.

Il y avait à Rome, ce printemps-là, plusieurs anciens amis de Carson, dont Wystan Auden. Celui-ci, toutefois, n'avait plus très envie de la voir. Elle fréquentait davantage Truman Capote, qui aimait aussi beaucoup Reeves, mais les disputes entre Capote et elle devenaient de plus en plus fréquentes et violentes. Deux « terreurs géniales » ensemble – qui plus est en rivalité littéraire –, on imagine sans peine ce que cela pouvait produire comme explosions à répétition. Quant à Gore Vidal, également présent à Rome, on sait qu'il aurait certainement passé la nuit à courir autour du Colisée si cela avait été le seul moyen de ne pas croiser Carson McCullers. Mais comme elle lui rendait bien sa détestation, il y avait toutes les chances pour qu'ils s'évitent. Carson était aussi invitée par les Italiens dont elle avait fait la connaissance lors de sa visite du printemps 1947, parmi lesquels Alberto Moravia.

Elle avait de plus en plus tendance à oublier de prévenir
Reeves qu'il était lui aussi convié. Inutile d'insister sur l'état
dans lequel elle rentrait chez elle – ni sur l'état dans lequel elle
le trouvait en rentrant. Il semble qu'ils commencent à se
battre, ce qui n'avait jamais eu lieu auparavant. Reeves niera,
puis concédera avoir un peu « secoué » Carson. Elle prétendra
qu'il la frappait très violemment. Il l'aurait, à plusieurs
reprises, menacée de mort et aurait voulu la jeter par la
fenêtre. André Bay, qui se préoccupait de ce qui arrivait à son
auteur dès qu'elle était en Europe, se souvient que « diverses
histoires circulaient sur ce moment où Reeves aurait voulu
passer Carson par la fenêtre, à Rome. L'une d'elles était que
Carson, craignant toujours d'être de nouveau malade, aurait
dit "si un jour j'ai encore une attaque, je t'en prie, ne me laisse
pas ainsi, jette-moi par la fenêtre. Promets-le-moi". Un soir, à
Rome, elle aurait été prise d'un grave malaise, aurait de nouveau perdu la parole et aurait eu toutes les peines du monde à
faire comprendre à Reeves, qui mettait à exécution sa promesse, qu'elle n'avait aucune envie d'être jetée par la fenêtre [2] ».
Vrai ou faux, l'incident est « dans la tonalité » de ce qui se passait à Rome entre ces deux enfants malades de détresse et
d'alcool.

Parallèlement, pour son travail, Carson fait toujours « ce
qu'il faut ». Grâce à ses relations littéraires, elle publie donc
son poème « L'Ange double [3] », dans la revue *Botteghe Oscure*,
inaugurant ainsi une collaboration fructueuse, puisque plusieurs de ses textes paraîtront pour la première fois en Europe
dans cette revue. Elle n'oublie pas non plus de passer par
Milan pour voir son éditeur, quand, vers la fin d'avril, Reeves
et elle remontent en voiture vers Paris, avec leur chienne et
leurs malles – bouclées en quelques heures, lorsqu'ils ont brutalement décidé qu'ils en avaient assez de l'Italie.

En France, presque six ans ont passé depuis leur premier
séjour. On est loin de l'arrivée triomphale du petit prodige

américain, romancière exceptionnelle, et si attendrissante avec ses chaussettes blanches. Carson, pourtant, porte toujours des chaussettes blanches... A Paris, personne ne les attend et ils n'ont pas de logement. C'est bien sûr John Brown qu'ils appellent à la rescousse. Et, fidèlement, celui-ci répond et trouve une solution. La maison de Brunoy, dans l'Essonne, qu'il occupe avec sa femme et leurs deux petits garçons, est très grande. Il leur offre donc l'hospitalité. Il se rend compte assez vite, mais un peu tard, qu'il a été fort imprudent. Bien que la maison soit vaste, le voisinage de Carson et de Reeves est pénible. Ce très mauvais souvenir altérera définitivement les relations de la famille Brown avec Carson. Ils ne se reverront plus après que celle-ci aura quitté l'Europe.

« C'était tout simplement insupportable, dit John Brown. Il est inutile aujourd'hui de chercher à rappeler tous les détails sordides, et il y en avait. On ne pouvait pas vivre sous le même toit que ces gens-là, quelle que soit l'amitié qu'on ait éprouvée pour eux : trop d'alcool, trop de cris, trop de drames, de disputes de gens ivres qui ne se contrôlent plus. Reeves passait son temps à essayer d'arrêter de boire. Carson lui en intimait l'ordre, alors qu'elle buvait, elle, toute la journée. L'alcool arrivait par caisses, et devant mon air navré, elle me disait, avec tout le charme dont elle était capable : "Ne vous inquiétez pas, cher John, c'est seulement du vin." Elle ne parvenait plus à se repérer dans le désordre de sa vie, dans sa maladie, très handicapante, dans son désir d'écrire, dans son histoire impossible avec Reeves et dans sa dépendance à l'alcool, dont il est difficile de savoir quel degré de conscience elle en avait. Par exemple, elle invitait des amis. Puis les choses, on ne sait comment, tournaient mal. Elle refusait de préparer quoi que ce soit, et même de sortir de sa chambre pour venir les saluer. Reeves était désemparé. Alors, il s'enivrait. Ils avaient une abominable relation cannibale. Mais le vampire, c'était elle. Avec lui, elle faisait des caprices. Elle voulait qu'il la serve, qu'il soit aux petits soins. Elle avait une colossale puissance de destruction [4]. »

Au bout de quelques semaines, excédés et craignant que ce spectacle pitoyable n'affecte leurs petits garçons, les Brown demandent aux McCullers de déménager. C'est une décision salutaire pour tout le monde puisque Carson et Reeves se mettent à chercher une maison à la campagne et, l'ayant trouvée, sont heureux. Leur rêve d'avoir une ferme à eux devient presque réalité, même si la propriété dont ils font l'acquisition n'est pas une ferme, mais l'ancien presbytère d'un petit village du Vexin, Bachivillers, à une heure de Paris environ — ce qui est assez loin si l'on aime recevoir beaucoup de visites. Pour l'heure, Reeves et Carson n'y pensent pas, tout à l'excitation d'être «chez eux» et d'avoir un endroit à arranger selon leur goût, avec un jardin. Le terrain couvre une surface d'un demi-hectare et le verger est resplendissant avec ses pommiers, ses pêchers et ses poiriers. Peu après leur arrivée, ils diminuent tout naturellement leur consommation d'alcool — et se disputent beaucoup moins. Reeves est plutôt bricoleur. Il aime rendre le lieu où il séjourne à la fois confortable et plaisant, comme l'avait noté Carson quand elle avait habité avec lui à Manhattan, Thompson Street, en 1949. Dans les magasins réservés aux militaires dont ses états de service lui autorisent l'accès, Reeves remplit son coffre de voiture non seulement de bouteilles d'alcool — qui, naguère occupaient toute la place — mais aussi de clous, de planches pour faire des étagères, de peinture, de pinceaux et divers autres outils.

Quand Carson écrit à ses amis, en Amérique, elle explique gaiement que, pour l'heure, elle travaille dans le bruit des marteaux. Elle leur vante les qualités de la maison, où la vie est très agréable, non seulement grâce à l'habileté et au goût de Reeves, mais aussi parce qu'y existent le chauffage central et une salle de bains, ce qui n'est pas encore très courant en France à l'époque. Elle les incite à venir lui rendre visite, à découvrir ce petit coin de la France rurale qui leur paraîtra tellement exotique. En outre, Mme Joffre, qui s'occupe de la maison, est une très bonne cuisinière, et elle leur mitonnera des petits plats français. Reeves, lui, parle de son potager, de ses beaux légumes, qui, ajoutés aux fruits du verger, font qu'on peut vivre sans beaucoup de dépenses. Il a un jardin d'agrément car il aime les fleurs, et Carson aussi. Mais son plaisir, c'est surtout de planter, soigner, voir pousser, éclore. A les lire, on n'imagine pas d'endroit plus délicieux pour passer l'été que l'Ancien Presbytère – c'est ainsi qu'on le désigne et cette adresse figurera en en-tête de toutes les lettres de cette période. Pour ce qui est de la demeure, le souvenir qu'en garde Carson est, bien des années plus tard, toujours aussi chaleureux :

> « La propriété était la plus charmante qu'on puisse imaginer. On l'appelait l'Ancien Presbytère, et c'était l'endroit où habitait le précédent curé [...]. Le verger contenait des prunes, des poires, des pêches, des figues et même des petits noisetiers qui cliquetaient au vent. La maison avait le chauffage central car elle avait été restaurée par un Américain qui y avait vécu. Nous avions un délicieux couple français qui s'occupait de la maison et un jardinier. Il y avait une cheminée dans toutes les pièces et nos chiens – nous avions cinq boxers à cette époque – adoraient se coucher devant le feu, entre deux incursions rapides pour repérer les odeurs de la cuisine de Mme Joffre. Les Joffre, à la manière française, nous nourrissaient énormément. D'abord une soupe, puis un soufflé, puis de la viande et de la salade, et des fruits en dessert. J'ai essayé de retrouver la recette de la soupe aux légumes de Mme Joffre dans le monde entier, sans succès. C'était une petite maison, mais Reeves et moi avions des chambres séparées et il y avait une chambre d'amis [5]. »

Pourtant, ils ne seront pas très nombreux à faire le voyage. Non seulement ceux qui habitent les États-Unis ne viendront pas, mais même les Parisiens, français comme américains, feront rarement le déplacement. Parce que c'est à une heure de route de la ville, donc trop loin pour aller juste prendre un verre. Parce qu'il est très difficile de programmer un rendez-vous avec Carson – on ne sait pas de quelle humeur elle sera à l'heure dite, si elle aura vraiment envie de recevoir quelqu'un, si elle sera en état d'accueillir correctement ses hôtes, si Reeves sera ou non là pour l'aider. Trop compliqué... L'un des premiers visiteurs sera Tennessee Williams, en route vers l'Italie, avec son compagnon Frank Merlo. Tennessee, toujours impeccablement fidèle, qui vient partager les fantaisies de ses amis, qui continue à donner réalité à ce que Carson lui écrivait quand elle était si malade : «Partout où nous serons, il y aura une chambre pour vous. Vous viendrez, n'est-ce pas?» Tennessee Williams, l'écrivain, a de l'admiration pour Carson, écrivain sans doute encore plus mystérieusement douée que lui; «Tenn», l'ami – dont parfois Carson écrit le prénom «10^6» («ten et six») – a de la compassion pour ces deux-là qui ne parviendront jamais vraiment à vivre ensemble, mais sont incapables de se séparer.

Chez Stock, André Bay a décidé de faire traduire tout ce qu'écrira Carson McCullers. En éditeur attentif et prévenant, il s'inquiète lui aussi de savoir comment les choses se passent à Bachivillers. La maison, charmante, et ses occupants lui font «plutôt bonne impression».

> «Bachivillers, c'est un bon souvenir, mais il est vrai que je n'y suis pas allé "dans les derniers temps". Au début, l'"équipe" avait l'air de fonctionner. Mieux qu'à leur précédent séjour en France, en dépit de la gêne qui résultait de l'infirmité de Carson. Reeves tapait à la machine ce que Carson écrivait. Lui aussi, il avait la main gauche endommagée – pas autant que Carson, bien sûr. Blessure de guerre au poignet. Ils essayaient de s'organiser, de "repartir". Mais cela n'a pas duré. Ils étaient sans doute trop isolés là-bas. Et les tensions entre eux ont repris. Trop de tensions [6].»

Il y eut d'abord les tourments de l'été. Dans les archives figure une facture de l'hôpital américain de Neuilly, pour un séjour de deux jours. Elle ne porte pas de prénom, donc on ne sait pas qui de Carson ou de Reeves y séjourna – tous les deux étaient des « habitués » du lieu. Toujours en juillet, à Nyack, la mère de Carson a une attaque cardiaque. Carson et Reeves prennent le premier avion pour rentrer. Dès qu'elle est hors de danger, ils repartent, en lui faisant promettre qu'elle les rejoindra à Bachivillers. Mais quelques semaines plus tard, elle est hospitalisée de nouveau pour une embolie pulmonaire. Là, seule Carson retourne à Nyack : c'est elle, maintenant, qui se précipite au chevet de Bebe. Il n'est plus question de faire venir en France Marguerite Smith qui restera, après ces deux sérieuses alertes, définitivement affaiblie. Et du même coup disparaît, pour Carson, cette force maternelle qui avait été, pendant tant d'années, à la fois le premier et l'ultime recours.

En septembre, Carson et Reeves se réinstallent à Rome pour deux mois. Carson doit travailler avec Vittorio De Sica et David O. Selznick sur le film *Station terminus*. Encore un épisode désastreux. Selznick, en producteur persuadé que rien ne doit lui résister, veut faire de sa femme, Jennifer Jones, la vedette d'une superproduction européenne. Il décide de « s'offrir » Vittorio De Sica à cet effet, et il est bien décidé à superviser les choses de très près – fût-ce en superposant au néoréalisme italien des « effets » hollywoodiens qui rendent le projet incohérent. En plus de Carson McCullers, il met au travail une équipe de scénaristes. Il avait d'abord pris contact avec Truman Capote. Celui-ci avait refusé, considérant qu'il devait avant toute chose « faire son œuvre ». Mais, comme le note son biographe Gerald Clarke, « Les écrivains, en particulier ceux dont le compte en banque est à plat, ne devraient pas s'astreindre à des promesses de pureté artistique aussi draconiennes[7] » : il ne faudra que quelques semaines pour que Truman Capote accepte de remplacer Carson McCullers, qui vient d'être remerciée.

On ne peut pas exclure que l'idée d'humilier Carson en

lui succédant là où elle venait d'échouer ait pu être un fort stimulant pour Truman Capote. Ils ne peuvent plus se supporter. Ils ne se saluent même plus. Dans un de ces *post-scriptum* savoureux qu'il aimait ajouter à ses lettres (déjà fort drôles et fort méchantes en elles-mêmes), Capote fait une description au vitriol – qui a malheureusement toutes chances d'être exacte – de Carson et Reeves : « Dieu sait que les vieilles connaissances ne manquent pas ici – je vais acheter un voile épais à porter dans les rues – Sister (la fameuse Carson McCullers, tu te souviens d'elle?) et M. Sister peuvent être fréquemment observés, titubant le long de la Via Veneto où ils sont maintenant membres éminents d'une équipe de cinéma (elle écrit un scénario pour David Selznick) mais, bien sûr, Sister et M. Sister sont trop importants et, en général, trop ivres pour reconnaître mon humble présence [8] ! »

Truman Capote ne se trompe pas. Reeves a été malade dès son arrivée à Rome : il lui a fallu deux jours pour se remettre de ce qu'il avait bu dans l'avion. Carson et lui tentent de reprendre leur « travail d'équipe » – elle dicte, il tape – mais cela ne fonctionne pas comme ils le voudraient. Et le mécontentement croissant de Selznick n'arrange rien. Ils s'accrochent à l'idée qu'ils sont en train de gagner pas mal d'argent, et qu'ils en ont besoin. Mais rien n'y fait. Reeves prend des barbituriques pour dormir. Leur effet, combiné à celui de l'alcool, le déprime. Il parle de suicide. Quand Selznick explique à Carson que son travail ne convient pas, qu'ils vont devoir se séparer, elle se sent mal, se laisse submerger par son épuisement et doit passer plusieurs jours dans une clinique romaine avant de reprendre le chemin de la France.

Leur retour à Bachivillers, en octobre, marque le début de l'irréversible désastre, d'une longue descente dans l'isolement, dans la solitude alcoolique, qui ne pouvait se terminer qu'en tragédie. Même Tennessee Williams finit par se tenir à l'écart, tant les voir ainsi le déprime. Les médecins de l'hôpital américain, en particulier Jack Fullilove, qui se lie à eux, tentent de les aider, de les sortir de leur enfermement. Ils font l'un et l'autre de fréquents et brefs séjours à l'hôpital. On dirait qu'ils y trouvent un peu de réconfort. Une photo, prise le jour de Thanksgiving 1952, montre quelle énergie il fallait pour passer une soirée en leur compagnie. Jack Fullilove, jeune et souriant, regarde avec tendresse une Carson boudeuse, abattue. Une autre amie, Valentine Sherriff – elle aidera beaucoup Reeves quelques mois plus tard sans parvenir à le sauver –, s'efforce de faire bonne figure. Quant à Reeves, il est dans le coin droit de la photo, on ne le voit pas entièrement. Il regarde ailleurs et il est méconnaissable. Même si le récit que fait Carson à la fin de sa vie est particulièrement amer – voire excessif – la description de ses rapports d'alors avec Reeves est éloquente :

> « A cette époque, Reeves disait qu'il était en train d'écrire un livre, ce qui me réjouissait, de sorte que je lui avais aménagé un studio dans une dépendance. Tous les jours, il allait fidèlement "travailler" dans son studio. Je me rendais bien compte qu'il était toujours vaguement ivre au déjeuner, mais je n'ai pas approfondi la question jusqu'à ce que je m'aperçoive que son studio était juste au-dessus de la cave à vins et à liqueurs, ce qui signifie qu'il n'avait qu'à descendre une volée de marches pour rapporter une bouteille de ce qu'il voulait quand il le voulait. Ce fut une nouvelle déception. Je dois dire qu'en dépit de tous ses discours sur son désir d'être écrivain, je n'ai jamais vu une seule ligne de lui, à l'exception des lettres écrites pendant la guerre. Le caractère de Reeves devint de plus en plus violent et, une nuit, je sentis ses mains autour de mon cou et je compris qu'il allait m'étrangler. Je le mordis au pouce si violemment que le sang jaillit, et il me laissa tranquille [9]. »

Carson « tient » encore par le travail. Mais Reeves, où peut-il trouver une raison de supporter cette existence-là ?

Pourtant, si l'on ne disposait que du courrier de Carson
– souvent tapé à la machine par Reeves – pour témoigner de
cette période, on aurait le sentiment que «les choses suivent
leur cours». Ainsi, en novembre, elle répond à une lettre
venue d'Inde et précise qu'elle et son mari sont d'accord pour
s'y rendre en septembre ou octobre de l'année suivante. Elle
accuse tout aussi méticuleusement réception du courrier de
ses divers éditeurs, allemand, danois, etc.

En décembre, elle reçoit la visite d'Otto Frank, le père
d'Anne Frank, à propos d'une éventuelle adaptation théâtrale
du *Journal* – ce sera finalement Albert Hackett qui fera ce travail. Carson dira à plusieurs reprises à quel point cette rencontre l'a émue. Otto Frank et elle s'écrivent, mais
finalement, elle renonce à adapter le récit d'Anne Frank. Dans
sa dernière lettre, Otto Frank estime que sa décision «au sujet
de la pièce est peut-être sage. C'est un travail très difficile, et
si enfin le manuscrit de votre roman avance bien, je ne crois
pas qu'il soit avisé de vous interrompre. J'aimerais beaucoup
que vous me teniez au courant des progrès de votre travail [10].»
A son agent, Audrey Wood, Carson écrit justement que toute
son énergie est mobilisée pour avancer dans son nouveau
roman [11].

Au début de janvier 1953, Fred Zinneman lui envoie une
longue et belle lettre pour lui parler de *Frankie Addams*. Le
film est sorti et provoque l'affrontement d'opinions radicale-
ment opposées et violemment exprimées, autant dans le
public que parmi les critiques. Certains journaux, dont le
magazine *Time*, placent le film au nombre des dix meilleurs
de l'année 1952; d'autres, au contraire, trouvent qu'il est très
inférieur à la pièce, dont il est une transposition trop littérale,
avec les mêmes acteurs. «Quoi qu'il en soit, ajoute Zinneman,
je voudrais vous dire que je considère comme un grand privi-
lège et une grande joie d'avoir pu réaliser ce film [...]. A la
réflexion, je pense qu'il aurait dû être adapté de votre roman

et non de la pièce [...]. Je vous suis très reconnaissant de la confiance que vous m'avez témoignée. J'espère que nos chemins se croiseront dans un futur pas trop lointain. Je commence un nouveau film, *Tant qu'il y aura des hommes*. Toute mon amitié [12].» Elle lui répond chaleureusement le 27 janvier [13], le remerciant pour sa fidélité, pour son film, qu'elle n'a toujours pas vu puisqu'elle est en France, mais dont on lui a dit beaucoup de bien. Elle lui parle de son nouveau roman, mais croit encore qu'il va lui falloir s'interrompre pour adapter le *Journal* d'Anne Frank. Elle dit quelques mots de sa mauvaise expérience avec Selznick, et reconnaît qu'en effet, il eût sans doute mieux valu que *Frankie Addams*, le film, fût tiré du roman plutôt que de l'adaptation théâtrale.

Tout cela est plein de rigueur et de bon sens. On pourrait croire que Carson McCullers est de ces écrivains parvenus à leur maturité qui, parfaitement organisés, mènent de front, dans une gestion sans faille, adaptations cinématographiques, travail pour le théâtre, nouveau roman, articles etc.

C'est aussi ce qu'on pourrait déduire d'un intéressant et long entretien réalisé à l'hôtel Castiglione à Paris, et publié au mois d'avril 1953 dans le *Litterair Passport* (Hollande) – entretien dont la traduction anglaise figure dans les archives de Carson McCullers. Elle précise d'emblée qu'elle n'est encore jamais allée aux Pays-Bas, mais qu'elle s'intéresse beaucoup à ce pays, surtout depuis la lecture du *Journal* d'Anne Frank. Lorsqu'on lui demande pourquoi plusieurs de ses personnages principaux sont des enfants, elle répond : «Il y a tant de vérité chez les enfants, et si peu de prétention [...] Cela me frappe toujours de constater combien ils sont capables de se perdre et de se retrouver, et également de perdre et retrouver ce dont ils se sentent proches.» A la remarque : «Vous savez sans doute que votre œuvre a été référée à l'isolement spirituel de tout individu», elle répond : «Je crois que quiconque construit sa propre vie est voué à être seul, et je pense que cette solitude implique un isolement moral. » « Considérez-vous l'isolement moral comme une donnée universelle ? » lui demande-t-on. « Oui », affirme Carson McCullers, tout en précisant : « Je pense toutefois que cet état est plus répandu aux États-Unis qu'en Europe. J'ai maintes fois constaté en France une conscience ou un sentiment plus affirmés de l'appartenance à une famille [...]. » La question concernant les différentes interprétations critiques de ses livres et la réaction que cela suscite chez elle amène une réponse nette : « Je pense que certaines sont fausses. Par exemple, Singer, dans le *Cœur*, est vu par certains critiques comme quelqu'un qui aspire à comprendre tous ceux qui viennent le voir et lui parler. Mais Singer ne comprend rien et n'aspire pas à comprendre quoi que ce soit, seulement chacun *pense* et *croit* que Singer le comprend. Ce qui est tout à fait différent. En vérité, il est un catalyseur émotionnel de tous les autres personnages [...]. »

Elle s'explique aussi sur sa présence en Europe : « Reeves et moi, nous aimons tous les deux la France. Nous y avons de nombreux amis, de très nombreux amis. Et puis vous savez, la vie est moins chère ici qu'en Amérique. Nous avons toujours été pauvres, jusqu'à ce que *Frankie* et l'adaptation cinématographique nous rapportent de l'argent. » A propos des écrivains qui l'intéressent, Carson répond sans surprise : « J'aime Faulkner, oui, particulièrement Faulkner, spécialement *Le Bruit et la Fureur*. »

Les questions politiques, concernant notamment le problème noir, la montrent inchangée dans ses positions : « On ne peut être trop révolutionnaire sur ce sujet. Quand je dis "révolutionnaire", je ne fais pas allusion au communisme, bien sûr. Je pense que les gens doivent être attentifs aux idées neuves. C'est la même chose en matière d'art. De quelle valeur est une création qui ne peut être partagée ? Tout cela, évidemment, se joue dans le temps. Beaucoup trouvent très

difficile d'accepter ce dont ils n'ont pas l'habitude [...]. »
A-t-elle des plans pour le futur ? Certes : « Reeves et moi, nous
souhaitons aller en Inde. Le pays nous intéresse beaucoup.
Nous irons probablement l'année prochaine [14] »...

Derrière l'image de Carson McCullers, grande romancière
américaine venant de connaître un immense succès au
théâtre, solide dans ses positions esthétiques et politiques,
assurée de son couple et de son avenir – « Reeves et moi nous
aimons tous deux la France... Reeves et moi nous souhaitons
aller en Inde... », il y en a une autre – toutes deux ont leur
vérité –, et il est impossible de les faire coïncider. Derrière
cette première image – ou à côté, car le moins que l'on puisse
dire est que Carson ne cherche pas à la masquer, il y a *Sister*,
une femme de trente-six ans à demi paralysée et alcoolique,
qui appelle son mari *Brother*. Et ces deux-là crient trop fort et
trop tard le soir, en anglais, dans une jolie maison d'un petit
village très français. On est aussi au temps, en France, où fleu-
rissent sur les murs, les routes et les parapets de ponts, partout, des *US go home*...

Soudain, au tout début de l'année 1953, il y a une sorte
d'accalmie dans leurs disputes. Comme si la neige abondante,
blanche et légère comme dans les rêves d'enfance de la petite
Lula Carson Smith de Columbus, Georgie, avait étouffé leurs
cris. L'hiver est anormalement rigoureux pour la région et
pendant près de deux semaines, ils sont bloqués chez eux.
Carson écrit chaque jour et affirme que son manuscrit se
remet à avancer. Reeves l'aide à taper à la machine et fait du
courrier. Il parle avec amusement du fait d'être « bloqué par
les neiges » si près de Paris, de la chienne Kristin, à laquelle il
est très attaché : elle a eu six chiots, il en a vendu quatre, mais
a décidé de garder les deux autres baptisés « Nicky » et
« Automne ». Il insiste sur le « régime » qu'il suit pour soigner
son ulcère, et grâce auquel il se sent beaucoup mieux.

Cette embellie sera la dernière. Au sortir de ces semaines de neige, ils sont malades, comme on pouvait s'y attendre. En mars, Carson écrit à sa sœur, Rita Smith : «Nous avons été un peu malades, mais maintenant le printemps est là, les fleurs reviennent et le jardin va bientôt être magnifique.» Et en réponse à une question de celle-ci, elle fournit des précisions sur J.T. Malone, le héros de *L'Horloge sans aiguilles* :

> «Malone est engagé dans une lutte avec son esprit qui est plus importante que sa maladie. Par moments, il s'abîme dans la haine et la cruauté, mais finalement son âme choisit la bonté, bien que son cœur meure [...]. Par parenthèse, avant de décider qu'il aurait une leucémie, j'ai parlé avec quatre médecins et consulté plusieurs dossiers de patients pour être sûre de ne pas faire d'erreurs médicales [...]. Quelle est la signification symbolique? [...] Pourquoi un symbole s'impose au lieu d'un autre, je l'ignore. Plus précisément, la symbolique des globules blancs, dans la leucémie, qui dévorent les rouges, est certainement une représentation du Sud [...]. Ce gros livre est sur le bien et le mal, le conformisme et l'affirmation de la dignité humaine. La maladie de Malone, et l'agonie morale qui s'ensuit, intensifient le combat entre ces diverses instances [15].»

Plus tard dans l'année, son éditeur anglais, Dennis Cohen, lui dira son admiration pour le début de *L'Horloge*, qu'il vient de lire : «Je veux très sincèrement vous féliciter du remarquable et prometteur début de votre roman. Cela a toute la puissance et la qualité des récits de *La Ballade* et toute la compassion du *Cœur*. C'est l'amorce d'un autre grand livre et je vous conjure de faire le maximum pour le continuer. Dieu, ou qui que ce soit d'autre, vous a fait grand écrivain et des dons aussi rares ne doivent pas être négligés [16].»

A Bachivillers, le printemps a beau être revenu, ceux qui prennent le chemin de l'Ancien Presbytère y voient surtout des êtres à la dérive. Andrée Chédid, toute de discrétion et de délicatesse, n'est pas de celles qui insistent sur la terrible impression que faisait un passage par la maison des McCullers. Dans la lettre qu'elle envoie à Carson le 4 mars, après sa visite, elle remarque seulement qu'elles n'ont pas vraiment eu le temps de se parler «l'autre jour»… « Mais vos livres magnifiques sont un lien invisible et très fort entre vous et ceux qui les aiment. De tous les romans contemporains que j'ai lus, *Frankie Addams* et *Le Cœur est un chasseur solitaire* sont ceux qui m'ont touchée le plus profondément. Je serai très heureuse de vous rencontrer de nouveau, et si vous venez à Paris avec votre mari, soyez gentille de nous le faire savoir et de venir nous voir. Je vous envoie deux de mes livres : l'un est un recueil de poèmes et l'autre mon premier roman. Croyez, chère Carson McCullers, à mon amitié et à mon admiration profonde [17]. »

Carson, parfois, ne dit pas un mot devant ses invités. Elle est comme prostrée. Reeves, lui, est en public moins absent ou égaré, ce qui contribuera sans doute à l'image plus positive qu'il laissera dans les mémoires. Mais lorsqu'ils sont seuls, il est effrayant et Carson prend peur. Le mythe persistant du «pauvre Reeves tendre et dévoué, écrivain "empêché" et dévoré par une mante religieuse» est heureusement combattu par Janet Flanner, que Virginia Spencer Carr a rencontrée en 1972. Quelques années plus tard, Jacques Tournier a aussi rendu visite à la prestigieuse chroniqueuse du *New Yorker*, mais elle avait perdu la mémoire. Janet Flanner a peu vu Reeves et Carson au temps de Bachivillers, en dépit de son amitié pour eux, parce qu'elle n'avait plus l'âge, dit-elle, d'aller en week-end à la campagne — et certainement trop d'expérience pour prendre le risque de passer une nuit chez de tels hôtes. Elle est tout de même allée à l'Ancien Presbytère pour un après-midi, au cours duquel Reeves a bu quantité de ce qu'elle a cru un temps être de l'eau fraîche — et qui était en réalité du gin pur :

«Reeves, je l'aimais beaucoup, se souvient-elle. Bien sûr, il n'était absolument pas fiable, c'était un menteur et un voleur, particulièrement un menteur [...] Carson avait la plus grande force de persuasion que j'aie jamais rencontrée. Quiconque connaissait Carson comprenait qu'elle créait aussi ses propres vérités. Une part de ses fictions devenait une part de ses vérités. Reeves était aussi un raconteur d'histoires, mais il n'était pas doué. Et cela faisait une grande différence. Une des nombreuses grandes différences qu'on pouvait voir entre eux. Toutefois Reeves était un homme très courageux, très brave. Et il avait été tout simplement extraordinaire quand il avait servi son pays pendant la guerre – ce pays qu'il aimait tant. Mais ensemble, ils ne se faisaient pas de bien [18].»

Cultivée, grande lectrice, ayant tout au long de sa vie fréquenté des artistes et des écrivains, Janet Flanner dit tout simplement une vérité simple : Reeves n'était pas «doué», il n'avait pas de talent. Il ne pouvait pas être écrivain. Une vérité toujours âprement combattue, plus de quarante ans après la mort de Reeves – et près de trente ans après celle de Carson McCullers. Probablement n'en aura-t-on jamais fini de penser que les écrivains reconnus ont nécessairement édifié leur œuvre sur la feinte, la compromission et le reniement. Tandis que ceux dont les rédactions éblouissaient la classe de seconde – et qui n'ont rien écrit – ne peuvent qu'avoir été victimes d'une oppression intime ou sociale ayant éradiqué une œuvre d'autant moins discutable qu'elle est demeurée virtuelle. Et quand il s'agit d'un couple – pire, d'un couple où la femme crée et l'homme est impuissant – rôdent évidemment les fantômes de la vampirisation ou de la castration... Soyons clairs : comme le dit Janet Flanner, il est probable que Carson et Reeves «ne se faisaient pas de bien», il est certain qu'ils se sont mutuellement infiniment blessés, et qu'à l'aune de la représentation du bonheur conjugal – mais est-ce le seul critère d'intensité de vie? – leur relation fut une alternance de brèves euphories irréalistes et de longs désastres trop réels. On peut disserter à perte de vue sur leurs torts respectifs, il s'agit là de leur existence individuelle, et non de création littéraire. Et à ce lieu, le constat est irrécusable. Si un écrivain est bien quelqu'un qui écrit envers et contre tout, Carson McCullers, cette femme malade, paralysée, alcoolique, dépressive, était un écrivain, et Reeves ne l'était pas.

De plus en plus fréquemment, Reeves menace de se suicider. Déjà, en 1941, à l'époque de son divorce, il avait passé une soirée à expliquer à David Diamond que le suicide lui paraissait la seule issue et qu'il savait qu'il finirait un jour ou l'autre par se tuer. Pendant longtemps, ses tendances suicidaires n'avaient pas été prises au sérieux par ses amis. Lorsqu'il menaçait de se jeter par la fenêtre, on mettait cela sur le compte de l'alcool ; on le calmait et il finissait par parler d'autre chose. Dans ses *Mémoires*, Tennessee Williams dit avoir été témoin d'une de ces scènes, à l'hôtel du Pont-Royal à Paris, où il était venu assister à la première parisienne d'un film avec Anna Magnani. Reeves et Carson y étaient aussi. Carson téléphone dans sa chambre :

«Oh, Tenn chéri, il faut que nous déménagions du 5ᵉ étage ! Reeves menace de se jeter par la fenêtre ! S'il te plaît, viens tout de suite ! Il faut l'en empêcher […]

Je me précipitai dans leur chambre :

– Qu'est-ce que c'est que ces idées, Reeves ? Tu ne parles pas sérieusement ?

– Si, tout à fait.

– Mais pourquoi ?

– J'ai découvert que j'étais homosexuel.

Je ne prévoyais pas, bien entendu, qu'il allait vraiment se tuer quelques années plus tard et j'éclatai de rire.

– Eh bien moi, tu vois, Reeves, je ne me jetterais par la fenêtre que si l'on m'obligeait à n'être pas homosexuel !

Les deux McCullers s'amusèrent de cette réplique et la menace de suicide de Reeves fut écartée pour un moment [19]. »

La légende veut que Reeves, au printemps et à l'été de 1953, ait proposé à Carson de se suicider avec lui. Certains, comme Jacques Tournier – qui évoque «l'absurde épisode de la légende dorée, ces deux cordes que Reeves aurait cachées dans le coffre de sa voiture, avant d'entraîner Carson, une nuit, au fond de la forêt, pour se pendre avec elle à une branche solide [20] » – se refusent absolument à examiner cette hypothèse. Tennessee Williams, à l'inverse, la présente comme une vérité incontestable. Évoquant le cerisier de l'Ancien Presbytère, il indique que «Reeves ne cessait de proposer à Carson de s'y pendre avec lui».

> «Il avait déjà préparé deux cordes à cet effet, mais Carson ne s'inquiétait pas de cette proposition. L'une de ses maladies incurables l'avait contrainte à retourner à Paris pour y subir un traitement médical. Reeves qui la conduisait en voiture sortit en route ses deux cordes, et l'exhorta une fois de plus à se pendre avec lui. Elle fit semblant d'être d'accord, mais le persuada de s'arrêter d'abord dans une auberge du bord de la route et de boire une bouteille pour qu'ils se fortifient dans leur résolution. A peine arrêtés devant une auberge, Carson sauta de la voiture et se fit conduire en auto-stop jusqu'à l'hôpital américain de Neuilly. Elle ne devait plus revoir le pauvre Reeves vivant. Il se tua, quelques mois plus tard, en avalant un flacon de barbituriques avec de l'alcool. J'écris ces terribles souvenirs avec légèreté. Mais... comment pourrais-je vous les présenter autrement? Si peu d'entre vous ont connu Carson et Reeves [21]. »

Ce qui est «léger» est moins le ton de ce récit, où l'on sent une pudeur et une émotion, que l'histoire elle-même: on imagine assez mal Carson McCullers courant en pleine nuit dans la campagne pour faire de l'auto-stop. Il reste qu'elle était bel et bien terrifiée. Et qu'il est tout aussi léger de vouloir affirmer – sans plus de preuves – qu'elle est partie calmement pour les États-Unis, en disant à Reeves de faire les bagages et de la rejoindre.

Ils n'en étaient plus à discuter de leur avenir commun, à préparer une autre vie, un de leurs fameux «nouveaux départs». Carson ne pouvait plus vivre sous le même toit que Reeves, surtout loin de la ville. Après seize ans tout juste d'une drôle de «vie commune», deux mariages, beaucoup de drames, de maladies, de folies plus ou moins douces, mais aussi de rires, de rêves partagés, de désir de se retrouver, quelque chose avait cassé net et personne ne peut dire avec certitude de quelle façon.

A la fin de l'été, Carson McCullers s'envole seule pour Nyack. Presque sans bagages, ce qui peut signifier une certaine précipitation mais s'explique aussi par l'absence, à son arrivée, de l'indispensable Marguerite Smith, sans doute trop fatiguée désormais pour prendre en charge l'«intendance». C'est encore à John et Simone Brown que Carson demandera de l'aide. Ils se chargeront de lui envoyer la malle que Reeves va préparer. Elle tient en premier lieu à récupérer ses livres et ses disques. L'argenterie aussi. Elle écrit à plusieurs reprises aux Brown, à diverses personnes qui peuvent l'aider à faire parvenir ces différents objets aux États-Unis. Sur Reeves, pas un mot. Lui est seul dans l'Ancien Presbytère, avec les chiens. Désemparé. Il semble que Carson ne lui ait pas laissé d'argent. Il n'a plus rien. Il a eu un accident avec la voiture. Elle est inutilisable et il ne peut plus se déplacer. Il est très dépressif, ne mange plus, perd beaucoup de poids. On lui coupe le téléphone. Carson s'impatiente parce qu'elle ne reçoit rien de ce qu'elle attend. Toujours aucune allusion à Reeves. Elle veut ce qui lui appartient, c'est tout. Pourtant, Simone Brown l'a prévenue que tout allait très mal à Bachivillers :

«Je suis désolée que l'envoi de vos affaires prenne tant de temps, mais je fais de mon mieux. Reeves est venu ici pour quelques jours et nous avons préparé une malle qui contient vos vêtements et l'argenterie. J'attends maintenant le coup de fil de Reeves puisque c'est lui qui devait s'occuper de tout avec American Express [...] Mme Joffre et son mari sont désespérés et alarmés [...] Reeves boit de plus en plus ces temps-ci, et c'est bien ce qui a provoqué le naufrage de votre couple [22]. »

Quelques semaines plus tôt, Mme Joffre, qui devait avoir de la sympathie pour eux deux – sinon elle aurait renoncé assez vite à s'occuper de cette incroyable maison –, avait écrit à Carson une lettre dans laquelle elle essayait de contenir son inquiétude. Une lettre touchante de femme simple, écrite en français :

« M. Price me demande d'envoyer encore des affaires à Brunoy [chez les Brown], mais Monsieur ne m'a pas donné l'autorisation de les envoyer. M. Price nous a dit que vous étiez en bonne santé et très calme. Mon mari, lui, n'est pas remis de l'accident. Vos petits chiens sont superbes. Bien le bonjour à vos parents. M. McCullers va bien, mais il est plu-tôt triste d'être séparé de vous. Madame, vous seriez bien aimable de me dire ce que vous décidez, soit que vous restez là-bas ou bien que vous auriez l'intention de revenir à Bachi-villers.
Henri et moi nous vous envoyons nos amitiés bien sin-cères et de bons baisers.
Bons baisers de M. McCullers [23]. »

« Je sais que nous avons tant de choses devant nous », avait écrit Reeves quelques mois après leur second mariage. « Nous sommes dans la pleine maturité de notre vie. Mais je n'ai pas l'intention de nous laisser jamais devenir vieux [24]. » Huit ans plus tard, à l'automne, il n'y a plus rien devant eux, plus rien pour eux deux ensemble, dans le futur. Adultes, ils ne le sont pas devenus, mais vieux, si. Un très vieux couple qui s'est usé, cannibalisé, détruit. « Rien de ce que je fais n'a de sens si je ne peux le partager avec toi», affirmait encore Reeves dans cette lettre de 1945. Alors plus rien n'a de sens, car il n'y a vraiment plus rien à partager.

Puisqu'on ne peut plus téléphoner à l'Ancien Presbytère, Jack Fullilove et Valentine Sherriff décident d'y aller, un jour de la fin d'octobre. Reeves est hagard, il a perdu plus de dix kilos. Valentine Sherriff le persuade de venir à Paris, dans le même hôtel qu'elle, le Château-Frontenac, 54, rue Pierre-Charron, dans le 8ᵉ arrondissement. Elle prend en charge la chambre, lui donne un peu d'argent. Il recommence à sortir dans la ville, et à manger. Presque tous les soirs, il dîne avec elle et Jack Fullilove. Mais dans la journée, il traîne, il s'ennuie, il se sent inutile. «Pour être franc, ni Valentine ni moi n'avons soupçonné le profond désespoir où il était [25]», confiera bien plus tard Jack Fullilove.

Le matin du jeudi 19 novembre une femme de chambre découvre le corps de Reeves, inanimé, dans son lit, et couvert de vomissures. Il est mort. Il avait pris une très forte dose de barbituriques avec une énorme quantité d'alcool. Ce mélange l'a fait vomir alors qu'il était déjà quasiment inconscient, et il s'est étouffé. Ses amis ne comprennent pas ce qui s'est passé, bien qu'ils connaissent les tendances suicidaires de Reeves. La veille, il avait appelé plusieurs d'entre eux, dont les Brown et Jack Fullilove, pour leur annoncer qu'il rentrait aux États-Unis. Du moins est-ce ce qu'ils ont compris en entendant Reeves leur dire : «Tomorrow I'm going West» (Demain je pars pour l'Ouest). En réalité, il les prévenait de sa mort. Reeves savait que l'expression «going West» avait été utilisée dans le passé, pendant la Première Guerre mondiale notamment, par les soldats qui sentaient leur fin proche. Certains de ses amis le savaient peut-être aussi mais, hors contexte, ils n'y avaient pas prêté attention et n'avaient entendu dans cet adieu qu'un simple au revoir — «Demain je pars pour l'Ouest», étant assez logique dans la bouche d'un Américain qui se trouve à Paris et décide de retourner chez lui.

Le 18 novembre, Reeves McCullers avait aussi envoyé un télégramme à sa femme – «Going West – trunks on the way» (Je pars pour l'Ouest – les malles sont en route), des fleurs à Janet Flanner et un curieux message à Truman Capote. Comme s'il voulait s'offrir une dernière provocation, une ultime chance que quelqu'un comprenne ce qu'il allait faire et tente de l'en empêcher.

Janet Flanner a donné deux versions de l'incident la concernant. A Oliver Evans, elle a expliqué avoir reçu, le 18 novembre, un magnifique bouquet envoyé par Reeves. Elle l'avait appelé pour lui dire que c'était une folie et il avait plaisanté sur le thème «c'est parce que c'est mon enterrement [26]!». Dans son récit à Virginia Spencer Carr, quelques années plus tard, les fleurs étaient toujours aussi abondantes et belles ; il y avait même eu plusieurs bouquets au cours de l'ultime semaine de la vie de Reeves. Le dernier était arrivé le lendemain de sa mort, avec une carte de visite portant cette phrase : « De la part de l'homme qui a franchi le *Styx* [27]. »

Ces mots-là sont exactement ceux que se rappelait Truman Capote, comme le rapporte son biographe :

> «En novembre, Truman reçut un coup de fil du mari de Carson, Reeves McCullers. "Ici, ton ami sur l'autre rive du *Styx*", lui dit Reeves – un trait d'humour noir que Truman n'apprécia pleinement que plusieurs jours après. Carson était partie, furieuse, pour l'Amérique, refusant de prêter à Reeves un sou de plus, et Truman l'invita à dîner à son hôtel pour le soir même. Reeves ne vint pas et ce fut cette nuit-là, sans doute, qu'il se suicida en avalant une surdose de barbituriques avec une trop grande quantité d'alcool. "Carson le traitait mal, très mal, dit Truman par la suite. Il n'y avait rien à reprocher à Reeves sinon Carson. Il aurait dû être patron d'une station-service en Georgie et il aurait été parfaitement heureux." Sur la demande insistante de Carson, les cendres

de Reeves furent inhumées en France plutôt qu'en Georgie comme le voulait la famille du mort, et Truman, très affecté, fut l'un des rares à suivre ses obsèques au début de décembre. "Ma jeunesse est finie", déplora-t-il à l'intention de l'un des assistants [28]. »

Oui, il était là, le jeune Truman Capote – il avait vingt-neuf ans – ce jour de début décembre 1953, devant le mausolée de l'American Legion au nouveau cimetière de Neuilly. Ils n'étaient pas nombreux autour de lui. Il y avait quelques militaires pour rendre les honneurs et faire flotter le drapeau américain au côté de la dépouille du capitaine James Reeves McCullers, venu libérer la France un matin de juin 1944 sur une plage de Normandie, et mort neuf ans plus tard, à quarante ans, dans une chambre d'hôtel de ce même pays, seul, ivre et désespéré.

Il y avait aussi un groupe d'amis de Reeves, une quinzaine de personnes peut-être, plus une absente qui prenait toute la place. Carson McCullers était restée de l'autre côté de l'Atlantique, où le jour se levait à peine.

Janet Flanner lui avait fait plusieurs promesses, dont celle de lui raconter en détail la cérémonie. «On s'est d'abord rendu à l'église américaine, où John Brown a lu le psaume 23 avec sa manière délicate de parler et sa voix mélodieuse, après que l'officiant eut indiqué que vous l'aviez demandé», écrit-elle dans sa lettre du 5 décembre [29]. Elle précise que «Bach a été joué correctement par l'organiste», et décrit les fleurs, dont les siennes, qui «n'étaient vraiment pas très belles». Elle dresse une liste presque exhaustive des gens présents au cimetière où «la cérémonie était très émouvante».

«Il y avait là une demi-douzaine d'anciens combattants. L'un d'eux a pris la parole. Le prêtre aussi. Chacun a jeté des fleurs dans la tombe. Moi, j'ai jeté un narcisse de la main gauche et une rose, de la main droite, en disant : "C'est l'adieu de Carson, Reeves chéri ; elle voulait que je te dise au revoir", et je me suis détournée en pleurant. Truman a pleuré. Il se souvenait de cette journée où il était avec vous deux dans le car qui descendait vers New York, où vous alliez embarquer pour votre premier voyage en Europe. Reeves disait aux autres passagers : "Vous pensez que pour moi, ceci est un car new-yorkais. Non, c'est le car qui marque le début de mon voyage vers Paris. Vous m'entendez ? Je pars pour Paris. C'est bien là que nous allons." [...] Il y avait un photographe au cimetière et vous aurez la photo de la cérémonie. »

Il avait fallu plus de dix jours pour organiser l'enterrement de Reeves McCullers. Comme l'avait écrit à Carson le Dr Robert Myers, leur médecin de l'hôpital américain, « puisqu'il est mort seul et qu'on a trouvé son cadavre quelques heures plus tard, il faut suivre la procédure légale, c'est-à-dire rechercher la cause exacte du décès [30] ». La mort a eu lieu par étouffement, comme l'a noté Jack Fullilove, mais diverses rumeurs ont couru à l'époque à ce sujet. Les autorités militaires ont estimé que le décès de Reeves était dû à des causes naturelles (ainsi sa veuve a continué de toucher une part de sa pension). Dans sa notice nécrologique, le *New York Times* fait allusion à l'accident d'automobile que Reeves avait effectivement eu – mais des semaines auparavant – et se demande si sa mort est une conséquence de cet accident. Une fois terminée l'enquête sur les causes de la mort, il s'agissait de savoir si le corps devait ou non être rapatrié en Amérique. Ce fut l'occasion d'un de ces conflits familiaux, toujours sordides, qui surgissent aux moments les plus tragiques.

C'est à l'épouse de prendre la décision. Carson estime que Reeves doit être enterré à Paris. Son corps doit rester dans cette ville qu'il a tant aimée et son nom être joint à ceux des soldats tombés pour débarrasser l'Europe du nazisme. Il y évidemment là une symbolique que ne peut pas comprendre la famille de Reeves, très opposée à cette initiative. Elle accuse Carson de pingrerie, prétendant qu'elle ne veut pas faire revenir le corps de son mari parce que cela coûte très cher. Cela semble être aussi l'opinion de la productrice et agent Cheryl Crawford, qui tente de réunir les fonds nécessaires au rapatriement du corps. Elle appelle notamment Lilian Hellman pour lui demander sa participation. Celle-ci affirme qu'elle a accepté – et jugé le comportement de Carson McCullers inadmissible. Elle trouve là matière à alimenter son exaspération contre une Carson avare alors que Reeves était un homme très généreux. Elle omet tout de même de préciser que si Reeves était effectivement généreux, c'était avec l'argent de Carson, puisqu'il y avait beau temps qu'elle subvenait seule aux besoins du couple… En outre, tous ces gens qui veulent le retour du corps de Reeves aux États-Unis ont une connaissance très abstraite de ce qui a eu lieu en Europe pendant la Deuxième Guerre mondiale, et ne comprennent rien à la relation passionnelle de Reeves à l'Europe – qu'il a tenté de transmettre à Carson sans vraiment y parvenir. Au moins a-t-elle compris ce qui l'attachait, lui, à l'Europe – à commencer par le sentiment d'y avoir existé par lui-même comme soldat, et sans elle.

Cette divergence aurait peut-être moins dégénéré en sinistres règlements de comptes si Carson s'était trouvée à Nyack quand y est parvenue la nouvelle du suicide de Reeves, et si sa décision avait été immédiate. Mais elle était en voyage dans son État de naissance, la Georgie, pour réunir des informations et des souvenirs en vue d'un article sur sa région d'origine. Le 19 novembre 1953, Carson McCullers se trouvait donc à Clayton, chez la romancière Lillian Smith et son amie Paula Snelling, quand sa sœur Rita a appelé pour annoncer la mort de Reeves. Elle n'a pas eu le courage de parler directement à Carson et a demandé à Lillian Smith de lui annoncer la chose elle-même. Celle-ci a préféré attendre le lendemain matin, Carson ayant beaucoup bu, et a chargé Paula Snelling de cette tâche délicate. C'est d'ailleurs Paula Snelling, qui, en 1970, a raconté sa version des faits à Virginia

Spencer Carr[31] avec une volonté manifeste de faire apparaître
Carson McCullers comme quasi indifférente à la disparition
de son mari. Son récit s'en tient aux réactions apparentes de
Carson et en induit une interprétation trahissant surtout le
conformisme de Paula Snelling. Il est clair que, pour elle, il y
a une «bonne façon» de réagir à la mort d'un proche, et de
mauvaises.

Carson McCullers ne connaissait pas la bonne façon. Elle
n'a pas dit un mot quand elle a su que Reeves était mort. Puis
elle a demandé à boire. Après un premier verre, elle a commencé à téléphoner à diverses personnes, dont sa mère, sa
sœur, son avocate, son agent. Au cours de cette journée, selon
Mrs Snelling, Carson aurait «oublié» sa paralysie, se servant
de son bras jusque-là immobile pour décrocher le téléphone,
ouvrir les portes, avant que, le lendemain, la raideur de la
main ne revienne. L'épisode paraît totalement fantaisiste à
Mary Mercer, le dernier médecin de Carson McCullers, qui
s'en dit même choquée. S'il est un point, toutefois, sur lequel
Mrs Snelling ne se trompe sans doute pas, c'est sur la
consommation d'alcool faite par Carson ce jour-là : une bouteille entière de whisky.

Ne se sentant pas capable de rentrer directement à Nyack,
Carson appelle l'une de ses relations à Augusta (toujours en
Georgie, à environ cent cinquante kilomètres de Clayton), un
psychiatre, le Dr Cleckley – rencontré en 1948, alors qu'elle
était très dépressive et s'était liée à un jeune psychiatre, ami
des Cleckley. Elle va passer trois jours à Augusta et ne
remonte vers le Nord que le 25 novembre pour régler, avec la
France, tous les détails pratiques des obsèques de Reeves –
c'est à ce moment que naît la polémique sur le lieu où il doit
être enterré. Le Dr Cleckley dira, lui aussi, qu'elle ne lui a pas
donné l'impression d'être dans l'affliction, ni de se sentir coupable de la mort de son mari[32]. Enfin, le mot est dit : «coupable», et il est plaisant que ce soit par un psychiatre…

Carson McCullers était sommée de se sentir coupable de ce suicide. Ou du moins de montrer qu'elle croyait l'être. Elle ne l'a fait à aucun moment. Elle a même affirmé haut et fort qu'elle n'en était en rien responsable. En dépit de ces démentis, un autre psychiatre, le Dr Ernst Hammerschlag – qui l'enverra quelques années plus tard à Mary Mercer et lui sauvera ainsi la vie – estime au contraire qu'elle était accablée de culpabilité par la mort solitaire et tragique de Reeves.

Prendre l'un ou l'autre parti, comme si, une fois de plus, la culpabilité était au centre du débat est sans grand intérêt; mais on peut, sans avoir la prétention de savoir ce que Carson McCullers ressentait – désespoir, culpabilité, haine, ressentiment... –, affirmer qu'il est absurde de suggérer qu'elle est demeurée absolument indifférente à cet événement. On aurait voulu aussi se garder de ces banalités de circonstances sur le suicide mais les divers témoignages, sur le moment comme longtemps après, contraignent à s'y arrêter.

Dans les messages de condoléances, on trouve presque tout ce qu'on peut faire en matière de mots convenus, ou au contraire inattendus. Cela va des « classiques » – « je ne peux pas y croire » ou « comment vous dire à quel point nous aimions cet homme » et autres « je découvre à l'instant la nouvelle dans le *New York Times* et elle me laisse sans voix » – à l'étonnante lettre de Natalia Danesi Murray – qui travaillait en Italie pour l'éditeur Mondadori et connaissait Carson depuis 1947 : « Dans la disparition de Reeves, il y a une dimension qui touche à la grandeur. Car c'est un acte suprême de délivrance, de libération d'une force de destruction qui étant en train de vous engloutir tous les deux. Qu'il relève du destin ou de la volonté, il faut le considérer comme le geste le plus important et le plus positif émanant d'une âme faible, comme le suprême don fait à un génie : vous. Ne regrettez rien. Reeves a trouvé la paix pour lui, et par là même il a redonné la paix à votre vie. Pour que vous en fassiez de la grandeur [33]. »

Près de vingt ans après la mort de Reeves McCullers, lorsque Virginia Spencer Carr mène son enquête, les propos tenus au sujet de ce suicide sont aussi contradictoires, parfois passionnels, voire haineux. Les amis de Reeves ont tout oublié de ses problèmes – que rappelait le Dr Myers juste après sa mort, dans une lettre à Carson : « Nous nous sentons tous très mal, ici, en dépit de tous les tourments que Reeves nous a donnés cette année. N'oubliez pas qu'il avait de graves problèmes, lui aussi. Il était psychologiquement malade, et nous devons tous considérer son acte de ce point de vue [34]. » Dans leur souvenir, il était « parfaitement normal », de commerce facile, avec un sens aigu de l'humour. Bref, il était « la meilleure chose qui soit arrivée à Carson McCullers », et elle l'a détruite. Il s'en faut de peu qu'on ne l'accuse de l'avoir poussé au suicide. Tennessee Williams lui-même, après avoir donné une interprétation qui sonne juste à Virginia Spencer Carr – « Finalement, Reeves est mort de son grand amour pour Carson. Sa solitude était désespérée. Sans Carson, il n'était qu'une coquille vide [35] » –, se lance dans une tentative d'explication de la réaction de Carson d'une banalité qui étonne de sa part : « La seule chose venant de Carson que je n'ai pas aimée a été sa manière de nier Reeves comme elle l'a fait, ne manifestant aucun sentiment envers lui ou sa mémoire après sa mort. Elle en parlait en termes extrêmement déplaisants, ce qui me mettait toujours très mal à l'aise. Reeves était mort pour elle, ce qu'elle se refusait à admettre [36]. »

On ne s'attendait pas à entendre Tennessee Williams soutenir qu'on pourrait se tuer pour quelqu'un ou quelque chose, plutôt que parce qu'on ne peut plus vivre avec soi-même. En revanche, on n'est pas surpris de lire sous la plume de Virginia Spencer Carr ce jugement définitif – dont elle ne dit pas d'où il lui vient : « Carson a moins souffert de la mort de Reeves que sa mère et sa sœur [37] » (elle parle de la mère et de la sœur de Carson). Jordan Massee, lui, comme toujours, prend le parti de Carson. Et, comme souvent, il fait le récit le plus nuancé [38]. N'ayant apparemment pas de comptes à régler, pas de désir d'accabler tel ou tel, il conclut : «Attendre de Carson de la compassion à ce moment-là révèle d'abord un manque de compassion envers *elle*. »

Curieusement, ils ne sont pas très nombreux ceux qui tentent de voir les choses du point de vue de Carson McCullers, même avec la distance et la hauteur que devrait donner le temps. A lire leurs propos, on se demande soudain pourquoi il leur est tellement nécessaire que Carson McCullers ne soit pas vraiment paralysée – ou qu'elle «l'ait bien voulu» –, qu'elle porte entièrement la responsabilité de la mort de son mari, qu'elle n'en ait éprouvé aucun chagrin parce que au fond, cette mort, elle la désirait. Pourquoi faut-il faire d'elle une sorte de monstre? N'est-ce pas lui faire payer un peu cher son succès? Ou, plus encore, son acharnement à tenter de continuer son œuvre, contre la maladie, contre la mort de Reeves, puis contre la solitude? Et on ne lésine pas sur les moyens. En dehors de Jordan Massee, tous ceux qui parlent en défense de Carson sont, comme on pouvait s'y attendre, ceux qui comprennent son travail d'écrivain. Ainsi Whit Burnett, qui, comme professeur et éditeur de revue, accompagna ses débuts : «Chez Carson, la compassion transcendait le talent. Sa création comme sa vie étaient fondées sur la compassion. Elle n'a jamais profité de quelqu'un – ou de quelque chose [39]. ». Ou bien Francis Price, qui travaillait à Paris pour l'éditeur Doubleday au début des années 50 : «La plupart de ceux qui connaissaient vraiment Carson l'ont aimée jusqu'au jour de sa mort, et continuent de l'aimer au-delà [40]. »

Sur le suicide, le sentiment de culpabilité, sur la solitude – à la mort de Reeves, elle est de nouveau dépendante de sa mère, désormais malade et faible – Carson McCullers s'est exprimée dans ses livres plutôt que dans des conversations qui, forcément, tournent court. Peut-on vraiment le lui reprocher? Dans la très belle nouvelle «Le garçon hanté»[41], un jeune garçon, Hugh, rentrant chez lui et n'y trouvant pas sa mère, se laisse gagner par l'angoisse, par le souvenir de «l'autre fois» où sa mère avait disparu. Il avait fini par la découvrir baignant dans son sang après une tentative de suicide. Et «Hugh ne pouvait parler à personne de la maison vide, de l'horreur de ce temps passé». En même temps que la terreur du lieu déserté, des objets qu'il voit hostiles, déformés, Hugh sent monter une sorte de haine, tant à l'égard de son copain John, qu'il essaie de retenir pour ne pas rester seul – «Il haïssait John comme on hait tous ceux dont on a désespérément besoin» – qu'à l'égard de sa mère, simplement partie s'acheter des vêtements.

Dans la pièce *La Racine carrée du merveilleux*, écrite quelques années plus tard et dont on verra à quel point elle est une sorte d'exorcisme de la mort de Reeves, Carson McCullers fait parler son principal personnage féminin, Mollie, à son mari – qu'elle a épousée deux fois et dont elle est de nouveau séparée : «Quand j'étais une enfant, dit Mollie, je pouvais encore vivre avec toi. Tu pouvais me battre et moi t'aimer encore le jour suivant. Nous avons été comme des enfants, Phillip, naïfs comme des enfants. Nous avons fait l'amour, bien sûr, mais nous étions naïfs et innocents comme des enfants.» Après le suicide de Phillip, Mollie se demande pourquoi elle n'est pas parvenue à l'aider : «Si je l'avais vraiment aidé, il serait encore vivant aujourd'hui. Mais j'étais responsable [...]. Je me suis occupé de lui, j'ai vécu avec lui, je l'ai aimé pendant quinze ans, alors laissez-moi seule, laissez moi à mon chagrin[42].»

Dans la préface à cette même pièce, Carson McCullers écrit, comme incidemment : «Il est certain que je me suis

toujours sentie seule. » Pour rompre cette solitude qui lui faisait peur quand elle n'était pas en train d'écrire, elle avait
l'habitude d'aller chercher Reeves, de tenter de reconstruire
avec lui – toujours provisoirement – cette étrange relation,
qui demeure largement inexplicable, entre deux vieux enfants
qui voudraient pouvoir se passer l'un de l'autre et n'y parviennent pas. Pas plus qu'ils ne réussissent à vivre ensemble. Ce
drôle d'attelage qu'elle formait avec ce «premier garçon qui
l'avait embrassée» était quand même, au bout du compte, ce
qui avait orienté, organisé – et désorganisé – sa vie pendant
plus de seize ans. Presque la moitié de son existence.

Quand Reeves décide de ne plus être là, elle n'a que
trente-six ans. Ce n'est pas seulement sa jeunesse qui se termine, comme le disait Truman Capote à l'enterrement de
Reeves, c'est toute une relation au monde qui devient impossible : les projets fous – et changeant tous les trois jours – de
partir en Europe, de pousser jusqu'en Inde ou de rester aux
États-Unis pour vivre dans une ferme, d'emménager dans
l'immeuble Dakota parce qu'on vient de gagner de l'argent,
ou bien de se rejoindre dans un cinquième étage sans ascenseur alors que Carson ne peut plus monter les escaliers...
Tout cela est bien fini. Définitivement. Elle doit apprendre à
voir la réalité autrement, dans toute la différence qu'il y a
entre «se sentir seule» et «être seule».

VIII

Quelque chose de Tennessee

La Georgie : Lula Carson Smith y est née ; elle y a connu James Reeves McCullers ; elle y est devenue Carson McCullers en l'épousant, dans le salon de la maison où elle avait passé son adolescence ; elle y était lorsqu'elle a appris que Reeves venait de mourir ; elle y est revenue à la toute fin de l'année 1953, pour terminer le voyage interrompu par le suicide de Reeves et à cause de la mort de sa tante, à Columbus. Désormais, elle ne reverra plus ni Columbus ni la Georgie — et très peu le Sud, sauf pour de rapides visites au fidèle Edwin Peacock, à Charleston. Elle a toujours dit qu'elle n'aimait pas du tout Columbus, même si cette ville, sa chaleur étouffante, ses pesanteurs sociales, ont nourri sans cesse son imaginaire, aiguisé sa lucidité. Mais dans l'article qu'elle préparait pour le magazine *Holiday* au moment même où Reeves se tuait à Paris, elle se laisse plutôt aller à la nostalgie. Étrange coïncidence que ce retour vers le passé, à l'instant précis où la figure essentielle de ce passé choisit de disparaître. Ce texte écrit dans les semaines suivant la mort de Reeves a été refusé par *Holiday* qui attendait un article plus léger, plus descriptif, moins personnel. Une version, conservée dans les archives de Carson McCullers à Austin est désignée comme « Untitled article on Georgia [1] ». Le manuscrit non daté comporte trente-deux feuillets et se veut le « récit d'une visite au pays natal, après plusieurs années passées en Europe ». « Jusque-là, je n'avais pas pris conscience que j'avais le mal du pays, la nostalgie de la campagne, des voix, des chemins. J'ai voulu revenir pour reprendre contact avec cet État et pour revoir mes vieux amis. »

Ce texte est assez hétérogène, mêlant un certain didactisme – avec un résumé historique de la fondation de l'État – au souvenir des retrouvailles avec Lillian Smith, « une femme très engagée en faveur des Noirs ». Carson McCullers, et c'est la meilleure partie de son récit, est toute à sa joie de retrouver des choses très simples comme « les petits déjeuners avec du poisson, des saucisses etc. ». Je ne me suis jamais faite à leurs petits déjeuners du Nord, avec le jus d'orange et le café », avoue-t-elle. Elle se plaît à cette intimité que partagent les gens du Sud, « et qui n'a rien à voir avec ce qui se passe dans le Nord », « cette manière d'appeler les femmes "Sister", même en dehors de la famille ». « Il est mélancolique et émouvant de revenir sur les lieux où l'on a vécu dans l'enfance. J'étais désolée de voir la vieille maison victorienne dans laquelle je suis née transformée en une épicerie reconstruite en briques. Quant à la maison dans laquelle nous avons déménagé l'année de mes dix ans, elle était alors aux marges de la ville, presque à la campagne. Désormais, elle est en plein centre. »

« C'est tout de même à Columbus que j'ai le plus le sens de la continuité du temps », note-t-elle avant de rappeler que le romancier Julien Green, dont la famille aussi était du Sud, « a toujours du riz, chaque jour, à table, même après vingt ans en France ». C'est pour elle l'occasion d'évoquer – un peu longuement pour l'économie du texte – les particularités et les délices de la cuisine du Sud. Elle passe ensuite à le description du camp militaire de Fort Benning, « très important dans la vie de la ville. Beaucoup de filles de Columbus se sont mariées avec des militaires. C'est à Fort Benning que j'ai passé les moments les plus agréables de ma jeunesse, les leçons de piano avec Mary Tucker, grâce à qui j'ai reçu la meilleure éducation musicale qui soit. Elle était la femme d'un colonel. Les Tucker sont maintenant à la retraite dans une ferme de Virginie, et je m'y précipite quand je me sens mal ou quand j'ai besoin de repos. C'est grâce à eux que j'ai rencontré Edwin Peacock, en allant à un concert pour entendre Rachmaninov. Ce fut le début d'une amitié qui dure toujours [...] Je ne suis pas retournée à la bijouterie de mon père, car j'ai appris que la boutique avait changé, et aussi parce que je sais que mon père n'y reviendra plus. » A Atlanta, elle a passé une journée entière avec Ralph McGill, le rédacteur en chef de l'*Atlanta Constitution*, « un des journalistes les plus raffinés de ce pays (lui aussi très contesté en raison de ses prises de position en faveur des Noirs) ». Il lui a présenté une jeune avocate. Celle-ci lui apprend que bientôt les femmes auront le droit d'être jurés dans des procès, et on lui rapporte la réaction d'un vieil homme du Sud : « Puisqu'on va y mettre les nègres, il est juste d'y mettre les femmes aussi. » Comme tous les Blancs de cette région, il lui faut bien accepter son héritage sudiste, la mémoire familiale de la guerre de Sécession, de l'arrivée des Yankees et de la mort de Bobby Carson, le fils de son arrière-grand-mère, tombé au cours d'une vaine bataille, alors qu'il allait rechercher le drapeau du Sud. « Les enfants blancs du Sud, pendant la guerre, imaginaient les Yankees comme des monstres, avec des cornes et des queues, mais les Noirs, eux, les attendaient comme des sauveurs. » Elle termine en insistant sur la beauté du Sud, de Savannah — selon elle, l'une des plus magnifiques villes du monde —, sur le caractère aristocratique à jamais attaché à ce sol, dans une espèce d'emballement « sudiste » insoupçonnable guère chez elle, mais qui est une manière de dire qu'elle « appartient » à cet endroit.

Ce que furent, pour Carson McCullers, les premières

semaines d'une existence qu'il fallait imaginer à jamais sans Reeves, on l'ignore. Elle-même n'en a pas parlé. Ses proches – sa sœur notamment – ont refusé de coopérer avec sa biographe Virginia Spencer Carr. Puis beaucoup sont morts. On conçoit qu'elle a dû ressentir durement l'état de dépendance définitive dans lequel sa solitude la plaçait, et il n'est pas exclu qu'elle ait développé une forme d'agressivité à l'égard des personnes qui devaient la prendre en charge, à savoir sa mère et sa sœur. On ne sait avec précision que les choses périphériques, matérielles, pratiques. Sur le plan financier, tout a été pris en main, avec encore plus de fermeté qu'auparavant, par Floria Lasky, ce qui a sauvé Carson McCullers de la pauvreté, car elle était absolument incapable de gérer ce type de problème. Assez tôt dans l'année 1954, elle a commencé à donner, dans des universités en particulier, des séries de conférences, comme le font beaucoup d'écrivains américains pour arrondir leurs fins de mois, ou tout simplement pour pouvoir vivre sans exercer de métier parallèle – ce fut le cas d'Eudora Welty et de bien d'autres. Pour Carson McCullers qui, grâce à ses droits de théâtre et de cinéma, avait encore à l'époque une relative aisance financière, c'était avant tout un geste de vie et d'indépendance. C'était aussi, du moins au début, se faire violence, car la prise de parole en public lui était très pénible.

Elle a beaucoup de mal à surmonter son malaise, sa panique presque, mais ce qu'elle a à dire sur son travail, sur la littérature, sur sa position, comme écrivain, dans la société, est – on le sait par des articles et des entretiens – généralement passionnant. Avec sa voix hésitante, son débit lent, ses silences, elle sait se faire écouter, elle force l'attention. Beaucoup de lettres de remerciement, reçues après ces prestations, prouvent à quel point elle était émouvante et troublante pour son auditoire. Dans le recueil posthume *Le Cœur hypothéqué*, sa sœur, en présentant ses poèmes, se souvient d'une anecdote qui l'avait émue : « Je garde un souvenir très précis d'une conférence qu'elle a faite un soir dans une université. De sa douce voix du Sud, elle a récité "La pierre n'est plus la pierre". Un long silence a suivi. Puis un jeune étudiant s'est levé brusquement et a dit : "Mrs McCullers, je vous aime" [2]. »

Quand il le peut, Tennessee Williams est là pour la soutenir et lire quelques textes d'elle. Tennessee, surtout, essaie de la calmer, de l'inciter à prendre les choses avec humour sur un sujet qui la préoccupe à son sens beaucoup trop : elle commence à accuser, de manière quasi obsessionnelle, et parfois au cours de ses conférences, Truman Capote de l'avoir plagiée. Elle ne fait que reprendre et amplifier une vieille querelle dont elle ne s'était pas mêlée à l'époque, étant alors amie du jeune Truman. Dès 1948, explique le biographe de Truman Capote, Gore Vidal s'était brouillé avec lui en lui reprochant, un soir, de prendre tous ses sujets dans Carson McCullers et Eudora Welty [3]. Au même moment, à la parution de *Domaines hantés*, son premier livre, Elizabeth Hardwick, dans *Partisan*, avait fait une critique négative (les mauvaises critiques avaient été nombreuses) dans laquelle elle décrivait le travail de Capote comme « une imitation mineure d'un écrivain mineur de grand talent : Carson McCullers » — ce qui n'était agréable pour personne [4]. Plus tard, au début des années 60, quand Oliver Evans travaillera à son livre sur Carson McCullers, il abondera dans ce sens. Dans une de ses lettres, le 1er août 1963, il dit avoir découvert « tout ce que Truman Capote a copié » et il en donne quelques exemples : « Le symbolisme de la neige dans le *Cœur*. De même que Mick se languit de la neige, encore et encore comme le fait Joel, le héros de *Domaines hantés*. L'incident de Bubber tirant sur Baby Doll dans le *Cœur* est la source évidente de la nouvelle de Capote "Children on their birthdays", pour laquelle je crois qu'il a reçu un *O'Henry Memorial Award*. La petite fille de la nouvelle est exactement comme Baby et même l'histoire de Bubber se cachant [...] est imitée dans cette nouvelle [...] Miss Roberta et son Princerly Place sont évidemment faits sur le modèle de Miss Amelia et son café. Je ne crois pas que la négresse Missouri Fever aurait existé sans Portia, [du *Cœur*] et peut-être pas sans Berenice [de *Frankie Addams*] non plus. Le paragraphe qui ouvre *Domaines hantés*, qui décrit la monotonie et l'ennui d'une petite ville du Sud me rappelle irrésistiblement la *Ballade.* Ce sont seulement quelques exemples. On peut en trouver d'autres. Cela dit, j'aime beaucoup Capote [...] Je ne le connais pas personnellement, il n'y a donc aucune malice dans ces observations[5]. »

Certes, les similitudes existent. Mais les petites villes du Sud se ressemblent. Leur inertie, leur pesanteur étaient identiques pour la jeune Carson et l'adolescent Truman. Carson McCullers n'avait pas besoin, pour exister, d'accuser son talentueux cadet d'être un plagiaire. Mais qui sait ce dont elle avait besoin de se défendre, quelles batailles lui étaient nécessaires pour tenter d'oublier qu'elle n'était plus le créateur qu'elle voulait être ? Écrire, taper à la machine d'une seule main, et en souffrant constamment, n'était-ce pas un supplice ?

Lorsqu'il a rencontré Virginia Spencer Carr, en 1972[6], Truman Capote, très élégamment, a fait mine de n'avoir aucun souvenir de cette affaire. Il ne savait même plus s'il était vraiment présent le jour de 1954 où Carson, croyant l'apercevoir dans le public d'une de ses conférences, s'était adressée à celui qu'elle prenait pour lui en le traitant de truqueur. Il concède avoir peu vu Carson dans les dernières année de sa vie, mais se refuse à y déceler le signe de graves problèmes entre eux, et moins encore de jalousie professionnelle de sa part à lui.

Capote pouvait se montrer grand seigneur, il avait gagné. Son œuvre n'avait pas connu les vicissitudes de celle de Carson McCullers. Il était donc inutile d'aller chercher, comme s'y est acharnée Virginia Spencer Carr, des témoignages prouvant que Truman Capote la détestait bien. C'est tout ignorer des contradictions des artistes – du respect, de l'envie, de la hargne qu'ils peuvent éprouver, de manière successive ou même simultanée, les uns à l'égard des autres – et plus encore méconnaître leurs angoisses, leurs incertitudes, le pari extraordinaire qu'ils prennent en décidant de faire une œuvre. Aussi y a-t-il quelque naïveté dans l'insistance de Virginia Spencer Carr sur la jalousie de Carson McCullers à l'égard de ses contemporains. Non seulement à l'égard de Capote, mais de Flannery O'Connor – qui lui rend bien son hostilité : quelques années plus tard, elle dira n'avoir jamais rien lu d'aussi mauvais que le dernier roman de McCullers, *L'Horloge sans aiguilles.* Et même de Tennessee Williams. Celui-ci aurait confié que, sans jamais oser le lui dire, il pensait que son amie n'était pas un extraordinaire auteur de théâtre, et qu'elle lui enviait d'ailleurs son talent de dramaturge – ce en quoi elle faisait simplement preuve de lucidité.

Carson McCullers se bat, c'est sa seule manière d'être encore en vie – et de le rester jusqu'à la fin. Les conséquences n'en sont pas toutes plaisantes pour les autres, et on peut comprendre leur ressentiment ou leur exaspération. Ainsi, au printemps, avant de retourner à Yaddo où elle n'est pas allée depuis huit ans, elle passe un certain temps à Charleston, chez Edwin Peacock, qui la traite avec toute l'attention et la tendresse qu'il a toujours eues pour elle depuis leur jeunesse. Probablement pour la distraire, il invite le temps d'un week-end leurs amis Robert Walden et Edward Newberry, qui habitent Charlotte. Ils ne se sont pas retrouvés tous ensemble depuis le soir de la première new-yorkaise de *Frankie Addams,* quatre ans plus tôt. Ils sont heureux et font des projets communs, en particulier celui d'une adaptation de *La Ballade du Café triste* en comédie musicale.

Walden et Newberry offrent à Carson de venir passer quelque temps à Charlotte. Elle accepte avec enthousiasme – et cela se passe plutôt mal : elle se comporte de manière peu courtoise avec ses hôtes et, pire encore, avec certains de leurs amis. Pourtant Walden admire Carson et ne cache pas la forte impression qu'elle lui fit le soir où, parlant de lecture, elle évoqua sa fréquentation de la Bible. Il fut étonné de la connaissance intime qu'elle avait des textes bibliques. Ils décidèrent de lire chaque soir ensemble quelques passages, toujours choisis par Carson avec un parfait discernement. Pour le reste, Robert Walden semble avoir eu beaucoup de mal à la supporter ce printemps-là, au point de demander à Rita de trouver un subterfuge pour la faire remonter vers le Nord plus tôt que prévu. Interrogé par Virginia Spencer Carr, Walden, d'abord soucieux de reconnaître les qualités et la culture de Carson, s'est ensuite laissé aller à des commentaires peu amènes :

> « J'espère que dans ses biographies elle ne sera pas dépeinte pour la postérité toute de blanc vêtue ou avec une auréole. C'était une garce, et je ne veux pas qu'elle apparaisse comme un ange. Bien que ce qu'elle-même voulait être lui ait toujours été le plus important, elle pouvait aussi être très exactement ce que vous souhaitiez qu'elle fût. Si elle voulait vous plaire, elle pouvait d'un coup décider "je vais être charmante" et charmante, elle l'était – comme une princesse. Mais elle n'en restait pas moins une garce [7]. »

Que Carson McCullers ait été assez souvent, au sens propre, insupportable, c'est une hypothèse qu'il serait déraisonnable de ne pas envisager. Mais insister sur le fait que la postérité doit absolument retenir qu'elle était avant tout une garce ne grandit pas vraiment l'auteur de ces propos.

Sans savoir que Walden avait souhaité son départ prématuré, Carson quitte Charlotte pour rejoindre Yaddo le 20 avril. Elle y restera jusqu'à la fin de l'été, en partant parfois

pour quelques jours, le temps de faire une nouvelle conférence ou de rendre visite à des amis. Elizabeth Ames ne l'a pas
revue depuis l'attaque qui l'a laissée paralysée. A son arrivée,
elle est tout simplement atterrée devant cette infirme qui ne
se déplace pas sans sa canne. Carson est d'une pâleur extrême
et un peu bouffie. Elle n'a pas à proprement parler vieilli : elle
s'est abîmée.

La voir vivre ne fait que confirmer la première impression. Elle boit plus encore qu'auparavant. Elle fume tant, du
matin au soir, qu'Elizabeth Ames craint qu'elle ne mette le feu
à sa chambre. Les attaques n'ont pas seulement atteint son
apparence physique, elles ont modifié son comportement.
Avec Elizabeth Ames, pour laquelle elle éprouve une grande
affection, elle est toujours très chaleureuse, mais envers les
autres pensionnaires, surtout en été quand le groupe est plus
nombreux, elle peut être très désagréable, blessante même, ce
qui n'était pas le cas dans le passé. Elle est devenue beaucoup
plus nerveuse, et lorsqu'elle a bu, irascible. Elle ressemble tragiquement à sa propre description d'Alison Langdon, la
femme du commandant dans *Reflets dans un œil d'or* : «Elle
était très malade et cela se remarquait. Sa maladie n'était pas
seulement physique, mais le chagrin et l'angoisse l'avaient
rongée jusqu'aux moelles et elle était maintenant au bord de
la folie [8].» Le critique français René Micha, cette même année
1954, sera lui aussi frappé par son aspect physique :

«Une fois, j'ai rendu visite à Carson McCullers. C'était
vers la fin de 1954. Nyack, où elle habite, est une petite ville,
légèrement et régulièrement inclinée vers l'Hudson [...] Je
trouvai Carson McCullers malade, et presque infirme : sa
main gauche, en partie paralysée, reposait sur une autre
main, en métal. Bien que j'eusse vu plusieurs photos d'elle,
son air de petite fille me surprit. Sa tête me parut trop lourde
pour son corps : peut-être jugeai-je ainsi à cause des yeux, qui
avaient une importance insolite. Je me souvins que quelqu'un
l'avait nommée un mélange de Garbo et de Slim Summerville.

Elle était pâle. J'eus le sentiment d'un génie à l'étroit dans des membres fragiles. Sa mère vivait avec elle. Et une vieille nourrice noire : qui avait, comme on peut le lire quelque part, la couleur sombre des glycines, des yeux baignés de lait. Nous déjeunâmes, sur une grande table de fer, de choses jolies à voir et délicieuses à manger. Nous écoutâmes des chansons de Georgie – et du Satie [...] Elle parlait d'une voix timide, lointaine – avec l'accent du Sud [...]. Quand je comparai l'un de ses héros, Biff, à Charles Bovary demeuré veuf, elle me dit : "Vous ne pouviez me faire un plus grand compliment" et me donna sa main à baiser (sa main était perdue dans les dentelles) [9]. »

Ceux qui la découvrent à Yaddo, cet été-là, éprouvent d'abord pour Carson McCullers de la compassion. Elle leur semble trop malade pour être comme eux « une artiste en résidence » devant mener à bien un travail. Ils la traitent en invitée privilégiée d'Elizabeth Ames, un écrivain déjà accompli que l'on aide à traverser une difficile période. Les rares qui osent aller un peu plus loin dans leurs rapports avec elle ne peuvent se retenir d'être séduits « malgré tout ». Ainsi Leon Edel, le magnifique biographe de Henry James [10], témoigne de l'ambivalence des sentiments qu'elle pouvait susciter, à la fois de l'attendrissement et de l'agacement devant son côté enfant, mais aussi de la réprobation devant sa manière de rabrouer ses interlocuteurs, d'être dure, voire grossière.

« Carson était très chaleureuse, se souvient Edel, et elle avait un esprit très imaginatif – un esprit où ses fantaisies puisaient toujours l'inattendu [...]. Dans un groupe, elle savait être très animée et très spirituelle. Mais également, comme une petite fille, elle pouvait chercher à accaparer l'attention, et il y avait une certaine emphase dans sa manière de solliciter le regard, dans ces grands yeux liquides qui demandaient de l'amour au monde entier et, comme la petite fille dans *Frankie Addams*, trouvaient parfaitement logique cette demande [...]. Je me souviens que ses inventions étaient surprenantes et souvent délicieuses, à la manière de certaines peintures surréalistes [...]. J'ai été heureux de la connaître, même brièvement. Je voyais continûment défiler en elle du grotesque, du morbide, du joyeux et du libre, et je soupçonne qu'il y a là, dans l'émergence de ces manifestations opposées, le fondement de ce qui donne à son travail sa couleur singulière et sa fascinante magie. On ne pouvait oublier le fardeau qui l'accablait, cette sorte de sens de la fatalité qu'elle tentait d'alléger par une comédie mentale et sa dévotion à son art. Elle affinait et peaufinait ses fantaisies, et la manière dont elle s'exhibait comme un "cas" – un "cas" sans grande conséquence – avait quelque chose de poignant dans sa volonté de s'imposer, face aux démons intérieurs qui lui déniaient la vie [11]. »

On est loin, avec le raffiné Leon Edel, des propos brutaux de Robert Walden – même s'il faut concéder à ce dernier qu'il a eu, lui, à assumer la charge de Carson, jour et nuit, dans une maison privée – et non à la croiser seulement dans les espaces collectifs de Yaddo, à des moments choisis.

En quittant Yaddo, les pensionnaires de l'été 1954 ou les visiteurs venus en week-end – dont certains anciens amis de Carson comme Granville Hicks, avec lequel elle avait fait un voyage à Québec en août 1941 – pensent qu'ils ne reverront plus jamais Carson McCullers, qu'elle aura survécu de bien peu à Reeves qui avait tort de la croire «indestructible». Ils se trompent. Reeves la connaissait mieux qu'eux, forcément. Le rapport de Carson à la vie est beaucoup plus complexe qu'ils ne le croient. Ce n'est pas une intellectuelle, au sens où le sont beaucoup d'entre eux, et ils ne voient pas l'étrangeté de sa relation au monde, au réel, à la littérature. Sa capacité à «vivre» – se déplacer, être seule dans une maison ou un hôtel, faire des courses, se nourrir – est considérablement réduite, mais sa force vitale est immense.

D'ailleurs, à Yaddo, elle termine le premier jet de sa pièce *La Racine carrée du merveilleux* – dans laquelle le héros est un écrivain qui échoue et se suicide – et avance un peu dans le

manuscrit de *L'Horloge sans aiguilles*. Avant de rentrer chez elle
– pendant l'automne et l'hiver, elle partagera son temps entre
la maison de Nyack, où sa mère se remet difficilement d'une
fracture du col du fémur, et les appartements de ses amis new-
yorkais – elle se rend à Long Island, à Roslyn Harbor, pour
faire la connaissance de Gabriela Mistral, la Chilienne prix
Nobel de littérature 1945. Carson, qui a des amis polyglottes
et cultivés, connaît ses poèmes, bien qu'elle ignore l'espagnol
– Gabriela Mistral ne sera pas traduite en anglais avant sa
mort en 1957. Quant à la Chilienne, installée aux États-Unis
en 1953, son anglais est trop sommaire pour qu'elle puisse
comprendre les romans de Carson McCullers, mais elle a lu
des textes sur elle et la tient pour un écrivain de qualité.
L'adolescence qui perdure en Carson, au-delà même de la
maladie, la séduira. Carson, elle, aimera cette femme qui est
comme pacifiée par l'âge.

Une autre chose les rapproche : toutes deux ont eu dans
leur vie un homme qui s'est suicidé. Et puis le Nobel fait
rêver, à cette époque surtout où il entretenait encore quelques
relations avec le talent littéraire. Gabriela Mistral a-t-elle laissé
entendre à Carson qu'elle parlerait d'elle pour ce prix ? Carson
a-t-elle voulu inférer ce propos de l'attention que lui portait
Gabriela Mistral ? Toujours est-il que pendant plusieurs mois
– une lettre à Newton Arvin en témoigne – elle a fantasmé
sur cette distinction prestigieuse, tout en s'en disant indigne.
Rêve de femme malade, accablée, qui n'a plus que son statut
d'artiste comme rempart contre la mort ? Sans doute. Sa biographe s'est toutefois fait un devoir de vérifier auprès de l'académie suédoise, où l'on confirme que personne, jamais, n'a
parlé de Carson McCullers pour le prix. Ainsi elle « se faisait
des idées à propos du Nobel », preuve supplémentaire de son
intolérable suffisance.

Ce trait acerbe de Virginia Spencer Carr n'aurait que peu
d'intérêt s'il ne témoignait de l'étrange mélange de fascination

et de répulsion qu'a si souvent suscité Carson McCullers. Une lecture psychanalytique y verrait sans doute l'irrépressible rejet que font naître chez les gens «normaux» ces êtres si proches de leur inconscient qu'ils en imposent l'expression à tous ceux qui ont tant de mal, eux, à le réduire au silence. Reste que si Carson McCullers motive encore de tels comportements après sa mort, on imagine sans mal ce qu'elle a dû affronter de son vivant.

Pourtant, elle «tient bon». A Nyack, en automne, sa mère engage Ida Reeder, qui sera pour Carson, pendant les années qui lui restent, beaucoup plus qu'une employée de maison ou une gouvernante. Cette femme noire, opulente, est comme une incarnation des personnages les plus importants des livres de Carson McCullers, une bienveillante Portia – la domestique du *Cœur* –, une cuisinière confidente comme la Berenice de *Frankie Addams*. Ida sera là jusqu'au dernier jour, comme un réconfort venu du Sud, de l'enfance – de la littérature aussi. Elles s'appelleront l'une l'autre «Sister». Ida essaiera de faire oublier à Carson qu'elle est de plus en plus fragile et dépendante; elle la portera, la consolera, l'accompagnera partout où il le faudra – y compris pour un ultime voyage en Europe.

Au cours de l'automne et de l'hiver 1954-1955, Carson essaie de ne pas rester trop longtemps chez elle, probablement pour ne pas se sentir recluse. Elle va et vient entre New York et Nyack. C'est alors qu'on lui présente le producteur Arnold Saint Subber, qui lui propose de monter sa pièce *La Racine carrée du merveilleux*. Ils se fascinent et se séduisent mutuellement. Ils sont nés le même jour de la même année, et se sentent spontanément proches l'un de l'autre. Cette nouvelle amitié, ces déplacements et ces projets redonnent de l'énergie à Carson et c'est une femme prête au travail qui s'envole en avril pour Key West, en Floride, où elle rejoint Tennessee Williams. Lui doit terminer au plus vite *La Chatte sur un toit brûlant,* et elle a trois manuscrits en cours : l'adaptation de la *Ballade,* décidée après ses conversations du printemps avec Robert Walden, *La Racine carrée du merveilleux* et *L'Horloge sans aiguilles.*

A Key West, ils vont inviter une très jeune femme arrivant de France où elle a publié, à dix-neuf ans, un bref roman qui a fait scandale, *Bonjour tristesse.* Françoise Sagan, dans tous ses entretiens à la presse américaine, dit son admiration pour Tennessee Williams. Celui-ci, touché, lui demande si elle a envie de le rejoindre. Elle accepte immédiatement. Trente ans plus tard, Françoise Sagan, qui possède l'extrême élégance de savoir admirer, et le talent de le dire avec délicatesse, a longuement raconté cette rencontre dans l'un de ses plus beaux livres, *Avec mon meilleur souvenir.* Un chapitre d'une grande justesse y est consacré à Tennessee Williams ; que certains détails soient inexacts, notamment la visite chez Carson McCullers (Sagan dit avoir rencontré Marguerite Smith alors qu'elle serait venue après sa mort) n'enlève évidemment rien au récit, qui vaut par la clairvoyance et la sensibilité.

«A 6 heures et demie, on nous annonça Tennessee Williams. Arriva donc un homme bref, avec des cheveux blonds, des yeux bleus et un regard amusé, qui était depuis la mort de Whitman, et reste à mes yeux, le plus grand poète de l'Amérique. Il était suivi d'un homme brun, l'air gai, peut-être l'homme le plus charmant de l'Amérique et de l'Europe réunies, nommé Franco, inconnu et qui le resta. Derrière eux, une femme grande et maigre dans un short, des yeux bleus comme des flaques, un air égaré, une main fixée sur des planchettes de bois, cette femme qui était pour moi le meilleur écrivain, le plus sensible en tout cas de l'Amérique d'alors : Carson McCullers. Deux génies, deux solitaires que Franco tenait par le bras, à qui il permettait de rire ensemble, de supporter ensemble cette vie de rejetés, de parias, d'emblèmes et de rebuts qu'était alors la vie de tout artiste, de tout marginal américain.

Tennessee Williams préférait dans son île la compagnie des hommes à celle des femmes. Le mari de Carson s'était suicidé peu avant, la laissant hémiplégique. Franco aimait les hommes et les femmes mais il préférait Tennessee. Et il aimait aussi, mais tendrement, Carson, malade, fatiguée, épuisée. Toute la poésie du monde, tous les soleils se révélaient incapables de réveiller ses yeux bleus, ses paupières lourdes et son corps efflanqué. Elle avait simplement gardé son rire, ce rire d'enfant à jamais perdue. Je vis ces deux hommes que l'on nommait alors avec une sorte de pudeur méprisante "pédérastes", qu'on nomme maintenant "gay people" (comme s'il pouvait être gai, d'une manière ou d'une autre, d'être méprisé pour ce que l'on aime par le premier crétin venu). Je vis ces deux hommes, donc, s'occuper de cette femme, la coucher, la lever, l'habiller, la distraire, la réchauffer, l'aimer, bref, lui donner tout ce que l'amitié, la compréhension, l'attention peuvent donner à quelqu'un qui est trop sensible, qui en a trop vu et qui en a trop extrait, qui en a trop écrit peut-être même pour le supporter, le subir encore un peu plus.

Carson devait mourir dix ans plus tard et Franco peu après. Quant à Tennessee, qui était alors l'auteur le plus haï peut-être par les puritains, mais le plus applaudi par le public et la critique, l'auteur d'*Un Tramway nommé Désir*, *La Chatte sur un toit brûlant*, *La Nuit de l'Iguane*, etc., quant à Tennessee, il est mort il y a six mois d'un manière misérable dans un immeuble de Greenwich qu'il laissait ouvert à tous vents [...]

Nous passâmes ainsi quinze jours brûlants et tumultueux dans ce Key West désert à cette saison-là. Il y a vingt-cinq ans. Le matin, nous nous retrouvions sur la plage ; Carson et Tennessee buvaient de grands verres d'eau, ou que je pris pour tels, longtemps avant d'en avaler une grande gorgée qui me fit constater que c'était du gin pur. Nous nagions, nous louions des petits bateaux, nous tentions en vain d'accrocher des gros poissons, les hommes buvaient des verres, les femmes aussi, un peu moins. Nous mangions des pique-niques infâmes. Nous rentrions fatigués, ou gais ou tristes, mais gais ou tristes ensemble de ces classiques randonnées.

Je revois Carson dans ses incroyables bermudas trop

longs, ses longs bras, sa petite tête inclinée avec ses cheveux courts et ses yeux pâles, d'un bleu si pâle qu'ils la rejetaient illico dans l'enfance. Je revois le profil de Tennessee lisant les journaux et riant parfois, disait-il, de ne pas pleurer (je m'intéressais peu alors à la politique). Je voyais Franco escalader la plage, descendre, aller chercher des verres, courir de l'un à l'autre, en riant, italien, bien découplé, pas beau mais charmant, gai, drôle, bon, imaginatif.

[…] Deux ou trois ans plus tard, je retrouvai Tennessee, un jour d'élection présidentielle, donc de sobriété forcée. Nous nous retrouvâmes au bar de l'hôtel Pierre, où il demanda d'un air tranquille deux verres, avec de la glace, une bouteille de limonade, avant de sortir de sa poche arrière une flasque d'un scotch vigoureux, qu'il me distribua avec sa générosité habituelle. Sa dernière pièce marchait admirablement, mais il n'en parlait pas. Il était triste, parce que Carson était triste, parce que Carson avait dû repartir un temps à l'hôpital pour "gens nerveux" comme il disait — comme il disait avec fermeté. Parce que Carson était revenue de cette clinique, soi-disant en forme, mais qu'actuellement elle était dans la grande maison de son enfance, près de sa mère qui mourait d'un cancer. Elle était contente de me savoir à New York et Tennessee avait promis qu'on irait la voir le lendemain en voiture. […]

C'est en chantant que nous arrivâmes devant la maison de Carson McCullers, l'auteur de tous les chefs-d'œuvre que la France a découverts peu à peu. *Le Cœur est un chasseur solitaire, Reflets dans un œil d'or*, etc. Une vieille maison avec des colonnades, trois marches, des portes ouvertes à cause de la chaleur et, sur un canapé, une très vieille femme blanche, ravagée par la souffrance ou je ne sais quoi d'autre, qui la rendait différente et presque dédaigneuse à notre égard. Et puis il y avait Carson, Carson habillée n'importe comment dans une robe de chambre marron, Carson qui avait maigri encore, et blanchi encore, et qui avait toujours ses yeux, ses yeux incroyables, et son rire d'enfant.

On commença à ouvrir des bouteilles, et la mère de Carson fit semblant de se faire prier avant d'en goûter à son tour. Nous bûmes beaucoup. Le retour dans cette voiture, et le temps était devenu vraiment froid, le retour fut mélancolique alors que nous repartions vers cette galaxie, cette ville énorme dont chaque habitant connaissait par cœur leur nom à tous les deux mais ignorait tout de leur être. Malheureusement, il advint que ce ne fut pas un mois mais une semaine plus tard que Carson dut repartir, là où on s'occupait des gens nerveux. Ni Tennessee ni même Franco n'arrivaient plus à sourire…

[…] Mais que ce soit l'homme blond aux yeux bleus et à la moustache blonde, hâlé, qui hissait Carson McCullers dans ses bras jusqu'à sa chambre, qui l'installait comme un enfant sur son double oreiller, qui s'asseyait au pied de son lit et lui tenait la main jusqu'à ce qu'elle s'endorme, à cause de ses cauchemars ; ou le Tennessee gris et débraillé, le Tennessee vidé de lui-même par l'absence définitive de Franco ; ou ce Tennessee si gentiment venu de si loin et à qui notre représentation [*Le Doux Oiseau de la jeunesse*] avait peut-être fait l'effet d'une pantalonnade de paroisse, je regrette toujours le même regard, la même force, la même tendresse, la même vulnérabilité [12].

Tennessee Williams a lui aussi été séduit par la jeune romancière française, et il écrit un article dans *Harper's Bazaar* pour dire tout le bien qu'il pense d'elle, et les espoirs qu'il met en son avenir :

« Peut-être n'a-t-elle pas aujourd'hui, à ce stade de son développement, la troublante et profondément déconcertante qualité visionnaire de son idole littéraire Raymond Radiguet, mort si jeune après une grande et brève œuvre. Pas plus qu'elle n'a encore écrit quoi que ce soit de comparable à la *Ballade du Café triste* de Carson McCullers, mais j'ai le sentiment que si j'avais rencontré Madame Colette à vingt ans, j'aurais remarqué en elle le même froid détachement et la même chaleureuse sensibilité que ceux que j'ai observés dans les yeux pailletés d'or de Mlle Sagan [13]. »

Entourée par Tennessee Williams et son ami Frank Merlo, amusée de la diversion créée par la venue de Françoise Sagan, Carson a travaillé, et le 25 mai, elle a terminé le

manuscrit d'une nouvelle « Qui a vu le vent [14] ? ». C'est la dernière nouvelle du recueil posthume *Le Cœur hypothéqué*, un
beau texte sur la désintégration d'un homme qui fut un écrivain à succès et ne peut plus écrire, et sur l'implosion d'un
couple. On y retrouve le thème développé plus tard dans *La
Racine carrée du merveilleux* – l'impuissance créatrice condui-
sant au suicide. Comme la pièce, que Carson est toujours en
train d'écrire en 1955, la nouvelle est un texte de deuil, une
sorte de tombeau de Reeves. On y retrouve ses rêves de ferme
– « Il s'était mis à rêver d'un travail manuel, d'une ferme où il
ferait la culture des pommiers. Il suffirait de longues promenades à travers champs pour que la lumière créatrice brille de
nouveau. Mais y a-t-il des champs à New York [15] ? » – et sa
guerre :

> « Pour Ken, la guerre avait été comme un soulagement. Il
> était soulagé d'abandonner ce livre qui avançait si mal, sou-
> lagé d'échapper à sa tour d'ivoire, de participer à cette grande
> expérience – car la guerre était incontestablement la grande
> expérience de sa génération. Il suivit un entraînement inten-
> sif, obtint ses galons d'officier, et quand Marian le vit en uni-
> forme elle pleura, l'aima de nouveau et ne parla plus de
> divorce. Au cours de sa dernière permission, ils firent aussi
> souvent l'amour qu'aux premiers mois de leur mariage. En
> Angleterre, il pleuvait tous les jours et il fut invité dans un
> château par un lord. Il traversa la Manche au jour J du débar-
> quement et son bataillon continua directement jusque chez
> les Chleus. Dans une ville en ruine, il aperçut un chat qui
> reniflait le visage d'un cadavre au fond d'une cave. Il avait
> peur, mais ce n'était plus la peur aveugle de la cafétéria ni
> l'angoisse de la page blanche sur sa machine à écrire. Car il se
> passait toujours quelque chose. Il trouva trois jambons de
> Westphalie dans la cheminée d'un paysan, et il se cassa le bras
> dans un accident d'automobile. [...] Pour un écrivain,
> chaque jour prenait automatiquement de la valeur parce que
> c'était la guerre. Mais la guerre terminée, que pouvait-il
> raconter – le chat tranquille et son cadavre, le lord anglais, le
> bras cassé [16] ? »

Mais Ken Harris est certainement aussi une figure de
Carson, de sa terreur d'être désormais le fantôme de l'écrivain
qu'elle fut, de sa douleur à se savoir diminuée :

« La page était toujours aussi blanche et le blanc de cette
page lui envahissait peu à peu le cerveau. Il y avait eu pourtant une époque (à quand remontait-elle ?) où il suffisait
d'une chanson entendue au coin d'une rue, d'une voix venue
de l'enfance pour que le passé surgisse dans le paysage de sa
mémoire, et le choc de l'inattendu contre le présent faisait
naître un roman, une nouvelle – il y avait eu une époque où
la page blanche aimantait ses souvenirs et les tamisait, et il
était conscient de cette maîtrise presque somnambulique de
son art. Une époque, en bref, où il était un écrivain qui écrivait presque chaque jour. Qui travaillait beaucoup, reprenait
soigneusement chaque phrase, couvrait de "x" celles qui
n'étaient pas bonnes, corrigeait les répétitions. Et maintenant
il était assis là, assis, le dos voûté, presque effrayant, un
homme blond, assez proche de la quarantaine, avec des
cernes sous des yeux bleu-gris, couleur d'huître, une bouche
épaisse et blême [17]. »

Faire de Ken Harris, comme de Phillip Lovejoy dans *La
Racine carrée du merveilleux*, non des êtres n'ayant pas réussi à
écrire mais des écrivains devenus impuissants, permet à
Carson McCullers de jouer sur le destin de Reeves et sur le
sien en un même personnage. Une dernière façon, peut-être,
de réunir « Sister » et « Brother », une manière aussi de ne pas
trop s'exposer, de dire sa blessure intime en la dissimulant
« dans le camp de Reeves ». Ainsi quand Ken Harris arrive à
une soirée, ne se sent-il pas, comme presque toujours Carson,
une « personne déplacée » ?

« – Depuis quelque temps, dit-il, quand j'arrive à une soirée où il y a beaucoup de monde, je pense à la dernière soirée
chez le duc de Guermantes.

– Comment ? demanda Esther.

– Vous savez bien, quand Proust – celui qui dit "je", le narrateur – regarde tous ces visages familiers et pense aux ravages du temps. Sublime passage. Je le relis chaque année.

Esther semblait énervée :

– Il y a tellement de bruit. Votre femme vient ? [...]

– Quand j'arrive dans une soirée comme celle-ci, c'est toujours pareil. Toujours cette terrible différence. Comme si le ton avait baissé, s'était décalé. Cette terrible différence des années qui passent, de la fourberie du temps, de la terreur qu'on en a Proust... [...] Les choses avaient changé. Il y a treize ans, quand il venait de publier *La Nuit des ténèbres*, Esther se serait littéralement jetée sur lui et ne l'aurait pas abandonné ainsi dans un coin du salon [18]. »

Comme si tout devait se liguer pour empêcher Carson McCullers de triompher de ses terreurs, ses cauchemars nocturnes et éveillés, ses difficultés à travailler, sa mère meurt brutalement le 10 juin 1955, d'une crise cardiaque. Elle avait soixante-cinq ans. Carson est à New York, chez des amis, et elle est prévenue par son cousin Jordan Massee. Elle a fait le récit de cette mort une douzaine d'années plus tard, dans son essai d'autobiographie :

« Nous avions dormi, ma mère et moi, dans des lits jumeaux, pendant toutes les années où elle avait été de santé délicate mais un jour, j'avais été invitée par mes amis Hilda et Robert Marks à passer la soirée et la nuit chez eux. Ma mère insista pour que je n'appelle pas Ida, disant qu'elle se sentait parfaitement bien. A contrecœur, j'acceptai. Ida, bien sûr, serait là très tôt le matin. "Tu es restée trop longtemps confinée à la maison, ma chérie, me dit ma mère, sors et amuse-toi." Je m'inquiétai d'elle dans la soirée et je lui téléphonai : elle me dit que tout allait bien. Tôt le lendemain matin, mon cousin arriva. Il m'embrassa tendrement et me dit : "J'ai de bien mauvaises nouvelles pour toi, ma chérie." Ma sœur était à l'hôpital pour une opération de l'appendicite et ma première pensée fut pour elle : "Rita ?" demandai-je. "Non, chérie, ce n'est pas Rita, c'est ta mère." Je lui dis : "Elle est morte ?" Mon cousin me prit la main et m'embrassa à nouveau. La seule chose que je pus dire fut : "Qu'est-ce que je peux faire?" Mais dès que j'entendis ma propre voix, je compris que la question était absurde. J'appelai Ida à la maison et bien qu'elle ait été en larmes, elle me dit fermement : "Revenez tout de suite, les gens des pompes funèbres vont venir."

Ida était arrivée très tôt et avait dit à ma mère qu'elle allait lui apporter son petit déjeuner.

– J'ai faim, avait dit ma mère. Et froid.

– Attendez un petit moment, avait répondu Ida, le poêle est en train de chauffer.

Elle était restée avec ma mère pour attendre qu'elle ait plus chaud et brutalement, ma mère s'était mise à vomir du sang. Elle est morte dans les bras d'Ida. Elle avait juste pu murmurer : "Grâce à Dieu, Sister n'est pas là." Et elle avait ajouté dans un dernier souffle : "Ça aurait été trop pour elle."

C'était trop, vraiment trop [19]. »

Carson ne veut pas rentrer à Nyack, comme sa mère, onze ans plus tôt, n'avait pas voulu retourner à Starke Avenue après la mort de son mari. Elle organise, avec l'aide de ses amis, les funérailles, après lesquelles tous se retrouvent chez elle, ce qui lui permet de «reprendre pied» dans sa maison. Mais quelques jours plus tard, l'ouverture du testament de Marguerite Smith fait naître entre les trois enfants un conflit qui mettra quelque temps à se dissiper – si toutefois il s'est réellement dissipé. Marguerite Smith a rédigé ce testament en 1949. A l'époque, la situation de Carson, déjà malade, était plus précaire que celle de son frère et de sa sœur qui avaient tous les deux un emploi correctement rétribué. La mère avait donc laissé une plus grosse part de ses biens à sa fille aînée. Mais, entre-temps, celle-ci était devenue un auteur dramatique à succès, et se trouvait dans une plus grande aisance financière que Rita et Lamar Jr. Histoires de famille et d'argent, toujours complexes et déplaisantes. Heureusement, il est des hommes de loi pour prendre en main ces questions – et Floria Lasky est à la fois amicale et habile.

La situation nouvelle créée par la mort de Marguerite Smith, qui laisse Carson sans recours – elle n'est plus l'enfant de personne – ne lui offre qu'une alternative : soit s'abandonner à la maladie, voire mourir, soit se battre pour demeurer Carson McCullers, c'est-à-dire un écrivain qui continue de publier. Si elle avait dû renoncer, ce serait déjà fait. Néanmoins le choc a été si rude que toute l'année 1956 est comme l'expression de cette alternative. D'une part, elle est malade presque constamment, son bras gauche la faisant de plus en plus souffrir. D'autre part, dès qu'elle le peut, elle travaille chaque jour avec Saint Subber, pour reprendre entièrement le script de sa pièce, qu'ils décident toutefois de repousser d'un an. Pendant ces longs mois, Saint Subber est un soutien indispensable. Carson affirme qu'ils vivent une magnifique histoire d'amour, parfois même qu'elle va l'épouser. Les observateurs sont plus dubitatifs. Certains estiment que Carson et Saint Subber ont largement majoré la place de leur relation dans leurs existences respectives et l'importance de leur travail en commun.

Ils se sont brouillés après l'échec de la pièce, mais Arnold Saint Subber, lorsqu'il aura Virginia Spencer Carr au téléphone, longtemps après, en 1970, parlera de Carson McCullers d'une manière passionnelle, enflammée, hyperbolique : « Il n'y a rien que je puisse dire d'elle qui ne pourrait être contredit par quelqu'un d'autre, et cela serait également vrai. Carson était l'être le plus angélique qui soit au monde, et en même temps le plus infernal, le plus odieux des démons. » Elle était selon lui la contradiction même, délicate et raffinée d'un côté, jurant comme un charretier de l'autre. « Jamais deux êtres n'ont mordu à la vie comme nous l'avons fait, jamais ils n'ont mangé autant que nous l'avons fait, ni autant fumé, autant juré, autant adoré Dieu, autant lu la Bible que nous l'avons fait ensemble [...]. Elle prenait la vie à bras le corps et ne croyait qu'en une chose : la vie [...] Elle était une forteresse. Il n'y avait personne de plus fort au monde. Elle était gigantesque. Elle faisait tanguer l'imagination. C'était un papillon, mais un papillon d'acier [20]. »

L'année 1957, qui doit être pour Carson celle de sa nouvelle confrontation à un public, avec ce que cela suppose d'inquiétudes et d'espoirs, commence bien, mais loin de chez elle, à Londres où est jouée *Frankie Addams* au Royal Court Theatre, par l'English Stage Company, avec Geraldine McEwan. De l'autre côté de l'Atlantique, on travaille ferme à la mise en route de *La Racine carrée du merveilleux*. Mais rien ne va comme prévu et on entre dans un enchaînement de difficultés qui vont conduire à l'échec. Pourtant c'est Anne Baxter qui doit tenir le rôle de Mollie, la femme qui épousé deux fois Phillip Lovejoy, écrivain désormais « en panne » dont elle est de nouveau séparée et qui va se suicider. Anne Baxter avait beaucoup d'admiration pour les romans de Carson McCullers. Elle se passionne pour le personnage de Mollie. Toutefois, elle estime qu'il faut encore du travail d'ajustement et de réécriture avant de débuter les répétitions, en septembre. Carson, dira-t-elle, en était incapable.

Ce n'est pas du tout l'avis d'Albert Marre, un jeune réalisateur de trente et un ans pressenti pour la mise en scène. Pour lui, Carson McCullers pouvait parfaitement mener à bien cette réécriture, mais il fallait lui laisser trouver son rythme et lui accorder une certaine liberté, ce qui n'a pas été fait. Albert Marre a aimé travailler avec Carson, dont il appréciait la personnalité complexe et le sens de l'humour.

Albert Marre cependant – pour des questions de calendrier dira-t-il ensuite – finit par renoncer à cette mise en scène. Carson lui en garde rancune, même si elle s'entend bien avec son successeur José Quintero, avec lequel, peut-être, elle boit un peu trop. Quand Quintero quitte à son tour la pièce, juste à la veille d'une avant-première à Princeton,

Carson en est moins choquée que par le départ de Marre. Elle demeurera en bons termes avec Quintero. Tous les acteurs décident de rester et de faire bloc autour de Carson, qui prend la direction des opérations bien qu'elle n'ait jamais fait de mise en scène. Elle est finalement relayée par George Keathley. Mais désormais, chacun sait qu'à moins d'un miracle on va vers une catastrophe. Les dix jours de présentation pré-Broadway à Princeton ne sont pas brillants. *La Racine carrée du merveilleux* ouvre à Broadway le 30 octobre, au National Theatre. Le spectacle s'arrêtera le 7 décembre après quarante-cinq représentations. Des années plus tard, Anne Baxter, qui fut, comme tous les autres participants de cette production, blessée par son échec, assurera néanmoins que si on lui reproposait la pièce, cette fois-ci écrite exactement de la manière voulue par Carson McCullers, elle la rejouerait.

Toujours dans ses notes autobiographiques, Carson porte sur ce qu'elle qualifie elle-même de «désastre» un regard lucide et non dénué d'humour :

«En 1954, j'ai commencé à écrire une pièce qui fut un désastre. Non pas volontairement, Dieu m'en est témoin — mais jour après jour, pas après pas, je tombais dans le chaos. Il serait facile d'en imputer le blâme à Saint Subber mais je ne le veux pas. C'est lui qui a insisté pour que j'écrive *La Racine carrée du merveilleux* [...] et il était l'homme le plus tenace et le plus persévérant que j'ai connu dans ma vie profession-nelle. Chaque jour, il venait au 131 South Broadway, Nyack. Et je me le représentais avec un fouet dans la main, tout prêt à me cravacher. Le sujet de la pièce était un écrivain qui avait épousé une femme assez extravagante. Depuis que ma mère était de santé fragile, je voulais rendre hommage à son côté délicieusement farfelu, qui était merveilleux dans la vie mais s'avéra lugubre sur la scène. J'avais voulu restituer son inno-cence. L'innocence se transforma en idiotie crasse et l'auteur raté se chargea de toutes mes propres peurs de stérilité et d'échec. Je m'acharnais particulièrement sur lui comme je m'acharne parfois sur moi. Il réunissait tous mes aspects les plus détestables. Mon égoïsme, mon côté sinistre et mes tendances suicidaires. [...]

J'ai du mal à comprendre pourquoi j'ai écrit cette horreur. Bien sûr, je ne me rendais pas du tout compte que c'était si mauvais. Du moins, pas jusqu'à l'affreuse première représentation à Philadelphie. Ensuite, comme une poule qui défend ses poussins, j'ai essayé, avec un mal fou, d'en faire quelque chose. Saint Subber essayait aussi, de sorte que nous avons changé six fois de metteur en scène, tous pires les uns que les autres. Personne ne semblait conscient du fait que c'était tout simplement une mauvaise pièce, et on continua ainsi à engager et mettre à la porte frénétiquement. Cela dura jusqu'à la première à New York.

Comme je n'allais jamais aux premières, je n'allais certainement pas faire une exception dans ce cas. Je rôdais autour du théâtre dans l'attente anxieuse de nouvelles. Je portais ma belle robe chinoise vieille de deux cents ans — c'est vrai — et quand je passais devant le théâtre, je n'avais même pas la force de prier.

Un couple qui avait quitté la salle pendant le spectacle dit en me voyant : "Est-ce qu'elle fait partie de la pièce?"

Quand j'arrivai à la réception donnée par le coproducteur dont, dans le désastre, j'ai oublié le nom, Saint pleurait, le coproducteur pleurait, et quand on nous lut les critiques du *New York Times*, ils se mirent à pleurer de plus belle. Moi, j'étais assise là, comme une pierre, pleurant à l'intérieur, mais sans une larme ni un sanglot. Au risque de paraître défendre cet échec magistral, je dirai quand même que la pièce était meilleure à la lecture que sur scène. Finalement, après quarante cinq représentations, la pièce expira douloureusement le 4 décembre 1957 [21]. »

Des sept quotidiens new-yorkais de l'époque, un seul, *The World Telegram and Sun*, fait une critique favorable. Les autres sont effectivement dévastatrices. Le *New York Daily News*, sous la plume de John Chapman, exprime assez bien la réaction la plus communément partagée :

Marguerite Smith avec ses enfants,
Lula Carson (à droite)
et Lamar Jr. (à gauche). (DR)

Carson à seize ans,
au lycée de Columbus. (DR)

Reeves et Carson en 1940 à Fayetteville, où elle termine *Le Cœur est un chasseur solitaire*. (DR)

James Reeves
McCullers
au camp militaire
de Fort Benning
(vers 1935). (DR)

Photo de Carson
choisie par
son éditeur
Houghton Mifflin
pour la sortie du
*cœur est un chasseur
solitaire* en 1940.
(DR)

Carson et sa sœur Rita à Nyack en 1946. Carson a vingt-neuf ans.
(photo inédite de Henri Cartier-Bresson)

« *La Racine carrée du merveilleux*, qui a été joliment et intelligemment représentée au National Theatre la soirée dernière, peut être décrite comme un traumatisme en trois actes. A regarder et entendre cette pièce, j'avais la sensation bizarre et déplaisante d'être un psychanalyste réticent écoutant les confidences de parfaits étrangers. Et comme je ne les connaissais pas et que je m'en souciais fort peu, j'étais passablement mal à l'aise [22]. »

Les hebdomadaires prennent le relais. Wolcott Gibbs est très négatif dans le *New Yorker*, avec juste un mot pour Carson McCullers. Après avoir cité un dialogue particulièrement médiocre, il ajoute :

« Pour mille raisons, je refuse de croire que Mrs McCullers est l'auteur de ces lignes navrantes, et je préfère les attribuer à un quelconque littérateur malveillant de l'équipe. Néanmoins, elles sont proférées haut et clair sur la scène du National, et à chacune d'elle la pièce sombre un peu plus irrémédiablement dans l'absurdité [23]. »

Brooks Atkinson, lui aussi, tente de ménager Carson McCullers en rappelant son brillant passé :

« Après *Frankie Addams*, la deuxième pièce de Carson McCullers parait banale. Particulièrement à la fin, il y a bien certains passages de cette prose à la fois précise et allusive par laquelle Mrs McCullers sait si bien faire jaillir du langage ordinaire des sentiments flamboyants et des rêves nostalgiques. Mais, pour sa plus grande part, *La Racine carrée du merveilleux* reste à ras de terre. Les personnages se distinguent peu des protagonistes convenus de la comédie de mœurs [24]. »

Le coup de grâce est donné par Harold Clurman, qui fut le metteur en scène comblé de *Frankie Addams*. Dans *The Nation* du 23 novembre, il écrit que la pièce est « un ratage complet » – un mauvais texte, mal mis en scène et mal joué :

« Les personnages sont le plus souvent flous, et c'est une des fautes de la composition de la pièce que l'auteur se soit contrainte à donner à son histoire un dessin linéaire fidèle à la logique d'un esprit prosaïque. Le texte aurait été meilleur s'il avait eu les écarts conformes au génie de son auteur. »

« C'était malheureusement un échec logique, commente sobrement Floria Lasky, car c'était une pièce ratée. Le théâtre, ça ne pardonne pas. Évidemment, pour Carson, ce n'était pas seulement une pièce de théâtre, c'était une explication post-hume avec Reeves. C'est peut-être ce qui l'a empêchée de réussir[25]. »

On aura noté que, dans la description faite par Carson de son projet, certes bien des années plus tard, nulle allusion n'est faite à Reeves. Ce qui n'infirme en rien le propos de Flora Lasky mais, en revanche, en dit long sur l'ambivalence de Carson à l'égard de Reeves dans son ultime écrit.

Après la critique et le public, les spécialistes de théâtre et les essayistes ont, eux aussi, été fort sévères. Louis Kronenberger, dans son ouvrage sur les pièces de théâtre de la saison 1957-1958, ne sauve rien :

« L'auteur de *Frankie Addams* a cette fois écrit sur une grande variété de thèmes, dans une grande variété de tons avec une grande variété de rythmes. Il en résulte une œuvre qui contient la matière de plusieurs pièces et par manque de cohérence, aucune pièce du tout. Les parties ne valent pas mieux que le tout [...] Discordante à force de fausses notes, *La Racine carrée* ne parvient pas à concilier l'humour et l'hor-reur, ni les différents thèmes entre eux. A s'y essayer, l'authen-tique originalité de Miss McCullers et son sens singulier de la vie deviennent tristement confus. Ce qui en ressort est une racine carrée mal plantée dans un trou rond[26]. »

Quelques années plus tard, en 1962, dans *American Drama Since World War II*, de Gerald Weales, Carson McCullers n'est pas mieux traitée :

« Bien que Mrs McCullers ait réalisé une adaptation fort
réussie de *Frankie Addams*, sa première tentative pour écrire
directement une pièce *La Racine carrée du merveilleux* (1957)
fut désastreuse. La pièce raconte comment Phillip (ce personnage sinistre entre tous qu'est l'écrivain ne pouvant plus
écrire), une représentation de la mort, essaie de dominer
Mollie (la racine carrée du merveilleux, selon John) d'abord
en jouant de sa faiblesse puis en usant de son suicide comme
arme. Il échoue. La pièce aussi, parce que ni Phillip ni Mollie
– ni d'ailleurs aucun autre personnage de la pièce – n'ont le
moindre souffle de vie. Le début est – brièvement – intéressant, grâce au dialogue oblique qui suggère plus qu'il
n'affirme, mais cette séduisante étrangeté se dissipe vite, ne
proposant qu'occasionnellement une bonne réplique et, çà et
là, le triste écho de l'ancienne McCullers [27]. »

Tout en reconnaissant les défauts de la pièce telle qu'elle a
été jouée en 1957, le premier metteur en scène, Albert Marre,
estime que son échec n'est pas seulement dû à toutes ces
« bonnes raisons », mais aussi à une inadéquation entre la création de Carson McCullers et les attentes et conventions de
l'époque. *La Racine carrée du merveilleux* lui semble « d'une
étrange façon, en avance sur son temps [28] ». A lire le texte, on
a envie de lui donner raison, tout en convenant qu'on est
peut-être séduit par ce qu'on voit de confession personnelle
dans ce curieux dialogue avec Reeves, par-delà son suicide. Il
est possible que tout cela, à la scène, ne « tienne pas ». Mais le
texte ne peut pas être qualifié d'indigent. D'ailleurs, au
moment de sa publication en livre, en 1958, *La Racine carrée
du merveilleux* a eu de bien meilleures critiques. « Bien que la
pièce ait été à Broadway un échec, écrit George Freedley dans
le *Library Journal* du 1ᵉʳ juin 1958, Mrs McCullers y a créé de
nombreux personnages charmants et très attachants ». Et dans
Kirkus du 1ᵉʳ mai 1958, on peut lire cet avis : « Alors que
Broadway garde un souvenir peu flatteur de la deuxième pièce
de Carson McCullers, la qualité de son écriture la rend digne

d'être lue. » Mais le manuscrit a été retravaillé pour la sortie en livre, Carson McCullers étant, à juste titre, furieuse de ce qu'on avait cru bon de réécrire au lieu de respecter son travail. Elle s'en explique dans un avant-propos désigné comme « A Personal Preface » :

> « De mon travail au théâtre, j'ai tiré la leçon suivante : l'auteur doit absolument travailler seul jusqu'à ce qu'il ait totalement réalisé ce qu'il avait l'intention de faire de sa pièce, jusqu'à ce que celle-ci soit aussi achevée qu'il lui est possible. Une fois que la pièce est en répétition, un auteur de théâtre est l'objet, dans son travail, de pressions extérieures et, hélas, ce qu'il a en tête est souvent soumis à des compromis. Cela peut venir des acteurs, du producteur, du metteur en scène – de tout le prisme d'une production théâtrale.
>
> Ainsi commence une métamorphose qui fréquemment, au plus grand dam de l'auteur, finit par donner une pièce quasi méconnaissable pour son créateur.
>
> C'est pourquoi, des cinq ou six évolutions que la pièce a connues, je préfère que soit publiée celle qui suit. C'est la dernière version que j'ai écrite avant que ne démarre la production, et c'est la plus proche de ce que je voulais dire dans *La Racine carrée du merveilleux.*
>
> De nombreux romanciers ont été tentés par le théâtre – Fitzgerald, Wolfe, James et Joyce. Peut-être est-ce à cause de la solitude de la vie d'écrivain, mais la rare joie de participer avec d'autres à une création est merveilleuse pour un auteur. Il est rare qu'un écrivain soit également doué pour le roman et le théâtre. Je ne veux pas ouvrir cette boîte à malices, je voudrais seulement dire que l'écrivain est poussé à écrire, et que la forme choisie est déterminée par une indicible nécessité interne, que peut-être l'écrivain lui même ne comprend pas totalement [29]. »

Comme toujours, dès qu'elle écrit, Carson semble capable de faire face à tout, de tirer froidement la leçon de ce qui s'est passé, et de repartir. Mais cette fois, c'en était trop. L'écrivain de quarante ans qui avait mis tout ce qu'il lui restait d'énergie dans cette entreprise – avec l'espoir que le succès lui redonne du bonheur, l'oubli de sa souffrance physique, l'attention de la part des autres – avait comme usé ses dernières forces. Dans ses mémoires, Tennessee Williams, se souvient de la générale de *La Racine carrée du merveilleux* comme de l'une des « trois plus interminables "sorties" » de sa vie – et il y était chaque fois avec son amie Carson. La première avait eu lieu à une réception en l'honneur de l'écrivain Dylan Thomas, qui avait dit à Williams, qu'on lui présentait : « Quel effet cela vous fait de ramasser tout ce pognon à Hollywood ? »

> « Rétrospectivement, je trouvai sa question tout à fait compréhensible et excusable, mais sur le moment j'en fus amèrement blessé. Quant à Carson, il l'ignora simplement. Après quelques instants, elle me dit :
> – Tenn, mon chou, partons vite d'ici !
> C'était après son attaque, et tandis que je la conduisais vers la porte, je la sentais trembler sous mon bras et notre sortie me parut durer une éternité.
> Une scène me fut plus douloureuse encore : Carson avait commis l'erreur de se rendre à la réception qui suivait la première de *La Racine carrée du merveilleux*; et elle commit une plus grande faute encore en restant jusqu'à ce que les journaux du matin soient sortis, avec les critiques de sa pièce. Elles étaient purement et simplement abominables. Carson me dit encore :
> – Tenn, aide-moi à sortir d'ici.
> Et ce fut une sortie encore plus longue, et encore plus atroce [30]. »

Elle a beau se souvenir que, tout en l'encourageant à écrire pour le théâtre, Tennessee l'avait prévenue du péril – il avait coutume de dire, avec son fameux rire qui la rassurait tellement, « Il faut être un vieux routier costaud pour travailler au théâtre », Carson McCullers ne parvient tout simplement pas à surmonter cet échec. Elle est la figure du désespoir. Totalement démunie. Comme une huître sans coquille, disent ses amis. Comme Frankie disant : « Je me sens exactement comme quelqu'un dont on aurait pelé toute la peau. »

A vif.

IX

L'ultime rébellion

Si Carson McCullers ne peut plus écrire, quelle raison aurait-elle de supporter une telle souffrance physique? Elle n'en voit pas. Elle sent qu'elle n'aura pas le temps d'être une vieille dame, et pourtant, alors qu'elle va juste avoir quarante et un ans – le 19 février –, cela va faire dix ans qu'elle s'appuie sur une canne et que son corps lui impose une constante douleur. Comme Flannery O'Connor, il lui a fallu écrire de l'intérieur de cette douleur, et aussi contre elle.

Elles ne s'aiment pas, Flannery et Carson, tous leurs amis l'ont dit. Et comme chacune d'elles sait que l'autre est un bon écrivain, cette hostilité ne peut se muer en simple mépris ou en indifférence. Et puis n'y a-t-il pas entre elles trop d'étranges similitudes? Flannery est née huit ans plus tard, mais dans la même Georgie – à Savannah, cette ville que Carson a trouvée si belle à son dernier voyage, en 1953. Contrairement à Carson, Flannery n'en a guère bougé, sauf pour aller à l'université. Quand elle était séparée de sa mère, elles s'écrivaient tous les jours, comme Carson et Marguerite Smith. De même que Lula Carson a décidé un jour de s'appeler seulement Carson, Mary Flannery a voulu devenir simplement Flannery. L'une ne peut plus marcher sans sa canne, l'autre se déplace avec d'énormes béquilles. « J'ai l'impression d'offrir sur mes béquilles un spectacle assez pathétique, écrit Flannery O'Connor le 10 novembre 1955. L'autre jour, j'étais dans l'ascenseur d'un grand magasin à Atlanta. Une dame est montée et m'a toisée, l'œil humide, et s'est exclamée : "Dieu vous bénisse, ma chère petite"... Je lui ai jeté un morne regard de haine. Encouragée, elle m'a saisie par le bras et m'a murmuré très fort à l'oreille : "Souvenez-vous des paroles de saint Jean..." J'ai une amie qui n'a qu'une jambe, et je lui ai demandé à quoi ces paroles de saint Jean faisaient allusion. Elle pense que ce doit être que les infirmes entreront les premiers au Paradis. Sans doute parce qu'ils assèneront des coups de béquilles à tous ceux qu'ils rencontreront sur leur chemin [1] !» Carson McCullers survivra trois ans à Flannery O'Connor – qui meurt en août 1964. Toutes deux ont réussi à garder une forme d'humour. Et à construire leur œuvre d'écrivain.

Pourtant, en ce début de 1958, Carson est sans espoirs, sans projets; elle ne voit même pas comment elle pourra surmonter l'hiver. Ses amis non plus. Comme elle ne se plaignait jamais, ils mesuraient difficilement à quel point la maladie était insupportable. Pendant ce terrible hiver, sa voix était parfois altérée au téléphone. Lorsqu'on s'en inquiétait, elle disait seulement «j'ai si mal que je peux à peine parler». Rien de plus. L'écrivain Dorothy Salisbury Davis, sa voisine, se souvient aujourd'hui encore d'une de leurs conversations, dans laquelle elle a vu affleurer l'intensité de la souffrance physique de Carson. Comme celle-ci lui demandait si elle croyait en Dieu, Dorothy Davis a répondu « non », et Carson a ajouté : «Moi non plus, ou du moins je ne sais pas bien. Pourtant parfois, c'est comme si je le priais. Je dis "Dieu, je t'en supplie, écarte de moi cette douleur" [2].»

A l'instar de Flannery O'Connor, elle détestait se plaindre – et qu'on la plaigne. Pas d'apitoiement, avec son cortège de mièvreries ou de sentiments feints. Ses amis ont-ils enfin mieux compris les raisons de ce qui, parfois, les agaçait tant, ces moments où, dans une soirée, elle s'isolait, se fermait, buvait en silence ? Sans doute. Ils se sont surtout beaucoup inquiétés de se sentir, cette fois-ci, totalement impuissants. Carson était « partie » trop loin.

Heureusement, un de ses amis psychiatre, le Dr Ernst Hammerschlag, parvient à la convaincre qu'un suivi régulier, par un psychothérapeute proche de chez elle, lui serait infiniment utile. Le souvenir de la clinique Payne Whitney, en 1948, et du médecin qui tenait tant à lui faire admettre que l'écriture était en soi une névrose, ne sont pas de nature à l'encourager. Elle consent quand même, probablement pour se donner « une dernière chance ». C'est alors que Hammerschlag l'envoie chez le Dr Mary Mercer, installée à Nyack depuis 1953 avec son mari Ray Trussell – ils divorceront en 1961, mais même Virginia Spencer Carr, qui a évidemment cherché à savoir si ce n'était pas par hasard « à cause de Carson McCullers », conclut que la dégradation de ce mariage était antérieure à l'arrivée de Carson dans la vie de Mary Mercer.

Carson a raconté cette rencontre décisive dans ses mémoires inédits, *Illumination and Night Glare*. Si quelques points du récit peuvent apparaître comme des reconstructions *a posteriori,* il donne toutefois une idée assez précise des réticences de Carson puis de l'élan avec lequel elle se jeta dans cette aventure analytique :

> « Je fis la rencontre professionnelle de Mary Mercer parce que j'étais découragée. Ma mère était morte [...], et j'étais malade, gravement infirme. Plusieurs psychiatres de mes amis, Ernst Hammerschlag, Hilda Bruck et d'autres, avaient très fermement suggéré que j'aille voir Mary Mercer. Je résistais tout aussi fermement, non seulement parce que l'horreur de la clinique Payne Whitney était encore pour moi très vive [...], mais parce que je résistais à la psychothérapie en tant que telle, je ne l'acceptais pas comme science médicale. La seule chose qui me restait, plaidais-je, était mon esprit, et je

n'allais certainement pas laisser quelqu'un le trafiquer. Le Dr Mercer habitait près d'ici et on m'avait dit qu'elle était spécialiste des enfants. Cela semblait m'écarter d'emblée. Ida était une de mes plus solides alliées. Elle savait que ma sœur avait été plus de douze ans en thérapie. Tennessee était, lui, en analyse et tout à fait pour. Si bien que, tiraillée entre Ida et Tennessee, je ne dormais plus très bien.

Je m'étais attendue à ce que le Dr Mercer soit affreuse, autoritaire, et qu'elle cherche à envahir mon territoire mental. Hilda et Ernst m'avaient dit qu'il fallait que je l'appelle pour prendre rendez-vous. C'était un coup de téléphone que je différais sans cesse et qui me torturait. J'allais avec ma canne jusqu'au living room, je saisissais le combiné, je le reposais et je m'occupais à une foule de choses excepté téléphoner. A la fin, j'appelai quand même et d'une agréable voix grave, le Dr Mercer me fixa un rendez-vous.

Le jour dit, je me suis réveillée à trois heures du matin et j'étais habillée à neuf heures pour un rendez vous fixé à onze heures. Ida avait les larmes aux yeux : "Mais vous n'êtes pas folle, Sister, vous êtes juste déprimée parce qu'il vous est arrivé tellement de choses terribles ces derniers temps."

Ainsi, bien avant l'heure prévue, j'étais en train d'attendre dans le cabinet du Dr Mercer. La porte capitonnée était très dure à bouger pour moi, et elle faillit presque me renverser. J'avais le souffle court quand je me trouvai pour de bon en face du Dr Mercer. C'était – c'est toujours – la plus belle femme que j'aie jamais vue. Elle a des cheveux noirs, des yeux gris-bleu et une superbe peau. Elle est toujours impeccablement vêtue et sa silhouette mince rayonne de santé et de grâce. Elle porte toujours un rang de perles. Plus que tout, son visage reflète la beauté intérieure et la noblesse de son esprit.

Je n'ai pas seulement apprécié immédiatement le Dr Mercer, je l'ai aimée et, ce qui est tout aussi important, j'ai su que je pouvais lui faire confiance du fond de mon âme. Il ne fut pas difficile de lui parler. Toutes les rébellions, toutes les frustrations de ma vie, je les lui ai présentées, parce que je sentais qu'elle savait à quoi elle touchait. Quand les cinquante minutes de la séance furent passées, elle me demanda ce que j'allais faire maintenant.

— Rentrer à la maison et repenser à tout cela.

— C'est l'heure où je déjeune, dit-elle et, à ma grande surprise et mon immense plaisir, elle me demanda : "Voulez-vous déjeuner avec moi ?"

Nous ne fîmes aucune allusion à la psychothérapie durant le déjeuner. Nous parlâmes de livres, et surtout nous mangeâmes en silence. Lors des cinquante minutes de cette première séance, elle m'avait dit : "J'aime les mots mais je vous le dis, Mrs McCullers, je ne me laisserai pas séduire par vos mots. J'ai vu votre pièce, *Frankie Addams*, mais je n'ai lu aucun de vos livres. Je souhaite que les choses demeurent ainsi, et je ne les lirai pas avant la fin de votre thérapie." Désormais, après chaque séance, nous déjeunions ensemble, et c'était l'apogée de ma journée.

La thérapie se déroula merveilleusement bien et, au bout d'à peine un an, je cessai d'être sa patiente. Nous sommes devenues des amies très proches et je ne peux imaginer la vie sans notre affection et notre amitié [...] [3]. »

Un certain nombre d'éléments, dans ce récit, peuvent déconcerter quiconque connaît les pratiques françaises en matière d'analyse — et singulièrement cet étonnant déjeuner «post-séance». Il semble que l'étanchéité entre acte thérapeutique et relations personnelles soit beaucoup moins stricte parmi les praticiens anglo-saxons que chez leurs homologues français — ainsi Samuel Beckett avait-il été convié par son psychanalyste anglais Bion à venir écouter avec lui une conférence de Jung [4]... De même, la très courte durée de la thérapie — un an — ne paraît pas exceptionnelle pour l'époque. Plus étrange — Mary Mercer en convient — est la manière dont se déroulaient les séances.

«Je crois bien que je ne savais même pas que Carson McCullers habitait ici, dit aujourd'hui Mary Mercer. Ou bien quelqu'un l'avait mentionné et je n'y avais pas prêté attention. J'avais en effet vu sa pièce *Frankie Addams*, que j'avais trouvée remarquable. C'est tout. C'était donc bien peu. Elle est venue me voir parce qu'elle avait un besoin urgent d'aide. Elle pensait qu'elle ne parviendrait plus à écrire. J'ai accepté de la prendre comme patiente. Mais le rapport thérapeutique a duré seulement un an. Ensuite, nous sommes restées amies [5].»

Propos bien modestes pour une relation quotidienne qui a «tenu» Carson McCullers, lui a permis de transformer une survie pénible en surcroît d'existence, de voyager encore un peu, d'écrire surtout – et qui a sans doute aussi beaucoup compté pour Mary Mercer. Laquelle n'en dit rien ou presque. Mais il suffit de voir comment elle parle de Carson, comment elle contient son émotion – et parfois ne la contient plus lorsqu'elle a l'impression qu'on se trompe, qu'on ne comprend pas bien quelque chose, ou lorsqu'on lui rapporte des propos désagréables tenus sur son amie. Mary Mercer est la rencontre la plus importante de la fin de la vie de Carson McCullers, grâce à laquelle elle pourra terminer et publier son roman, *L'Horloge sans aiguilles*. Grâce à laquelle aussi les quelques mois qu'on lui donnait à vivre se transformeront en près de dix ans.

Certains amis de Carson, brillants artistes et esprits originaux, voyaient – et continuent de voir – en Mary Mercer une femme assez conventionnelle, très bon-chic bon-genre. Les photos de l'époque ne disent pas le contraire. Elle agaçait beaucoup Janet Flanner, qui l'accusait d'avoir tenté de couper Carson de tous ses anciens amis. Aujourd'hui, Mary Mercer est une femme de quatre-vingt-quatre ans d'une grande distinction, aussi élégante dans sa manière de s'exprimer que dans son allure. Ce qu'elle dit de Carson McCullers n'a vraiment rien de conventionnel. Pour le reste... on n'en saura rien. Elle est de ces gens qui, d'emblée, sans un mot, découragent toute question trop personnelle, ce qui la rend extrêmement séduisante. On ne peut, bien sûr, au prétexte d'une rencontre unique et brève, considérer comme négligeable l'opinion de gens qui l'ont vue longuement voilà quelque trente ans. Toutefois, à l'entendre mais aussi à lire les lettres, à consulter les documents, il est assez difficile de voir en Mary Mercer une personne de plus séduite par Carson, et dont celle-ci se serait « servie ».

> « On a affirmé que je refusais de parler de Carson McCullers à ceux qui travaillent sur elle, fait remarquer Mary Mercer. Ce n'est pas tout à fait exact. La preuve. Mais ces entretiens me sont très difficiles. Car qu'est-ce que l'analyse, sinon un travail sur du biographique ? Alors, raconter du biographique, c'est comme trahir ce qu'on a fait en analyse. Mais je me sens un peu plus libre depuis que je sais que Carson elle-même a révélé des détails, dans des documents conservés à l'université d'Austin, Texas, donc quasi publics [6]. »

Peut-être pense-t-elle aussi que, presque trente ans après sa mort, Carson McCullers est en train de passer du « souvenir » à « l'histoire », et qu'il faut que cette histoire soit faite. Elle reste cependant extrêmement réservée et discrète. Pourtant, elle possède des documents exceptionnels, dont une minuscule partie est à Austin. Ce sont des enregistrements de séances d'analyse. Après la mort de Carson McCullers, au moment où sa famille, Floria Lasky et son agent, Robert Lantz, cherchent un « biographe autorisé », ce dernier fait allusion à ces bandes dans une lettre à Mary Mercer :

> « Carson m'a dit qu'au début, elle ne voulait pas parler avec vous. C'est alors que vous avez eu l'idée géniale de lui proposer de traiter les séances comme du "matériau littéraire", que vous lui avez donné un magnétophone et que vous avez transcrit les bandes qu'elle enregistrait. Ce sont ces pages de transcriptions qui étaient sur la table de nuit, et dont quelques-unes ont été publiées dans *Esquire* sous le titre "The Flowering Dream". En fait, elle voulait en publier plus et faire une sorte d'autobiographie [7]. »

Il est vrai que « Un rêve qui s'épanouit » contient des éléments faisant partie de ces pages répertoriées comme « Transcription of Meditations during Analysis », mais seules deux des bandes que possède Mary Mercer figurent dans le fonds d'Austin. En outre, sa version des faits est un peu différente de celle de Robert Lantz, et sans doute plus exacte :

« Carson n'avait pas beaucoup d'argent, raconte-t-elle. Nous avons fixé un montant de 10 dollars par séance. Un jour, elle est arrivée tout heureuse. Elle avait "eu une idée". "Et si on enregistrait nos séances pour ensuite en tirer un livre ?" Je lui ai dit qu'à mon avis aucun patient, à part elle, n'aurait pu suggérer une telle idée. Et qu'en outre, cela ne pouvait se faire. C'était contraire au "contrat" de la thérapie. Cependant, contre toute raison et contre tous les principes de mon métier, j'ai accepté qu'on enregistre – une copie pour elle et une copie pour moi –, en lui précisant bien que ce matériau n'était pas destiné à être rendu public tel quel, mais à constituer une source pour ce livre dont elle avait le projet. Nous étions parfaitement d'accord là-dessus.

Au bout de quelques semaines, des confrères ont commencé à m'appeler pour s'étonner et me faire part de leur désapprobation parce que j'enregistrais "des cassettes avec Carson McCullers, qu'elle faisait entendre à tout le monde". J'étais assez choquée moi aussi. Dès la séance suivante, je le lui ai dit : "Mais enfin, Mrs McCullers, il était entendu que c'était une affaire entre vous et moi." Plus que privée. Secrète. Elle en est convenue. Elle ne faisait pas du tout cela pour m'embarrasser, ou me porter tort. Elle ne voyait tout simplement pas pourquoi cela posait un problème. Elle m'a donc rapporté toutes ses copies – sauf probablement les deux qui sont maintenant à Austin. »

Et Mary Mercer, qui n'ignore sans doute rien de la frustration qu'elle va faire naître, ajoute de sa voix très posée : « Je les ai toujours. Toutes. [8] »

Outre les passages repris dans « Un rêve qui s'épanouit »,

quelques bribes de ces enregistrements sont transcrits sur papier. C'est à la fois banal et étrangement touchant par l'inquiétude qu'on sent chez Carson McCullers à l'idée de parler «vraiment» à Mary Mercer, dans cette espèce de parole démunie, hachée, à la fois confiante et affolée, dont voici quelques exemples.

Transcription du 2 avril 1958 : Carson McCullers se souvient d'Annemarie. Puis s'interrompt :

> «J'ai toujours pensé à la psychothérapie comme à une science sans grand intérêt, à la fois informe et dogmatique. J'avais des clichés dans la tête; je commence à comprendre. Pour la première fois, je comprends le fonctionnement de la logique symbolique et la structure profondément musicale de la psy... (elle n'arrive pas à prononcer le mot) [ce détail est noté dans la transcription]. Je n'ai jamais compris ce que j'écrivais tant que ça n'a pas été fini. Je ne crois pas que ça va changer avec l'analyse [9].»

Transcription du 11 avril 1958. Elle veut commenter «Mon cœur mis à nu» de Baudelaire. Puis elle interpelle le Dr Mercer :

> « Est-ce que vous voyez au travers des os de mon front? Est-ce que vous lisez dans mon esprit, docteur Mercer? Toute ma vie, j'ai pensé que plus longtemps, je... [noté comme : "inaudible", écrivais peut-être], plus j'avançais dans mon propre travail, plus je vivais longtemps avec le travail que j'aimais, plus j'étais consciente de mes rêves... Et puis je vous ai rencontrée, docteur Mercer, et cela m'a conduite à aller plus loin que cela. (Confusion, association) [noté dans la transcription]... Je pense à Van Gogh. Rendez vous compte que Van Gogh n'a jamais vendu une toile quand il était en vie. Van Gogh s'est suicidé. Nijinski, le grand ange volant de la danse, s'est brisé. Maintenant, il est mort. Von Braun et Robert Oppenheimer. Von Braun était un Nazi. Oppenheimer est un ange et un poète. Je veux une avance de mon éditeur. Cela me fait penser à Gypsy Rose Lee. Quand je vivais

dans la même maison que Gypsy, Mr Wechsler venait souvent. On riait beaucoup. La nuit dernière, j'ai eu peur d'avoir une attaque, j'ai même eu de faux symptômes d'attaque, j'ai eu très peur et c'est pourquoi je vous ai appelée et réveillée à cinq heures du matin et, Dieu vous bénisse... Avant, j'aurais juste bu toute une bouteille et j'aurais fumé. J'ai juste pris un verre. En fait, un demi-verre... J'aurais fumé deux paquets là où j'ai pris deux cigarettes. Je ne bois presque jamais plus quand je suis avec des gens. J'avais horriblement peur de vous abandonner mon enfance, ma jeunesse, mes joies, mes rires... Je ne savais pas... Le fait que je ne l'ai jamais atteinte [la maturité], je ne le savais pas... Savez-vous combien cela me fait souffrir d'écrire des lettres à des amis? Mais j'ai un tel désir de communiquer [10]. »

Même sans particulière compétence analytique, on mesure à lire cet exemple de quel intérêt peuvent être ces bandes enregistrées que Mary Mercer a «toutes» gardées... Ici, le rappel du suicide de Van Gogh qui n'a jamais vendu une toile de sa vie – pas plus que Reeves n'a jamais publié un livre de sa vie –, ou l'évocation de Nijinski qui «volait» et s'est «cassé» (*is broken* dit le texte anglais), comme son corps à elle est cassé, brisé, donnent évidemment à penser. Tout comme l'étonnante association du nazi et du poète, puis l'évocation de l'avance demandée à l'éditeur qui provoque l'irruption du souvenir de Gypsy Rose Lee et Mr Wechsler – la strip-teaseuse de la maison de Brooklyn Heights et son ami gangster, qui avait déposé mille dollars sur le tapis devant sa chambre...

Ces retranscriptions témoignent aussi du regain d'espérance et de projets que déclenchent ces séances d'analyse :

Transcription du 14 avril 1958 : «Ce matin, je me suis réveillée très tôt, très impatiente de venir ici, et d'un seul coup, j'ai eu une idée extraordinaire... C'est qu'Anna Magnani joue le rôle de Miss Amelia dans la *Ballade* et que Carol Reed fasse la mise en scène. Carol Reed, je l'ai rencontré juste une fois. Il est venu me voir à Nyack et il m'a donné ce bel étui à cigarettes... un homme merveilleux. Nous avons parlé tout l'après-midi. Il voulait faire *Reflets*... Je lui ai dit que je ne pensais pas cela possible... Mais je sais que la *Ballade* serait grandiose avec Magnani [...] et, vous savez, on pourrait prendre Orson Welles pour quelques scènes. Il [Reed] a travaillé avec Orson, et Tenn pourrait écrire l'adaptation [11]. »

Le mois suivant, elle écrira effectivement une lettre en ce sens à Carol Reed, lettre dans laquelle elle apparaît, comme souvent dans les dernières années de sa vie, démunie, bâtissant de pathétiques « châteaux en Espagne », rêvant pour trouver la force de supporter le réel, de continuer :

« Après l'après-midi enchanteur que nous avions passé ensemble, j'avais commencé à vous écrire une longue lettre. Je voulais vous parler de mon travail, vous dire combien j'aimais l'idée de filmer *Reflets*, je crois qu'une production anglaise serait moins censurée qu'une production américaine. Si on tourne le *Cœur*, il faut que ce soit sur les lieux. Je vous disais aussi combien j'ai de l'amitié pour vous. J'adorerais travailler avec vous, parce que vous êtes le plus distingué et le plus charmant de tous les metteurs en scène du monde. Quand j'ai fait *Frankie*, Harold Clurman était là et je travaillais avec Ethel Waters et Julie Harris. C'était du vrai travail d'artistes.

Je voudrais travailler à la *Ballade*. La diriger. Je voudrais qu'Anna Magnani la joue. Et Orson Welles, si on peut le payer, je voudrais qu'il soit là trois jours, comme il l'a fait pour *Le Troisième Homme*. Je ferais le scénario avec Tennessee Williams.

Je vous ai aussi envoyé un de mes livres favoris, *La Ferme africaine* [12]. »

A plusieurs reprises, dans cette longue lettre, elle lui demande de répondre vite. Elle lui parle d'un de ses jeunes amis. Il a dix-neuf ans, il est amoureux d'elle, « comme on est amoureux à dix-neuf ans d'une femme plus âgée. Il me lit

Finnegans Wake. Il me lit Yeats. Il a voulu commencer à me lire Henry James et je lui ai dit "non, je ne veux pas". Il lit Eliot. C'est un merveilleux lecteur. Je lui ai demandé de relire ma lettre. Il était furieux : "Comment pouvez-vous écrire une lettre comme celle-là à un homme que vous n'avez vu qu'une fois ?" Et je crois qu'il ne l'a pas postée. Il l'a gardée pour lui ». Elle reparle de l'éventuelle distribution du film tiré de la *Ballade*, comme elle l'avait fait lors de sa séance d'analyse : « Anna Magnani, Amelia ; Marlon Brando, Marvin Macy ; Truman Capote, cousin Lymon. » Faire jouer le rôle du petit bossu, difforme mais aimé d'Amelia, à Truman Capote, voilà bien une trouvaille qui signale ce que ne peuvent cesser d'être leurs relations : volonté d'abaisser mais estime et, au fond, une certaine forme d'affection.

Le ton de la lettre est assez exalté. Il faut dire que cette année 1958 était un moment de grand trouble pour Carson. Après s'être crue « finie », « à sec », impuissante littérairement, elle recommence, grâce à ses séances avec Mary Mercer, à travailler. Plus tard, elle expliquera qu'elle était si en forme intellectuellement, certains jours, qu'elle écrivait plusieurs pages dans sa tête et se concentrait jusqu'à l'arrivée de la secrétaire pour pouvoir les lui dicter.

« En outre, il s'était passé quelque chose d'essentiel concernant sa maladie, souligne Mary Mercer. Pour arriver chez moi, Carson devait monter un terrain en pente. Puis emprunter des escaliers. Je n'y avais pas prêté attention. Un jour, en rentrant chez elle après une séance, elle a eu un malaise. Elle a été transportée à l'hôpital, au Harkness Pavilion de New York. En principe, je ne m'occupe jamais de la santé physique de mes patients. Cela doit être traité par d'autres. Ce n'est pas de mon ressort. J'ai fait une exception. Je suis entrée en contact avec les médecins qui l'avaient prise en charge. Leur pronostic était très pessimiste. Alors j'ai voulu savoir ce qu'il en était vraiment de la santé de Carson,

et j'ai demandé qu'on l'examine à fond, qu'on refasse son
"histoire médicale". C'est ainsi qu'on a découvert la cause de
ses attaques, si inhabituelles chez une femme si jeune. Dans
son enfance, elle avait eu un rhumatisme articulaire aigu, non
diagnostiqué donc non soigné, et qui avait causé des dom-
mages irréparables.

C'était une information de première importance, non
seulement pour les médecins, mais pour Carson elle-même.
Pour la première fois, après dix ans d'angoisses obscures, elle
pouvait nommer sa maladie. Elle pouvait cesser de vivre dans
la terreur permanente de ces "mystérieuses attaques pouvant
surgir à n'importe quel moment, sans qu'on sache jamais
d'où elles venaient". Il serait faux, bien sûr, de penser que
cette peur était la seule cause de sa consommation excessive
d'alcool, mais elle avait contribué à l'aggraver grandement.
Être dans une sorte de "brume alcoolique" était une manière
de masquer sa crainte [13]. »

En outre, après ces examens complets, les médecins décident, en accord avec Mary Mercer et Carson McCullers elle-
même, d'entreprendre une série d'opérations – qui auraient
dû être faites depuis longtemps déjà, selon Mary Mercer –
pour lui rendre une partie de la mobilité du bras et de la main
gauches. Et surtout, pour que ce membre la fasse moins souffrir. Elles auront lieu en 1958 et 1961. La liste établie plus
tard par Mary Mercer des différentes hospitalisations de
Carson est, dans sa sécheresse même, pathétique. Pour cette
seule année 1958, on y lit :

19 février 1958 : hôpital de Nyack. Sérieuse défaillance
cardiaque et pneumonie.
18-30 mai 1958 : Harkness. Reconstruction du coude
gauche (muscles et tendons)
24 septembre –14 octobre 1958 : Reconstruction du poignet gauche.

En dépit de tout, au début du printemps de 1958, Carson
participe, à New York, à l'enregistrement d'un disque produit

par la MGM, rassemblant des textes de Faulkner et d'elle-même lus par les auteurs, des textes de Joseph Conrad lus par Sir Ralph Richarson, et de Jonathan Swift, lus par Sir Alec Guinness. Un disque aujourd'hui quasi introuvable, qui est devenu une pièce de collection à cause de Faulkner et de Carson McCullers, si émouvante lorsqu'elle lit un passage de *Frankie Addams* : « [...] et elle avait envie de dire : je vous aime tellement tous les deux, et vous êtes mon nous à moi. Je vous en prie, gardez-moi avec vous deux après le mariage et on sera toujours ensemble [14]. »

Quand le disque sort, en mai, le *New York Times* se montre à juste titre assez réservé sur le projet – que signifie le choix de si brefs extraits d'œuvres importantes ? – mais souligne l'émotion qu'on éprouve à entendre Faulkner et Carson McCullers :

> « L'enregistrement de Mrs McCullers se détache des autres en ce qu'il est moins une introduction à l'œuvre qu'à la femme elle-même. La manière dont elle se confronte au texte, dont elle s'investit émotionnellement dans ce qu'elle lit, les brisures de sa voix dans certains passages, tout cela donne à cet enregistrement sa qualité singulière, bien que parfois sans rapport avec la littérature. Mrs McCullers lit des extraits de *Frankie Addams, Le Cœur est un chasseur solitaire, La Ballade du Café triste*, ainsi que trois de ses poèmes. La présence de la poésie est une bonne idée, puisque c'est un aspect moins connu de son art [15]. »

Une fois de plus, Carson surmonte l'obstacle, l'échec, la douleur, et redevient Carson McCullers, écrivain américain, qui a sa place à défendre. En juillet, elle donne une conférence à l'université Columbia de New York et écrit sa préface à *La Racine carrée du merveilleux,* qui va paraître chez Houghton Mifflin. En août, le 19, elle participe à une émission de télévision sur le théâtre, mais surtout elle travaille à ce qu'elle désigne comme « un nouveau manuscrit », *Un rêve qui s'épa-*

nouit. C'est celui qui figure dans les archives avec la date du 23 août 1958 et qui, coupé et modifié, a paru l'année suivante dans *Esquire* portant comme sous-titre «Notes sur l'écriture». Bien que né de préoccupations autobiographiques, il se présente comme des considérations générales sur l'écriture et la littérature. On y retrouve toute la fermeté de Carson McCullers lorsqu'elle s'exprime sur ces sujets.

«L'intuition est le bien premier d'un écrivain. Trop d'événements paralysent l'intuition. Un écrivain a besoin de connaître beaucoup de choses, mais il y a tant de choses qu'un écrivain n'a pas besoin de connaître – il a d'abord besoin de connaître toutes les choses de l'homme, même lorsqu'elles sont "malsaines" comme on dit [...]

Quand on me demande qui a influencé mon travail, je regarde du côté d'O'Neill, des Russes, de Faulkner et de Flaubert. *Madame Bovary* donne l'impression d'avoir été écrit avec une admirable économie de moyens. C'est pourtant l'un des romans de tous les temps écrits avec le plus de difficulté. *Madame Bovary* est une synthèse du réalisme propre au siècle de Flaubert, réalisme destiné à combattre le romantisme de son temps. Par sa lucidité, sa parfaite élégance, le livre donne l'impression d'avoir coulé sans un à-coup de la pensée de Flaubert vers sa plume. Pour la première fois, l'écrivain était en accord avec sa vérité [...] Rares sont les écrivains du Sud vraiment cosmopolites. Quand Faulkner parle de la France ou de la RAF, il ne me convainc pas tout à fait – mais chaque paragraphe qui a trait au comté de Yoknapatawpha emporte ma conviction. Pour moi, *Le Bruit et la Fureur* est probablement le plus grand roman américain. D'une authenticité, d'une grandeur, et, par-dessus tout, d'une tendresse dues à l'enchaînement du rêve et de la réalité, ce qui est une complicité d'ordre divin. Hemingway, en revanche, est le plus cosmopolite des écrivains américains. Il se sent chez lui à Paris, en Espagne, et en Amérique, à travers les histoires indiennes de son enfance. Cela tient peut-être à son style, qui est une libération, l'aboutissement d'un très beau travail d'expression formelle. Aussi adroit qu'il soit à dépeindre ses différentes visions et à emporter la conviction du lecteur, sur le plan émotionnel, il erre au hasard. Dans son œuvre, le style sert à masquer bien des choses qui sont d'ordre émotionnel. Si je préfère Faulkner, c'est que je suis plus sensible à ce qui m'est familier – à une écriture qui me rappelle ma propre enfance, qui me sert de référence pour retrouver mon propre langage. Hemingway me donne l'impression de se servir du langage pour le seul plaisir de l'écriture [...]

C'est la personnalité d'un écrivain, mais aussi son pays d'origine, qui donnent de la force à son travail. Je me demande parfois si ce qu'on appelle l'école "gothique" des écrivains du Sud, qui met sur le même plan grotesque et sublime, ne tient pas avant tout à la pauvreté de la vie dans le Sud. Les Russes, à cet égard, ressemblent aux gens du Sud. Dans mon enfance, le Sud était une société pratiquement féodale. Mais le problème racial rend plus complexe encore la société du Sud par rapport à la société russe. Beaucoup d'hommes pauvres, qui vivent dans le Sud, n'ont qu'un seul orgueil : le fait d'être blancs. Et quand l'orgueil de soi est si tristement avili, comment apprendre à aimer ? C'est, avant tout, l'amour qui sert de moteur premier à toute bonne littérature. Amour, passion, compassion étroitement enchaînés [16]. »

Parallèlement, une partie de l'été et de l'automne est occupée par un conflit avec son éditeur français, André Bay, à propos de l'adaptation théâtrale française de *Frankie Addams*. Faite par Bay, elle a été acceptée par Carson autrefois, et soudain, elle la récuse. La pièce sera finalement montée en décembre à Paris, à l'Alliance française, dans une adaptation d'André Bay et William Hope – un jeune Américain, lui aussi né en Georgie, qui se passionne pour l'œuvre de Carson McCullers –, et mise en scène par le même William Hope. Mais le lieu et le calendrier – un temps de programmation trop réduit – ne lui permettront pas de recueillir plus qu'un succès d'estime, dont témoigne un article de Gabriel Marcel dans *Les Nouvelles littéraires,* où il insiste sur l'originalité du travail de Carson McCullers : «On a parlé de Tchekhov à propos de Carson McCullers et de cette pièce, *Frankie*

Addams. Je ne conteste pas la parenté. Mais nous sommes en présence d'une œuvre d'une irrécusable authenticité [17]. »

Ce conflit, qui a gâché les bonnes relations qu'entretenaient André Bay et Carson McCullers, n'est pas en lui-même extrêmement intéressant – elle n'a pas tort de dire que les traductions françaises de ses romans sont mauvaises et que cela doit l'inciter à la prudence ; et Bay a raison de rétorquer qu'elle a accepté cette adaptation en son temps, et qu'il est assez mal venu de tenter de tout arrêter au moment où la pièce se monte. Mais il devient fascinant quand on songe à ce qu'il manifeste de la pugnacité retrouvée de Carson McCullers. En juin, télégramme et lettres à André Bay se succèdent, ainsi que les réponses étonnées de celui-ci [18]. Quant à Carson, elle écrit notamment :

> « Je ne me souviens pas d'avoir accepté cette traduction ou une autre semblable, en 1954, car je ne lis ni ne comprends assez bien le français pour pouvoir le faire. J'ai décidé de ne pas donner mon approbation au présent texte après l'avoir montré à une Française qui est une de mes amies proches, familière de mon œuvre, et qui est elle-même une brillante artiste. Son opinion est que la traduction est trop littérale, sans poésie et sans grâce. Elle en a parlé avec un de ses propres amis, qui est compétent et qui a dit la même chose. Deux personnes, dont Janet Flanner, pensent que le dialogue entre Frankie et Berenice manque de poésie, et aussi de précision. [...] Ce n'est pas la lettre de la traduction que nous contestons, mais son esprit [...] Enfin, je déplore que vous ne m'ayez pas consultée, ni sur Mr Hope, ni sur la distribution... Mais c'est du passé et maintenant la question est celle de l'avenir. J'espère que dorénavant vous me tiendrez au courant de tous les développements, en raison de mon intérêt pour cette pièce et du désir que j'ai montré de parvenir à une solution amiable. »

Entre-temps, Audrey Wood, alors agent de Carson McCullers, était intervenue. Elle s'était mise en rapport avec l'agent qui s'occupait en France des intérêts de Carson. On l'avait assurée de la bonne foi de Bay et du jeune Bill Hope, et elle avait rapporté à Carson que Bay et Hope « n'avaient jamais considéré ce travail dans une simple perspective commerciale mais avaient œuvré dans un esprit de réelle dévotion à [son] égard, en tant que personne et en tant qu'artiste [19] ».

Carson envoie, le 19 juillet, une dernière lettre à André Bay, écrite en français, pour sceller la paix, mais elle tient à réaffirmer avec une fermeté touchante qu'elle avait raison, tant est fort – chez tout écrivain mais particulièrement chez quelqu'un qui, comme elle, doit lutter pour survivre – le sentiment de dépossession, voire d'annulation, quand, à tort ou à raison, il se sent exclu de son œuvre : « Je ne comprends pas que soient qualifiées d'injustifiées et d'incompréhensibles les objections d'un écrivain qui tient à l'intégrité de son œuvre, dont il est le seul juge. »

La Française, « elle-même une brillante artiste », dont il est question dans l'une des lettres s'appelle Marielle Bancou. Elle est belle, raffinée, elle a une trentaine d'années et beaucoup de charme. Elle est aussi l'une des personnes qui ont rendu la vie de Carson McCullers supportable, et parfois gaie, dans les dernières années. Depuis 1953, elle habite l'immeuble voisin du 131 South Broadway et, après l'incendie de cet immeuble en janvier 1959, elle séjournera plusieurs mois dans la maison de Carson, qui est grande et dont celle-ci n'occupe que le rez-de-chaussée. Dans *Illumination and Night Glare*, Carson raconte leur rencontre dans le bus qui relie Nyack à New York, le désarroi de Marielle après l'incendie, et sa fidélité, même après son déménagement :

« Quand elle partit, elle me manqua terriblement, mais elle s'arrangeait toujours pour venir dîner le dimanche [...]. Elle me racontait tout ce qui concernait son travail de styliste et elle me montrait les merveilleux tissus imprimés qu'elle créait [...]. L'incendie ne l'avait pas abattue ni même réellement ralentie. Charmante, et avec une qualité d'esprit que j'ai rarement rencontrée, drôle, spirituelle et profonde à la fois, elle est avec Mary Mercer ma meilleure amie [20]. »

Quand Carson veut écrire en français à André Bay, c'est Marielle qui traduit. Aujourd'hui encore, celle-ci estime, comme à l'époque, qu'il «a fallu un miracle, toute la puissance et toute la magie de l'œuvre de Carson pour que le public français l'apprécie, en dépit de traductions vraiment trop médiocres. On me dit qu'on en a fait de nouvelles, c'est une bonne chose. Elles ne peuvent qu'être meilleures [21]. »

Marielle Bancou, que Carson appelait «Snow Flake» ou «Little Color Combination», était donc à l'époque styliste, et elle a dessiné de nombreux vêtements pour Carson qui s'était prise de passion pour le blanc et les tissus précieux, vaporeux. Beaucoup plus tard, après la mort de Carson, Marielle Bancou a fait des «livres peints» associant texte et expression plastique, dont plusieurs sont des hommages à l'œuvre de Carson McCullers et qui ont été exposés à Paris, notamment à la galerie La Hune en 1992.

L'amitié a été très forte entre ces deux femmes, faite d'une grande complicité, d'une capacité à rire ensemble. Marielle, c'était la vie et la jeunesse dans l'univers de Carson, la fantaisie, alors que Mary Mercer était du côté de la raison. Les deux relations étaient nécessairement antagonistes. Marielle Bancou est de ceux qui voient en Mary Mercer «une personne très traditionnelle», et l'évocation qu'elle fait des rapports entre Carson et son médecin, qui se donne pour très personnelle et ne prétend en rien à l'objectivité, est assez plaisante :

« Mary Mercer était pédo-psychiatre. Conventionnelle et traditionnelle, elle avait la gentillesse et la compassion du médecin de province. Plus une réaction de curiosité pour celle qui était, à l'époque encore, un personnage très célèbre. Plus une attirance amoureuse, cultivée par Carson, qui tenait une victime nouvelle, facile à vampiriser. Il est évident que Mary Mercer n'était pas de taille. Carson voulait entreprendre une analyse parce qu'elle n'arrivait plus à écrire – ce qui était le problème du héros de la pièce qui venait de lui valoir un échec, *La Racine carrée du merveilleux*. Il était plus commode de trouver un médecin à Nyack, d'où Mary Mercer. Carson était déjà peu transportable, et monter la colline en taxi à Nyack était plus simple.

Ce qui l'était moins, c'était les préparations machiavéliques de Carson avant chaque séance. Elle essayait sur moi les histoires abracadabrantes d'un passé imaginaire qu'elle avait l'intention de raconter, pour voir l'effet qu'elles pouvaient produire sur la personne qui les écoutait. Je répondais toujours : "Cela ne me choque pas, essayez sur Mary." "Et ceci, croyez vous que cela la choquerait ?", insistait Carson en racontant quelque chose d'autre.

Cela dit, Mary était une personne très organisée, à l'esprit pratique, et elle a mis de l'ordre dans l'existence chaotique de Carson, la succession des infirmières, secrétaires... Car Carson était très dépendante. Elle avait besoin d'une assistance quasi constante pour les choses en apparence les plus simples, mais que ses maladies et sa paralysie lui interdisaient de faire seule. »

On n'est pas obligé de prendre à la lettre le témoignage de Marielle Bancou, qui tend à minimiser le rôle de Mary Mercer, ou au moins sa proximité avec Carson McCullers, comme l'affection que cette dernière lui portait. Et ce qu'elle dit de la manière qu'avait Carson d'être double, de ne pas vouloir se soumettre au médecin et à sa technique, de prétendre la manipuler, contrôler l'analyse, est, d'une certaine manière, un signe de vitalité. C'est également, selon les spécialistes, une démarche assez courante que celle qui consiste à exhiber une prétendue désinvolture à l'égard de l'analyste, voire un jeu, pour s'exonérer de la dépendance induite par le traitement. Et rien ne dit que Mary Mercer ait été dupe des volontaires affabulations de Carson, à supposer qu'elle les lui ait effectivement soumises – ce qui est loin d'être sûr. D'une part, parce que ces «vantardises» devant autrui servent de dénégation et sont rarement réitérées dans la relation analytique, d'autre part, ce qu'on possède des enregistrements de séance comporte certes de flagrants écarts à la réalité – en particulier concernant Reeves – mais rien qui procède d'un volontaire désir de «choquer».

Carson McCullers a besoin de Marielle Bancou, qui la fait se sentir jeune, ce qu'elle aurait encore été – elle a quarante-deux ans – n'était la maladie. Quand Marielle s'éloigne pour un séjour en France, comme à l'automne de 1959, Carson s'ennuie, lui écrit, lui demande de revenir vite, d'être là pour Thanksgiving. Symétriquement, pour Marielle, Carson est «ce qu'elle peut aimer de l'Amérique». Son attachement à ce pays, où elle vit encore – elle partage son temps entre New York et Paris – passe par Carson McCullers. De son amie, dont elle garde un souvenir net, sans pieux embaumement, Marielle Bancou fait le portrait le plus vivant qui soit, avec humour, sans complaisance, sans pathos ou mièvrerie. Quand on l'écoute, on emporte l'image d'une Carson McCullers bien vivante, volontiers féroce, qui appelle ses amis avec «ces noms sucrés du Sud, comme "precious"», mais qui sait imposer sa volonté.

Sa volonté, elle va la mobiliser de nouveau pour faire venir à Nyack l'une de ses «héroïnes», Karen Blixen. Le 28 janvier 1959, Carson fait le déplacement de New York pour assister à la conférence de l'auteur de *La Ferme africaine*, Isak Dinesen, baronne Blixen, puis au dîner donné par l'Académie américaine en son honneur. Carson, qui relit *La Ferme africaine* chaque année depuis 1937, et l'a fait lire à tous ses amis, a une inconditionnelle admiration pour son auteur. Elle a écrit sur elle un article paru en 1943 dans *The New*

Republic[22] et un essai «Isak Dinesen : éloge du rayonnement» qui paraîtra en 1963 dans *Saturday Review* :

> «Dans sa simplicité et sa "noblesse sans égale", j'ai compris que ce livre serait l'un des plus rayonnants de ma vie.
>
> Les désert brûlés, les jungles, les collines ont ouvert mon cœur à l'Afrique – l'ont ouvert également aux animaux et à cet être rayonnant, Isak Dinesen. Fermière, médecin, chasseur de lions, si besoin était. *La Ferme africaine* m'a fait aimer Isak Dinesen. Lorsqu'elle galopait à travers les plaines immenses, je galopais avec elle. Ses chiens, sa ferme, "Lulu", sont devenus mes amis, les indigènes aussi, pour qui elle avait une si grande affection – Farsh, Kamante, tous ceux qui vivaient à la ferme. J'avais lu *La Ferme africaine* avec tant d'attention et d'amour que son auteur était pour moi une amie imaginaire. Je ne lui ai pas écrit, je n'ai pas cherché à la connaître, mais elle était là, avec sa tranquillité, sa sérénité, sa grande sagesse qui me réconfortaient. Grâce à ce livre rayonnant de toute l'humanité qui était en elle, à travers cet immense et tragique continent, ses gens sont devenus mes gens, son paysage mon paysage.
>
> J'ai voulu, bien évidemment, connaître ses autres livres et j'ai lu les *Sept contes gothiques*. Leurs qualités n'ont rien de commun avec le rayonnement de *La Ferme africaine*. Ils sont étincelants, ciselés avec précision, et chacun fait penser à une œuvre d'art parfaitement préméditée. La sonorité étrange et archaïque de leur admirable prose permet de comprendre que l'auteur écrit dans une langue qui n'est pas la sienne. Un brasillement éclatant et sulfureux en émane. Quand je me sentais malade, ou en désaccord avec le monde extérieur, je revenais vers *La Ferme africaine* et j'en recevais immanquablement le secours et l'apaisement dont j'avais besoin. En revanche, si je voulais m'arracher à ma propre vie, je me plongeais dans les *Sept contes gothiques*, dans les *Contes d'hiver*, et plus tard dans les *Derniers contes*[23].

La biographe de Karen Blixen, Judith Thurman, consacre un long passage à la rencontre de Carson McCullers avec Isak Dinesen.

«Au dîner qui suivit, Isak Dinesen était assise à côté de Carson McCullers, l'une de ses admiratrices les plus distinguées. Ce fut pour les deux femmes une sorte d'épiphanie car Isak Dinesen avait admiré *Le Cœur est un chasseur solitaire*, qu'elle avait relu plusieurs fois, tandis que Carson McCullers était "tombée amoureuse" d'Isak Dinesen vingt ans auparavant, après avoir lu *La Ferme africaine*. Malgré sa santé chancelante, elle était venue elle aussi au dîner dans l'espoir de pouvoir obtenir, en resquillant, d'être présentée à son "héroïne africaine". Lorsque Carson McCullers apprit qu'Isak Dinesen brûlait de rencontrer Marilyn Monroe, elle proposa avec empressement d'organiser quelque chose. Arthur Miller, qui était un de ses vieux amis, était à la table voisine : il vint se joindre à elles et un déjeuner fut prévu pour le 5 février. Les Miller devaient venir prendre la baronne et [son amie] Clara en voiture, et ils arrivèrent avec le retard pour lequel Marilyn était devenue célèbre.

Elle venait de finir *Certains l'aiment chaud* et sa beauté était à son zénith. Vêtue d'un fourreau noir avec un profond décolleté et une étole de fourrure, incroyablement pâle, radieuse et plutôt timide, elle faisait – Clara eut cette impression – "quinze ans". Isak Dinesen, qui portait l'ensemble gris nommé "Sobre Vérité", irradiait différemment : "Son visage brillait comme un cierge dans une vieille église."

Le déjeuner, qui comprenait huîtres, raisins blancs, champagne et soufflé, les attendait sur la table de marbre noir de Carson McCullers. Marilyn raconta à la compagnie une anecdote amusante sur ses mésaventures culinaires. Elle avait essayé de préparer des pâtes pour son mari et quelques invités, selon une recette de sa mère. Mais les invités étaient déjà arrivés et les pâtes n'étaient pas prêtes, aussi elle avait essayé de les achever au sèche-cheveux. Tout le monde rit, mais Clara fut un peu choquée. Elle trouvait bizarre qu'une déesse prenne le temps de faire des macaronis. Arthur Miller, pendant ce temps, interrogeait la baronne sur ses habitudes alimentaires. Était-ce raisonnable, pour quelqu'un d'aussi faible qu'elle, de ne manger que des huîtres, du raisin et de ne boire que du champagne? Elle l'envoya promener en répondant : "Je suis une vieille femme et je mange ce qui me plaît."

"Carson McCullers, écrit sa biographe, était à son mieux dans les petits groupes où elle pouvait être assurée de rester le centre d'intérêt. Cependant, ce jour-là [elle] abandonna de bon gré ce rôle à son invitée." Isak Dinesen leur raconta "Barua a Soldani" et se mit à parler de sa vie "avec un tel enthousiasme que ses auditeurs ne tentèrent même pas d'interrompre sa merveilleuse conversation." Un peu plus tard, elle alla trouver la servante noire de son hôtesse, Ida Reeder, et lui parla longuement en lui expliquant que "ses amis noirs lui manquaient".

Vers la fin de l'après-midi, McCullers, paraît-il, mit un disque sur l'électrophone et invita Marilyn et la baronne à danser avec elle sur la table de marbre, et elles firent quelques pas dans les bras l'une de l'autre. D'autres invités (dont Miller) "doutent" que cela ait réellement eu lieu, mais leur hôtesse adorait raconter cette anecdote : c'était la réception la "meilleure et la plus frivole" qu'elle eût jamais donnée, et elle éprouva "le plaisir et l'émerveillement d'une gamine en voyant l'amour que ses invités semblaient [...] se témoigner les uns aux autres".

Qu'elles aient ou non dansé ensemble, il est difficile d'imaginer un couple plus fantastique et plus touchant que Dinesen et Marilyn. Elles moururent la même année et Glenway Wescott se plut à dire qu'elles "passèrent le *Styx* en même temps". Dinesen "adorait" Carson McCullers et elle fut ravie de faire la connaissance d'Arthur Miller, mais ce fut Marilyn qui lui fit le plus d'impression. "Ce n'est pas qu'elle soit jolie, déclara-t-elle à Fleur Cowles, quoiqu'elle soit évidemment incroyablement jolie, mais elle rayonne en même temps d'une énergie sans limites et d'une sorte d'inconcevable innocence. J'ai déjà observé cela chez un lionceau que mes serviteurs m'avaient apporté en Afrique. Je n'ai pas voulu le garder [24]."

A propos de cette journée, Arthur Miller a dit en son temps à Virginia Spencer Carr [25] que Marilyn n'avait probablement rien lu de Carson. Au mieux, elle avait vu *Frankie Addams* au théâtre, mais il y avait eu une sorte de sympathie spontanée entre ces deux femmes. A propos de Miller lui-même, Carson avait écrit en 1949 à Tennessee Williams qu'elle avait été «très impressionnée» par la lecture de *Mort d'un commis voyageur*[26].

Aujourd'hui, Arthur Miller affirme n'avoir plus qu'un vague souvenir de ce déjeuner. Il se rappelle pourtant l'année, presque le mois, et la présence d'une autre convive, même s'il dit avoir oublié qu'il s'agissait de Karen Blixen : «C'était surtout Marilyn que Carson voulait rencontrer. Elle avait l'air très malade, elle était presque impotente, paralysée, les muscles recroquevillés. Et contrairement à ce qu'a rapporté la légende, elle ne s'est pas mise à danser sur la table. Elle en aurait été bien incapable[27].»

C'est Carson McCullers elle-même, dans son essai, qui a évoqué ce moment supposé de la danse – mais elle ne parle pas d'avoir dansé sur la table :

« Elle m'a alors priée de l'appeler Tanya, qui est son prénom anglais [...] Tanya ne mangeait que des huîtres et ne buvait que du champagne. Il y avait donc beaucoup d'huîtres à ce déjeuner, et de grands soufflés pour les gros appétits. Arthur lui a demandé quel était le médecin qui lui avait conseillé un tel régime. Elle l'a regardé et a répondu avec une sorte d'impatience : "Un médecin ? Les médecins sont épouvantés par mon régime, mais j'aime le champagne, j'aime les huîtres, et elles m'aiment aussi." Elle a ajouté : "Ce qui est triste, c'est la saison où l'on ne trouve pas d'huîtres, tous ces mois horribles où je suis obligée de me rabattre sur les asperges." Arthur a parlé de protéines, et Tanya lui a répondu : "Je n'y connais rien, mais je suis vieille, alors je mange ce que j'aime et ce qui m'aime." Et elle est revenue à son Afrique et aux souvenirs de ses amis.

Elle a été extrêmement heureuse de rencontrer chez moi des gens de couleur. Ida, ma gouvernante, est noire. Mes jardiniers, Jesse et Sam, également. Après le déjeuner, tout le monde s'est mis à danser et à chanter. Un ami d'Ida avait un appareil photo. Il a pris des clichés de Tanya dansant avec Marilyn, d'Arthur dansant avec moi, et tout autour de nous beaucoup de gens dansaient aussi. C'est un souvenir qui m'est très précieux. Car je n'ai jamais plus revu Tanya. Les écrivains ne s'écrivent guère les uns les autres, et nous avons entretenu une correspondance non pas lointaine, mais espacée. Tanya m'a envoyé des fleurs quand j'ai été malade et de superbes photos de ses vaches et de son chien préféré, prises à Rungsted Kyst [28]. »

Miller a raison, elle ne pouvait pas danser, encore moins sur une table – ce dernier détail a probablement été ajouté par on ne sait qui pour rendre l'histoire plus invraisemblable. Mais lorsque Carson écrit – même si elle est censée relater des faits –, il lui faut dire l'histoire selon son désir, comme elle l'aurait souhaité s'il n'y avait pas eu sa maladie. « Carson avait une image très personnelle de sa vie, écrit sa sœur dans la préface au *Cœur hypothéqué*. Ayant le goût des belles histoires, elle embellissait les instants les plus notables de sa propre existence. »

« Je ne me souviens plus de la conversation, si tant est qu'il y en ait eu une, ajoute Arthur Miller. Elle écrivait une littérature de la solitude, de l'isolement. Très émouvante. J'ai aimé certaines choses. Mais en définitive, je pense que c'était un auteur mineur. A moins que son œuvre n'ait été simplement "cassée", interrompue précocement, à cause de la maladie, puis d'une mort en pleine maturité. »

Carson McCullers aurait eu, en 1995, soixante-dix-huit ans. Arthur Miller en a quatre-vingts. Il est intéressant de noter son insistance – qu'il partage avec beaucoup de survivants de l'époque – à présenter Carson McCullers avant tout comme « un écrivain mineur ». Il fait même mine, encore qu'il se souvienne de sa visite chez elle, d'être incapable de citer le titre d'un seul de ses livres, se contentant d'un vague « j'ai bien aimé… une ou deux histoires qu'elle a écrites ». Tout se passe comme si, bien qu'encore en vie, il voulait être certain qu'elle ne lui survivrait pas, elle, littérairement, lui qui semble si préoccupé par la postérité, par ce soudain oubli auquel presque tous les gens un jour célèbres sont condamnés.

A moins qu'il n'ait compris que l'affaire était déjà entendue... Car si les lecteurs de Carson McCullers forment une sorte de club, assez restreint, à travers le monde, ils sont fidèles et se renouvellent. Tous les adolescents qui aiment lire finissent par ouvrir, un jour ou l'autre, *Le Cœur est un chasseur solitaire,* et partagent l'émotion et l'intérêt de leurs aînés. L'œuvre de Carson McCullers est, certes, limitée dans son ampleur comme dans ses thèmes, et pour ces raisons on peut la dire «mineure». Mais elle ne vieillit pas, ce qui est rare pour les œuvres mineures. Comme si la mort précoce de son auteur, loin d'empêcher son plein éclat, comme le pense Miller, lui était une forme de protection.

Vers le mois d'août de 1959, Carson se réjouit d'avoir terminé son travail sur le livret qui permettrait à *La Ballade du Café triste* de devenir une comédie musicale, mais surtout d'avoir dépassé la moitié du manuscrit de *L'Horloge sans aiguilles.* Elle travaille pourtant dans des conditions qu'elle aurait jugées autrefois «impossibles», des conditions qui mettent en question la définition qu'elle se donnait à elle-même du statut d'écrivain, de créateur. Dicter lui est pénible. Du temps de Reeves, celui-ci pouvait au moins se mettre à la machine dès qu'elle se sentait envie d'écrire, lui permettant ainsi d'aller plus vite qu'avec sa seule main valide à la graphie hésitante. Là, si son aptitude à travailler ne coïncide pas avec les heures de présence de la secrétaire, il lui faut tenter de tracer des repères sur le papier, et surtout de mémoriser. Se souvenir de la phrase juste, en conserver le rythme, les mots précis... Cela devient obsédant et, de fait, c'est une tension psychologique qu'on a peine à mesurer – formuler mentalement la phrase, en esquisser une nouvelle approche, modifier en esprit ceci ou cela, tenter de graver dans sa mémoire la forme définitive – et craindre que toute nouvelle réflexion vienne en détruire ou modifier la trace.

Pourtant le livre avance, à son propre étonnement. Et voilà très longtemps qu'elle ne s'est sentie aussi bien. Elle l'écrit à ses amis, dont Edith Sitwell. Oui, un roman prend forme. Et un roman, c'est la victoire absolue, une preuve formelle – à tous les sens du mot formel : elle est de nouveau écrivain. Mary Mercer avait raison à leur première rencontre. Carson McCullers n'a pas perdu son âme, ni son esprit, ni son génie créateur. « Mary m'a sauvée la vie », dit-elle. Ou plutôt, elle a su lui permettre de *se* sauver la vie, de refuser une fois encore cette mort qu'elle défie sans cesse et qui cherche à la rattraper. La souffrance n'a pas disparu pour autant. Mais on peut une nouvelle fois la contraindre à passer derrière le bonheur d'écrire. Et de lire. Carson reprend même plaisir à la lecture des journaux. Plutôt le *Daily News* que le *New York Times*. Plutôt les faits divers, les dérapages de la vie en société, les ratés, les dysfonctionnements que les analyses politico-économiques à l'échelle de la planète. Plutôt la matière romanesque que la réflexion historique.

> « Je lis chaque jour très attentivement le *New York Daily News*, écrit-elle dans ses "Notes sur l'écriture". C'est intéressant de connaître le nom de la ruelle où l'amant a été poignardé, et dans quelles circonstances – ce dont le *New York Times* ne rend jamais compte. A propos du crime inexpliqué de Staten Island, c'est intéressant de savoir que le docteur et sa femme, lorsqu'ils ont été poignardés, portaient des chemises de nuit à la mormon s'arrêtant aux genoux. Que Lizzie Burden, en ce matin d'été étouffant où elle a tué son père, avait avalé une soupe de mouton pour son petit déjeuner. Les détails excitent plus fortement l'imagination que les considérations générales. Que le Christ ait été transpercé *au flanc gauche* a un pouvoir d'émotion et de suggestion plus grand que s'il n'avait été que transpercé [29]. »

'imagination est relancée. Carson regarde, compare, emmagasine pour bâtir ses prochains récits.

Elle fait même de nouveau des plans pour s'assurer de pouvoir – matériellement – les mener à bien. Le 23 août, c'est une romancière à la recherche de fonds qui écrit à l'un de ses pairs, Thornton Wilder :

> « Tout ceci peut assez ressembler au bureau d'admiration mutuelle, mais cela fait des années que je vous dis combien j'aime votre travail. Il y a une semaine ou deux, j'ai reçu une lettre de la fondation Ford ouvrant une possibilité de bourse en vue de stimuler l'intérêt pour le théâtre chez les poètes et romanciers. L'intérêt que vous portez au théâtre a déjà largement stimulé le monde entier, mais je me trouve en situation d'avoir grand besoin d'être moi-même stimulée. J'espère que vous accepterez de me recommander à la Fondation Ford. Puisque ce serait faire preuve d'un népotisme outrancier que de me recommander moi-même, je vous joins le formulaire, dans l'espoir que vous voudrez bien me renvoyer cette marque de votre aide. Avec toute ma reconnaissance et mon affection [30]. »

On ignore comment Wilder a réagi à cette lettre gentiment auto-ironique. Quoi qu'il en soit, la demande de bourse, elle, s'est « perdue dans les sables ». Tout comme échoue la demande de bourse Guggenheim que Carson McCullers formule l'année suivante. Mais celle-là lui sera clairement refusée, au motif qu'elle en a déjà bénéficié par deux fois.

Comme elle ne veut surtout pas briser son rythme et cesser d'écrire, elle s'essaie, lorsqu'elle se sent incapable d'avancer le manuscrit de son roman, à écrire des poèmes pour enfants. C'est ce qu'elle explique à Mary Tucker, qui lui a rendu visite, et qu'elle a présentée à Mary Mercer. Par chance, les deux femmes se sont appréciées – sans doute parce que ce sont deux Américaines « installées », diraient les amis artistes de Carson…

«Très chère Mary [Tucker], Je ne crois pas me souvenir d'un après-midi et d'une soirée plus merveilleux que ceux que nous avons passés ensemble. Mary [Mercer], Trussel [son mari] vous ont aimée, et voir ensemble les deux êtres les plus importants pour moi m'a été un indicible bonheur. [...] Je n'ai pas encore trouvé de compositeur et il va me falloir attendre jusqu'à ce que je sache ce qui va advenir de la *Ballade*. Comme le compositeur est l'élément essentiel – bien qu'après il me reste, comme vous le savez, beaucoup de travail à faire – mieux vaut que je le laisse de côté pour le moment et que je travaille à *L'Horloge sans aiguilles* jusqu'à ce que le compositeur adéquat apparaisse [...] [31].

Ce n'est pas un compositeur qui «apparaîtra» mais, au mois de juillet 1960, le dramaturge Edward Albee, qui obtiendra en 1962 un succès international avec sa pièce *Qui a peur de Virginia Woolf?*, et qui veut se charger de l'adaptation théâtrale de *La Ballade du Café triste*.

1960 est aussi une année remarquable dans l'histoire des États-Unis. Elle voit l'élection à la présidence d'un jeune sénateur démocrate, et catholique, John Fitzgerald Kennedy. Comme tous les «intellectuels de gauche», Carson McCullers avait été désolée que la convention démocrate ne choisisse pas pour candidat à la Maison blanche le très cultivé et élégant Adlai Stevenson. Mais le jeune sénateur du Massachusetts l'intrigue par son charisme et, au fond, la séduit. Après sa désignation par le parti démocrate, elle a soutenu sa candidature avec passion. Elle est donc invitée à venir assister à sa prise de fonctions. Elle a grande envie d'y être, mais elle se laisse convaincre par ses amis de renoncer à ce voyage pour lequel elle est trop faible. Elle reste donc à Nyack, et le 1er décembre 1960, elle peut annoncer qu'elle a gagné son pari : *L'Horloge sans aiguilles* est terminé. Il lui aura fallu dix ans d'acharnement pour y arriver. Et son dernier grand roman, *Frankie Addams,* était sorti en 1946, juste avant «le temps de la grande maladie».

L'Horloge sans aiguilles doit être publié à l'automne de 1961 par Houghton Mifflin. Auparavant, au printemps, Carson McCullers se rend avec Mary Mercer chez Edward Albee, à Shelter Island, pour avancer dans l'adaptation de *La Ballade du café triste.* Le 20 juin, on l'opère de nouveau, de la main gauche, comme on l'avait programmé. Après cette intervention, elle demeure très faible. Désormais, elle va passer la plupart des heures pendant lesquelles elle n'est pas couchée – ce qui est peu – dans une chaise roulante. C'est pendant son hospitalisation qu'arrive une lettre de Tennessee Williams, auquel elle a envoyé son manuscrit. Il estime que, dès qu'elle ira mieux, elle doit reprendre le chapitre 4 – les corrections qu'il suggère portent principalement sur le personnage du jeune Noir révolté, Sherman Pew.

La lettre n'est pas remise à Carson tant qu'elle est malade, et le journal de Jordan Massee reflète les différents points de vue de ses amis. Robert Lantz, son agent, pense qu'il ne faut pas différer la publication : les modifications – si tant est que Carson y consente – sont désormais impossibles. Pour sa part, Jordan Massee estime que Tennessee Williams fait probablement des remarques pertinentes, mais ne mesure pas à quel point Carson est malade, «ni combien la publication de *L'Horloge sans aiguilles* est importante pour qu'elle s'en sorte». En outre, il doute que Carson accepte de faire une seule correction, en dépit de son estime pour l'opinion de Tennessee. «Cela a déjà été assez difficile de lui faire admettre des corrections d'orthographe, de ponctuation et de grammaire en février dernier, quand elles étaient encore faisables [32]».

Le journal de Jordan Massee de cette époque – ou du moins les extraits qu'il en a communiqués –, permet aussi de mesurer les réactions des proches d'un écrivain face à son livre. Ainsi, le père de Jordan Massee se dit très blessé d'avoir retrouvé dans ce texte des anecdotes qu'il avait aimé raconter à Carson : il y a, juge-t-il, «certaines choses qui ne devraient jamais être écrites par une femme». Son fils le suspecte plutôt de s'être en partie reconnu dans la figure du juge Clane, Sudiste passéiste, et de ne l'avoir guère apprécié.

Dès que le nouveau roman de Carson McCullers, dédié à Mary Mercer, est mis en librairie, le 18 septembre 1961, on peut mesurer l'attente du public et la réputation intacte de son auteur : il entre immédiatement en sixième position sur la liste des meilleures ventes – et il y restera six mois. C'est, bien sûr, un roman sur le Sud, qui se déroule dans une petite ville où s'affrontent un vieux juge sudiste, son petit-fils, un jeune garçon noir qui, curieusement, a les yeux bleus et s'interroge sur son éventuel métissage, et un homme qui va mourir, à quarante ans, d'une leucémie. Carson McCullers n'est pas allée dans le Sud depuis bien longtemps, mais lorsqu'on est né là-bas, il est impossible d'y échapper, comme elle l'a dit si souvent et le répète encore – «Je suis incapable de donner à mes livres d'autre toile de fond que le Sud, et le Sud reste ma patrie[33]». D'ailleurs, en cette année 1961, Carson McCullers, devenue l'une des célébrités de Columbus, Georgie, reçoit de la bibliothèque de la ville une demande de dépôt de ses manuscrits. Elle refuse, la bibliothèque – à laquelle elle avait déjà envoyé une lettre ouverte de protestation et d'indignation – étant toujours réservée aux seuls Blancs :

> «J'en aurais été très heureuse, mais comment puis-je, en conscience, déposer ses œuvres d'amour à un endroit où il n'est pas permis à tout homme de les lire, de les goûter et de les utiliser ? [...] C'est pourquoi j'en viens à douter que la bibliothèque publique de Columbus soit réellement "publique" [...] Je crois aujourd'hui, comme je l'ai cru toute ma vie, que Dieu a créé tous les hommes. Et ma conception de Dieu exclut totalement qu'Il ait pu créer les hommes

autrement qu'égaux sous Son regard. Étant heureuse et flattée de votre désir de recevoir mes manuscrits, j'attends avec intérêt de plus amples détails de votre part avant de vous faire transférer ces manuscrits [34].

Carson McCullers aurait pu tout simplement envoyer son roman. Il contient à lui seul sa réponse, comme l'a bien montré Granville Hicks dans sa critique de la *Saturday Review* : « C'est pour une grande part un roman sur le problème racial [...] Mais Mrs McCullers ne cherche pas à souligner le fait évident que ce problème existe, pas plus qu'elle ne prétend détenir une solution qu'elle voudrait nous assener. Son propos est de nous faire partager ce problème au niveau le plus profond qui soit, dans les plus secrets replis de l'âme humaine où il s'insinue [35]. »

L'Horloge sans aiguilles est, à l'automne 1961, le roman dont aucun journal ne peut éviter de parler. Jamais les critiques n'ont été aussi nombreuses pour un livre de Carson McCullers, mais aux États-Unis les avis sont partagés, contrairement à la Grande-Bretagne où tous les échos sont extrêmement favorables. L'article du magazine *Time,* dans l'édition du 22 septembre, est l'un des plus durs, même s'il commence par un hommage au talent de certains « Sudistes », dont Carson McCullers :

« La violence colore en surface les textes du Sud mais c'est le sens de la violation qui en est au cœur. Dans la mémoire historique du Sud, le grand acte de violation a été, bien sûr, la guerre de Sécession et ses conséquences. Pour dénuée de sens artistique que soit la manière dont Margaret Mitchell s'en fait l'écho dans *Autant en emporte le vent,* c'est bien de cette plainte qu'il s'agit : un viol – qu'il s'agisse d'un peuple ou d'une personne – est un viol. Parmi les plus talentueux des écrivains du Sud, ce thème du viol est traité indirectement mais il envahit la totalité de la texture de la vie. Chez Faulkner, l'ordre social est violé, déstabilisant les valeurs semi féodales d'une aristocratie terrienne. Chez Tennessee Williams, ce qui est

violé est l'amour, et une sorte d'individualité vagabonde.
Chez Carson McCullers, il s'agit d'un viol de l'innocence. Au
mieux, ce mélange de chagrins et de griefs est poétique, au
pire, il tombe dans le pathos. En tant qu'artisans de l'écriture,
les auteurs du Sud produisent généralement un travail peu
maîtrisé. C'est le triomphe de l'état d'âme sur la matière
romanesque.

« Pour ce qui concerne le dernier McCullers, *L'Horloge
sans aiguilles*, c'est un roman sans direction et sans enjeu
visible, si ce n'est une incursion convenue dans les rapports
entre les races. En tant que romancière, McCullers lance les
fils de son histoire mais n'est pas loin d'en perdre l'écheveau
[...] Les motivations sont ineptes ou mystérieuses. Ses personnages sont tout d'une pièce – ou tous en pièces. Ce qui
rachète quelques uns de ces défauts est ce don singulier qu'a
McCullers de faire naître des moments de grande émotion,
quand une âme solitaire cognant au mur de sa prison entend
un petit coup en réponse [...] La mort est le thème reconnu
des romans de McCullers, mais on ne sent pas sa sombre et
puissante présence. Au lieu de cela, on a seulement cette
contrefaçon de mort qu'est l'absence de vie. »

La brève critique de Whitney Balliett dans le *New Yorker*
du 23 septembre (que le lecteur français s'amuse de voir juste
au-dessus d'une notule sur la traduction de *La Semaine sainte*
d'Aragon, étrangement décrit comme « un grand roman historique à l'ancienne mode »...), est pire encore, et vaut d'être
citée comme type de lecture réactionnaire et malveillante faite
par un critique haineux qui veut faire chic et désinvolte, et
semble incapable de supposer que l'avenir puisse le rendre
simplement cocasse :

« *L'Horloge sans aiguilles* de Carson McCullers met en
scène trois figures symboliques totalement grotesques qui
marinent dans une petite ville du Sud. Le plus envahissant
d'entre eux est le vieux juge Clane, quatre-vingt-cinq ans (le
Vieux Sud) qui, malade, fou et perdu dans sa gloire passée,
partage une maison qui part à vau-l'eau avec son petit-fils, un

adolescent vite effarouché qu'un rien bouleverse ou dégoûte. Le symbole n° 2 est Sherman Pew (Le Sud nouveau, c'est à dire nègre), un jeune Nègre aux yeux bleus qui entre au service du Juge. Pew est mauvais et efféminé, et le petit fils du Juge en tombe amoureux. Après avoir bu l'alcool du juge et l'avoir insulté, Pew quitte son travail et loue une maison dans le quartier blanc délabré de la ville. La lie des blancs pauvres, poussé par le juge gâteux, place une bombe dans la maison de Pew et le tue. Le symbole n° 3, un lugubre pharmacien de quarante ans admirateur du juge, est J.T.Malone (la Conscience du Sud). Il découvre au début du livre qu'il a une leucémie, dépérit lentement et meurt à la dernière page. Il a refusé de prendre part à l'histoire de la bombe. Quant à la prose de Mrs McCullers, froissée et bavarde, elle donne l'impression singulière d'un lit en désordre.

D'autres critiques, moins dévastateurs, relèvent néanmoins, comme dans *New Republic* (13 novembre), «les faiblesses de structure et de conception», ou voient dans ce roman, tel John Gross du *New Statesman* (27 octobre), «le livre le plus faible de Carson McCullers à ce jour». Ou encore soulignent, comme Catherine Hughes dans un long article de *Commonweal* du 13 octobre, que ce texte très ambitieux ne parvient pas à se hisser à la hauteur de ses prétentions, bien que Carson McCullers soit l'un des rares écrivains américains pouvant accéder à la maîtrise de sujets importants et difficiles.

Heureusement, les choses s'arrangent dans la *Nation* (18 novembre), sous la plume de Jean Martin : «Au point où en est l'auteur, *L'Horloge sans aiguilles* représente un pas en avant car le livre évite les allégories trop travaillées des œuvres précédentes et les personnages du Sud, souvent excessifs, se mêlent maintenant de façon heureuse dans une histoire vraisemblable [...] *L'Horloge sans aiguilles* est un livre chaleureux, drôle, parfaitement lisible; ce dernier point peut n'être pas évident, mais l'écriture est tout simplement superbe.» Enfin le roman a des défenseurs inconditionnels et enthousiastes, au premier rang desquels Rumer Godden qui, la veille de la mise en vente, le 17 septembre, affirme dans la section « Livres » du *New York Herald Tribune* :

« Pour moi, il n'y a pas un mot à ajouter ou à enlever de cette merveille qu'est un roman de Carson McCullers. Son talent est extraordinaire. Le titre de son premier livre, *Le Cœur est un chasseur solitaire*, pourrait en être l'emblème, ce constant battement vital qui est au cœur de chacun de ses livres, la poursuite d'une proie qu'elle voit et saisit pour nous en faire don, quelque chose de si fugace et éphémère que la plupart des auteurs s'épuisent en vain à l'attraper avec des mots – et les mots de Mrs McCullers sont des mots de tous les jours, simples, directs, familiers, dénués de toute sensiblerie. »

Plus britannique, le *Times Literay Supplement* du 20 octobre, est cependant très positif :

« Les romans du Sud sont dans une adéquation particulièrement forte à notre époque. Les problèmes raciaux qu'il est dans leur nature d'explorer nous concernent tous d'une manière ou d'une autre, et la conscience de l'attente d'un large public peut leur être une tentation de tomber dans le mélodrame et l'exagération. McCullers – et c'est à porter à son crédit – évite ces excès, tout en présentant subtilement les enjeux moraux et en analysant les conséquences psychologiques de cette désolante situation. Elle parvient, grâce à son honnêteté intellectuelle et son habileté technique, à écrire un excellent livre très émouvant, comblant toutes les espérances que justifie sa réputation. »

Enfin, parce que l'hommage d'un écrivain à un autre est toujours incomparable, il faut retenir celui de Gore Vidal, d'autant qu'on sait combien il est peu porté à l'indulgence envers Carson McCullers : « Sur le plan technique, cela vous coupe le souffle de voir comment Mrs McCullers met en place une scène puis épingle un personnage après l'autre, faisant d'une phrase, d'une ligne, naître une vie », écrit-il notamment. Et il ajoute : «Mrs McCullers écrit dans une prose plus proche du Flaubert d'*Un cœur simple* que d'*Absalon! Absalon!* [de William Faulkner]. Il n'y a jamais une fausse note. Son génie pour la prose demeure une des rares et heureuses réussites de notre culture [36].»

La rumeur, qui perdure et s'appuie sur des essais universitaires, veut qu'on donne plutôt raison aux critiques négatives, et qu'on traite *L'Horloge sans aiguilles*, au pire comme un texte de second ordre, au mieux comme le moins bon des romans de Carson McCullers. Est-ce parce que Tennessee Williams a suggéré des modifications et est, en outre, censé avoir dit que ce texte n'était pas «du niveau de Carson McCullers»? Est-ce parce que Flannery O'Connor le détestait, affirmant : «C'est l'exemple même de la totale désintégration»? Serait-ce parce que c'est le roman le plus engagé de Carson McCullers sur la question raciale? Ou, plus simplement encore, parce qu'il est proprement inadmissible qu'un écrivain puisse mener à bien un livre à moitié écrit, à moitié dicté, abandonné, repris, jeté, refait — et que, mystérieusement, le charme, l'originalité, la musique intime soient quand même là? Tout cela a contribué à la rumeur, sans doute, puisqu'on entend encore les habituels clichés sur ce livre «raté» sentencieusement proférés par des gens qui ne l'ont pas lu.

Il n'est pourtant que de le commencer…. Comme le *Cœur*, comme *Reflets*, comme *Frankie*, *L'Horloge sans aiguilles* est d'emblée un texte de Carson McCullers :

«La mort est toujours la même mais chacun meurt à sa façon. Pour J.T. Malone, cela commença d'une manière si banale qu'un temps, il confondit la fin de sa vie avec le début d'une nouvelle saison. L'hiver de ses quarante ans fut anormalement froid pour cette ville du Sud — avec des journées glaciales, diaphanes, et des nuits resplendissantes. En cette année de 1953, le printemps éclata soudain au milieu de mars, et Malone traîna une piètre mine durant ces jours de floraison précoce et de cieux balayés par le vent. Pharmacien de son état, ayant incriminé le printemps il se prescrivit un fortifiant à base de fer et d'extrait de foie. Malgré la fatigue qui venait vite, il s'en tint à sa routine habituelle [37]. »

Oliver Evans le premier, dans son essai biographique sur Carson McCullers, a voulu réévaluer ce livre :

« Il est sans nul doute trop tôt pour se livrer à une appréciation critique de *L'Horloge sans aiguilles* avec le recul qui convient. Mon sentiment est néanmoins le suivant : étant admis que le livre est stylistiquement inégal, qu'il pâtit d'une division des projets narratifs et que ses différents thèmes ne se combinent pas avec toute l'harmonie qu'on pourrait souhaiter, le dernier roman de Mrs McCullers est, après *Frankie Addams*, la meilleure de ses œuvres longues (j'en exclus, bien sûr, puisque c'est une nouvelle, *La Ballade du Café triste*). Elle est moins ambiguë dans ses implications que son premier roman, la psychologie en est plus subtile et plus complexe, la compassion plus authentique et plus largement répandue, la forme plus ferme, et le style en grande partie plus remarquable. Cela manque du caractère extrêmement fini et de la perfection formelle de *Reflets dans un œil d'or,* mais c'est une œuvre beaucoup plus mûre, et d'une ambition qui en rend plus difficile la réussite. [...] Pour moi, le plus grand défaut de Mrs McCullers est un défaut de forme, lié au type de modalité ou de support qu'elle choisit pour communiquer ses intentions. Quand, comme dans *La Ballade du Café triste*, la modalité narrative est uniformément abstraite, le résultat est du grand art. Quand, comme dans *Frankie Addams*, c'est un compromis ou un ajustement presque parfait de l'abstrait et du concret, du symbolique et du réalisme, le résultat est encore du grand art. D'un autre côté, quand la modalité narrative est hésitante, quand le réalisme entre en conflit avec l'allégorie et que le concret alterne avec l'abstrait et s'oppose à lui, le résultat est hybride. *Le Cœur est un chasseur solitaire* est ce genre d'hybride. De même, à mon sens, que *L'Horloge sans aiguilles*. Et tous deux sont parmi les romans les plus intéressants depuis vingt-cinq ans [38]. »

Margaret B. McDowell, dans son essai – qui est ce qu'on a écrit de plus intelligent sur l'œuvre de Carson McCullers – se prononce elle aussi pour que l'on reconsidère le discours habituellement tenu sur ce livre : « Plus que tout autre fiction de McCullers, il exige maintenant une nouvelle lecture, de nouvelles interprétations et évaluations [39]. » Elle s'interroge sur la réception critique de *L'Horloge*, sur son ampleur d'abord, puis sur sa diversité :

> « Les comptes rendus positifs ont généralement tendance à louer le roman, mais à le trouver moins bon qu'un ou plusieurs ouvrages précédents de McCullers. Les faiblesses les plus communément mentionnées sont le manque de rigueur dans l'organisation, de soin dans le style, ou un choix de personnages banals ou stéréotypés. Beaucoup concluaient que même quand elle n'était pas à son meilleur niveau, McCullers demeurait l'un des auteurs américains les plus intéressants […] La gamme et la complexité des reproches faits et la tonalité très fortement émotionnelle des comptes rendus – allant de la déception et de la colère à l'exaltation, l'enthousiasme et même l'extase – ne peut s'expliquer par la seule étude du livre. Ils reflètent certainement l'impression inoubliable produite par les précédents ouvrages de McCullers sur des milliers de lecteurs, le fait qu'elle n'avait pas écrit de roman depuis quinze ans, que sa dernière tentative au théâtre avait été un échec, et que nul critique ne pouvait ignorer que, tout comme son personnage principal J.T. Malone, elle était confrontée à la mort.
>   Le climat social et intellectuel du début des années 60 doit aussi être pris en compte dans l'interprétation du déluge de réactions critiques à *L'Horloge sans aiguilles*. Le fait que le livre soit resté pendant des mois parmi les dix meilleurs ventes indique peut-être aussi que, entre l'époque dont parle l'ouvrage (1953-1954) et le moment de sa publication (1961), le racisme a été pleinement reconnu comme un problème national et international, qui s'enracine dans les commencements de l'histoire. La satire sociale de McCullers présente la société de 1953 et 1954 avec un détachement humoristique et une amertume nostalgique qui ne pouvaient

que faire réagir les lecteurs de 1961. Les épisodes de violence raciale – traités avec ironie pour accentuer la passivité des attentistes blancs – auraient, en 1961, dans n'importe quel lieu des États Unis, provoqué des émeutes [40]. »

Margaret McDowell analyse longuement le texte, comme toujours avec beaucoup de finesse, et insiste sur la nouvelle manière de traiter le Sud qui apparaît ici dans la fiction de Carson McCullers :

« McCullers, à un plus grand degré que dans ses précédents romans, centre ce dernier livre sur les aspects économiques, politiques et idéologiques d'un Sud qui subit le changement ou y résiste. Bien qu'elle fasse ses débuts dans le domaine de la satire politique, dans l'exploitation des stéréotypes pour produire un effet d'ironie et dans la comédie de mœurs stylisée, son plus grand talent reste là où il a toujours été – dans sa manière de rendre dramatique le conflit intérieur chez ses personnages. L'antagonisme racial, la controverse politique, les différences de classes et les barrières entre générations sont des voies dont l'exploration, dans ce roman, soulignent la solitude, l'isolement et les combats intérieurs [41]. »

Et elle conclut avec quelques réserves pertinentes, mais un grand sens de la mesure et de la nuance :

« L'équilibre et la symétrie, le caractère inévitable de l'action et le naturel des dialogues que l'on trouve dans les précédentes meilleures fictions de McCullers sont des qualités qui, malheureusement, sont moins évidentes dans ce dernier roman. Néanmoins, la précision qui marque la hauteur du talent de McCullers dans *La Ballade du Café triste* et *Frankie Addams* réapparaît ici ou là, quand elle évoque l'intensité d'un moment dramatique ou quand elle dessine avec acuité un personnage à l'aide d'un seul geste, d'un regard ou d'une exclamation. Si le livre n'est pas totalement maîtrisé et, pour cette raison, reste en deçà de la perfection artistique, la poignante ironie de certains événements ou de certains mots est

très impressionnante et laissent à penser que le livre aurait pu
être un chef-d'œuvre. »

Les critiques de 1961 ayant préféré l'excès – dans l'invec-
tive ou la louange – à l'analyse, Carson McCullers avait
décidé d'avoir elle aussi une position radicale : elle ne voulait
lire aucun des articles défavorables. Elle s'y est semble-t-il
tenue. Elle ne s'est pas pour autant « retirée du jeu », et a
accepté de recevoir plusieurs journalistes, qui ont trouvé une
femme souvent vêtue dans des sortes de longues robes ou
déshabillés en coton ou en soie blanche, chaussée de tennis, et
beaucoup plus frêle qu'ils ne l'imaginaient – elle ne pesait
guère plus de quarante-cinq kilos pour son mètre soixante-
quinze –, faisant un effort pour se lever de sa chaise roulante
au moment de les accueillir et leur offrant un bourbon avec
une phrase à la manière du Sud – « A little toddy for the
body ? »

L'un des entretiens dont les deux protagonistes gardèrent
le meilleur souvenir fut sans doute celui qu'elle eut avec Rex
Reed, critique redouté qui se trouvait avoir une passion pour
Carson McCullers depuis qu'il avait vu *Frankie Addams* au
théâtre en 1950, et qui lui avait alors écrit une lettre à laquelle
elle avait immédiatement répondu. Ils avaient correspondu
mais ne s'étaient jamais rencontrés. Rex Reed fait le voyage de
Nyack, et il le refera quelques années plus tard. Il sera le dernier à interviewer Carson McCullers et publiera dans le *New
York Times* du 16 avril 1967 un article intitulé « Frankie
Addams à 50 ans [42] ».

Pour l'heure « Frankie » n'a que quarante-quatre ans – pour
beaucoup d'écrivains l'âge de la maturité. Elle ne connaîtra pas
ce moment où un créateur se sent en pleine possession de ses
capacités créatrices, de son œuvre dont il commence à voir le
contour, à maîtriser le dessin. Carson McCullers, elle, essaie
simplement d'évaluer « le temps qui reste ».

X

« Le dur désir de durer »

« Mais la vie se retirait de lui et, dans l'acte de mourir, la vie prenait une simplicité, une rigueur que Malone ne lui avait jamais connues [1] », écrit Carson McCullers à la fin de *L'Horloge sans aiguilles.* Elle devait bien y penser, secrètement, à cette vie qui se retirait d'elle, en dépit de tous les combats gagnés, de toutes les années sauvées, de tout ce qu'il avait fallu surmonter pour voir empilés, dans les librairies, de nouveaux volumes portant sur leur couverture, « Carson McCullers ».

Mais elle avait choisi d'avancer. Elle n'était pas J. T. Malone dont « l'élan, la vitalité avaient disparu et ne [lui] semblaient plus désirables [2] ».

A la fin de 1961, le 28 décembre très exactement, elle avait tenu à assister à la première de la nouvelle pièce de Tennessee Williams, *La Nuit de l'iguane,* à Broadway. Jordan Massee en fait dans son journal un récit très factuel qui, dans la distance, devient touchant par l'époque et les silhouettes qu'il fait revivre.

Carson arriva à six heures. Nous avons mangé un morceau, puis nous sommes allés au Royal Theatre avec Rita et Jack Dobbin. Arrivée de Judy Garland. Conversation avec Mrs Williams (la mère de Tenn) qui s'assied avec nous. Lillian Gish et Helen Hayes entrent ensemble.

Après le spectacle, Tennessee nous emmena, Rita et moi, dans les coulisses pour rencontrer Margaret Leighton et Bette Davis – Carson ne pouvait pas monter l'escalier des coulisses. La prestation de Margaret Leighton a été remarquable. […]. Bette Davis, elle, était distribuée à contre-emploi et n'a cessé d'avoir des ennuis avec sa voix. Quand nous sommes entrés dans sa loge, elle a flanqué un petit coup de pied dans les chevilles de Tennessee et lui a dit avec une colère feinte : "Tu vois ce que tu as fait de moi, espèce d'infâme salaud !" Tennessee a éclaté de rire et lui a répondu : "Tu as quand même meilleure allure qu'à Chicago", montrant la perruque d'un terrible orange que portait Miss Davis. Il était difficile de croire qu'elle pouvait être pire à Chigago.

Avant que le rideau ne se lève sur le premier acte, Eleanor Roosevelt a quitté sa place et a traversé l'allée pour venir parler à Carson – un hommage qui signifiait plus pour Carson qu'un prix Pulitzer, et un moment que je n'oublierai jamais. Une femme remarquable et une grande dame […]

Puis nous sommes tous allés à l'appartement de Tenn pour attendre les comptes rendus de la presse. Miss Davis ne s'était pas jointe à nous, mais elle téléphonait toutes les demi-heures à Chuck Bowden pour savoir si les journaux étaient arrivés. Quand, à la fin, il put lui annoncer que nous avions le compte rendu du *New York Times*, elle lui demanda de ne pas le lui lire, mais seulement de lui indiquer si le *Times* disait qu'elle était mauvaise. Elle fut évidemment très rassurée par ce que lui résuma Chuck du compte rendu du *Times*, et elle déclara qu'elle allait se coucher et qu'elle lirait toutes les critiques le lendemain matin.

Il était plus de trois heures quand Carson et moi sommes rentrés à la maison, mais nous avons encore bavardé une bonne heure avant d'aller nous coucher [3]. »

Carson McCullers écrira peu pendant l'année 1962. Plutôt que d'incriminer son état de santé, elle préfère se dire engagée dans un travail de longue haleine... En février, accompagnée de Mary Mercer, elle rend visite à Mary Tucker en Virginie. Elle en profite pour rencontrer Edward Albee qui est professeur associé à l'université de Virginie, afin de parler de nouveau de l'adaptation de la *Ballade*.

Deux mois plus tard, elle apprend que Faulkner est invité à faire une conférence à l'Académie militaire de West Point, où il sera le 19 et le 20 avril – ce sera l'un de ses derniers voyages, il mourra le 6 juillet. Elle décide – ce n'est pas très loin de Nyack – de s'y rendre. Frederick Karl dans sa biographie de Faulkner, raconte cette visite :

> « [Il] était, à West Point, l'invité du général William C. Westmoreland, qui commandait l'Académie militaire et serait bientôt nommé à la tête des forces américaines au Viêt-nam. L'armée de l'air envoya un avion spécial chercher les Faulkner, qui furent accueillis par le commandant Joseph L. Fant. Fant et Robert Ashley devaient relater cette visite dans un petit volume, *Faulkner at West Point*, qui parut deux ans plus tard. L'écrivain reçut l'accueil réservé à un dignitaire ou à un chef d'État : avion privé, suite présidentielle à l'hôtel de l'endroit, le Thayer, satisfaction de ses moindres désirs [...] Il ne s'agissait ni d'armée ni de politique, mais de lire un extrait des *Larrons* – le savoureux passage de la course hippique. L'événement fut encore rehaussé par les photographies qu'en fit Henri Cartier-Bresson. C'était un hommage à l'écrivain, la lecture fut une réussite, et l'assistance se leva pour l'ovationner. Le lendemain fut consacré à l'entretien avec les élèves ; Faulkner parla de son admiration pour certains traits de l'armée, son sens des valeurs et du courage, mais il s'en prit à la guerre, et surtout aux vieux généraux qui décident du sort de jeunes garçons sans courir eux-mêmes de risques. Au mess, il reçut "un tonnerre d'applaudissements". Et puis, fatigué, semble-t-il, de ces honneurs et peu intéressé par la visite des lieux, il prit congé de ses hôtes [4]. »

Frederick Karl ne fait aucune allusion à Carson McCullers, mais Oliver Evans, lui, explique que « quand un écrivain qu'elle admirait infiniment, William Faulkner, vint visiter l'académie militaire de West Point (où un de ses cousins, le major Simeon Smith, était instructeur), elle fit l'effort d'assister au dîner donné en son honneur. Lorsque Faulkner, au moment des cocktails, la vit se tenant en retrait et apprit qui elle était, il abandonna le cercle des "huiles" pour rejoindre Carson et son cousin – ce qui leur valut quelques froncements de sourcils de la part des épouses d'officiers [5] ».

Henri Cartier-Bresson se souvient très bien de ce moment à West Point, « pas seulement parce que j'ai fait des photos, dit-il, mais parce que Faulkner est mort trois mois plus tard. Je me rappelle même une question d'un élève-officier : "Quelles sont les relations entre les militaires et la littérature ?", et de la réponse de Faulkner : "S'il y avait des relations, il n'y aurait pas de littérature." J'ai appris trop tard que, au fond de la salle, pendant que j'écoutais et photographiais Faulkner, il y avait Carson, très malade [6] ». Il était dit qu'Henri Cartier-Bresson ne devait pas voir Carson défaite, paralysée, et qu'elle devait rester pour lui la femme-enfant qu'il a si merveilleusement photographiée au milieu des années 40.

Le vendredi 8 juin, Carson est de nouveau opérée. Elle a un cancer du sein. « Les médecins procédèrent à l'opération prévue à la main [une opération de huit heures sur tous les tendons de la main], écrit Jordan Massee dans son journal ; et, en plus, ils pratiquèrent une ablation du sein droit puisqu'il s'était avéré que la tumeur était maligne. » Quand il la voit, le mercredi suivant, il est bouleversé : « Comme ma pauvre petite fille est devenue d'une indescriptible fragilité ! C'est comme si ne subsistaient que ses yeux et son esprit [7]. »

Pourtant, en août, elle est suffisamment remise pour aller, avec Mary Marcer, passer une semaine à Fire Island, chez Edward Albee, afin de reprendre leur travail commun. Mieux encore, en octobre, elle s'envole seule pour l'Angleterre où elle va participer à un colloque sur l'amour au *Cheltenham Festival of Literature* : elle y a été invitée par la romancière

Elizabeth Jane Howard, directeur artistique du festival et épouse de l'écrivain Kingsley Amis. Son bras gauche est immobilisé dans un plâtre, et elle est suivie partout par une infirmière. Le 4 octobre, elle prend la parole – pour lire un extrait de *La Ballade du Café triste* dans le cadre d'une séance sur «la relation entre celui qui aime et celui qui est aimé». Cette session réunit le Français Romain Gary, le Britannique Kingsley Amis et l'Américain Joseph Heller. Dans le *Spectator* du 12 octobre 1962, Frank Tuohy, rendant compte du festival de Cheltenham, relève la participation de Carson McCullers :

> «Ce fut l'étrange et douloureuse présence de Carson McCullers qui vint nous rappeler que la création artistique peut encore nécessiter un effort tragique et désespéré, digne des dernières forces d'un esprit humain. A Cheltenham, ce rendez-vous anglais du meilleur ton, il eût été facile de l'oublier.»

Les participants au festival, dont Joseph Heller, qui fut interrogé en 1971 par l'une des enquêtrices de Virginia Spencer Carr, se souvenaient que Carson parlait avec difficulté et que sa voix du Sud, un peu traînante, avait une lenteur accrue. Elle a fait pourtant un long entretien avec Jane Howard, diffusé le 28 novembre 1962 à la télévision, dans l'émission «Bookstand» de la BBC. Elle y parle de son travail, reprenant beaucoup des propos qu'elle a déjà tenus ou écrits. Jane Howard veut, bien sûr, la faire parler du Sud :

> «Je suis Américaine et je suis du Sud, je crois que je le dirai dans cet ordre-là, répond Carson McCullers. Tous les écrivains écrivent à partir d'eux-mêmes, des scènes de leur enfance. Je crois que lorsque vous atteignez quinze ans, les choses sont déjà fixées, vos impressions sont là. Ce que j'écris ne reflète pas la réalité actuelle de la région. Columbus, par exemple, est désormais une beaucoup plus grande ville. Ce que je décris, c'est une vision traditionnelle du Sud. Je travaille beaucoup le début de mes livres. Je crois que pour

Frankie Addams, j'ai mis un an à trouver le bon début, le premier paragraphe. »

Elle explique de nouveau comment se sont précisés les personnages du *Cœur est un chasseur solitaire*, comment soudain, sans très bien savoir ce qui lui arrivait, alors qu'elle faisait une promenade, il lui a paru évident que le personnage principal du roman devait être sourd-muet.

« Pour *La Ballade du Café triste*, c'est une autre histoire. Il y avait ce bar de Brooklyn, sur le Waterfront, où j'aimais aller avec W. H. Auden et George Davis. Est arrivée cette femme qu'on appelait *Submarine Mary*, accompagnée d'un petit homme bossu. Moi je continuais de discuter avec mes amis, qui, eux, n'ont même pas remarqué la scène. Je suis retournée chez moi, dans le Sud, et, un jour, comme j'écoutais de la musique – Berlioz, je m'en souviens – l'image du bossu de *Submarine Mary* est revenue, parfaitement nette, j'ai vu sa silhouette et j'ai commencé à écrire *La Ballade du Café triste*. C'est ce que Henry James avait coutume d'appeler une "précieuse particule" et que j'appelle "illumination". Ces choses-là arrivent sans avoir été pensées. C'est bien pour cela qu'écrire est extrêmement périlleux. Thomas Mann disait qu'un écrivain est une personne pour qui écrire est souvent difficile. S'il y a bien quelqu'un à qui cela vient difficilement, c'est moi [...]
Dans mon enfance, mon occupation favorite était la musique [...] Désormais, je ne peux plus jouer à cause de mon bras, mais j'écoute de la musique chaque jour. Cela me manque de ne plus jouer, bien sûr. Je commençais mes journées par un prélude et une fugue de Bach. Cela donnait le ton de ma journée. C'est très utile pour écrire. Dans l'écriture, la musicalité, c'est ce que je recherche le plus intensément. [...]
Oui, l'infinie douleur d'aimer sans être aimé est un thème qui revient beaucoup chez moi. C'est une banalité de dire que tous les écrivains ont des obsessions, même si leurs livres sont différents les uns des autres [...] Je suis très heureuse quand mon travail avance bien. Quand je suis bloquée

dans ce que j'écris, je suis malheureuse à en mourir. Mais d'une manière générale, dans la vie, je suis heureuse et je remercie Dieu d'être de ce monde [8]. »

Après le festival, elle prolonge son séjour. Il durera au total quinze jours, l'épuisera physiquement, mais lui donnera le sentiment de revivre, d'avoir une fois de plus vaincu la maladie – en l'espèce le cancer, venu s'ajouter à tout ce qui l'assaillait déjà. Quand elle assiste à la fête donnée par Edith Sitwell pour son soixante-quinzième anniversaire, quand Marielle Bancou, qui est à Paris, la rejoint, apportant beauté et jeunesse, quand elle retrouve Cecil Beaton, David Garnett, V.S. Pritchett, c'est comme si la maladie cessait de la surplomber, comme si on pouvait, encore une fois, « vivre avec ». Pendant ce séjour Mary Mercer lui écrit, la soutient, l'encourage. Quelques brèves lettres, avec des petits dessins enfantins, comme Carson les aime, et quelques phrases qui témoignent, de la part de Mary Mercer, d'une tendresse discrète et violente.

Carson quitte l'Angleterre avec regret, mais probablement par nécessité : l'épuisement n'est pas loin de la submerger. L'Angleterre, qui avait accueilli fraîchement ses premiers livres, est maintenant un pays où elle se sent reconnue, admirée. Même *La Racine carrée du merveilleux*, montée à Glasgow en mars 1963, aura de bonnes critiques. Ce même printemps, Jane Howard lui écrira au nom de tous ses amis anglais pour lui souhaiter d'aller mieux, et lui rappelle que leur entretien télévisé a eu un grand succès – « ici, on en parle encore ».

Le théâtre est l'une des préoccupations centrales de la vie de Carson McCullers en 1963. Il faut terminer l'adaptation de *La Ballade* avec Edward Albee – ce sera fait pendant l'été, à Fire Island – car la pièce doit démarrer à Broadway au cours de l'automne. Pour ce travail, Carson a laissé beaucoup de liberté au jeune Albee. Elle admire son talent, sa sensibilité, son amour de la nature – dans un article paru en janvier 1963 dans *Harper's Bazaar*, elle rappelle certaines promenades nocturnes faites avec lui à Fire Island et « l'émerveillement presque enfantin » qu'elle éprouvait à l'entendre parler des étoiles. Lui est impressionné par cet air d'adolescente qu'elle a, allié à une grande rigueur professionnelle et à une maturité insoupçonnable si l'on s'en tient aux apparences et aux propos de surface. Il est ébloui par sa force, par la joie qu'elle parvient à exprimer, sur ce fond de constante douleur.

Quand les répétitions débutent, à la fin de l'été, on prend conscience que la pièce dure trois heures. Albee coupe et la réduit d'une heure. Carson n'assiste qu'à quelques répétitions. La première est prévue pour le 14 octobre – date anniversaire de la générale de *Qui a peur de Virginia Woolf?*, la pièce qui a fait la célébrité d'Albee et connaît toujours le succès à Broadway – mais il faudra la repousser de deux semaines.

Les critiques sont plutôt bonnes, insistant surtout sur la qualité du texte original. Quelques-unes relèvent la pertinence du travail d'Albee. Mais très peu commentent la mise en scène (d'Alan Schneider) et la distribution (Michael Dunn en Cousin Lymon et Colleen Dewhurst en Miss Amelia), ce qui n'est jamais très bon au théâtre. La *Ballade* s'arrête le 15 février 1964, après 123 représentations – un relatif échec, surtout à cette époque où toute pièce programmée à Broadway l'était, en principe, pour au moins une saison. Que la pièce d'Albee seul, *Qui a peur...*, soit encore donnée après la sortie d'affiche de la *Ballade* n'était certes pas de nature à réconforter Carson McCullers. Il fallait bien en blâmer quelqu'un, en l'occurrence Albee : elle le fera, modérément. Où aurait-elle trouvé la force d'assumer seule la responsabilité de ce demi-fiasco? On s'étonne donc, une fois de plus, de voir Virginia Spencer Carr insister sur l'«immodestie» de Carson McCullers, déclarant à Marjorie Rutherford, la journaliste de l'*Atlanta Constitution* qui préparait un article « Un nouveau succès à Broadway pour CMC ? » : « Je crois que son adaptation [celle d'Albee] sera intéressante et séduisante, et qu'elle ajoutera une nouvelle et belle dimension à un texte déjà beau en soi[9]. »

Carson McCullers a répondu par écrit aux questions de Marjorie Rutheford. Les réponses, numérotées, sont conservées dans un document déposé à l'université d'Austin. Et la tonalité générale n'est en rien arrogante – à moins qu'il soit tenu pour immodeste, dans l'état de Carson, d'avoir des projets, ce qu'elle évoque dans ses propos :

> « 5. Mon travail avec Edward Albee a été une expérience à la fois agréable et enrichissante. Mon propre travail sur la *Ballade* datait de vingt ans, et l'adaptation de la pièce est véritablement la sienne. Dans le cours de nos discussions, j'ai fait seulement quelques suggestions, pour le laisser libre de réaliser sa propre adaptation, sa création. Je crois que son travail va ajouter à la beauté du mien [...]
>
> 7. Je suis plus à distance qu'autrefois de la *Ballade*; je n'éprouve plus la même émotion, à cause du livre que je viens de commencer.
>
> 12. Je ne veux pas parler du livre que je viens de commencer car "l'obscurité est le privilège des choses récentes"[10]. »

Outre ce livre – et même plusieurs livres dont les sujets se préciseront dans les années qui viennent –, Carson McCullers a d'autres projets : au printemps de 1963 une option d'achat de droits a été prise pour un film tiré de *Reflets dans un œil d'or,* qui doit être réalisé par John Huston – et dont le tournage ne commencera qu'en 1966.

Elle semble aussi avoir quelque nostalgie de son passé. Dans plusieurs lettres à une journaliste suisse qui a écrit un article sur elle, elle reparle d'Annemarie Schwarzenbach[11]. Elle dit son désir d'aller en Europe pour couper le long hiver de Nyack, mais souligne qu'il lui devient très difficile de voyager.

Elle ne va pas en Europe, mais le 12 avril elle s'envole pour Charleston avec Mary Mercer. Elles rendent visite, pour quatre jours, à Edwin Peacock et John Zeigler. Edwin est sans doute le plus vieil ami qui reste à Carson, puisqu'ils se sont connus dans les années 30. C'est là que Carson fait la connaissance d'un curieux jeune homme, Gordon Langley Hall. Il était le cousin d'un peintre américain, Isabel Lydia Whitney, et aussi le fils adoptif de l'actrice anglaise Margaret Rutherford. Ce personnage complexe – il changera de sexe et deviendra Dawn Pepita Hall – affirmera que Carson, avec laquelle il demeura en relations amicales, a immédiatement vu qu'il était « une jeune fille », et qu'elle fut la première personne à le lui dire nettement.

En 1971, Dawn Pepita – devenue Simmons par son mariage – expliquera à Virginia Spencer Carr que « des années après que Carson [l']eut "découverte", le Dr Elliott Phipps, le grand gynécologue de Harley Street, avait déclaré qu'elle avait toujours été une femme, dont le sexe avait été mal identifié à la naissance, mais parfaitement capable d'avoir des enfants ». « Carson, dont la sensibilité était aiguisée par sa propre douleur, ajoute-t-elle, m'avait vu en un éclair de révélation pour ce que j'étais, et elle s'était sentie de tout cœur avec moi. J'étais un monstre, un monstre comme un de ses personnages de *La Ballade du Café triste* [12]. »

On ignore si Carson et celle qu'elle désigne comme « Gordan », correspondront longtemps mais, pour la seule année 1963, quinze lettres de Carson McCullers, la plupart très longues, sont conservées à Austin [13]. Écrites entre le 12 juin et le 19 août, elles fourmillent de détails sur sa vie quotidienne, et sur le début de son travail avec Oliver Evans, un universitaire ami de Tennessee Williams, qui a décidé de commencer un essai biographique sur elle – *La Ballade de Carson McCullers*, qui paraîtra en 1965. Ainsi apprend-on que Carson relit *Guerre et Paix* «probablement pour la douzième fois», et que Montgomery Clift, a été pressenti, comme elle le souhaitait, pour jouer dans le film qui doit être tiré du *Cœur.*

> «Que je vous raconte une drôle de chose qui vient d'arriver! Il y a environ une semaine, Monty Clift est venu me voir pour la première fois (il va jouer Singer dans *Le Cœur est un chasseur solitaire*). Comme vous le savez, j'ai chez moi des locataires. Ils sont tous très gentils. Et tous travaillent, sauf une locataire du dernier étage très convenablement entretenue par son officier de marine d'époux, si bien qu'elle passe son temps à regarder par la fenêtre et à rêvasser, ou à descendre papoter avec Ida. Quand Ida lui a dit que Monty Clift allait venir, elle a piqué un fard et lui a avoué que c'était son idole, etc. Aussi était-elle à sa fenêtre quand ils arrivèrent, et elle descendit juste à temps pour voir le grand homme. Il faut que vous sachiez qu'Ida a deux superbes yeux noirs et, derrière la tête, un œil tout rond de cyclope, en sorte qu'elle peut voir tout naturellement devant et derrière!
>
> Alors qu'elle faisait asseoir Mr Clift, son agent et le mien selon une procédure assez compliquée, elle a vu avec cet œil Joyce, la fille en question, remonter pour se pomponner un peu plus. Il faut dire qu'elle était déjà pas mal pomponnée. Puis elle a redégringolé les escaliers et est revenue avec le chauffeur de Mr Clift. Ils sont montés là-haut et, d'après Ida, y sont restés une heure. Ah! cette fille a du goût pour l'uniforme! Connaissant les qualités de vision spéciales d'Ida, elle a été forcée d'expliquer en redescendant avec le chauffeur combien il était gentil : "Il est venu m'aider à déplacer tellement de choses." […] »

Ces «tableaux de mœurs» croqués avec humour ne peuvent faire oublier le combat quotidien pour continuer à écrire, à créer, à rester en contact avec ceux qui lui donnent le sentiment d'être encore dans le mouvement du monde :

23 juin : « Gordan, il m'est très difficile de taper avec une seule main comme j'y suis réduite. Mes lettres en deviennent celles d'une illettrée. Mon orthographe n'a jamais été bonne mais avec une main, elle est parfois grotesque. Quand je tape de cette manière, il me faut toujours une secrétaire pour lire la lettre avant que quiconque puisse en extraire le moindre sens, mais je me demande si je pourrais vous écrire sur ma machine : quand vous verrez tous les mots en pagaille, sachez que je ne suis pas folle mais que j'essaie simplement de taper dans des circonstances très défavorables. »

Tandis que Carson se bat contre son corps et l'image dénaturée que donne d'elle son écriture – cette écriture, justement, où elle a fondé sa force et son autorité –, le si cher Tennessee se bat, lui, contre d'autres démons :

2 juillet : « Dès mon arrivée à la maison, j'ai trouvé plusieurs messages téléphoniques de Tennessee […] J'ai compris qu'il avait des ennuis. Je l'ai donc appelé. Son médecin lui a annoncé qu'il frôlait la cirrhose du foie et qu'il ne devait plus boire d'alcool. Je lui ai dit que s'il s'arrêtait de boire complètement, je ferais de même, dans le genre club d'Alcooliques Anonymes à deux, et que nous nous téléphonerions tous les jours. Mais Tenn a dit qu'il était incapable de s'arrêter. Il a toujours eu une trinité dans sa vie, m'a-t-il dit – le travail, le sexe et l'alcool. Il lui serait impossible de travailler sans alcool. Il m'a supplié d'aller bavarder avec lui cet été. Son meilleur ami, Frank, a un cancer des poumons et je crains que cela ne lui soit fatal.
Je viens juste de me remettre d'un cancer du sein grâce à Mary et aux autres médecins. Ils ont procédé à une opération radicale, et ils ne pensent pas qu'il y ait jamais de rechute. Mary n'aime pas Tenn – pas lui personnellement, mais son entourage. Frank, je l'adore, mais je ne peux pas supporter les gens qu'il voit. Ils sont terriblement vulgaires et je pense que vous comprendrez ce que je veux dire quand j'affirme que je voudrais l'aider mais qu'il m'est impossible d'aller à Nantucket. Tenn est tellement désespéré à l'idée de supprimer l'alcool qu'il m'a déclaré qu'il allait se mettre à fumer de la marijuana

qui, prétend-il, a le même effet que l'alcool. Vous pouvez imaginer ma détresse. Je lui ai aussitôt parlé très sévèrement (une de mes meilleures amies, Annemarie, pour laquelle j'avais une infinie tendresse, est morte d'un abus de drogue). Alors Tenn a dit qu'il se mettrait entre autres au haschich (une drogue très forte). Que puis-je faire maintenant pour aider Tenn ? »

Oliver Evans est arrivé. Il est fort agréable et cultivé, encore que passablement épuisant avec ses incessantes questions — qu'une demi surdité rend particulièrement tonitruantes :

8 juillet : « Oliver Evans m'a interviewée toute la semaine. C'est une erreur que de laisser habiter chez soi quelqu'un qui vous interviewe. J'aime beaucoup Oliver, mais il ne m'a pas laissé une minute de paix. [...]
Mary lit la Bible tous les jours et assiste au service de l'Église épiscopale à 7 heures du soir chaque dimanche, soit ici à Nyack, ou bien en ville. Il m'est d'un grand réconfort de savoir qu'elle prie pour moi, et qu'elle adore la prière que je préfère : "Prends mon esprit, parle-lui, prends mon cœur, rends-le bon, prends mon corps..." [...].
Oliver a trouvé les manuscrits originaux de la *Ballade* et de *Frankie Addams* et bien d'autres documents précieux. Ils moisissaient au sous-sol. Il a aussi trouvé des milliers de lettres que je n'ose pas relire. Des lettres de Reeves et d'Annemarie S., une poétesse suisse que j'ai infiniment aimée et qui est morte, elle aussi. Il me faudra attendre de les lire avec Mary, parce qu'elles représentent trop de choses de mon passé pour que je puisse y faire face toute seule. »

Entre les prières de Mary et les investigations d'Oliver, il y a place pour les projets en cours :

2 août : « Tommy Ryan est venu vendredi avec le *Cœur*. C'est le plus beau scénario que j'aie jamais lu. Tous ceux qui l'ont vu sont aussi de cet avis — il est inventif, mais fidèle au

Cœur. Le grand problème, c'est Monty. Personne ne veut l'assurer parce qu'il est fou. Pendant qu'il tournait *Freud*, avec un budget de huit millions de dollars, il a rencontré quelqu'un dans un bar avec qui il est parti en Afrique sans laisser d'adresse à quiconque. Il a fallu des mois avant de le retrouver, ce qui a coûté deux millions de dollars. Et ainsi de suite. [...] Il pourrait filer pendant le tournage et disparaître. Je risque de me sentir comme Faulkner – "donnez-moi simplement l'argent et épargnez-moi le film" – mais le scénario de Tommy est une telle œuvre d'art que je ne peux pas éprouver pareil sentiment pour l'instant.

Curieusement, 1963 est ainsi l'une des années pour lesquelles il reste le plus de lettres de Carson, conservées à Austin. L'une d'elles, qu'elle a tapée elle-même, en capitales, avec beaucoup de fautes de frappe et d'orthographe, est particulièrement émouvante. Elle est adressée à Marielle Bancou, qui est à Paris. Elle n'est pas datée, mais a été écrite quelques jours après l'assassinat de John Kennedy. En une phrase, maladroitement tapée, Carson McCullers dit les choses au plus juste : « Le choc de l'assassinat du Président et le meurtre suivant [de Lee Harvey Oswald par Jack Ruby] ont rendu ces derniers jours irréels, comme quelque chose que l'on verrait de par-dessous l'eau [14]. »

A tenir cette lettre entre ses mains, on ressent une étrange émotion, tant y perce le désir de Carson de commenter longuement cet événement, de raconter à son amie ce qu'elle éprouve devant la mort violente de cet homme jeune dont le charisme la touchait, et qui laisse le pays en état de choc. Nul doute que Carson McCullers ait des choses très fortes à dire sur cet assassinat. Mais ce jour-là devait être un jour sans secrétaire – et Ida, fidèlement présente depuis maintenant presque dix ans, à la fois gouvernante, cuisinière, confidente, compagne, était illettrée... Alors il ne reste que ces quelques mots tapés de manière chaotique, irrégulière, chaque caractère semblant comme une pathétique victoire de l'urgence de dire sur l'immobilité du corps et le bâillonnement de l'esprit.

Comment peut vivre un écrivain auquel le geste d'écrire est, physiquement, interdit?

De cette année 1963 aussi date une abondante correspondance, dictée celle-ci, à l'adresse d'Oliver Evans, qui avait le projet de terminer son livre avant la fin de l'année – ce qu'il ne parviendra pas à faire. C'est dans l'une de ses lettres à Evans, le 12 août, que Carson McCullers donne quelques précisions sur ce «livre de mémoires» qu'elle veut écrire. Elle annonce son intention de l'appeler *The Flowering Dream* – d'où les fréquentes confusions avec le texte qui a été publié sous ce même titre «Un rêve qui s'épanouit», et qui figure dans le recueil posthume *Le Cœur hypothéqué* [15]. Ce «livre de mémoire», elle n'en rédigera que des fragments. Deux textes autobiographiques figurent dans les archives d'Austin, *Illumination and Night Glare* et *Illuminations Until Now*, sur lesquels le professeur Carlos Lee Barney Dews a soutenu une thèse en 1994, à l'université du Minnesota [16].

> «Oliver, j'ai une merveilleuse idée, écrit Carson McCullers le 12 août. Je vais bientôt commencer la rédaction d'un livre sur ma vie, *Un rêve qui s'épanouit*. Puisqu'il y sera question de ma biographie, je crois qu'il alimentera merveilleusement votre propre livre, de sorte qu'ils se nourriront l'un l'autre. [...] C'est un livre auquel je pense depuis longtemps.»

Désormais, toutes les forces que Carson McCullers met dans son travail seront dirigées vers ce projet autobiographique. A quel désir profond obéit-elle? Ressaisir une existence dont elle penserait qu'elle lui a pour partie échapper tandis qu'elle la vivait? Unifier – fût-ce par certaines distorsions du réel – des événements chaotiques d'une vie titubant entre moments d'euphorie fallacieuse et trop certains désastres? Revenir aux temps où le corps obéissait sans qu'on ait même conscience que c'était un don menacé, le temps du vélo avec Reeves, des baignades dans la « rivière brune », le temps où les doigts couraient, agiles, sur le clavier ?

Une gerbe de désirs – et pourtant peu de pages seront écrites, sinon, semble-t-il, dans les derniers mois de sa vie.

Pour mieux comprendre dans quelles incroyables conditions ces fragments – si utiles, on l'a vu, pour comprendre comment Carson McCullers a vécu son enfance, ou une partie de sa relation avec Reeves – ont été rédigés, dans les années 60, il n'est que de se reporter à la liste des hospitalisations de Carson McCullers – répertoriées par Mary Mercer en 1970 – depuis l'attaque de 1947 [17]. On voit combien les séjours à l'hôpital se multiplient après 1958, pour des affections diverses, donnant le terrible sentiment qu'en elle, « tout casse ».

— *11 décembre 1947* : Institut neurologique de New York, après une attaque en France.

— *14 mars 1948* : clinique psychiatrique Payne Whitney de New York [après sa tentative de suicide].

— *19 février 1958* : hôpital de Nyack, avec une sérieuse défaillance cardiaque et une pneumonie.

— *18-30 mai 1958* : hôpital Harkness. Reconstruction du coude gauche (muscles et tendons)

— *24 septembre-14 octobre 1958* : Harkness. Reconstruction du poignet droit.

— *18-30 juin 1961* : Harkness. Début de reconstruction des doigts de la main gauche

— *6-20 juin 1962* : Harkness. Cancer du sein droit et ablation totale. Fin de la reconstruction des doigts de la main gauche.

— *11-17 septembre 1963* : D & C. Crainte de cancer du col de l'utérus. A surveiller.

— *11-18 février 1964* : Hôpital St. Lukes'. Pneumonie Décompensation des fonctions cardiaques.

— *15 mai-18 juin 1964* : Harkness. Fracture du col du fémur, pneumonie, embolie pulmonaire.

— *décembre 1964-25 janvier 1965* : clinique réparatrice en neurologie pour des séances de physiothérapie (jambe gauche)

— *28 juin 1965* : nouvelle admission à la Clinique réparatrice pour diagnostic concernant la jambe gauche.

— *11 juillet 1965* : transférée à Harkness. Opération par le Dr McElroy – transplantation de tendons à la jambe gauche.

— *15 juillet 1965* : complications à la suite de l'opération de la hanche : pneumonie et défaillance cardiaque.

— *13 octobre 1965* : sortie de l'hôpital avec Miss Miranda comme infirmière à plein temps.

— *15 août 1967* : hôpital de Nyack. Attaque au côté droit.

— *29 septembre 1967* à 9 h 30 : décès.

1964 est une année particulièrement pénible du point de vue médical, puisque après une pneumonie, qui nécessite une semaine d'hospitalisation en hiver, Carson passe, au printemps, près d'un mois à l'hôpital pour une fracture du col du fémur. Chaque fois qu'elle devait se lever la nuit, elle téléphonait auparavant à Mary Mercer, puis elle la rappelait lorsqu'elle était recouchée. Cette nuit-là, elle ne rappela pas. Mary la trouvera à terre, incapable de bouger.

1965 est pire encore : il faut à nouveau opérer la hanche, qui la fait trop souffrir. Des complications la mettent en danger de mort. Elle passe trois mois à l'hôpital et quand elle sort, une infirmière reste à demeure avec elle.

Face à ce désastre du corps, à cet envahissement de l'existence par la maladie, le biographe a le choix : consentir à la morbidité et entamer la litanie des hôpitaux, des douleurs, des rechutes, du mutisme, décrire cette morte en sursis qui pèse maintenant moins de quarante kilos.

Ou prendre le parti de Carson McCullers et tenter de dire ce miracle qui la tient en vie – le désir d'écrire encore. Et de publier, même si ce n'est qu'un petit caillou sur le chemin, un bref livre de poèmes pour enfants, *Sweet as a Pickle, Clean as a Pig* [18] – publier pour ce menu signe que sont quelques lignes dans les journaux affirmant « Carson McCullers est en vie et elle publie des livres ».

« Indestructible », disait Reeves. Sans doute pas. Mais, à coup sûr, indomptable.

Au cours de l'horrible année 1965, en été, elle reçoit un petit mot d'encouragement de Richard Burton, à l'époque marié à Elizabeth Taylor qui va jouer Leonora Penderton, la femme du capitaine de *Reflets*, dans le film de Huston. Il sait par son agent Robert Lantz qu'elle est à l'hôpital :

> « Nous ne nous sommes jamais rencontrés, mais au travers de votre travail (et de Robert Lantz !) nous nous sentons très proches de vous. S'il vous plaît, remettez-vous bien vite. Nous attendons avec impatience de vous voir sur le plateau de *Reflets dans un œil d'or* cet automne. Je suis sûr que ce sera un très grand succès [19]. »

Le tournage ne commencera en fait pas avant l'automne de l'année suivante – 1966 – d'abord à Long Island, puis à Rome. C'est autour de ce film, et grâce à l'amitié de John Huston, à sa merveilleuse et chaleureuse générosité, que Carson aura un ultime plaisir, un dernier acte de vraie vie : un voyage en Irlande en 1967.

En formuler seulement le projet semble une folie. Tout comme paraît irréelle la liste de tout ce que souhaite entreprendre Carson McCullers – et que, pour partie, elle parvient à réaliser dans ce qui sera « ses deux dernières années ». Un travail avec Mary Rodgers pour une adaptation de *Frankie Addams* en comédie musicale – elle sera montée en 1971, mais dans une adaptation de Theodore Mann et présentée, en mai, off Broadway, pour seulement vingt représentations. Et deux livres : *Illumination and Night Glare*, ses mémoires, ainsi que ce texte qu'elle voulait appeler *In Spite of* [Au mépris de...] et qu'elle désignait, non sans une certaine délectation dans l'usage du cliché, comme un travail sur des personnalités « ayant triomphé de l'adversité ». On ne s'étonnera pas qu'elle mette au premier rang Sarah Bernhardt, qui fut amputée d'une jambe et continua à monter sur scène, puisqu'elle est elle-même menacée d'amputation :

> « Je veux être capable d'écrire dans la maladie comme dans la santé car, en fait, ma santé dépend presque totalement de ma possibilité d'écrire », déclare-t-elle.
>
> « Ceci est un temps d'attente pour moi. Les médecins ont tous décidé qu'il fallait amputer ma jambe infirme [...] On ne peut pas le faire immédiatement car les hôpitaux sont combles, et je dois attendre que l'équipe de médecins qui s'occupent de moi à Harkness Pavilion soit disponible [...] Ainsi, dans mes nuits d'insomnie, je voue à tous les diables les médecins qui me font attendre et ma jambe qui me fait tant souffrir. J'ai lu Sarah Bernhardt, et sa splendide vaillance, son courage m'ont réconfortée. Ils vont me couper la jambe et j'en aurai plus de mobilité, je pourrais aller plus facilement du lit à la chaise roulante [20]. »

A plusieurs reprises dans son texte, elle reparle de Sarah Bernhardt, de son élégance, du modèle qu'elle est pour elle.

> « J'ai très souvent pensé à Sarah Bernhardt, et aux autres gens qui ont perdu une jambe. Un ami m'a raconté l'histoire d'un jeune homme qui, dans une crise de désespoir, s'est jeté sous un train. Il a perdu un bras et une jambe. Je ne suis pas désespérée, et je n'aime pas trop m'étendre sur cette histoire. Je préfère penser à Sarah Bernhardt qui, pendant la Première Guerre mondiale, visita les tranchées et encourageait les soldats avec une telle efficacité que le Haut Commandement allemand promit une énorme récompense pour qu'on la fasse prisonnière. Finalement, elle fut évacuée des endroits trop exposés, parce que le commandement allié craignait lui aussi sa capture [21]. »

Mary Mercer se souvient qu'elle était, elle, obsédée par la perspective de l'amputation « alors que Carson semblait capable, moralement, de la surmonter. Le voyage en Irlande a été d'une extrême importance dans cette confiance retrouvée. Et puis il y avait le manuscrit en cours ».

Carson avait envie d'écrire. Elle n'était plus bloquée comme dix ans plus tôt, lorsque, désemparée, elle était venue voir Mary Mercer. « Maintenant, au contraire, tout allait bien, et l'autobiographie aurait avancé vite, s'il n'y avait eu les questions pratiques, la difficulté matérielle, physique, qu'elle avait à écrire [22]. »

Ce voyage en Irlande était une folie – une merveilleuse folie – que John Huston et Mary Mercer ont voulu offrir à Carson. Tous deux se doutaient bien que ce serait son dernier grand voyage, quelles que soient ses chances de survie à l'amputation de sa jambe gauche.

Entre Carson McCullers et John Huston, la complicité et la reconnaissance mutuelle avaient été immédiates. Les témoignages en sont multiples, mais cette seule invitation à venir le voir en Irlande – avec les difficultés que suppose le séjour de quelqu'un qui n'a plus aucune autonomie – en est une preuve.

Dans son autobiographie, Carson McCullers donne sa version de sa rencontre avec Huston :

« Quand Ray Stark, le producteur de *Reflets dans un œil d'or*, a demandé à Mr Huston d'en être le réalisateur, John a déclaré : on peut faire ce film de deux façons. Premièrement, ce peut être un film d'art et d'essai à petit budget. Deuxièmement, ce peut être un film qui fait appel aux plus grands talents possibles. Je ne suis pas intéressé par un film d'art fait avec des bouts de ficelles, et je ne pense pas que Mrs McCullers le soit non plus. Je ne peux réaliser ce film qu'avec les meilleurs acteurs.

Ray Stark accepta, et les contrats furent établis. John voulait bien dire ce qu'il disait en parlant des plus grands talents possibles : Marlon Brando, Julie Harris, Elizabeth Taylor, Brian Keith [...]. Puis John vint me voir et, immédiatement, je fus séduite par son sérieux, son esprit et son charme. Je lui donnai carte blanche sans l'ombre d'une hésitation. Il avait pris l'affaire en main, et j'étais heureuse. Plus il exposait sa conception de *Reflets dans un œil d'or*, plus j'étais certaine d'avoir fait le bon choix. Il n'était pas seulement réalisateur ; lui, Gladys Hill et Mortimer avait écrit un excellent script, très fidèle au roman.

C'est aussi à notre première rencontre que John me dit : "Pourquoi ne viendriez-vous pas me voir en Irlande ?"

Comme j'étais alitée depuis trois ans, cela paraissait un peu extravagant mais je lui dis : "Vous êtes sérieux ?"

"Aussi sérieux qu'on peut l'être. Vous savez, il y a régulièrement des avions."

C'est ainsi qu'à Noël, John nous envoya, à Ida et moi, un billet de première classe aller et retour pour l'Irlande, sur Irish Airlines[23].

Marlon Brando, star du film avec Elizabeth Taylor (il incarne le capitaine Penderton) a lui aussi été touché par Carson McCullers. Dans un entretien donné au *New York Times* le 17 octobre 1966, entre deux provocations, il tient à mentionner son nom, lorsqu'on lui demande pourquoi il a accepté ce rôle : «Sept cent cinquante mille dollars et 7,5 % des recettes si le film est amorti – c'est la principale raison... Plus le fait qu'il s'agit d'un livre de Carson McCullers. »

A Carson elle-même, Brando écrit :

«John [Huston] parle souvent de vous avec une sorte d'étonnant mélange d'orgueil et de profonde affection. Il a été si content de lire, dans votre dernière lettre, combien vous étiez déterminée à sortir de ce fichu lit et à venir en Irlande. Je crois que vous aimerez savoir combien vous inspirez à John le désir de réaliser ce film de son mieux, de faire qu'il rende compte de l'esprit et des qualités de votre beau livre. Bien que cela fasse longtemps que nous nous sommes rencontrés chez vous, vous restez très présente à ma mémoire. Je me suis senti chez moi, accepté et compris, en dépit de mes mots maladroits. Je vous dis mon affection, Carson, et mon souvenir très chaleureux [24]. »

Le 6 janvier 1967, John Huston envoie un télégramme : « Chère Carson, venez nous voir aussi vite que possible et soyez certaine que je serai là. Affectueusement [25]. »

Aussi vite que possible, ce sera le 1er avril. Carson est entièrement absorbée par ses préparatifs du voyage. Marielle Bancou lui dessine des robes – et elle en veut infiniment plus qu'il n'en faut pour la courte visite de quelqu'un qui peut à peine quitter le lit.

Mary Mercer, elle, tente de régler les innombrables détails pratiques, et envoie à Huston des listes de recommandations et de prescriptions, en s'inquiétant de savoir si tout cela pourra être respecté. Dans la très belle demeure de John Huston, à St. Clerans, près de Galway, il faudra installer Carson au rez-de-chaussée. Il est interdit de lui faire monter la moindre marche – donc il faut y veiller dans tous ses déplacements éventuels. Le trajet depuis l'aéroport de Shannon où Carson va atterrir, et qui est à plus d'une heure de route de la propriété, pose lui aussi quelques problèmes. Même si elle est allongée dans une ambulance, c'est bien long. John Huston envisage de louer un hélicoptère, ce qui ravit Carson. Elle a le sentiment que ce mode de transport est réservé aux personnes très importantes, les chefs d'État par exemple. Finalement ce sera, plus banalement, en ambulance qu'elle commencera son séjour irlandais.

Une semaine de vrai bonheur. Elle est traitée comme une star, on va au-devant de ses moindres désirs, sa chambre est envahie de fleurs – dès le deuxième jour, on a su, en Irlande, que la fameuse romancière américaine était l'hôte de Huston, et les bouquets ont afflué, en même temps que les demandes d'interviews.

Carson McCullers reçoit peu, tant elle s'exprime avec difficulté, comme le souligne le journaliste de l'*Irish Times*[26]. Elle préfère garder ce qui lui reste de souffle pour John Huston. Ils parlent beaucoup de Joyce et elle lui confie que «The Dead», la dernière nouvelle de *Gens de Dublin,* est l'un de ses textes préférés. Et l'un des plus familiers, puisqu'elle le lisait, avec sa mère, chaque année au moment de Noël. Coïncidence – ou «correspondance» plus profonde – le dernier film que John Huston réalisera avant sa mort, en 1987, *Gens de Dublin* – dans lequel joue sa propre fille, Angelica Huston – est précisément une adaptation de «The Dead».

Ida, la gouvernante de Carson, est elle aussi, traitée comme jamais elle ne le fut de sa vie, dans ce pays où certains rencontrent pour la première fois une Noire. Tous les domestiques s'évertuent à lui rendre le travail facile. Les enfants, qui la regardent avec étonnement, veulent la connaître, lui parler. John Huston sait bien que, sans elle, ce voyage aurait été impossible à organiser. Qui aurait pris le risque d'un si long trajet en avion avec quelqu'un d'aussi fragile, aux accidents de santé si fréquents et imprévisibles?

Carson McCullers sait aussi ce qu'elle doit à Ida :

«Ida Reeder est la colonne vertébrale de ma maison. Elle était l'intendante de ma mère, et elle est presque la plus fidèle et la plus merveilleuse de mes amies. Elle fait quasiment tout à la perfection – jusqu'aux arrangements floraux que ma mère lui a appris. Depuis que j'ai des locataires, son travail est de ceux qui demandent une grande dose de tact, de jugement et de diplomatie. Grâce à Ida, je n'ai jamais eu un locataire désagréable pendant toutes ces années. C'est une extraordinaire cuisinière, et John Huston n'a pas cessé de l'appeler sur son trajet de retour d'Irlande pour lui dire qu'il voulait son poulet frit et sa salade de pommes de terre le jour de son arrivée.

John et elle s'entendent merveilleusement, et quand nous avons quitté l'Irlande, tout le monde pleurait : John, Ida, toute l'équipe. Elle a été adorée par tous les Irlandais de St Clerans, comme elle l'est de tout le monde.

Depuis la mort de ma mère, elle l'a remplacée pour moi, et elle m'appelle son enfant d'adoption.

[...] C'est elle qui organise ma vie sociale. Elle est la seule à se souvenir de qui arrive et repart. C'est elle aussi qui veille à la régularité de mes habitudes quotidiennes, comme lire et travailler. Les autres personnes viennent et s'en vont, mais Ida reste, et j'en remercie Dieu [27]. »

A son retour à Nyack, Carson McCullers a un nouveau plaisir : le portrait-entretien ému de Rex Reed, « Frankie à 50 ans », paraît le 16 avril dans le *New York Times*.

« [...] Un de ses amis dit : "Tout le monde a quelqu'un d'autre – un mari, une femme, un amant. Mais Carson n'a que sa volonté de survivre."

Carson est assise dans son lit, maigre et fragile tel un oiseau tremblant, avec des yeux brillants et sombres comme le halo d'un autre monde autour d'elle : c'est Frankie Addams grandie, buvant du bourbon dans une timbale en argent, fumant des cigarettes à la chaîne, parlant gaiement et admirant les chrysanthèmes et les anémones que ses amis lui ont envoyés.

"Le 19 février, j'ai eu un demi-siècle, dit-elle. Ida a confectionné une sorte d'ananas, avec des cure-dents, des oignons de cocktail, des fromages et des cerises, et il y avait tellement de fleurs qu'on avait l'impression que quelqu'un venait de mourir. Dieu merci, j'en suis loin [...].

" Je ne sais pas ce que je ferais sans mes amis. Ils sont mon 'nous' à moi. Je ne peux plus quitter mon lit maintenant. Je me suis cassée la jambe et je ne peux plus marcher [...]. Parfois, je pense que Dieu m'a confondue avec Job. Mais Job n'a jamais maudit Dieu, et moi non plus. Je continue [...]. Il y a des jours horribles où la douleur est si violente que je ne peux pas écrire [...]."

Avec de longues mains élégantes, qui ressemblent à des

ivoires sculptées, elle décrit sa maison de Nyack, une construction victorienne et sudiste, couleur glace à la vanille, face à l'église méthodiste, où elle reçoit ses hôtes dans de longues chemises de nuit blanches avec des chaussures de tennis [...].

Ses prochains livres seront un recueil de nouvelles sur les Noirs qu'elle a connus dans le Sud ("le langage et le sentiment de l'enfance sont toujours présents en moi comme écrivain, et le langage des Noirs est si beau") et, peut-être, un journal sur sa vie, ses livres et pourquoi elle les a écrits. "Je pense qu'il est important pour les futures générations d'étudiants de savoir pourquoi j'ai fait certaines choses, et c'est également important pour moi. Je suis devenue en une nuit une célébrité littéraire, et j'étais bien trop jeune pour comprendre ce qui m'arrivait ou la responsabilité que cela impliquait. J'en ai éprouvé une sorte de terreur sacrée, ce qui, mélangé avec toutes mes maladies, a failli me détruire [...]."

Et c'est ainsi que je l'ai laissée, entourée d'un nuage d'oreillers, perdue dans ses propres souvenirs, fortifiée par un soda à l'orange et, contre le lit une boutique d'apothicaire, avec un assortiment de pilules arc-en-ciel, comme des œufs de Pâques sur une table blanche [28]. »

Cette année 1967 semble à Carson beaucoup moins solitaire que la précédente. Même le président des États-Unis s'inquiète d'elle :

« Le Président et Mrs Johnson viennent juste d'apprendre qu'il vous fallait être hospitalisée et ils font des vœux chaleureux pour que cette hospitalisation soit un succès et qu'elle dure peu de temps [...]. Croyez bien que vous êtes présente dans nos pensées et nos prières [29]. »

Être retournée en Europe, comme autrefois, lui a redonné une singulière énergie, et un nouveau désir de bouger. « Cela m'agace terriblement de savoir que je ne peux plus voyager discrètement et à l'aise, écrit-elle. Quand il vous faut vous déplacer d'un endroit à l'autre en ambulance et sur un brancard, cela devient très compliqué. Mes amis doivent le plus souvent venir me voir, mais après l'amputation, j'espère que je serai plus mobile [30]. »

Pourtant, elle tient à noter scrupuleusement, comme pour elle-même, ses projets de déplacements ou de voyages – du plus infime au plus improbable, comme si les écrire leur donnait une existence que la réalité ne peut qu'avérer :

> « J'ai déjà prévu une série de déplacements. D'abord chez mon médecin, le Dr Mary Mercer, avec ma fidèle Ida qui m'y accompagne toujours. Et, puisque j'ai passé un merveilleux moment dans la propriété de Mr John Huston, en Irlande, ce printemps 1967, et qu'il m'a invitée à venir quand je le voulais, j'envisage d'y retourner dès que ma jambe sera guérie. J'ai juste planifié ces voyages dans mon esprit, et tous ceux à qui j'ai parlé d'aller leur rendre visite s'en sont montrés enchantés. Ainsi, après trois ans alitée, je pourrais voyager de nouveau.
>
> Bien que j'aie été clouée à mon lit ces trois dernières années, ma vie ne manque pas d'intérêt. En juin de cette année 67 commencera le tournage du *Cœur est un chasseur solitaire* [en fait le tournage commencera après sa mort, le 2 octobre]. Joseph Strick, qui a si brillamment réalisé *Ulysses* en sera le réalisateur [...]. Je me réjouis d'avance de la première projection de *Reflets dans un œil d'or*, en juillet de cette année. Et pendant ce temps, j'attends avec impatience le travail de Mary et Marshall sur *Frankie Addams*.
>
> Quand John Huston m'a invitée à aller en Irlande au début de cette année, j'ai accepté avec joie, et ce séjour a été l'un des moments les plus heureux de ma vie. John a été la première personne à qui j'ai parlé de l'opération à la jambe, et il a été le premier à me conseiller de suivre l'avis des médecins concernant l'amputation.
>
> "Vous vous déplacerez beaucoup plus facilement, m'a-t-il dit, et ce sera une bénédiction que d'être débarrassée de toute cette inutile douleur [31]". »

Le soutien de John Huston, le travail qu'il est en train de faire, la preuve d'amitié que fut cette invitation, et surtout son propre travail autobiographique –, tout porte Carson à croire qu'elle entre dans une nouvelle étape de sa vie, beaucoup moins sombre que celle qui s'achève. Qu'elle va vers la publication d'un livre, la seule chose qui donne à ses douloureuses journées un sens : s'inscrire une fois encore dans l'espace de la littérature. N'est-ce pas le territoire qui lui est officiellement reconnu puisque le 30 avril, elle reçoit «pour contribution exceptionnelle à la littérature» le prix Henry Bellamann 1966?

Dans sa lettre à John Huston du 31 juillet 1967 – sans doute l'une des dernières qu'elle ait dictées –, elle lui reparle de Joyce, soulignant qu'à ses yeux «le thème joycien de la stérilité et de l'aveuglement moral dans le Dublin d'il y a une cinquantaine d'années rappelle étrangement la situation actuelle des États-Unis [32]». Son manuscrit autobiographique évoque aussi Joyce et *Gens de Dublin*, amorçant les ultimes réflexions de Carson McCullers sur la littérature :

> «Cette dernière semaine, j'ai relu *Gens de Dublin*. La façon dont un tel spasme poétique peut avoir surgi des rues sinistres du Dublin de cette époque est pour moi un miracle [...] Je crois que je pourrais en dire autant d'un autre écrivain, certes moindre, mais qui m'est également cher : Scott Fitzgerald, toujours en dette avec son agent, avec une femme folle et internée. Scott extravagant, adorable, drôle et impossible. Son génie prospérait pourtant, et il a écrit *Tendre est la nuit* dans la plus stupéfiante condition morale.
> J'ai lu "Papa Hemingway". Je passe d'un livre à l'autre. [...]. Je ne suis pas une grande admiratrice de Hemingway mais pour la première fois, je le perçois comme un homme, un être vivant et souffrant. Fondamentalement, il avait été joyeux, aimant s'amuser, généreux et précieux en amitié. Je vais le relire. Il a aussi été un défricheur en matière de style. Sa phrase courte, concise demeure un héritage pour les prosateurs américains. Mais je continue à déplorer sa sensiblerie et sa force truquée. [...] Je lis tout, des livres sur la décoration, des catalogues de fleurs, des livres de cuisine, que j'aime par-

ticulièrement, bref, comme le dit *The New York Times*, "*everything that's fit to print*" [cette expression est la devise du *New York Times*] 33. »

Mais le 15 août, tout s'arrête. Carson McCullers a une nouvelle attaque cérébrale. Massive. Qui atteint le côté droit du corps, celui qui était valide. Elle est transportée, inconsciente, à l'hôpital de Nyack.

Quel jour a-t-elle dicté ce qui constitue désormais la fin d'*Illumination and Night Glare*? Combien de temps avant son attaque? Au moment où sa vie va s'achever, elle parle de ses deux premiers livres. Et de Reeves qui, dans ce passé-là, dans leurs premières années, était si gentil, si aimant, si désireux de l'aider. Elle rapporte les propos qu'elle a tenus à Mary Mercer en réponse à une question de celle-ci sur sa relation avec Reeves : « Mais vous devez bien avoir eu des moments heureux ? » lui avait-elle demandé.

« Oui, ai-je dit, je me souviens d'une nuit où nous étions montés au grenier, juste pour regarder la lune. Nous avons eu des moments heureux, et c'est cela qui a rendu tout si difficile. S'il avait été entièrement mauvais, cela aurait été un vrai soulagement, car j'aurais pu le quitter sans de si durs combats. Et n'oubliez pas qu'il m'a été infiniment précieux à l'époque où j'écrivais le *Cœur* et *Reflets*. J'étais complètement absorbée dans mon travail et, si le repas brûlait, il ne m'en voulait jamais. Plus important encore, il lisait et donnait son sentiment sur chaque chapitre dès qu'il était écrit. Une fois, je lui ai demandé s'il pensait que le *Cœur* était bon. Il a réfléchi un long moment et il a dit : Non, ce n'est pas bon, c'est grand. »

Ainsi, « grand » est le « dernier mot » de Carson McCullers. Il concerne son œuvre, et il est prononcé par Reeves. Y a-t-il vraiment des hasards dans la vie d'un écrivain ?

Quand il apprend que Carson McCullers a été hospitalisée dans un état très grave, John Huston vient de terminer le montage de son film. Il se préparait à mettre tout en place pour la venue de Carson à New York – tout déplacement, même de quelques kilomètres, était très compliqué à organiser – mais il souhaitait autant qu'elle-même le désirait qu'elle voie, enfin, son travail.

Il se tient quotidiennement informé de l'évolution de l'état de santé de Carson. Très vite, il comprend qu'elle ne reprendra pas conscience. Le 31 août, Robert Lantz lui écrit que, toujours dans le coma, elle a désormais un visage détendu, pacifié. Comme si elle dormait.

Le 27 septembre, Lantz et Huston se retrouvent, tristement, à une projection de *Reflets dans un œil d'or*, qui va sortir le 11 octobre. La salle est brutalement envahie par des prêtres et des membres de la Ligue nationale pour la décence. Le film est magnifique. Du grand Huston. Sans aucun sentimentalisme. Tendu. Elliptique. Secrètement violent. Brando à son sommet.

Deux jours plus tard, le 29 septembre 1967, à neuf heures trente, après quarante-sept jours de coma, Carson McCullers meurt à l'hôpital de Nyack.

Un service religieux a lieu le 3 octobre, à l'Église épiscopale St. James, sur Madison Avenue, à New York. On y joue Bach, bien sûr, comme le jour du premier mariage avec Reeves, dans le salon de la maison de Columbus. Les amis du passé sont revenus une dernière fois, de Wystan Auden, Gypsy Rose Lee et Janet Flanner à Truman Capote – il peut se dire que si sa jeunesse a sombré avec Reeves, en France, dans le cimetière de Neuilly, là, à New York, commence sa vieillesse. Ensuite, quelques-uns seulement vont jusqu'à

Carson à Columbus, Georgie, travaillant à *Frankie Addams* (août 1943).
(photo *Ledger Enquirer* / DR)

Annemarie Schwarzenbach, une des « amies imaginaires » de Carson, à qui elle dédia *Reflets dans un œil d'or*. (DR)

Carson McCullers dédicaçant un de ses livres en 1946. (photo inédite de Henri-Cartier Bresson)

Photo prise lors de la soirée suivant la générale de *Frankie Addams*, le 5 janvier 1950.
De gauche à droite, Ethel Waters, qui jouait Berenice, Carson et Julie Harris qui tenait le rôle de
Frankie. Carson a trente-trois ans... (photo Ruth Orkin)

Tennessee Williams dans son appartement de la 58ᵉ Rue, en 1954.
(photo Phyllis Cerf Wagner)

La maison de Carson McCullers au 131 South Broadway, Nyack, qu'elle a habitée à partir de 1945. Cette maison a été rachetée par Mary Mercer après la mort de Carson. (DR)

Soirée de Thanksgiving en 1952 à Paris avec, de gauche à droite, Valentine Sheriff, Carson, Jack Fullilove et Reeves. (DR)

Carson et Reeves
à Paris en 1946,
lors de leur premier
voyage.
(photo Louise
Dahl-Wolfe)

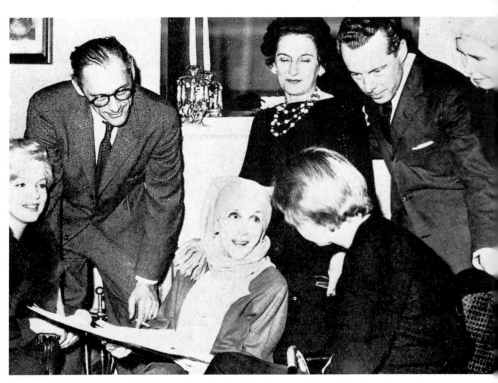

Chez Carson à Nyack lors d'une soirée de mai 1959 réunissant Marylin Monroe, Arthur Miller et Karen Blixen. De gauche à droite, assises : Marylin Monroe, Karen Blixen et Carson McCullers ; debout : Arthur Miller, Felicia Geffen, Jordan Massee et Clara Svendson. (DR)

Elizabeth Taylor
et Marlon Brando
dans *Reflets dans un
œil d'or*, réalisé par
John Huston
en 1967. (DR)

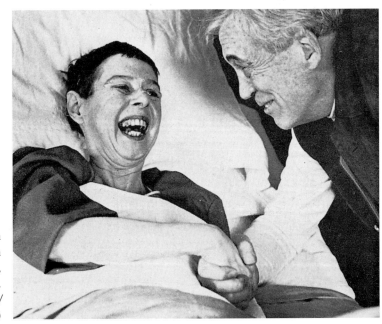

La visite de Carson
à John Huston
en Irlande,
au printemps 1967.
(photo *Irish Times /*
DR)

Carson McCullers et Mary Mercer en 1959. (DR)

La tombe de Carson McCullers au cimetière de Nyack. (DR)

Carson McCullers et la postérité : visiteurs à une exposition des photos de Richard Avedon.
(photo Nicolas Guibert)

Nyack, où l'on enterre Carson McCullers dans le haut du cimetière, à côté de sa mère.

Douze jours plus tard, *Reflets dans un œil d'or*, le film de John Huston, est sur les écrans. Et comme l'avait fait vingt-six ans plus tôt le court roman d'une jeune femme de vingt-quatre ans, il déclenche un scandale.

Carson McCullers, l'écrivain, est sauvée : les bien-pensants ne cesseront de la poursuivre. Sa lucide liberté les dérangera toujours.

«Elle n'avait pas d'âge, Carson»

> «J'espère qu'avec la multiplication des études sur Carson McCullers, tout le monde conviendra enfin qu'en dépit du début précoce de ses nombreuses maladies, elle était, en esprit, un être d'une rare et lumineuse santé»
>
> Tennessee WILLIAMS, février 1974,
> avant-propos à la biographie
> de Virginia Spencer Carr.

On cherche un petit cimetière-jardin. Près de l'Hudson, peut-être. Ou à côté d'une église.

«Non, ce n'est pas vers l'église. Suivez les panneaux "hôpital de Nyack". C'est juste en face.»

Perspective réconfortante pour les malades… Le cimetière est un grand parc, mais les arbres et les fleurs ne parviennent sans doute pas à leur cacher les tombes.

«Il y a environ vingt et une mille tombes. Le terrain est très vaste, et les chevreuils y viennent – ils font quelques dégâts», dit le gardien, la quarantaine baba cool, qui ne sait plus très bien comment il a «fini» surveillant de cimetière. «Oui, Carson McCullers, c'est l'une des tombes les plus demandées. Il faut monter par là, en auto. C'est loin de l'entrée. Quand on y est, la vue est très belle. Je vais vous indiquer, j'ai l'habitude. On vient la voir régulièrement. Mais nous avons aussi Edward Hopper, le peintre, et puis quelques célébrités locales, et puis... »

La tombe de Carson McCullers est presque tout en haut de la colline – « toujours sa passion de dominer » ont dit depuis longtemps les mauvaises langues. Une petite stèle de marbre brun sur le gazon – pas de pierre tombale, comme dans tous les cimetières américains – et l'inscription la plus simple : *Carson McCullers – February 19 1917 – September 29 1967*. Juste à côté, une stèle identique signale la tombe de sa mère : *Marguerite Waters, Wife of Lamar Smith, June 4 1890 – June 10 1955*. Une azalée rouge est en fleur. Difficile de voir si elle est plantée devant la tombe ou sur elle. Près de la stèle de Carson, une autre plante. Du pourpier peut-être. Quelqu'un s'occupe de ces tombes, c'est certain, et veille à ce qu'elles ne soient jamais à l'abandon. On n'osera pas demander à Mary Mercer si c'est elle.

Mary Mercer a acheté la maison de Carson McCullers, au 131 South Broadway, face à la bibliothèque municipale. Dans l'entrée est accrochée une copie d'un portrait de Carson – un dessin de Vertès, dont l'original appartient à Marielle Bancou.

« Je ne peux vous montrer que cela, et le jardin qui descend vers l'Hudson, dit-elle, car la maison est divisée en appartements que je loue. La chambre de Carson était ici, en bas, à gauche. On essayait que le plus possible d'objets lui soient accessibles de son lit : machine à écrire, crayons, papier, etc. Le salon était là, à droite. Les pièces à l'étage, déjà, étaient louées, puisqu'elle ne pouvait pas monter les escaliers. Je voulais faire une fondation et que cet endroit devienne une sorte de petit musée. Mais c'était compliqué. Puis j'ai été très malade. Et j'ai maintenant quatre-vingt-quatre ans. Finalement, je loue à des artistes. Je crois que Carson aurait été contente de voir sa maison habitée par d'autres artistes. »

Le Dr Mercer est une curieuse femme : grande, mince,

élégante – et intimidante. Des yeux très bleus derrière de larges lunettes à la monture fine. De longues mains cachées dans des gants en peau noire très souple. Elle ne parle pas volontiers. Elle observe. Elle écoute les questions et répond avec brièveté. Elle ne veut pas qu'on enregistre ses propos, elle refuse même qu'on prenne des notes : « Je vous parle, et c'est mon métier de savoir à qui je parle », dit-elle alors qu'on est dans sa voiture, garée devant la maison de Carson McCullers, et qu'elle ne manifeste visiblement aucune intention d'aller poursuivre la conversation ailleurs. « Je vois bien que vous êtes capable de garder en mémoire tout ce que je dis. Vous voulez prendre des notes pour vous rassurer. Vous n'en avez aucun besoin. »

Puis, soudain, elle ne laisse plus d'espace pour les questions et ses réponses jusqu'alors laconiques font place au récit qu'elle a envie de faire – qu'elle retenait peut-être depuis longtemps. Elle parle de Carson. Elle raconte Carson. Plus qu'une série d'informations ou d'idées, elle veut qu'on emporte d'elle une image. A peine s'interrompt-elle de temps en temps pour dire : « Il faut que je vous laisse poser des questions. Vous êtes venue pour cela... » Mais les détails que traquent les biographes ne l'intéressent pas. On la comprend. Quel ennui, leurs perpétuelles vérifications : « Est-ce bien au mois de février que vous l'avez rencontrée ? » « Combien de temps l'avez vous soignée ? » « A-t-elle vraiment fait une tentative de suicide ? » « Vous a-t-elle parlé d'Annemarie ? »...

Est-ce tout cela, l'important ?

« C'est rare, dans une vie, de rencontrer quelqu'un comme Carson McCullers, quelqu'un de si profondément honnête, quelqu'un qui veut si violemment vivre », dit Mary Mercer. « Certains l'ont décrite comme envieuse, jalouse, mesquine. C'est faux et ridicule. La vérité, c'est que beaucoup de choses ne l'intéressaient pas, qu'elle n'avait pas le temps. Ou plutôt, *she had no time, but for the truth* – elle n'avait de temps que pour la vérité. Et elle ne faisait rien sans raison. Sans bonne raison. » On s'étonne d'entendre ici exactement les mêmes mots que ceux employés par un des témoins interrogés par Virginia Spencer Carr, Teddy Murray – un marchand new-yorkais, également pianiste de talent et ami de Carson dans le dernier tiers de sa vie : « Carson ne faisait jamais de "crasse" à personne. Elle avait une raison pour tout ce qu'elle faisait. »

« Je pense qu'elle et Reeves, que je n'ai pas connu, s'aimaient profondément, continue Mary Mercer. Mais comment ne pas aimer cette femme ? Je crois qu'elle le fascinait, qu'elle l'a fasciné durablement. Il a certainement souffert de découvrir qu'elle était un écrivain et lui pas. Tous deux étaient des gens très bien, des êtres exceptionnels. Mais ils ne parvenaient pas à "fonctionner" ensemble, ils se détruisaient, le plus souvent. »

« Elle n'avait pas d'âge, Carson, seulement un désir fou de rester en vie. Vivre et écrire. Vivre pour écrire. C'est cela que je voudrais qu'on sente, qu'on conserve d'elle : cette immense et fondamentale volonté de vivre. Je voudrais qu'on retienne son humour, son sens du jeu, de la farce. Non seulement la volonté de vivre, mais aussi la joie de vivre. Au plus fort de la détresse, elle gardait le goût des facéties, elle gardait le bouclier de son rire.

« Car elle aimait rire – y compris à mes dépens. Elle se faisait son petit théâtre, comme ce jour où elle a paniqué tout le quartier. Elle devait venir chez moi – en taxi probablement. Dieu sait comment, elle a rencontré les ambulanciers, qu'elle connaissait bien – et pour cause. C'était le moment de leur pause de déjeuner. Ils lui ont proposé de la conduire. Elle a voulu "le grand jeu" – la vitesse, les pneus qui crissent, les sirènes. Ils l'aimaient, et ils admiraient son courage. Ils ont immédiatement accepté, bien que ce soit absolument interdit et en sachant qu'ils prenaient, pour faire plaisir à Carson, des risques.

«Ma domestique noire est arrivée dans mon bureau, grise de peur, pour me prévenir que l'ambulance qui faisait tant de bruit transportait Mrs McCullers, et qu'elle était venue à une telle vitesse que le bus avec les enfants revenant de l'école avait, pour lui laisser la place, été obligé de rouler dans le champ d'en face. A l'époque, il n'y avait pas encore de maison près de chez moi, mais un grand terrain en jachère. Je me suis précipitée, affolée... pour trouver Carson riant aux éclats et remerciant les ambulanciers. La petite fille espiègle de Columbus était encore en elle. Et elle était secrètement fière d'avoir su la préserver. Moi, je l'admirais pour cette force.

«Un quart d'heure plus tard, j'avais un coup de téléphone de ma plus proche voisine qui voulait savoir si j'allais bien. Sa fille était dans le bus de l'école, et elle était rentrée en disant : "Il y a une ambulance qui est arrivée à toute vitesse et avec toutes les sirènes chez le Dr. Mercer. Elle doit être en train de mourir." »

Mary Mercer rit encore, comme si elle revoyait la scène — sa propre peur, la terreur de la bonne, les ambulanciers heureux d'être complices. Et la joie enfantine de Carson. Le bonheur d'avoir joué. D'avoir pu faire de la maladie un jeu.

Et, dans la voix si posée de Mary Mercer, comme une soudaine véhémence :

«Comment vous dire? Carson était l'exact contraire d'une suicidaire. Le contraire d'une femme plaintive. C'était... oui... un écrivain magnifique et, j'allais dire "évidemment", un être magnifique. Une nature. Une personne.

«C'est cela qu'il faut comprendre. »

REMERCIEMENTS

Je voudrais remercier tous ceux qui, par leurs informations, leurs conseils, leur soutien, ont rendu possible la rédaction de ce livre :

Micheline Amar, Pascal Bancou, André Bay, Célia Bertin, John Brown, Henri Cartier-Bresson, Andrée Chédid, Florence Goude, Odile Jatteau, David Lustbader, Raphaëlle Rérolle, Dominique Rolin, Claude Roy, Maren Sell, Catherine Serre, Barbara Solonche-Lustbader, Béatrice Toureilles, Jacques Tournier, Marion Van Renterghem.

Cet ouvrage doit également beaucoup à la compétence et à la courtoisie des bibliothécaires du Harry Ransom Humanities Research Center de l'université d'Austin (Texas), qui ont facilité mes recherches dans les archives de Carson McCullers.

Je tiens à remercier tout particulièrement :

Marielle Bancou, pour ses souvenirs, ses documents et sa bienveillance à l'égard de ce projet.

Christiane Besse, dont la précision est infaillible.

Le professeur Carlos Lee Barney Dews, dont la générosité intellectuelle m'a permis de prendre connaissance de ses travaux sur les écrits autobiographiques de Carson McCullers.

Jean-Marie Colombani, Edwy Plenel, Bertrand Audusse, Jacques Buob, Patrick Kéchichian et toute l'équipe de la séquence culture du *Monde* pour leur constant soutien, leurs encouragements et leur vigilance.

Claude Durand, qui m'a fait confiance et a approuvé ce projet.

Floria Lasky, l'exécutrice littéraire de Carson McCullers, qui m'a autorisée à citer les textes inédits et la correspondance.

Le Dr Mary E. Mercer, qui a accepté de me rencontrer, et de me parler, en dépit de sa méfiance à l'égard des biographes.

La mémoire de la romancière Marie Susini doit aussi être saluée ici. Marie Susini est la première à m'avoir incitée à écrire sur Carson McCullers, persuadée, avant moi-même, que cette vie, si totalement contraire à celle de l'écrivain dont je venais d'écrire la biographie, Marguerite Yourcenar, allait, pour cette raison-là notamment, me passionner. Marie Susini est morte le 22 août 1993, alors que rien n'avait été encore écrit. Ce livre, qu'elle ne lira pas, a été nourri de sa passion pour Carson McCullers, de son enthousiasme pour «ce si bel écrivain, qui avait la grâce» et dont elle parlait merveilleusement, cette «petite sœur» d'un autre Sud, dont elle partageait les emballements, les folies et le refus obstiné des compromis.

Enfin, ma gratitude va tout spécialement aux deux personnes sans lesquelles ce projet n'aurait pas abouti :

Valérie Cadet, dont les qualités d'enquêtrice et de documentaliste sont exceptionnelles, et qui a pris en charge, outre les recherches, la rédaction des notes, de l'index et de la bibliographie.

Monique Nemer, pour son attention inlassable, ses relectures multiples, ses traductions des documents anglais, ses suggestions et sa patience.

Notes

CHAPITRE I
Colombus, Georgie – 1917

1. *Le Cœur est un chasseur solitaire* (*The Heart Is a Lonely Hunter*), traduit par Frédérique Nathan, Stock, 1993, coll. «Nouveau Cabinet Cosmopolite» p. 14, et in *Carson McCullers, romans et nouvelles*, édition établie par Pierre Nordon. Préface, notices et notes de Marie-Christine Lemardeley-Cunci. Le Livre de Poche, 1994, coll. «La Pochothèque/Classiques modernes», pp. 37-38.

2. *The Unfinished Autobiography of Carson McCullers*, thèse soutenue par Carlos Lee Barney Dews à l'université du Minnesota, 1994, vol. I, p. 466. Décrivant le manuscrit *Illuminations Until Now*, Carlos Lee Barney Dews indique notamment : «Ce manuscrit de 50 pages, écrit entièrement au crayon par Carson McCullers, se fait de moins en moins lisible.»

3. *Illumination and Night Glare*, mémoires inédits. Austin, HRHRC.

4. *Ibid.*

5. «Esquisse pour "Le Muet"» («Author's Outline of THE MUTE»), traduit par Jacques Tournier, in *Carson McCullers, romans et nouvelles, op. cit.*, p. 348. Cette ébauche du *Cœur est un chasseur solitaire* a été publiée pour la première fois par Oliver Evans dans sa biographie critique, *The Ballad of Carson McCullers*, New York, Coward McCann, 1966, pp. 195-215.

6. *The Unfinished Autobiography of Carson McCullers, op. cit.*, p. 469.

7. *Ibid.*, p. 471.

8. *The Lonely Hunter. A Biography of Carson McCullers*, de

Virginia Spencer Carr. New York, Doubleday & Company, Inc., 1975, p. 19.

9. *Illumination and Night Glare, op. cit.*

10. *Illuminations Until Now, op. cit.*, pp. 471-472.

11. *Frankie Addams (The Member of the Wedding)*, traduit par Jacques Tournier, Stock, 1989, coll. «Bibliothèque Cosmopolite», p. 16, et in *Carson McCullers, romans et nouvelles, op. cit.*, p. 451.

12. *The Lonely Hunter, op. cit.*, pp. 15 et 23.

13. *Illumination and Night Glare, op. cit.*

14. «Les livres dont je me souviens» («Books I Remember»), traduit par Jacques Tournier pour le dossier «Carson McCullers» de la revue *Masques*, n° 21, printemps 1984, p. 66. Ce texte a été publié pour la première fois in *Harper's Bazaar*, avril 1941, pp. 82, 122, 125. Voir l'intégralité en annexe.

15. *La Ballade du Café triste (Ballad of The Sad Café)*, traduit par Jacques Tournier, Stock, 1993, coll. «Bibliothèque Cosmopolite», pp. 27-28, et in *Carson McCullers, romans et nouvelles, op. cit.*, pp. 815-816.

16. *Ibid.*, pp. 144-145 et pp. 874-875.

17. «Les réalistes russes et la littérature du Sud» («The Russian Realists and Southern Literature»), in *Le Cœur hypothéqué (The Mortgaged Heart)*; traduit par Jacques Tournier, avec la collaboration de Robert Fouques-Duparc. Texte établi et présenté par Margarita G. Smith. Stock, 1977, pp. 307-308. Ce texte a été publié pour la première fois in *Decision* (revue fondée et dirigée par Klaus Mann), juillet 1941, pp. 15-19.

18. *Illumination and Night Glare, op. cit.*

19. Avant-propos de Margarita G. Smith, in *Le Cœur hypothéqué, op. cit.*, pp. 247-248.

20. «Chez moi pour Noël» («At Home for Christmas»), in *Le Cœur hypothéqué, op. cit.*, pp. 284 et 286. Texte publié pour la première fois in *Mademoiselle*, décembre 1949, pp. 53, 129-132.

21. «La découverte de Noël» («The Discovery of Christmas»), in *Le Cœur hypothéqué, op. cit.*, p. 293. Texte publié pour la première fois in *Mademoiselle*, décembre 1953.

22. *Illumination and Night Glare, op. cit.*

CHAPITRE II
*« J'avais dix-huit ans
et c'était mon premier amour »*

1. *Illumination and Night Glare, op. cit.*
2. *Ibid.*
3. *Le Cœur est un chasseur solitaire*, Stock, *op. cit.*, pp. 27 et 31, et in *Carson McCullers, romans et nouvelles, op. cit.*, pp. 47 et 50.
4. *Illumination and Night Glare, op. cit.*
5. *Ibid.*
6. « Les livres dont je me souviens », in *Masques, op. cit.*, p. 67. Voir l'intégralité du texte en annexe.
7. *Ibid.*
8. *Illumination and Night Glare, op. cit.*
9. « Comment j'ai commencé à écrire » (« How I Began to Write »), in *Le Cœur hypothéqué, op. cit.*, pp. 301-303. Ce texte a été publié pour la première fois in *Mademoiselle*, septembre 1948, pp. 256-257.
10. « Sucker », in *Le Cœur hypothéqué*, Stock, 1993, coll. « Bibliothèque Cosmopolite », p. 28, et in *Carson McCullers, romans et nouvelles, op. cit.*, p. 962.
11. *Ibid.*, p. 30, et p. 963.
12. *Illumination and Night Glare, op. cit.*
13. In *A Biographical Dictionary of Modern Literature*, de J. J. Kunitz. New York, H. W. Wilson Company, 1942.
14. *Illumination and Night Glare, op. cit.*
15. In *Le Cœur hypothéqué, op. cit.*, pp. 12-14. L'intégralité de *Praise to Assenting Angels*, de Tennessee Williams, est conservée à HRHRC.
16. *Illumination and Night Glare, op. cit.*
17. « Cour dans la 80ᵉ Rue » (« Court in the West Eighties »), in *Le Cœur hypothéqué*, Stock, 1993, *op. cit.*, pp. 31 à 50, et in *Carson McCullers, romans et nouvelles, op. cit.*, pp. 965-976. Ce texte a été publié à titre posthume, en 1971, par Margarita G. Smith. In *Le Cœur hypothéqué, op. cit.*, pp. 43-54.

18. *Illumination and Night Glare, op. cit.*

19. *The Ballad of Carson McCullers, op. cit.*

20. *Illumination and Night Glare, op. cit.* Il apparaît que Carson McCullers opère certaines confusions entre 1935 et 1936 dans son récit.

21. *The Ballad of Carson McCullers, op. cit.*, p. 33.

22. *Illumination and Night Glare, op. cit.*

23. *Les Évangiles du crime*, de Linda Lê, Julliard, 1992, pp. 23, 25, 26.

24. *Illumination and Night Glare, op. cit.*

25. «Poldi», in *Le Cœur hypothéqué*, Stock, 1993, *op. cit.* pp. 51 à 64, et in *Carson McCullers, romans et nouvelles, op. cit.*, pp. 977-986. Cette nouvelle a été publiée à titre posthume, en 1971. In *Le Cœur hypothéqué, op. cit.*, pp. 55-63.

26. «Un instant de l'heure qui suit» («Instant of the Hour After»), in *Le Cœur hypothéqué*, Stock, 1993, *op. cit.* pp. 93 à 112, et in *Carson McCullers, romans et nouvelles, op. cit.*, p. 1018. Cette nouvelle a été publiée à titre posthume in *Redbook*, n°137, octobre 1971.

27. *Ibid.*

28. *The Ballad of Carson McCullers, op. cit.*, p. 34.

29. «Un rêve qui s'épanouit. Notes sur l'écriture» («The Flowering Dream : Notes on Writing»), in *Le Cœur hypothéqué*, *op. cit.*, pp. 334-335. Ce texte a été publié pour la première fois in *Esquire*, n°52, décembre 1959, pp. 162-164. Voir l'intégralité en annexe.

CHAPITRE III
La naissance de Carson McCullers

1. *The Ballad of Carson McCullers, op. cit.*, p. 35.

2. *Le Cœur est un chasseur solitaire*, Stock, *op. cit.* pp. 295-296, et in *Carson McCullers, romans et nouvelles, op. cit.*, pp. 255-257.

3. «Introduction», in *Le Cœur hypothéqué, op. cit.*, pp. 11-12.

4. *Frankie Addams*, Stock, *op. cit.* p. 21, et in *Carson McCullers, romans et nouvelles, op. cit.*, p. 455.

5. *Illumination and Night Glare,op. cit.*

6. «Reeves C.», in *Les Évangiles du crime*, de Linda Lê, *op. cit.*, p. 22.

7. *Ibid.*, p. 27.

8. «Un instant de l'heure qui suit», in *Le Cœur hypothéqué*, Stock 1993, *op. cit.*, pp. 98-99, 104, 106-108, et in *Carson McCullers, romans et nouvelles, op. cit.*, pp. 1012, 1015-1016, 1018.

9. «Esquisse pour le muet», in *Le Cœur hypothéqué*, Stock, 1993, *op. cit.*, pp. 205-248, et in *Carson McCullers, romans et nouvelles, op. cit.*, pp. 327-349.

10. *Ibid.* p. 205-207, et pp. 327-328.

11. Voir *Poems and Dramas*, de Fiona MacLeod (William Sharp), New York, Duffield & Company, 1914, p. 27.

12. Le titre *Reflets dans un œil d'or*, suggéré à Carson par son éditeur, est tiré d'un vers du poème de T.S. Eliot, «Lines for an old man».

13. Entretien radiophonique inédit avec Tennessee Williams, 1948. Austin, HRHRC.

14. Lettre à Carson McCullers de Geraldine Mavor (Maxim Lieber), 10 novembre 1939, in *Carson McCullers, romans et nouvelles, op. cit.*, p. 976.

15. Entretien radiophonique inédit avec Tennessee Williams, *op. cit.*

16. *Le Cœur est un chasseur solitaire*, in Stock, *op. cit.*, p. 30, et *Carson McCullers, romans et nouvelles, op. cit.*, p. 50.

17. *Le Tournant (Der Wendepunkt. Ein Lebensbericht)*, de Klaus Mann. Traduit de l'allemand par Nicole Roche, préface de Jean-Michel Palmier, Solin, 1984, p. 530.

18. *Ibid.*, p. 561.

19. *Illumination and Night Glare, op. cit.*

20. *Ibid.*, pp. 318-319.

21. «Annemarie Schwarzenbach». Essai inédit, sans titre et non daté, HRHRC.

22. *Illumination and Night Glare, op. cit.*

23. *Une vie plus intense. Les romanciers et conteurs américains de Hemingway à Mailer (American Novelists and Storytellers from Hemingway to Mailer)*, d'Alfred Kazin. Traduit par Martine Winitzer, Buchet/Chastel, 1976, pp. 61, 62.

24. *La Ballade du Café triste*, Stock, *op. cit.*, p. 78, et in *Carson McCullers, romans et nouvelles*, *op. cit.*, p. 841.

25. *Ibid.*, pp. 67-69, et pp. 835-836.

26. « Carson ou les amours non partagées », par Jean-Pierre Joecker, in *Masques*, n° 21, printemps 1984, pp. 35-37.

27. « Annemarie Schwarzenbach ». Essai inédit, sans titre et non daté, *op. cit.*

28. In *The Lonely Hunter*, *op. cit.*, pp. 110-111.

29. Lettre d'Annemarie Schwarzenbach à Klaus Mann, 23 juillet 1940, in *L'Ange inconsolable, une biographie d'Annemarie Schwarzenbach*, de Dominique Grente et Nicole Müller, Lieu commun, 1989, pp. 224-225.

30. Lettre d'Annemarie Schwarzenbach à Robert Linscott, 23 août 1940, in *L'Ange inconsolable. Une biographie d'Annemarie Schwarzenbach*, *op. cit.*, p. 225.

31. « Transcription of Meditations during Analysis », HRHRC.

32. Préface de Denis de Rougemont au *Cœur est un chasseur solitaire*, Stock, 1947 ; Le Livre de Poche, coll. « Biblio », n° 3025, 1983, p. 6.

33. « Brooklyn est mon quartier » (« Brooklyn Is My Neighborhood »), in *Le Cœur hypothéqué*, *op. cit.*, pp. 261-264. Publié pour la première fois dans la revue *Vogue*, mars 1941.

34. « Américains, regardez vers votre pays » (« Look Homeward, Americans »), in *Le Cœur hypothéqué*, *op. cit.*, p. 253. Publié pour la première fois dans la revue *Vogue*, décembre 1940.

35. Entretien radiophonique inédit avec Tennessee Williams, *op. cit.*

36. « Introduction », in *Le Cœur hypothéqué*, *op. cit.*, p. 12.

37. « Nuit de veille pour la liberté » (« Night Watch Over Freedom »), in *Le Cœur hypothéqué*, *op. cit.*, pp. 259-260.

38. « Un rêve qui s'épanouit. Notes sur l'écriture », in *Le Cœur hypothéqué*, 1977, Stock, *op. cit.*, p. 336.

39. « Some notes about *Reflections in a Golden Eye*, 1967 », HRHRC.

40. *Carson McCullers*, de Margaret B. McDowell, University of Iowa, Twaine Publishers, a Division of G. K. Hall & Co., Boston, 1980.

41. Entretien radiophonique inédit avec Tennessee Williams, *op. cit.*

42. Rapporté par Oliver Evans in *The Ballad of Carson McCullers, op. cit.*, p. 87.

43. *A la recherche de Carson McCullers. Retour à Nyack*, de Jacques Tournier, Éditions Complexe, coll. « Le regard littéraire », n°40, 1990, p. 86.

44. *The Lonely Hunter. A Biography of Carson McCullers, op. cit.*, p. 7.

45. *A la recherche de Carson McCullers. Retour à Nyack, op. cit.*, pp. 126-127.

46. *Ibid.*, pp. 132-133.

47. *Simone de Beauvoir*, de Deirdre Bair, traduit de l'anglais (E-U) par Marie-France de Paloméra, Fayard, 1991.

48. *Brecht & Cie*, de John Fuegi, traduit de l'anglais (E-U) par Eric Diacon et Pierre-Emmanuel Dauzat, Fayard, 1995.

49. « L'officier prussien », in *La Belle Dame et autres contes mortifères*, de D. H. Lawrence. Traduit de l'anglais par Patrick Reumaux, Hatier, coll. « Terre étrangère », 1990.

50. *The Ballad of Carson McCullers, op. cit.*, p. 60.

51. « Les livres dons je me souviens », *op. cit.* ; repris in « Carson McCullers », dossier de la revue *Masques, op. cit.*, pp. 66-68.

52. *Djuna, The Life and Times of Djuna Barnes*, d'Andrew Field-Nabokov, 1983, p. 233.

53. *The Lonely Hunter, op. cit.*, pp. 155-156.

54. Propos rapportés par Virginia Spencer Carr, in *The Lonely Hunter, op. cit.*, p. 144.

55. Propos rapportés par Gerald Clarke, in *Truman Capote, (Capote : A Biography)*, traduit de l'anglais par Henri Robillot, Gallimard, coll. « Biographies », 1990, pp. 109-110.

56. « Le Jockey » (« The Jockey »), in *La Ballade du Café triste*, Stock, *op. cit.*, pp. 175-184, et in *Carson McCullers, romans et nouvelles, op. cit.*, pp. 893-900.

57. « Madame Zilensky et le roi de Finlande » (« Madame Zilensky and the King of Finland »), in *La Ballade du Café triste*, Stock, *op. cit.*, pp. 185-202, et in *Carson McCullers, romans et nou-*

velles, op. cit., pp. 901-911. La nouvelle a été publiée le 20 décembre 1941 dans le *New Yorker*.

58. «Correspondance» («Correspondence»), in *Le Cœur hypothéqué,* Stock, *op. cit.,* pp. 251-262, et in *Carson McCullers, romans et nouvelles, op. cit.,* pp. 1075-1082. Cette nouvelle a été publiée le 7 février 1942 dans le *New Yorker*.

59. «Nous brandissions nos pancartes. Nous aussi, nous étions pacifistes» («We carried Our Banners. We Were Pacifists, Too»), in *Le Cœur hypothéqué, op. cit.,* pp. 267-273.

60. «The Twisted Trinity» est une première version du poème intitulé «Stone Is Not Stone» («La pierre n'est plus la pierre»), que la revue *Mademoiselle* publiera en juillet 1957. Voir *Le Cœur hypothéqué,* Stock, *op. cit.,* pp. 366-367.

61. «Les réalistes russes et la littérature du Sud», in *Le Cœur hypothéqué, op. cit.,* pp. 305, 312.

62. Quelques mois plus tôt, Muriel Rukeyser leur a dédié un poème «très révélateur», selon Virginia Spencer Carr, «de l'ambivalence et de la dichotomie qui prévalent dans la relation troublée du jeune couple, comme de l'affectueuse attitude de Miss Rukeyser à leur égard.»

63. Lettre d'Annemarie Schwarzenbach à Carson McCullers, 3 octobre 1941, écrite de Leopoldville, HRHRC.

64. Lettre d'Annemarie Schwarzenbach à Carson McCullers, 29 décembre 1941, écrite de Thysville, HRHRC.

65. Voir *The Ballad of Carson McCullers, op. cit.,* p. 88.

66. «Une pierre, un arbre, un nuage» («A Tree, A Rock, A Cloud»), in *La Ballade du Café triste,* Stock, *op. cit.,* pp. 254-255, et in *Carson McCullers, romans et nouvelles, op. cit.,* pp. 947-948. Cette nouvelle a été publiée en novembre 1942 dans la revue *Harper's Bazaar*. Elle a fait l'objet d'une adaptation cinématographique, par Christine Van de Putte, en 1981, avec Rufus.

67. *Le Tournant,* de Klaus Mann, *op. cit.,* p. 656.

CHAPITRE IV
Une épouse de guerre

1. « Mars 1943 », in *Journal. 1939-1944*, d'Anaïs Nin. Établi et présenté par Gunther Stuhlmann. Traduit par Marie-Claire Van der Elst, Stock, 1971, p. 333.

2. « L'amour n'est pas le jouet du temps » (« Love's Not Time Fool »), signé « A War Wife ». Traduit par Jacques Tournier in *Carson McCullers*, La Manufacture, 1986, coll. « Qui êtes-vous », n°16 ; pp. 171, 172-173, 175. Texte publié in *Mademoiselle*, avril 1943, pp. 95 et 166-168 ; non repris en recueil.

3. Lettre de Reeves à Carson, 3 mai 1943, HRHRC.

4. « L'amour n'est pas le jouet du temps », *op. cit.*, p. 174.

5. Lettre de Carson à Edwin Peacock, non datée et non sourcée, citée in *The Ballad of Carson McCullers, op. cit.*, p. 97.

6. Propos recueillis par Aimee Alexander pour Virginia Spencer Carr, in *The Lonely Hunter, op. cit.*, p. 234.

7. *La Ballade du Café triste*, « Bibliothèque Cosmopolite », Stock, *op. cit.*, p. 37, et in *Carson McCullers, romans et nouvelles, op. cit.*, p. 820.

8. Lettre de Reeves à Carson, 20 octobre 1943, HRHRC.

9. Lettre de Carson à Edwin Peacock, non datée et non sourcée, citée in *The Ballad of Carson McCullers, op. cit.*, p. 98.

10. *2d Ranger Infantry Battalion* in *Small unit Actions*. American Forces in Action – Historical Division, War Department, Washington, Goverment Printing Office, 1946.

11. Lettre de Reeves à Carson, 19 février 1944, HRHRC.

12. *Illumination and Night Glare, op. cit.*

13. Lettre de Reeves à Carson, 4 mars 1944, HRHRC.

14. *Ibid.*, 27 mars 1944, HRHRC.

15. *Ibid.*, datée « Early June », HRHRC.

16. *Ibid.*, 10 juin 1944, HRHRC.

17. *Ibid.*, 14 juillet 1944, HRHRC.

18. « Broadcast Carson McCullers on Nyack », NY, juillet 1955. Extrait de « This is America » (John Pauker, a series of special features

about the communities of America), HRHRC. Dans cette série d'émissions radiophoniques, plusieurs écrivains ont été invités à venir parler du lieu – village ou ville – dans lequel ils ont choisi de vivre.

19. Lettre de Reeves à Carson, 17 septembre 1944, HRHRC.

20. *Ibid.*, 23 septembre 1944, HRHRC.

21. Lettre de Carson à Reeves, 22 novembre 1944, HRHRC.

22. *Ibid.*, 13 décembre 1944, HRHRC.

23. *Ibid.*, 18 décembre 1944, HRHRC.

24. *Ibid.*, 19 décembre 1944, HRHRC.

25. *Ibid.*, 21 décembre 1944, HRHRC.

26. *Ibid.*, 8 janvier 1945, HRHRC.

27. *Ibid.*, 6 janvier 1944, HRHRC.

28. *Ibid.*, 7 janvier 1945, HRHRC.

29. *Ibid.*, 10 janvier 1945, HRHRC.

30. *Ibid.*, 14 janvier 1945, HRHRC.

31. Marque de tabac à rouler très populaire

32. Lettre de Carson à Reeves, 17 janvier 1945, HRHRC.

33. *Ibid.*, 24 janvier 1945, HRHRC.

34. *Le Cœur est un chasseur solitaire*, Stock, *op. cit.*, p. 143, et in *Carson McCullers, romans et nouvelles*, *op. cit.*, p. 136.

35. *The Square Root of Wonderful (La Racine carrée du merveilleux)*, Boston, Houghton Mifflin, 1958, acte I, p. 23.

36. *Ibid.*, pp. 18, 19 et 21.

37. *Illumination and Night Glare*, *op. cit.*.

38. Entretien de l'auteur avec John Brown, mai 1993.

39. *A la recherche de Carson McCullers. Retour à Nyack*, *op. cit.*, pp. 96-97.

40. *Ibid.*, p. 96.

41. Voir les propos d'Elizabeth Ames recueillis par Virginia Spencer Carr en 1971, in *The Lonely Hunter*, *op. cit.*, p. 259.

42. *Truman Capote*, *op. cit.*, p. 108-109.

43. *Ibid.*, p. 110.

CHAPITRE V
Frankie « l'Européenne »

1. Dans la pièce qui en sera tirée par Carson McCullers, l'action est réduite à un week-end de 1945 – on y fait allusion à la bombe atomique lancée sur le Japon.

2. *Frankie Addams*, Stock, *op. cit.*, p. 12, et in *Carson McCullers, romans et nouvelles*, *op. cit.*, p. 447.

3. *Ibid.*, p. 17, et p. 451.

4. *Ibid.*, pp. 8-9, et p. 444.

5. *Ibid.*, p. 13, et p. 448.

6. *Ibid.*, pp. 97-98, et p. 520.

7. *Mariage au Delta*, de Eudora Welty. Traduit de l'anglais par Lola Tranec. Gallimard, 1957, coll. «Du Monde entier».

8. *The Ballad of Carson McCullers*, *op. cit.*, pp. 114-115.

9. *Frankie Addams*, Stock, *op. cit.*, p. 7, et in *Carson McCullers, romans et nouvelles*, *op. cit.*, p. 443.

10. «Carson McCullers et la communion humaine», préface de René Lalou à *Frankie Addams*, traduction de Marie-Madeleine Fayet, Stock, 1949; repris dans Le Livre de Poche, coll. «Biblio», n° 3140, 1990, pp. 14-17.

11. «Introduction» au *Cœur hypothéqué*, par Margarita G. Smith, *op. cit.*, p. 11.

12. *The Ballad of Carson McCullers*, *op. cit.*, p. 10.

13. *Ibid.*, p. 125.

14. *Ibid.*, p. 119.

15. Siegfried Sassoon, poète anglais (1886-1967), dénonciateur de la «boucherie» de la Première Guerre mondiale, notamment avec son recueil *Contre-Attaque* (1918).

16. *Frankie Addams*, Stock, *op. cit.*, p. 161, et in *Carson McCullers, romans et nouvelles*, *op. cit.*, p. 576.

17. *Ibid.*, p. 183, et p. 595.

18. *Mémoires du Comté d'Hécate*, d'Edmond Wilson (1895-1972). Traduit de l'anglais par Bruno Vercier, Christian Bourgois, 1977, rééd. 1995.

19. *Truman Capote, op. cit.*, pp. 112-116.

20. *Mémoires*, de Tennessee Williams. Traduit de l'anglais par Maurice Pons et Michèle Witta, Robert Laffont, coll. «Vécu», 1977, pp. 141-142.

21. Extrait de *Praise to Assenting Angels*, de Tennessee Williams, HRHRC. Repris dans l'«Introduction» de Margarita G. Smith au *Cœur hypothéqué, op. cit.*, pp. 18-20.

22. «The Author», par Tennessee Williams, *Saturday Review of Literature*, n°44, 23 septembre 1961, pp. 14-15.

23. «Carson McCullers et le groupe», par Georges-Michel Sarotte, in «Carson McCullers», dossier de la revue *Masques, op. cit.*, pp. 46-49. Georges-Michel Sarotte est l'auteur d'un essai sur l'homosexualité masculine dans le roman et le théâtre américain, *Comme un frère, comme un amant*, Flammarion, 1976.

24. «The Author», *op. cit.*

25. *The Lonely Hunter. A Biography of Carson McCullers, op. cit.*, p. 275.

26. Extrait de «A Personal Preface» to *The Square Root of Wonderful, op. cit.*

27. «The Author», *op. cit.*

28. Entretien de l'auteur avec Henri Cartier-Bresson, juillet 1995.

29. Propos rapportés par Virginia Spencer Carr, in *The Lonely Hunter, op. cit.*, p. 281.

30. *Nous*, de Claude Roy, Gallimard, 1980, coll. «Folio» n° 1247, p. 298.

31. Entretien de l'auteur avec André Bay, juillet 1995.

32. Entretien de l'auteur avec John Brown, mai 1993.

33. «La vision partagée» («The Vision Shared»), in *Le Cœur hypothéqué, op. cit.*, pp. 317-318. Texte publié dans *Theatre Arts*, avril 1950, pp. 28-30.

34. «Quand nous sommes perdus» («When We Are Lost»). Poème publié dans la revue *New Directions in Prose and Poetry*, 3 décembre 1948, p. 509. Repris, avec quelques variantes, dans *Voices*, n°149, septembre 1952, p. 12. C'est cette version qui est donnée dans *Le Cœur hypothéqué, op. cit.*, p. 355.

35. «Carson McCullers et la communion humaine», par René Lalou, *op. cit.*, pp. 7-10.

36. Lettre de Cyril Connolly à Carson McCullers, 30 avril 1947, HRHRC.

37. *Richard Wright. A Biography*, par Constance Webb. New York, Putnam, 1968.

38. «Notes on Carson McCullers by Jordan Massee», journal inédit, p. 12.

39. «Celui qui passe» («The Sojourner»), in *La Ballade du Café triste*, Stock, *op. cit.*, pp. 215-216, 219, et in *Carson McCullers, romans et nouvelles, op. cit.*, pp. 921-922, 924.

40. 1907-1984.

41. Propos rapportés par Virginia Spencer Carr, in *The Lonely Hunter, op. cit.*, p. 374.

CHAPITRE VI
Cinq cents jours à Broadway

1. *Quick*, 17 décembre 1947. Les autres meilleurs écrivains de l'après-guerre nommés étaient : Norman Mailer, John Hersey, Arhur Schlesinger, Jr., Jean Stafford et Peter Viereck. En second lieu arrivaient Tennessee Williams, Arthur Miller et Truman Capote.

2. *Mademoiselle*, janvier 1948, pp. 118-119. Les autres personnalités citées étaient Barbara Ann Scott, patineuse artistique; Anahid Ajemian, violoniste; Toni Owen, designer; Santha Rama Rau, écrivain; Elizabeth M. Ackermann, chercheur; Mildred L. Lillie, juge; Shirley Adelson Siegel, directrice de l'Office du logement; Anne Waterman, professeur d'université; Elaine Whitelaw, directeur de la Fondation contre la polio.

3. Extrait de «A Personal Preface» to *The Square Root of Wonderful, op. cit.*

4. Lettre de Reeves à Carson, du 8 août 1945, HRHRC.

5. Lettre de Carson à Tennessee Williams, du 14 février 1948, «Jour de la saint Valentin». Reprise dans «Carson McCullers», dossier de la revue *Masques, op. cit.*, p. 59.

6. «Comment j'ai commencé à écrire» («How I Began to

Write»), in *Le Cœur hypothéqué, op. cit.*, pp. 301-304. Texte publié in *Mademoiselle*, septembre 1948, pp. 256-257.

7. «Quand nous sommes perdus» («When We Are Lost»), *op. cit.*; «Le Cœur hypothéqué» («The Mortgaged Heart»), poème publié in *New Directions in Prose and Poetry*, 3 décembre 1948, p. 509 et, avec quelques variantes, in *Voices*, septembre 1952, pp. 11-12. Repris in *Le Cœur hypothéqué*, Stock, 1977, *op. cit.*, p. 349, et Stock, 1993, *op. cit.*, p. 355.

8. *Mémoires*, de Tennessee Williams, *op. cit.*, p. 144.

9. Lettre du 24 février 1948, «To editors Columbus Ledger Enquirer», HRHRC.

10. Lettre de Carson à Tennessee Williams, de fin janvier 1949, reprise in «Carson McCullers», dossier de la revue *Masques, op. cit.*, p. 60.

11. «10» = ten, en anglais; pour Tenn., diminutif de Tennessee.

12. Lettre de Carson à Tennessee, in «Carson McCullers», *Masques, op. cit.*, p. 61.

13. «Notes on Carson McCullers by Jordan Massee», *op. cit.*, 17 mars 1949.

14. *Ibid.*

15. «Je n'ai jamais eu envie de rejoindre le parti communiste. D'abord, je ne suis pas portée naturellement à rejoindre quoi que ce soit. Le seul groupe auquel j'appartienne est The American Academy of Arts and Letters. La plupart des membres sont plus vieux que moi mais ils sont tous extrêmement distingués. Les réunions sont assez informelles et quand je le peux je suis ravie d'y assister (in *Illumination and Night Glare, op. cit.*).

16. Lettre de Carson à Tennessee, mai 1949, in «Carson McCullers», dossier de la revue *Masques, op. cit.*, p. 62.

17. Lettre de Carson à Tennessee, juin 1949, in «Carson McCullers», *Masques, op. cit.*, p. 63.

18. Lettre de Carson à Tennessee, décembre 1949, in «Carson McCullers», *Masques, op. cit.*, p. 63.

19. «Chez moi pour Noël» , in *Le Cœur hypothéqué, op. cit.*, pp. 281 à 286.

20. «La solitude, cette maladie américaine» (« Loneliness, an American Malady»), in *Le Cœur hypothéqué, op. cit.*, p. 314. Texte

publié in «This Week Magazine», *New York Herald Tribune*, 19 décembre 1949, pp. 18-19.

21. *Ibid.*, p. 315.

22. *Illumination and Night Glare*, *op. cit.*

23. *New York Times*, 6 janvier 1950, p. 26.

24. *The New York Daily Telegram*, cité in *New York Theatre Critics Reviews*, n° XI, 1950, p. 399.

25. *New Yorker*, 14 janvier 1950, p. 46.

26. *Saturday Review*, 28 janvier 1950, pp. 27-29.

27. *The Theatre Book or the Year*, New York, Alfred A. Knopf, pp. 164-166.

28. *The New Republic*, 30 janvier 1950, pp. 28-29.

29. Lettre de Carson McCullers à John Van Druten, 5 février 1950, HRHRC.

30. «La vision partagée», in *Le Cœur hypothéqué*, *op. cit.*, pp. 318-320.

31. *Ibid.*, p. 321.

32. *American Drama since World War II*, de Gerald Weales, New York, Harcourt Brace & World, 1962, pp. 176-179.

33. Entretien avec Virginia Spencer Carr (Kent, novembre 1971), in *The Lonely Hunter*, *op. cit.*, pp. 356, 360.

34. *Tennessee Williams, L'oiseau sans pattes. Portrait*, de Félicie Dubois. Balland, 1992, p. 141.

35. «Notes on Carson McCullers by Jordan Massee», *op. cit.*, 21-22 octobre 1950, pp. 32-37.

36. *Ibid.*, 31 octobre 1950, p. 38.

37. Lettre d'Edith Sitwell à Carson McCullers, 21 novembre 1950, reprise in *The Lonely Hunter*, *op. cit.*, pp. 365, 366.

38. «Un problème familial», in *La Ballade du Café triste*, Stock, *op. cit.*, pp. 223-242, et in *Carson McCullers, romans et nouvelles*, *op. cit.*, pp. 925-937.

39. «Un instant de l'heure qui suit», in *Le Cœur hypothéqué*, Stock, 1993, *op. cit.*, pp. 93-112, et in *Carson McCullers, romans et nouvelles*, *op. cit.*, pp. 1007-1017.

40. «Un problème familial», in *La Ballade du Café triste*, Stock, *op. cit.*, pp. 223-242, et in *Carson McCullers, romans et nouvelles*, *op. cit.*, pp. 930-931.

41. *Ibid.*, p. 241, et p. 936.

42. *Ibid.*, p. 242, et p. 937.

43. Charles Poor, in *The New York Times*, 24 mai 1951.

44. *Time*, 4 juin 1951, p. 106.

45. *Times Literary Supplement*, 25 juillet 1952, p. 340.

46. Elle mentionne cet épisode dans un passage autobiographique d'*Illuminations and Night Glare* en des termes nettement moins chaleureux, n'y trouvant plus rien de « *romantique* » mais seulement une sorte de chantage exercé par Reeves, qui « *menaçait de se jeter par-dessus bord si [elle] ne revenait pas* ».

47. Lettres de Carson à Reeves, HRHRC.

48. *Ibid.*, 7 août 1951.

CHAPITRE VII
« Tomorrow I'm going West »

1. Lettre de Carson McCullers à Fred Zinneman, 30 janvier 1952, HRHRC.

2. Entretien de l'auteur avec André Bay. Paris, juillet 1995.

3. « L'Ange double » (« The Dual Angel : a Meditation on Origin and Choice »). Poème publié in *Mademoiselle*, juillet 1952, p. 54 et *Botteghe Oscure*, n° 9, 1952, pp. 213-218. Traduit par Jacques Tournier, in *Le Cœur hypothéqué*, Stock, 1993, *op. cit.*, pp. 357-365, et Stock 1977, *op. cit.*, pp. 351-356.

4. Entretien de l'auteur avec John Brown. Paris, mai 1993.

5. *Illumination and Night Glare*, *op. cit.*

6. Entretien de l'auteur avec André Bay. Paris, juillet 1995.

7. *Truman Capote*, *op. cit.*, p. 249.

8. *Ibid.*

9. *Illumination and Night Glare*, *op. cit.*

10. Lettre d'Otto Frank à Carson McCullers, 8 juin 1952, HRHRC.

11. Lettre de Carson McCullers à Audrey Wood, 1er août 1952, HRHRC.

12. Lettre de Fred Zinneman à Carson McCullers, 3 janvier 1953, HRHRC.

13. Lettre de Carson McCullers à Fred Zinneman, 27 janvier 1953, HRHRC.

14. Entretien avec Hans de Vaal, publié en avril 1953, in *Litterair Passport* (Hollande), HRHRC.

15. Lettre de Carson à sa sœur, 23 mars 1953, HRHRC.

16. Lettre de Dennis Cohen à Carson McCullers, 17 août 1953, HRHRC.

17. Lettre d'Andrée Chedid à Carson McCullers (écrite en anglais, sauf la formule finale), 4 mars 1953, HRHRC.

18. *The Lonely Hunter, op. cit.*, pp. 394-395.

19. *Mémoires, op. cit.*, pp. 295-296.

20. *A la recherche de Carson McCullers. Retour à Nayack, op. cit.*, p. 237.

21. *Mémoires, op. cit.*, p. 296.

22. Lettre de Simone Brown à Carson McCullers, 22 octobre 1953, HRHRC.

23. Lettre de Mme Joffre à Carson McCullers, 21 septembre 1953, HRHRC.

24. Lettre de Reeves à Carson, 21 novembre 1945, HRHRC.

25. Lettre de Jack Fullilove à Jacques Tournier, juin 1977. Citée in *A la recherche de Carson McCullers, op. cit.*, p. 21.

26. In *The Ballad of Carson McCullers, op. cit.*, p. 161.

27. In *The Lonely Hunter, op. cit.*, pp. 402-403.

28. *Truman Capote, op. cit.*, p. 266.

29. Lettre de Janet Flanner à Carson McCullers, 5 décembre 1953, HRHRC.

30. Lettre de Carson McCullers au Dr Robert Myers, non datée, HRHRC.

31. *The Lonely Hunter, op. cit.*, pp. 404-407.

32. *Ibid.*, p. 407.

33. Lettre de Natalia Danesi Murray à Carson McCullers, non datée, HRHRC.

34. Lettre de Robert Myers à Carson McCullers, non datée, HRHRC.

35. *The Lonely Hunter, op. cit.*, p. 403.

36. *Ibid.*, p. 409.

37. *Ibid.*, p. 408.

38. *Ibid.*, pp. 408-409.

39. *Ibid.*, p. 415.

40. *Ibid.*

41. « Le garçon hanté » (« The Haunted Boy »), in *Le Cœur hypothéqué*, Stock, 1993, *op. cit.*, pp. 271 à 298, et in *Carson McCullers, romans et nouvelles, op. cit.*, pp. 1089-1105. Cette nouvelle a été publiée in *Mademoiselle*, n°42, novembre 1955, pp. 134-135 et 152-159, puis repris in *Collected Short Stories and the Novel, op. cit.*

42. *La Racine carrée du merveilleux*, acte III, p. 153.

CHAPITRE VIII
Quelque chose de Tennessee

1. « Untitled article on Georgia »; manuscrit non daté, HRHRC.

2. *Le Cœur hypothéqué, op. cit.*, p. 348.

3. Voir *Truman Capote, op. cit.*, p. 156.

4. *Ibid.*, p. 171.

5. Lettre d'Oliver Evans à Carson, du 1er août 1963, HRHRC.

6. *The Lonely Hunter. A Biography of Carson McCullers, op. cit.*, p. 433.

7. *Ibid.*, p. 428.

8. *Reflets dans un œil d'or*, Stock, 1993, coll. « Bibliothèque cosmopolite », p. 27, et in *Carson McCullers, romans et nouvelles, op. cit.*, pp. 365-366.

9. « Carson McCullers ou la cabane de l'enfance », par René Micha, in *Critique*, n° 183-184, août-septembre 1962, pp. 707.

10. *Henry James*, de Leon Edel, Harpers and Row, 1985 ; Le Seuil, 1990 (traduction d'André Müller).

11. Propos recueillis en mai 1971, à Honolulu, par Aimee Alexander pour Virginia Spencer Carr, in *The Lonely Hunter, op. cit.*, p. 438.

12. Extrait de *Avec mon meilleur souvenir*, de Françoise Sagan. Gallimard, 1985, et coll. « Folio », n°1657, 1988.

13. « On meeting a young writer », par Tennessee Williams, in *Harper's Bazaar*, n°55, août 1954.

14. «Qui a vu le vent?» («Who Has Seen the Wind»), in *Le Cœur hypothéqué*, Stock, 1993, *op. cit.*, pp. 299-352, et in *Carson McCullers, romans et nouvelles, op. cit.*, pp. 1107-1134. Texte publié in *Mademoiselle*, n°43, septembre 1956, pp. 156-157 et 174-188.

15. *Ibid.*, p. 308, et p. 1113.

16. *Ibid.*, p. 313-314, et p. 1116.

17. *Ibid.*, p. 299-300, et p. 1109.

18. *Ibid.*, pp. 301 à 303, et pp. 1110-1111.

19. *Illumination and Night Glare, op. cit.*

20. *The Lonely Hunter, op. cit.*, p. 451.

21. *Illumination and Night Glare, op. cit.*

22. Cité in *New York Theatre Critics' Reviews*, 1957, vol. XVIII, p. 202.

23. In *New Yorker*, 9 novembre 1957.

24. Cité in *New York Theatre Critics' Reviews, op. cit.*, p. 200.

25. Entretien de l'auteur avec Floria Lasky, mai 1995.

26. In *The Best Plays of 1957-1958*, collectif dirigé par Louis Kronenberger, New York, Dodd, Mead & Company, 1958, pp. 12-14.

27. *American Drama Since World War II, op. cit.*, p. 198.

28. Propos rapportés par Virginia Spencer Carr, in *The Lonely Hunter, op. cit.*, p. 453.

29. «A Personal Preface», in *The Square Root of Wonderful, op. cit.*

30. *Mémoires*, de Tennessee Williams, *op. cit.*, pp. 143-144.

CHAPITRE IX
L'ultime rébellion

1. «Mon royaume c'est la maladie», in *Loin du paradis, Flannery O'Connor*, de Geneviève Brisac, Gallimard, 1991, collection «L'un et l'autre», p.72.

2. Propos recueillis par Virginia Spencer Carr, in *The Lonely Hunter, op. cit.*, p.469; témoignage repris in *Carson McCullers*, un film écrit par Fabrice Cazeneuve et Jacques Tournier, coproduit par France 3 et Médiane Films, pour «Un siècle d'écrivains», une col-

lection dirigée par Bernard Rapp. Diffusé sur France 3, le 23 août 1995.

3. *Illumination and Night Glare, op. cit.*

4. «Beckett et Bion» de Didier Anzieu, in *Revue française de psychanalyse*, 1989, fasc. 5, pp. 1405-1414.

5. Entretien de l'auteur avec Mary Mercer, Nyack, mai 1995.

6. *Ibid.*

7. Lettre de Robert Lantz à Mary Mercer, 27 février 1970, HRHRC.

8. Entretien de l'auteur avec Mary Mercer, Nyack, mai 1995.

9. «Transcription of Meditations during Analysis», *op. cit.*

10. *Ibid.*, 11 avril 1958.

11. *Ibid.*, 14 avril 1958.

12. Lettre de Carson McCullers à Carol Reed, 10 mai 1958, HRHRC.

13. Entretien de l'auteur avec Mary Mercer, Nyack, mai 1995.

14. *Frankie Addams*, Stock, *op. cit.* p. 171, et in *Carson McCullers, romans et nouvelles, op. cit.*, p.584.

15. «Readings from Swift to Faulkner», par Thomas Lask, *New York Times*, 4 mai 1958.

16. «Un rêve qui s'épanouit. Notes sur l'écriture», in *Le Cœur hypothéqué, op. cit.*, pp. 335, 339-342.

17. *Les Nouvelles littéraires*, 18 décembre 1958.

18. Lettres d'André Bay à Carson McCullers, 31 mai, 12 et 13 juin, 16 juillet 1958; lettres de Carson McCullers à André Bay, 18 et 26 juin, 19 juillet 1958, HRHRC.

19. Lettre d'Audrey Wood à Carson McCullers, 16 juin 1958, HRHRC.

20. *Illumination and Night Glare, op. cit.*

21. Entretiens de l'auteur avec Marielle Bancou, Paris, 1994 et 1995.

22. «Isak Dinesen : *Winter's Tales*» («Isak Dinesen : *Contes d'hiver*»), *New Republic*, 7 juin 1943, repris in *Le Cœur hypothéqué, op. cit.*, pp. 323-325.

23. «Isak Dinesen : Éloge du rayonnement» («Isak Dinesen : In Praise of Radiance»), in *Le Cœur hypothéqué, op. cit.*, pp. 328-329. Ce texte a été publié pour la première fois in *Saturday Review*, 16 mars 1963, pp. 98-99.

24. *Karen Blixen (Isak Dinesen. The Life of a Storyteller)*, par Judith Thurman. Traduit de l'anglais par Pascal Raciquot-Loubet. Seghers, 1986; Le Livre de Poche, n°6312, pp. 738-742.

25. *The Lonely Hunter, op. cit.*, p. 481.

26. Lettre de Carson à Tennessee Williams, avril 1949, in *Masques, op. cit.*, p. 62.

27. Entretien de Raphaëlle Rérolle avec Arthur Miller, juin 1995.

28. «Isak Dinesen : Éloge du rayonnement», in *Le Cœur hypothéqué, op. cit.*, pp. 330-331.

29. «Un rêve qui s'épanouit. Notes sur l'écriture», in *Le Cœur hypothéqué, op. cit.*, p.336.

30. Lettre de Carson McCullers à Thornton Wilder, 23 août 1959, HRHRC.

31. Lettre de Carson McCullers à Mary Tucker, 7 novembre 1959, HRHRC.

32. «Notes on Carson McCullers by Jordan Masse», *op. cit.*, 1961, pp. 68 et sq.

33. «Un rêve qui s'épanouit. Notes sur l'écriture», in *Le Cœur hypothéqué, op. cit.*, p. 339.

34. Lettre de Carson McCullers «To the directors», Columbus Public Library, 21 août 1961, HRHRC.

35. *Saturday Review of Literature*, 23 septembre 1961, p. 14.

36. «The World Outside», par Gore Vidal. *The New York Reporter*, 28 septembre 1961, p. 50.

37. *L'Horloge sans aiguilles (Clock Without Hands)*. Traduit par Colette Marie Huet, Stock, 1993, coll. «Bibliothèque cosmopolite», p. 9, et in *Carson McCullers, romans et nouvelles, op. cit.*, p. 607.

38. *The Ballad of Carson McCullers, op. cit.*

39. *Carson McCullers*, de Margaret B. McDowell, *op. cit.*, p. 98.

40. *Ibid.*, p. 97.

41. *Ibid.*, p. 115.

42. «Frankie Addams at 50», entretien avec Rex Reed, *New York Times*, 16 avril 1967, section 2, p. 15; repris in *Do You Sleep in the Nude*, New York, New American Library, 1968, traduit pour le dossier de la revue *Masques, op. cit.*, pp. 56-57.

CHAPITRE X
« Le dur désir de durer »

1. *L'Horloge sans aiguilles*, Stock, *op. cit.* p. 411, et in *Carson McCullers, romans et nouvelles, op. cit.*, p. 809.

2. *Ibid.*

3. «Notes on Carson McCullers», *op. cit.*, 28 décembre 1961.

4. *William Faulkner (William Faulkner : American Writer)*, de Frederick R. Karl. Traduit de l'anglais par Marie-France de Paloméra. Gallimard, coll. «Biographies», 1994, pp. 980-981.

5. *The Ballad of Carson McCullers*, d'Oliver Evans, *op. cit.*, p. 190.

6. Entretien de l'auteur avec Henri Cartier-Bresson, juillet 1995.

7. «Notes on Carson McCullers», *op. cit.*, vendredi 8 juin et mercredi 13 juin 1962.

8. Transcription de l'entretien de Carson McCullers avec Jane Howard, BBC, «Bookstand», 28 novembre 1962, HRHRC.

9. «New Brodway hit for Carson McCullers?», in *Atlanta Journal and Constitution Magazine*, 29 septembre 1963.

10. Réponses écrites de Carson McCullers à Mrs Robert E. Rutherford, *Atlanta Journal*, 20 août 1963, HRHRC.

11. Lettres de Carson McCullers à Elizabeth Schnark, 28 mai, 26 juin et 3 juillet 1963, HRHRC.

12. *The Lonely Hunter, op. cit.*, p.520.

13. Lettres de Carson McCullers à Dawn Langley Simmons, «Gordan» (Gordon Langley Hall), HRHRC.

14. Lettre de Carson McCullers à Marielle Bancou, non datée, HRHRC.

15. «Un rêve qui s'épanouit. Notes sur l'écriture», in *Le Cœur hypothéqué, op. cit.*, pp. 333-343.

16. Dans sa thèse (*op. cit.*), Carlos Lee Barney Dews donne un certain nombre de précisions importantes sur la nature des écrits autobiographiques de Carson McCullers et sur leur probable chronologie :
«En 1958, enthousiasmée par les possibilités thérapeutiques ouvertes par le travail de la mémoire et désireuse de partager la

manière unique dont elle avait expérimenté l'inspiration créatrice, Carson McCullers entreprit d'écrire son autobiographie. Une autobiographie qui serait plus directe que les éléments, souvent relevés, qui affleurent à la surface de ses fictions. Entre 1958 et sa mort en 1967, à l'âge de cinquante ans, McCullers se remit au moins trois fois à ce projet autobiographique en lui donnant chaque fois un titre différent. Sa première tentative, *Un rêve qui s'épanouit*, se développa en un essai sur la création et le processus d'écriture qui fut publié dans *Esquire* [en décembre 1959]. La deuxième tentative, *Illuminations Until Now*, un brouillon de cinquante pages écrit à la main, fut définitivement mis de côté un peu avant 1962. La tentative finale se situe très près de la fin de sa vie, une période jusqu'ici considérée comme improductive [...].

« Au cours des quatre mois qui précédèrent sa mort, McCullers dicta à une série de secrétaires salariées ou à des volontaires venues de l'université voisine ce qui devait rester le premier jet inachevé d'un travail qu'elle avait fini par appeler *Illumination and Night Glare* [...]. McCullers ne termina jamais ce récit d'inspiration et de désespoir alternés.

«Après sa mort, une certaine confusion régna entre les "méditations" rédigées alors qu'elle était en traitement avec Mary Mercer, et les manuscrits du *Rêve qui s'épanouit*. Il s'avère en effet que McCullers utilisa le titre *Un rêve qui s'épanouit* pour un certain nombre de projets durant au moins dix années, et que le *Rêve* qui s'épanouit prend son origine dans les "méditations" que McCullers enregistra puis transcrivit au cours de son traitement avec Mercer. Il est peut-être plus rigoureux de considérer les "méditations" comme un premier brouillon du *Rêve qui s'épanouit*.»

17. Mary Mercer à Rita Smith, 6 juillet 1970, HRHRC.
18. *Sweet as a Pickle, Clean as a Pig*, Houghton Mifflin, 1964.
19. Lettre de Richard Burton à Carson McCullers, 11 août 1965, HRHRC.
20. *Illumination and Night Glare, op. cit.*
21. *Ibid.*
22. Entretien de l'auteur avec Mary Mercer, Nyack, mai 1995.
23. *Illumination and Night Glare, op. cit.*
24. Lettre de Marlon Brando à Carson McCullers, non datée, HRHRC.

25. Télégramme de John Huston à Carson McCullers, 6 janvier 1967, HRHRC.

26. « With Carson McCullers : Terence de Vere White interviews the American Novelist at the Home of Her Host, John Huston, *Irish Times* (Dublin), 10 avril 1967, p. 12.

27. *Illumination and Night Glare, op. cit.*

28. « Frankie Addams at 50 », in *Masques, op. cit.*, pp. 56-57.

29. Lettre de la Maison blanche à Carson McCullers, 23 juin 1967, HRHRC.

30. *Illumination and Night Glare, op. cit.*

31. *Ibid.*

32. Lettre de Carson McCullers à John Huston, 31 juillet 1967, HRHRC.

33. *Illumination and Night Glare, op. cit.*

Annexes

LE CŒUR HYPOTHÉQUÉ

Les morts demandent un regard dédoublé. Une ceinture jumelle,
Un accord de partage au-delà du tombeau. Car les morts ont droit
                                                            [de saisie
Sur les sens de l'amant, le cœur hypothéqué.

Vois deux fois le verger fleuri sous la pluie grise
Offre au ciel rose et froid une double surprise.
Chaque émotion éprouvée, éprouve-la encore
Chaque impression sépare-la en deux – c'est le droit reconnu des
                                                            [morts.
Ordonne au cerveau dès qu'il réagit, que le nerf
Assigne aussitôt le maître schizophrène,
Sinon, comme un vagabond sans demeure,
Va se perdre l'amour aveugle.

L'hypothèque des morts est connue.
Prépare tendrement la couronne, suspends la guirlande à la porte.
Mais la solitude des cendres, l'obscurité des os…
Qu'en savent les morts ?

Voices, septembre-décembre 1952.
Publié sous une forme un peu différente en 1948,
dans *New Directions X.*

LES LIVRES DONT JE ME SOUVIENS

par Carson McCullers

Carson McCullers a vingt-quatre ans. Elle vient de publier son premier roman Le Cœur est un chasseur solitaire. *Elle répond dans cet article à une question du* Harper's Bazaar *: de quels livres vous souvenez-vous ? Elle parle d'un trou au milieu des pages.*

Quand j'ai appris à lire, j'ai tout de suite été attirée par les histoires où il y avait quelque chose à manger. Une surtout, je m'en souviens, à propos d'un petit garçon qui avait les yeux plus grands que le ventre, et qui est mort de s'être trop bourré de gâteaux, de bonbons et d'une crème glacée grosse comme une montagne. Une image le montrait, vêtu d'un costume marin, à genoux au milieu de toutes ces sucreries, les contemplant d'un regard affamé. Je l'aimais. Aujourd'hui encore, quand j'ai faim, je m'offre un festin par procuration – à travers le *Satyricon*, Rabelais, Mr Pickwick, ou les romans de Thomas Wolfe.

En matière de fiction, les enfants sont aussi peu sensibles au malheur que les Grecs de l'époque classique, mais ils ont un immense respect pour le destin. J'admirais les personnages qui s'appropriaient, de façon diabolique et scandaleuse, ce que les autres avaient de plus précieux. Naufrages, épidémies, massacres d'Indiens – toute la gamme des catastrophes – je m'y plongeais avec passion, le sang glacé d'effroi. J'admirais les escrocs, les géants sanguinaires, tous ceux qui vivaient en marge d'une société respectable. J'étais furieuse quand on punissait un truand sympathique car, dans un récit, la justice me semblait l'ennui même. De tout ce fatras d'histoires de cowboys dévorées au drugstore du coin, et de livres découverts à la bibliothèque sur l'étagère réservée aux enfants, je garde une affection intacte pour les contes d'Edgar Allan Poe, *L'Ile au Trésor, Les Trois Mousquetaires,* et la collection complète du magazine *Argozy.*

J'ai lu deux livres en secret. Le premier a été pour moi l'occasion d'une angoissante et sinistre expérience. Je l'avais acheté à Prisunic comme cadeau de Noël à mon petit frère. Il s'appelait *L'Enfant perdu*. Le nom de l'auteur commençait par un Z et sonnait bizarrement. Mon frère en a déchiffré les premières lignes qu'il a trouvées très ennuyeuses. L'idée lui est venue de découper un trou carré au centre de chaque page, sans toucher à la couverture. Le livre, qui conservait ainsi l'apparence normale d'un livre, était devenu en réalité la plus sûre des cachettes pour une pièce de dix *cents* et un âne en plomb. C'est dans cet état que je l'ai trouvé, un après-midi, quand j'ai voulu le lire. J'avais dix ans. Dès la première page, j'ai senti qu'il allait se passer quelque chose d'effrayant et de mystérieux. Ce n'était pas du tout un livre pour enfants. Il y avait d'abord une scène au bord d'un étang, entre un idiot de village et une servante, puis, un peu plus tard, un bébé. La clef de ces événements déroutants semblait s'être perdue dans le vide du trou central, qui rendait ma lecture complètement démente. Pendant trois jours, je me suis engluée à cette énigme, avec une sorte de curiosité frissonnante. C'était mon premier contact littéraire avec le sexe, et je l'ai associé très longtemps aux servantes et aux ânes de plomb.

Les Quatre Filles du docteur March est le second livre lu en secret. Je me suis crue insultée lorsqu'on me l'a offert — à cause du titre dont le côté «petite fille» m'a paru insupportable : il me faisait penser à des boîtes de cigares remplies de vêtements de poupées, et aux gâteaux que les amies de ma mère se passaient à la ronde pendant les réunions du club de jardinage. J'ai fini par l'ouvrir, un dimanche où je mourais d'ennui, et je l'ai lu pendant un an sans m'arrêter. Mais je pleurais si fort au moment où Jo refuse d'épouser Laurie, et à la mort de Beth, que j'étais obligée de le lire la nuit, au fond de mon lit, de peur que mes parents ne me surprennent.

L'année suivante, la lecture de *Ma vie*, par Isadora Duncan, m'a bouleversée comme un ouragan. J'ai eu envie de prendre toute ma famille en main et de lui faire connaître Chicago, Paris et la Grèce. J'ai ressenti une attirance maladive pour le rayonnement magique des salles de concert et la famine dans les hôtels borgnes. J'ai été jusqu'à créer une école de danse dans mon quartier. Et pendant une semaine, j'ai employé alternativement la ruse et la corruption pour réunir une poignée de charmants enfants, drapés dans des serviettes, qui sautillaient désespérément dans notre arrière-cour.

Au début de l'adolescence, un brusque changement se fait en nous, par rapport aux livres et à ce qu'ils nous apportent. L'enfant ne demande qu'à être entraîné vers des aventures extérieures. Soudain les petites histoires ne nous suffisent plus. Un courant nous entraîne vers les aventures plus riches et plus graves de l'âme. Ce changement s'est fait en moi vers treize ans, quand j'ai découvert les grands écrivains russes. Dostoïevski m'a ouvert les portes d'un domaine immense et inconnu. Depuis des années, j'apercevais ses livres sur les rayons de la bibliothèque municipale, mais, en les feuilletant, j'avais été rebutée par le nom indigeste des personnages et le fait qu'ils étaient imprimés en petits caractères. Quand je me suis décidée à le lire, j'ai ressenti une émotion inoubliable – émotion qui me bouleverse encore aujourd'hui quand j'ouvre un de ses livres. C'est une sorte de stupeur, car les étés suffocants et paresseux de Russie, les petits villages au fond de la steppe, les grands-pères endormis sur le poêle au milieu des enfants, les hivers blancs de Saint-Pétersbourg – tout cela m'est aussi familier que ma ville natale. Il me semble parfois que la grandeur des écrivains russes vient de ce qu'ils ont, mieux que les autres, accepté notre condition de vie. Ils la regardent comme un tout, une unité, et savent, sans jamais céder au cynisme, que la mort est inéluctable.

Mon admiration pour la littérature française ne m'est pas venue de façon aussi violente. Au contraire. Je n'ai pas aimé *Madame Bovary* à la première lecture, ni les romans de Stendhal. Il a fallu que je les relise pour les admirer. La poésie de Baudelaire s'accorde à n'importe quel alcool – s'asseoir dans sa cuisine, les pieds sur le fourneau, un flacon de sherry à portée de la main, et lire *Les Fleurs du mal à* voix haute, c'est la meilleure façon que je connaisse de passer une soirée d'hiver. Proust appelle autre chose. Il faudrait (mais ce n'est ni possible ni vraisemblable) le lire d'un trait, dans un état de sobriété parfaite. Une mer tropicale, et la vie saisie dans ses profondeurs, éclatante et bizarre – voilà son univers. Et cette volonté qu'il a de décrire avec minutie chaque détail d'un événement soutient son œuvre jusqu'au bout et fait d'elle un phénomène architectural. La traduction de Moncrieff préserve à la perfection le style original.

La langue allemande semble moins facile à traduire – en poésie, du moins. Je suis plus sensible à la prose de Goethe qu'à ses poèmes. De même pour Rilke. *Les Cahiers de Malte Laurids Brigge* et les *Lettres à un jeune poète* sont pour tout écrivain débutant des livres de référence.

Parmi les romans anglais, *Les Hauts de Hurlevent* gardent ma préférence. Je me souviens de ceux de Walter Scott avec une grimace d'ennui – c'est au collège qu'on me les a fait lire et ils faisaient l'objet de toutes nos interrogations. Par contre, aucun livre de D.H. Lawrence ne m'a ennuyée. La découverte, à seize ans, d'*Amants et Fils,* a été pour moi comme un piège. J'ai rêvé d'écrire un roman qui lui ressemblerait. J'y ai même travaillé péniblement pendant plusieurs mois. A peu près à la même époque, j'ai rencontré Katherine Mansfield et Ernest Hemingway. L'étrange beauté des nouvelles de Katherine Mansfield est comme la musique d'un piano qu'on entend au loin, et il s'interrompt brusquement au milieu d'une phrase, vous laissant dans un état d'impatience et de tristesse inexplicable. Quant aux *Neiges du Kilimandjaro,* de Hemingway, elles brillent pour moi comme un repère. Je suis contente d'avoir attendu l'âge de dix-huit ans pour lire *Mort à Venise,* et d'avoir connu Joyce dès l'école, à travers *Le Mort,* longtemps avant de connaître *Ulysse.* Les dernières pages du *Moby Dick* de Melville sont inoubliables.

Les premiers mots : *Mon nom est Ishmaël,* résonnent en vous longtemps après les avoir lus. La sombre élégance du style de Hawtorne a l'envoûtement d'un soleil d'hiver qui perce une fenêtre aux vitres de couleur. Whalt Whitman – inoubliable aussi. Et Thomas Wolfe, parmi les écrivains sudistes – celui à qui je dois une reconnaissance passionnée. Pour Faulkner, c'est la lecture du *Bruit et la Fureur* qui a bouleversé ma façon de penser.

Lorsqu'on cherche ainsi, au hasard, on s'aperçoit que certains livres sont inclassables. Ainsi *Les Trois Vies,* de Gertrude Stein, longues nouvelles aussi surprenantes sur le plan technique que sur le plan émotionnel. Pour moi, aucune œuvre n'a réussi mieux que *Melancta* (l'une de ces nouvelles) à capter la saveur musicale et subtile du langage des Noirs et de leur pensée. Inclassable également Isak Dinesen, romancière danoise, qui écrit en anglais, dont les *Sept contes gothiques* ont la beauté hautaine et glacée des fleurs de givre sur une vitre.

Tels sont les livres dont je me souviens à cet instant précis. *Se souvenir* n'est d'ailleurs pas l'expression qui convient, car elle implique une possibilité d'oubli, alors que les livres qu'on a aimés font partie de vous, comme un muscle ou un nerf. En cherchant ainsi, au hasard, on ne peut que faire le tour de ceux qui ont compté. J'en oublie un, je m'en aperçois soudain, qui n'avait aucun poids pour moi il y a quelques années et que je lis presque chaque soir aujourd'hui : la Bible.

Livre, encore, qui mérite qu'on s'en souvienne.

Article du *Harper's Bazaar* 1er avril 1941.
Traduit par Jacques Tournier.

UN RÊVE QUI S'ÉPANOUIT

Notes sur l'écriture

A l'âge d'environ quatre ans, je suis passée devant un couvent avec ma gouvernante. Ce jour-là, les portes étaient ouvertes. J'ai aperçu des enfants qui mangeaient des glaces, qui faisaient de la balançoire, et je les ai regardés, fascinée. J'ai voulu entrer, mais ma gouvernante a dit non, je n'étais pas catholique. Le lendemain les portes étaient fermées. Jamais, depuis, je n'ai cessé de penser à ce qui se passait de l'autre côté, cette fête admirable dont j'étais exclue. J'ai eu l'idée d'escalader le mur, mais j'étais trop petite. Un jour j'ai donné des coups contre ce mur, et j'ai toujours su qu'il se déroulait de l'autre côté une fête merveilleuse, dont l'entrée m'était interdite.

La plupart de mes thèmes sont fondés sur la solitude spirituelle. Mon premier roman lui est presque entièrement consacré, et, pour une grande part, tous ceux qui ont suivi. L'amour, et plus particuliè-rement l'amour pour quelqu'un qui est incapable de rendre ou de recevoir cet amour, est à l'origine du choix que je fais quand je décris des personnages grotesques – personnages dont l'infirmité physique est le symbole de l'infirmité spirituelle qui leur interdit d'aimer ou de recevoir l'amour – leur solitude spirituelle.

Pour comprendre une œuvre, il est important que l'artiste se place au cœur même de son contenu émotionnel. Qu'il voie, qu'il connaisse, qu'il éprouve tout ce dont il parle. Bien avant Harold Clurman, qui (grâce lui soit rendue) a mis en scène *Frankie Addams* au théâtre, je crois avoir mis en scène pendant des années chaque mouche et chaque moustique de cette demeure.

Il est rare qu'un auteur prenne la mesure exacte d'une œuvre d'art avant la fin de son travail. C'est comme un rêve qui s'épanouit. A mesure que le travail avance, les idées grandissent, bourgeonnent en silence, des milliers de révélations éclatent chaque jour. La semence de l'écriture germe comme en terre. La graine d'une idée se développe sous le double effort du travail et de l'inconscient, grâce au combat qu'ils se livrent l'un l'autre,

Je ne comprends que par fragments. Je comprends les personnages, mais le roman lui-même reste flou. Le point se fait parfois, comme par hasard, à des instants que personne, et l'auteur moins que quiconque, ne peut comprendre. Instants qui, chez moi, succèdent généralement à un grand effort. Révélations qui, pour moi, sont la bénédiction du travail. Toute mon œuvre s'est faite ainsi. C'est à la fois risque et beauté pour un écrivain d'être tributaire de ces révélations. Lorsque après des mois de tâtonnements et de travail l'idée s'épanouit enfin, la complicité est d'ordre divin. Le jaillissement prend toujours sa source dans le subconscient, et il est incontrôlable. J'ai travaillé un an entier sur *Le Cœur est un chasseur solitaire* sans rien y comprendre du tout. Chacun des personnages s'adressait à un personnage central, mais pourquoi? je l'ignorais. J'avais presque décidé de ne pas en faire un roman, mais un recueil de nouvelles. Quand cette idée m'est venue, je l'ai ressentie comme une mutilation de mon propre corps, et j'ai été désespérée. J'avais travaillé cinq heures de suite. Je suis sortie me promener. Brusquement, au moment où je traversais la route, j'ai su que Harry Minowitz, le personnage auquel les autres s'adressaient, était un homme différent, un sourd-muet, et son nom s'est aussitôt transformé en John Singer. Le roman entier m'est apparu alors avec précision et, pour la première fois, je me suis abandonnée de toute mon âme au *Cœur est un chasseur solitaire.*

Que savoir et ne pas savoir? John Brown, de l'ambassade américaine, m'a rendu visite. Il m'a dit, en pointant son index vers moi : « Carson, j'admire votre ignorance. » J'ai dit : « Pourquoi? » Il m'a demandé : « Date et conséquences de la bataille de Hastings? Date et conséquences de la bataille de Waterloo? » J'ai répondu : « Je crois que ça ne m'intéresse pas du tout. — C'est exactement ce que je voulais dire. Votre esprit ne s'encombre d'aucun événement extérieur. »

J'avais presque achevé *Le Cœur est un chasseur solitaire* quand mon mari m'apprit qu'un congrès de sourds-muets se tenait dans une ville voisine. Il était persuadé que j'aurais envie d'aller les regarder. J'ai répondu que c'était la dernière chose dont j'avais envie, car je m'étais fait des sourds-muets une image personnelle et je refusais qu'elle soit déformée. Je pense que James Joyce a eu la même attitude quand il est parti pour l'étranger, sans jamais revenir chez lui, sentant que son image personnelle de Dublin était au point pour toujours — ce qui était vrai.

L'intuition est le bien premier d'un écrivain. Trop d'événements paralysent l'intuition. Un écrivain a besoin de connaître tant de choses, mais il y a tant de choses qu'un écrivain n'a pas besoin de connaître — il a besoin de connaître toutes les choses de l'homme, même lorsqu'elles sont « malsaines », comme on dit.

Je lis chaque jour, très attentivement, le *New York Daily News*. C'est intéressant de connaître le nom de la ruelle où l'amant a été poignardé, et dans quelles circonstances — ce dont le *New York Times* ne rend jamais compte. A propos du crime inexpliqué de Staten Island, c'est intéressant de savoir que le docteur et sa femme, lorsqu'ils ont été poignardés, portaient des chemises de nuit à la mormon, s'arrêtant aux genoux. Que Lizzie Burden, en ce matin d'été étouffant où elle a tué son père, avait avalé une soupe de mouton pour son petit déjeuner. Les détails excitent plus fortement l'imagination que les considérations générales. Que le Christ ait été transpercé au flanc *gauche* a un pouvoir d'émotion et de suggestion plus grand que s'il n'avait été que transpercé.

Les accusations de morbidité sont injustifiables. Un écrivain peut seulement dire qu'il écrit à partir d'une semence qui s'épanouit peu à peu dans son subconscient. La nature n'est jamais anormale. Seul est anormal le manque de vie. Un écrivain considère tout battement, tout mouvement, tout déplacement à l'intérieur d'une pièce, et pour quelque motif que ce soit, comme humain et normal. Si John Singer est muet dans *Le Cœur est un chasseur solitaire*, c'est un symbole. De même si le capitaine Penderton est homosexuel dans *Reflets dans un œil d'or* – symbole d'impuissance et de handicap. Singer, le sourd-muet, est un symbole d'infirmité, et l'être qu'il aime est incapable de recevoir cet amour. Les symboles inspirent l'histoire, les thèmes, les événements, si étroitement emmêlés que personne ne peut savoir clairement où commence cette inspiration. Je deviens chacun des personnages dont je parle. Je m'enfonce en eux si profondément que leurs mobiles sont les miens. Je parle d'un voleur, et je deviens voleur ; du capitaine Penderton, et je deviens homosexuel ; d'un sourd-muet, et je deviens muet tant que l'histoire se déroule. Je deviens chacun des personnages dont je parle, et je rends grâce au poète latin Térence qui a dit : « Rien d'humain ne m'est étranger. »

Au moment où j'adaptais *Frankie Addams* pour le théâtre, j'étais paralysée, et je souffrais profondément sur le plan physique. Mais, la pièce terminée, j'ai écrit à l'un de mes amis : « C'est vraiment merveilleux d'être écrivain, je n'ai jamais été aussi heureuse... »

Quand le travail avance mal, aucune existence n'est plus misérable que celle d'un écrivain. Mais quand le travail avance bien, quand une révélation a permis de faire le point d'une œuvre et qu'elle coule avec limpidité, c'est une joie incomparable.

Pourquoi écrit-on ? Sur le plan financier, c'est le métier le plus mal rémunéré du monde. Mon agent a calculé ce que m'a rapporté *Frankie Addams*. Ce livre m'ayant demandé cinq ans de travail, ça représente 28 *cents* par jour. Mais, comble d'ironie, la pièce que j'en ai tirée m'a rapporté tellement d'argent que j'ai dû en verser 80 % à l'État – ce que j'ai été (ou du moins *aurais dû être*) heureuse de faire.

Pour écrire, il faut éprouver un besoin inconscient de communiquer et de s'exprimer. Écrire est une occupation d'errant, de somnambule. L'inconscient submerge l'intelligence – l'imagination prend le pas sur la pensée. Ce n'est pourtant pas un acte totalement amorphe et inintelligent. Quelques-uns parmi les plus grands romans et les plus beaux morceaux de prose ont la précision d'un numéro de téléphone. Mais rares sont les prosateurs qui y parviennent, car cela nécessite à la fois la subtilité de la passion et celle de la poésie. Je n'aime pas le mot prose : il est trop prosaïque. La belle prose doit être illuminée par l'éclat de la poésie. Toute prose devrait être poétique, toute poésie évidente comme de la prose.

J'aime penser à Anne Frank et à son immense besoin de communication – besoin qui n'était pas seulement celui d'une enfant de douze ans, mais de la conscience et du courage.

Il s'agissait avant tout de solitude, mais d'une, solitude plus physique que spirituelle. Il y a quelques années. le père d'Anne Frank est venu me voir à l'hôtel Continental, à Paris. Au cours de la conversation, il m'a demandé d'adapter pour le théâtre le Journal de sa fille. Il m'a donné le livre, que je n'avais pas lu. J'ai été tellement bouleversée par cette lecture qu'il m'est venu des rougeurs aux mains et aux pieds. J'ai dû lui dire qu'il m'était impossible, dans ces conditions, d'écrire la pièce.

Le paradoxe est une des clés de la communication, car ce qui *n'est pas* permet souvent de découvrir *ce qui est*. Nietzsche écrivit un jour à Cosima Wagner : « Si deux personnes au moins pouvaient me comprendre… » Cosima le comprit. Quelques années plus tard, un homme nommé Adolf Hitler a édifié tout un système philosophique sur une fausse interprétation de Nietzsche. C'est une chose paradoxale qu'un grand philosophe comme Nietzsche, un grand compositeur comme Richard Wagner soient responsables des souffrances de notre temps. Un homme ignorant – qui ne comprend qu'une partie des choses, en tire des interprétations déformées et subjectives. C'est par une interprétation de ce genre que Hitler s'est appuyé sur la philosophie de Nietzsche et sur les œuvres de Wagner pour éveiller la sensibilité du peuple germanique. Avec une adresse d'illusionniste il a réussi à confondre de grandes idées avec le désespoir de son temps – qui était, ne l'oublions pas, un désespoir réel.

Quand on me demande qui a influencé mon travail, je regarde du côté d'O'Neill, des Russes, de Faulkner et de Flaubert – *Madame Bovary* donne l'impression d'avoir été écrit avec une admirable économie de moyens. C'est pourtant l'un des romans de tous les temps écrits avec le plus de difficulté et compris avec le plus de difficulté. *Madame Bovary* est une synthèse du réalisme propre au siècle de Flaubert, réalisme destiné à combattre le romantisme de son temps. Par sa lucidité, sa parfaite élégance, le livre donne l'impression d'avoir coulé sans un à-coup de la pensée de Flaubert vers sa plume. Pour la première fois, l'écrivain était en accord avec sa vérité.

L'imagination et la réalité permettent seules de savoir ce qui convient à un roman. Pour moi, la réalité en elle-même n'a jamais eu grande importance. Un de mes professeurs prétendait qu'on ne devrait parler que de son propre jardin. Il entendait par là, je pense, qu'on ne devrait parler que de ce qu'on connaît intimement. Quoi de plus intime que sa propre imagination ? L'imagination enchaîne l'intuition au souvenir, le rêve à la réalité.

On me demande pourquoi je ne retourne pas plus souvent dans le Sud. C'est que le Sud est une véritable épreuve pour moi, sur le plan émotionnel, lourde de tout le poids de mes souvenirs d'enfance. Dès que je retrouve le Sud, j'ai tellement besoin de discuter qu'une visite à Colombus, en Georgie, éveille en moi autant d'amour que de révolte. Je suis incapable de donner à mes livres d'autre toile de fond que le Sud, et le Sud reste ma patrie. J'aime la voix des Noirs – cette sombre rivière. Chaque fois que je fais un petit voyage dans le Sud, je sens qu'à travers ma propre mémoire et les articles des journaux, ma propre réalité est intacte.

Beaucoup d'écrivains éprouvent de grandes difficulté à décrire des lieux qui ne sont pas ceux de leur enfance. Les voix venues de l'enfance sonnent plus juste. Le souvenir des feuillages – des arbres de l'enfance – est plus exact. Si je parle d'un autre pays que le Sud, je suis obligée de me demander en quelle saison s'ouvrent les fleurs – et quelles fleurs. Mes personnages ont beaucoup de mal à parler, sauf s'ils sont du Sud. Wolfe a brillamment évoqué Brooklyn, mais plus brillamment encore le langage des gens du Sud, sa cadence, ses expressions. C'est plus vrai pour les gens du Sud que pour les autres, car il ne s'agit pas seulement de fleurs et de langage – il s'agit d'une véritable culture, qui en fait une patrie à l'intérieur de la patrie. Peu importent les opinions politiques d'un écrivain du Sud, son degré plus ou moins grand de libéralisme : il reste à jamais prisonnier d'une étrange localisation des voix, du langage, des arbres et de la mémoire.

Rares sont les écrivains du Sud vraiment cosmopolites. Quand Faulkner parle de la France ou de la RAF, il ne me convainc pas tout à fait – mais chaque paragraphe qui a trait au comté de Yoknapa-tawpha emporte ma conviction. Pour moi, *Le Bruit et la Fureur* est probablement le plus grand roman américain. D'une authenticité, d'une grandeur et, par-dessus tout, d'une tendresse dues à l'enchaî-nement du rêve et de la réalité, ce qui est une complicité d'ordre divin.

Hemingway, en revanche, est le plus cosmopolite des écrivains américains. Il se sent chez lui à Paris, en Espagne, et en Amérique, à travers les histoires indiennes de son enfance. Cela tient peut-être à son style, qui est une libération, l'aboutissement d'un très beau tra-vail d'expression formelle. Aussi adroit qu'il soit à dépeindre ses dif-férentes visions et à emporter la conviction du lecteur, sur le plan émotionnel il erre au hasard. Dans son œuvre, le style sert à masquer bien des choses qui sont d'ordre émotionnel. Si je préfère Faulkner, c'est que je suis plus sensible à ce qui m'est familier – à une écriture qui me rappelle ma propre enfance, qui me sert de référence pour retrouver mon propre langage. Hemingway me donne l'impression de se servir du langage pour le seul plaisir de l'écriture.

La nature même de sa profession fait de l'écrivain un rêveur, et un rêveur conscient. Sans amour, sans cette intuition qui vient de l'amour, un être humain pourrait-il prendre la place d'un autre ? Il faut qu'il imagine, et l'imagination entraîne humilité, amour et courage. Comment donner vie à un personnage sans amour, et sans ce combat qui va de pair avec l'amour ?

Je viens de travailler pendant des années à un roman qui s'appellera *L'Horloge sans aiguilles,* et je pense y travailler deux ans encore. Mes livres me demandent beaucoup de temps. Ce roman progresse, jour après jour, vers sa mise au point définitive. Mon travail d'écrivain a toujours été très pénible. Mais j'ai toujours su qu'il ne suffisait pas de travailler. La pénible progression du travail doit être illuminée par une révélation, une divine étincelle qui lui apporte équilibre et mise au point.

Quand j'ai demandé à Tennessee Williams l'origine de *La Ménagerie de verre,* il m'a dit que l'idée première lui était venue d'un rideau de verre suspendu à la porte d'un des paroissiens de son grand-père. De là est née ce qu'il appelle une «pièce souvenir». Comment l'image de ce rideau de verre s'est-elle confondue avec ses souvenirs d'enfance, nous ne l'avons compris ni lui ni moi, mais l'inconscient n'est pas facile à déchiffrer.

En tout art, où commence la création? Tennessee a écrit *La Ménagerie de verre* comme une pièce souvenir. De même, à dix-sept ans, j'ai écrit «Wunderkind», qui est aussi un souvenir, mais pas dans toute sa réalité – plutôt un raccourci de souvenir. Il s'agit d'une jeune élève de musique. Je n'ai pas parlé de mon véritable professeur de musique – j'ai parlé de la musique que nous avons travaillée ensemble. J'ai pensé que c'était plus vrai. L'imagination est plus vraie que la réalité.

L'amour-passion individuel (le vieil amour de Tristan et Yseult, l'amour d'Eros) a moins de prix que l'amour de Dieu, l'amitié (l'amour d'Agape, dieu grec des Banquets, dieu de l'Amour fraternel), l'amour de l'être humain. C'est ce que j'ai essayé de montrer dans *La Ballade du café triste,* à travers l'étrange amour de Miss Amelia pour cousin Lymon, le petit bossu.

C'est la personnalité d'un écrivain, mais aussi son pays d'origine qui donnent de la force à son travail. Je me demande parfois si ce qu'on appelle l'école «gothique» des écrivains du Sud, qui met sur le même plan grotesque et sublime, ne tient pas avant tout à la pauvreté de la vie dans le Sud. Les Russes, à cet égard, ressemblent aux gens du Sud. Dans mon enfance, le Sud était une société pratiquement féodale. Mais le problème racial rend plus complexe encore la société du Sud par rapport à la société russe. Beaucoup d'hommes pauvres, qui vivent dans le Sud, n'ont qu'un seul orgueil : le fait d'être blancs. Et quand l'orgueil de soi est si tristement avili, comment apprendre à aimer ? C'est, avant tout, l'amour qui sert de moteur premier à toute bonne littérature. Amour, passion, compassion étroitement enchaînés.

Dans toute communication, une même chose n'a pas forcément le même sens pour deux êtres différents. Mais, par essence, l'écriture est communication ; et la communication est le seul chemin qui conduise vers l'amour – vers l'amour, la conscience, la nature, Dieu, le rêve. Pour moi, plus j'avance dans mon œuvre, plus je lis ceux que j'aime, et plus je déchiffre le rêve de Dieu et sa logique – ce qui est, de toute évidence, une complicité d'ordre divin.

Esquire, décembre 1959.
Traduit par Jacques Tournier
avec la collaboration de Robert Fouques Duparc.

Bibliographie chronologique de Carson McCullers

I. OUVRAGES PUBLIÉS

En anglais :
• *The Heart Is a Lonely Hunter.* Boston, Houghton Mifflin, 1940 ; Londres, Cresset, 1943.
• *Reflections in a Golden Eye.* Boston, Houghton Mifflin, 1941 ; Londres, Cresset, 1942.
• *The Member of the Wedding.* Boston, Houghton Mifflin, 1946 ; Londres, Cresset, 1947.
• *The Member of the Wedding* (théâtre). New York, New Directions, 1951. Création le 21 décembre 1949. Adaptation française d'André Bay, jouée au théâtre de l'Alliance française en 1958.
• *The Ballad of the Sad Café. The Novels and Stories of Carson McCullers.* Hougthon Mifflin, 1951. Comprend : « The Ballad of the Sad Café » ; « Wunderkind » ; « The Jockey » ; « Madame Zilensky and the King of Finland » ; « The Sojourner » ; « A Domestic Dilemma » ; « A Tree. A Rock. A Cloud » ; *The Heart Is a Lonely Hunter ; Reflections in a Golden Eye ; The Member of the Wedding.* Repris à l'identique, à l'exception de *The Heart Is a Lonely Hunter,* sous le titre *The Shorter Novels and Stories of Carson McCullers.* Londres, Cresset, 1952.
• *The Ballad of the Sad Café and Collected Short Stories.* Houghton Mifflin, 1952 et 1955. Comprend : « The Ballad of the Sad Café » ; « Wunderkind » ; « The Jockey » ; « Madame Zilensky and the King of Finland » ; « The Sojourner » ; « A Domestic Dilemma » ; « A Tree. A Rock. A Cloud » ; « The Haunted Boy » (introduit dans l'édition de 1955).

• *The Square Root of Wonderful* (théâtre). Boston, Houghton Mifflin, 1958 ; Cresset, 1958. Création à Brodway le 30 octobre 1957.

• *Collected Short Stories and the Novel* «The Ballad of the Sad Café». Boston, Houghton Mifflin, 1961. Comprend : «The Haunted Boy» ; «Wunderkind» ; «The Jockey» ; «Madame Zilensky and the King of Finland» ; «The Sojourner» ; «A Domestic Dilemna» ; «A Tree. A Rock. A Cloud» ; «The Ballad of the Sad Café» (repris plus tard sous le titre *The Ballad of the Sad Café and collected Short Stories).*

• *Clock Without Hands.* Boston, Houghton Mifflin, 1961 ; Londres, Cresset, 1961.

• *The Ballad of the Sad Café* (théâtre). Jonathan Cape, 1965. Adaptation d'Edward Albee ; création le 30 octobre 1963 au Music Box.

• *Sweet as a Pickle and Clean as a Pig.* Poèmes pour enfants, illustrés par Rolf Gerard. Boston, Houghton Mifflin, 1964 ; Londres, Cape, 1965.

• *The Mortgaged Heart.* Édition établie et introduite par Margarita G. Smith. Boston, Houghton Mifflin, 1971 ; London, Barrie & Jenkins, 1972. Recueil posthume de nouvelles, comprenant : «Sucker» ; «Court in the West Eighties» ; «Poldi» ; «Breath from the Sky» ; «The Orphanage» ; «Instant of the Hour After» ; «Like that» ; «Wunderkind» ; «The Aliens» ; «Untitled Piece» ; «Author's Outline of "The Mute"» ; «Correspondence» ; «Art and Mr. Mahoney» ; «The Haunted Boy» ; «Who Has Seen the Wind?». Essais : «Look Homeward, Americans» ; «Night Watch Over Freedom» ; «Brooklyn Is My Neighborhood» ; «We Carried Our Banners. We were Pacifists Too» ; «Our Heads Are Bowed» ; «Home For Christmas» ; «The Discovery of Christmas» ; «A Hospital Christmas Eve» ; «How I Began to Write» ; «The Russian Realists and Southern Literature» ; «Loneliness... An American Malady» ; «The Vision Shared» ; «Isak Dinesen : Winter Tales» ; «Isak Dinesen : in Praise of Radiance» ; «The Flowering Dream : Notes on Writing». Poèmes : «The Mortgaged Heart» ; «When We Are Lost» ; «The Dual Angel : A Meditation on Origin and Choice [long poème philosophique composé de cinq parties : «Incantation to Lucifer» ; «Hymen, O Hymen» ; «Love and the Rind of Time» ; «The Dual

Angel»; «Father, Upon Thy Image We are Spanned»]»; «Stone Is Not Stone» (version remaniée de «The Twisted Trinity»); «Saraband»; «The March».

• *Collected Stories of Carson McCullers* : comprenant «The Member of the Wedding» and «The Ballad of the Sad Café». Introduction de Virginia Spencer Carr. Boston, Houghton Mifflin, 1987. Ce recueil est composé de toutes les nouvelles publiées précédemment, à l'exception de «The March».

En français :

• *Le Cœur est un chasseur solitaire.* Traduction de Marie-Madeleine Fayet, préface de Denis de Rougemont. Stock, 1947; repris dans *Œuvres*, 1974 (et Livre de Poche, coll. « Biblio », n° 3025, 1983); traduction de Frédérique Nathan, Stock,1993.

• *Reflets dans un œil d'or.* Traduction de Charles Cestre, préface de Jean Blanzat. Stock, 1946; repris dans *Œuvres*, 1974 (et Livre de Poche, coll. « Biblio », n° 3054, 1985); traduction de Pierre Nordon, Stock,1993.

• *Frankie Addams.* Traduction de Marie-Madeleine Fayet, préface de René Lalou. Stock, 1949 (et Livre de Poche, coll. « Biblio », n° 3140, 1990); repris dans *Œuvres*, 1974, dans la traduction de Jacques Tournier (et Stock, coll. «Petite Bibliothèque Cosmopolite», 1979).

• *La Ballade du Café triste.* Traduction de G. M. Tracy. Le Portulan, 1946; *La Ballade du Café triste* et cinq nouvelles. Préface et traduction de Jacques Tournier. Stock, 1974 (et Le Livre de Poche, coll. « Biblio », n° 3055, 1984).

• *L'Horloge sans aiguilles.* Traduction de Colette Marie Huet. Stock, 1962 (et Stock, coll. «Petite Bibliothèque Cosmopolite», 1980; Livre de Poche, coll. « Biblio », n° 3065, 1985).

• *Le Cœur hypothéqué.* Texte établi et présenté par Margarita G. Smith. traduction de Jacques Tournier et Robert Fouques Duparc. Stock, 1977 (et, à l'exception des «Essais», Stock, coll. «Petite Bibliothèque cosmopolite», 1986; Livre de Poche, coll. « Biblio », n° 3170, 1992).

• *Sucré comme un cornichon.* Poèmes pour enfants. Traduction de Jacques Tournier, La Manufacture, 1986.

• *Carson McCullers. Romans et nouvelles.* Édition établie par

Pierre Nordon. Préface, notices et notes de Marie-Christine Lemar-deley-Cunci. Traductions de Jacques Tournier, Colette-Marie Huet, Frédérique Nathan et Pierre Nordon. Le Livre de Poche, coll. «La Pochothèque, Classiques Modernes», 1994.

II. ARTICLES ET PRÉPUBLICATIONS

- «Wunderkind»; *Story Magazine*, n°9, décembre 1936, pp. 61-73.
- «Reflections in a Golden Eye»; *Harper's Bazaar*, octobre-novembre 1940, pp.60-61, 131-143; 56, 120-139.
- «Look Homeward, Americans»; *Vogue*, décembre 1940, pp. 74-75.
- «Night Watch Over Freedom»; *Vogue*, janvier 1941, p. 29.
- «The Devil's Idlers», une critique de *Commend the Devil*, de Howard Coxe. *Saturday Review*, 15 mars 1941, p.15.
- «Brooklyn Is My Neighborhood»; *Vogue*, mars 1941, pp. 62-63 et 138.
- «Books I remember»; *Harper's Bazaar*, avril 1941, pp. 82, 122, 125, (non publié en recueil); traduit par Jacques Tournier dans *Carson McCullers*, La Manufacture, coll. «Qui êtes-vous?», n° 16, 1986 (pp.161-167); repris dans «Carson McCullers», dossier de la revue *Masques*, mars 1984 (pp.66-68).
- «The Russian Realists and Southern Literature»; *Decision*, juillet 1941, pp.15-19.
- «We Carried Our Banners. We Were Pacifists, Too»; *Vogue*, 15 juillet 1941, pp.42-43.
- « The Jockey»; *The New Yorker*, 23 août 1941, pp. 15-16.
- «The Twisted Trinity»; *Decision*, n° 4, novembre 1941, p. 30; mis en musique par David Leo Diamond, 26 juillet 1946.
- «Madame Zilensky and the King of Finland»; *The New Yorker*, 20 décembre 1941, pp.15-18.
- «Correspondence»; *The New Yorker*, 7 février 1942, pp. 30-39.
- «A Tree, a Rock, a Cloud»; *Harper's Bazaar*, novembre 1942, p. 50.

- «Love's Not Time's Fool» (signé «A War Wife»); *Mademoiselle*, avril 1943, pp. 95 et 166-168 (non publié en recueil).
- «Isak Dinesen : *Winter's Tales*»; *The New Republic*, 7 juin 1943.
- «The Ballad of the Sad Café»; *Harper's Bazaar*, août 1943, pp. 72-75 et 140-161.
- «Our Heads Are Bowed»; *Mademoiselle*, novembre 1945, pp. 131 et 229.
- «The Member of the Wedding» (Part I); *Harper's Bazaar*, janvier 1946, pp. 94-96, 101, 128-138, 144-148.
- «How I Began to Write»; *Mademoiselle*, septembre 1948, pp. 256-257.
- «When We Are Lost»; *New Directions in Prose and Poetry*, 3 décembre 1948, p. 509; *Voices*, n°149, septembre 1952, p. 12 (variantes).
- «The Mortgaged Heart»; *New Directions in Prose and Poetry*, 3 décembre 1948, p. 509; *Voices*, septembre 1952, pp. 11-12 (variantes).
- «Art and Mr. Mahoney» (sketch); *Mademoiselle*, février 1949, pp. 120 et 184-186.
- «Home for Christmas»; *Mademoiselle*, décembre 1949, pp. 53 et 129-132.
- «Loneliness, an American Malady»; "This Week Magazine", *New York Herald Tribune*, 19 décembre 1949, pp. 18-19.
- «The Vision Shared»; *Theatre Arts*, avril 1950, pp. 28-30.
- «The Sojourner»; *Mademoiselle*, mai 1950, pp. 90 et 160-166.
- «A Domestic Dilemma»; *New York Post Magazine Section*, 16 septembre 1951, p. 10.
- «The Dual Angel : A Meditation on Origin and Choice»; *Mademoiselle*, juillet 1952, p. 54; *Botteghe Oscure*, n°9, 1952, pp. 213-218.
- «The Pestle»; *Mademoiselle*, juillet 1953, 144-145; *Botteghe Oscure*, n°11, 1953, pp. 226-246 (extrait de *Clock Without Hands*).
- «The Discovery of Christmas»; *Mademoiselle*, n°38, décembre 1953, pp. 54-55 et 118-120.
- «The Haunted Boy»; *Mademoiselle*, n°42, novembre 1955, pp. 134-135 et 152-159; *Botteghe Oscure*, n°6, 1955, pp. 264-278.

• « Who Has Seen the Wind » ; *Mademoiselle*, n°43, septembre 1956, pp. 156-157 et174-188.

• « Mick » ; *Literary Cavalcade*, février 1957, pp. 16-22 et 32.

• « Stone Is Not Stone » ; *Mademoiselle*, n°45, juillet 1957, p. 43 (version remaniée de « The Twisted Trinity »).

• « Playwright Tells of Pangs » ; *Philadelphia Inquirer*, 13 octobre 1957, pp. 1 et 5.

• « The Flowering Dream : Notes on Writing » ; *Esquire*, n°52, décembre 1959, pp. 162-164.

• Extraits de *Clock Without Hands; Mademoiselle*, juin 1961.

• « Author's note » ; *New York Time Book Review*, 11 juin 1961, p. 4 (à propos de *Clock Without Hands;* non repris en recueil).

• « To Bear the Truth Alone » ; *Harper's Bazaar*, juillet 1961, pp. 42-43 et 93-99 (extrait de *Clock Without Hands).*

• « A Child's View of Christmas » ; *Redbook*, décembre 1961, pp. 31-34 et 99-100.

• « The Dark Brilliance of Edward Albee » ; *Harper's Bazaar*, janvier 1963, pp. 98-99.

• « Isak Dinesen : In Praise of Radiance » ; *Saturday Review*, 16 mars 1963, pp. 29 et 83.

• « A Note from the Author », « Sucker » ; *Saturday Evening Post*, 28 septembre 1963, pp. 69-71.

• « Sweet as a Pickle and Clean as a Pig » ; *Redbook*, décembre 1964, pp. 49-56.

• « The March » ; *Redbook*, n° 128, mars 1967, pp. 69 et 114-123 ; repris dans *Redbook*, n° 137, octobre 1971.

III. PUBLICATIONS POSTHUMES

• « Hospital Christmas Eve » ; *McCall's*, n° 95, décembre 1967, pp. 96-97.

• « Breath from the Sky » ; *Redbook*, n° 137, octobre 1971.

• « Instant of the Hour After » ; *Redbook*, n° 137, octobre 1971.

• « Like That » ; *Redbook*, n° 137, octobre 1971.

IV. DISCOGRAPHIE

• « Carson McCullers Reads from *The Member of The Wedding and Other Works* », ed. Jean Stein van den Heuvel, 1958. MGM (E3619 ARC).

V. ADAPTATIONS TÉLÉVISÉES

• *The Invisible Wall*, adaptation de la nouvelle « The Sojourner ». En direct du Ford Theatre « Omnibus », 27 décembre 1953.
• « The Sojourner ». NBC Television, 25 mai 1964.

VI. FILMOGRAPHIE

• *The Member of The Wedding*, de Fred Zinneman. Avec Julie Harris, Ethel Waters et Brandon De Wilde (1950).
• *Reflections in a Golden Eye*, de John Huston. Avec Elizabeth Taylor, Marlon Brando et Brian Keith (1967).
• *The Heart Is a Lonely Hunter*, de Robert Ellis Miller. Avec Alan Arkin, Sandra Locke et Stacy Keach (1968).
• *Une pierre, un arbre, un nuage*, de Christine Van de Putte. Avec Rufus (1981).
• *The Ballad of the Sad Café*, de Simon Callow. Avec Vanessa Redgrave, Keith Carradine, Cork Hubbert et Rod Steiger (1991).

Ouvrages, études et articles
sur Carson McCullers

I. BIBLIOGRAPHIES

• *Carson McCullers, 1940-1956 : A Selected Checklist,* par Stanley Stewart, in *Bulletin of Bibliography,* n°22, janvier-avril 1959 (pp. 182-185).

• *Carson McCullers :1956-1964 : A Selected Checklist,* par Robert S. Phillips, in *Bulletin of Bibliography,* n°24, septembre-décembre 1964 (pp. 113-116).

• *Articles on American Literature 1950-1967,* par Lewis Leary. Duke University Press, 1970.

• *Articles on Twentieth Century Literature : An Annotated Bibliography, 1954 to 1970,* par David E. Pownall. Hofstra University Library, 1976 (pp. 2414-2423).

• *Carson McCullers. A Descriptive Listing and Annotated Bibliography of Criticism,* par Adrian Shapiro, Jackson R. Bryer et Kathleen Field. New York, Garland Publications, 1980.

II. ÉTUDES GÉNÉRALES

• *Panorama de la littérature contemporaine aux Etats-Unis,* de John Brown. Paris, Gallimard, coll. «Le Point du jour»,1954 (pp. 241-243).

• *Radical Innocence : Studies in the Contemporary American Novel,* d'Ihab H. Hassan. Princeton University Press, 1961 (pp. 205-229).

- «Les Etats-Unis», de Michel Mohrt, in *Les Littératures contemporaines à travers le monde*, collectif dirigé par Jean-Claude Ibert. Paris, Hachette, 1961.
- *American Drama since World War II*, de Gerald Weales. New York, Harcourt, Brace and World, 1962 (pp. 174-179 ; 198-199).
- *New American Gothic*, de Irving Malin. Carbondale, Southern Ilinois University Press, 1962.
- *Fiction of the Forties*, de Chester E. Eisinger. University of Chicago Press, 1963 (pp. 243-258).
- *Présences contemporaines : Écrivains américains d'aujourd'hui*, de Pierre Brodin. Paris, Nouvelles Éditions Debresse, 1964 (p. 99).
- *Violence in Recent Southern Fiction*, de Louise Gosset. Durham, Duke University Press, 1965 (pp. 159-177).
- *Les USA à la recherche de leur identité. Rencontres avec 40 écrivains américains*, de Pierre Dommergues. Grasset, 1967 (pp. 213-218).
- *Contemporary American Literature, 1945-1972*, d'Ihab H. Hassan. Frederick Ungar Publishing, 1973 (pp. 66-69 ; 152-155).
- *Literary Women*, d'Ellen Moers. New York, Doubleday & Company, Inc., 1976 (pp. 45 ;108-109 ;247).
- *Bright Book of Life : American Novelists and Storytellers from Hemingway to Mailer*, d'Alfred Kazin. Boston, Little, Brown and Co, An Atlantic Monthly Press Book, 1973. Traduction française de Martine Winitzer. Paris, Buchet/Chastel, 1976 (pp. 58-63).
- *Histoire du roman américain*, de Marc Saporta. Paris, Gallimard, 1976, coll. «Idées», n° 356 (pp. 276-278).
- *Harward Guide to Contemporary American Writing*. Collectif dirigé par Daniel Hoffmann. The Belknap Press of Harward University Press, 1979 (pp. 186-187 ; 354-355 ; 365 ; 374 ; 412).
- *Southern Writers. A Biographical Dictionary*. Collectif dirigé par Robert Bain, Joseph M. Flora et Louis D. Rubin Jr. Louisiana State University Press, 1980 (pp. 290-293).
- «Carson McCullers», de Virginia Spencer Carr et Joseph R. Millichap, in *American Women Writers : Fifteen Bibliographical Essays*. Collectif dirigé par Maurice Duke, Jackson R. Bryer et Thomas Inge. Westport, Greenwood, 1981 (pp. 297-319).
- «Carson McCullers», de Virginia Spencer Carr, in *Fifty Southern Writers After 1900 : A Bio-Bibliographical Sourcebook*. Collectif

dirigé par Robert Bain et Joseph M. Flora. Westport, Greenwood, 1986 (pp. 301-312).

• «Carson McCullers», de Virginia Spencer Carr, in *Contemporary Authors : Bibliographical Series*, American Novelists, vol.1. Collectif dirigé par James J. Martine. Detroit, Bruccoli Clark/Gale Research, 1986 (pp. 239-245).

• *Reference Guide to American Literature*. Collectif dirigé par D. L. Kirkpatrick. Saint James Press, 1987 (pp. 379-380).

• «Loneliness and Longing in Selected Plays of Carson McCullers and Tennessee Williams», de Mary McBride, in *Modern American Drama : The Female Canon*. Collectif dirigé par June Schlueter. Rutheford, Fairleigh Dickinson UP, 1990 (pp. 143-150).

• *The Columbia History of the American Novel*. Collectif dirigé par Emory Elliott. New York, Columbia University Press, 1991 (pp. 429-430).

• *Histoire de la littérature américaine. Notre demi-siècle, 1939-1989*, de Pierre-Yves Pétillon. Paris, Fayard, 1992 (pp. 46, 75-77).

III. ESSAIS BIOGRAPHIQUES

• «This Book». Introduction to Carson McCullers' *Reflections in a Golden Eye*, par Tennessee Williams, in *Reflections in a Golden Eye*. New York, New Directions, 1950. (pp. VII-XVII).

• *Carson McCullers, her Life and Work*, d'Oliver Wendell Evans. Londres, P. Owen, 1965. Repris et réactualisé sous le titre : *The Ballad of Carson McCullers*. New York, Coward McCann, 1966.

• *Carson McCullers*, de Lawrence Graver. Minneapolis, University of Minnesota Press, 1969.

• *Carson McCullers*, de Dale Edmonds. Austin, Steck-Vaughn, 1969.

• *Carson McCullers*, de Richard M. Cook. New York, Ungar Publishing Co, 1975.

• *The Lonely Hunter*, de Virginia Spencer Carr. New York, Doubleday and Company, 1975 ; Carrol & Graf Publishers, 1985 et 1989.

• *Katherine Anne Porter and Carson McCullers, a Reference Guide,* de Robert F. Kiernan. Boston, G.K. Hall, 1976.

• *Retour à Nayack. A la recherche de Carson McCullers,* de Jacques Tournier. Paris, Le Seuil, 1979.

• *Carson McCullers,* de Margaret B. McDowell. New York, Twaine Publishers, 1980.

• *Sacred Groves and Ravaged Gardens : The Fiction of Eudora Welty, Carson McCullers and Flannery O'Connor,* de Louise Westling. Athens, University of Georgia Press, 1985.

• *Carson McCullers, qui êtes-vous?,* de Jacques Tournier. Lyon, La Manufacture, 1986.

• *Understanding Carson McCullers,* de Virginia Spencer Carr. University of South Carolina Press, 1989.

• *A la recherche de Carson McCullers. Retour à Nayack,* de Jacques Tournier. Nouvelle édition entièrement refondue. Bruxelles, Éditions Complexe, 1990.

IV. ENTRETIENS

• « Behind the Wedding. Carson McCullers Discusses the Novel She Converted into a Stage Play ». Entretien avec Harvey Breit. *New York Times,* 1ᵉʳ janvier 1950, section 2, p. 3 (traduit pour le dossier de la revue *Masques,* mars 1984).

• « Carson McCullers Completes New Novel Despite Adversity ». Entretien avec Nona Balakian. *New York Times,* 3 septembre 1961, p. 46.

• « The *Marquis* Interviews Carson McCullers ». *Marquis* (Lafayette College), 1964, n°5/6, pp. 20-23.

• « Frankie Addams at 50 ». Entretien avec Rex Reed. *New York Times,* 16 avril 1967, section 2, p. 15 (traduit pour le dossier de la revue *Masques,* mars 1984).

• « With Carson McCullers : Terence de Vere White Interviews the American Novelist at the Home of Her Host, John Huston ». Entretien avec Terence de Vere White. *Irish Times* (Dublin), 10 avril 1967, p. 12.

V. ARTICLES ET ÉTUDES.
REVUES ET EXTRAITS D'OUVRAGES

1940

Critiques de *The Heart Is a Lonely Hunter* :

* Lewis Gannett, *Boston Evening Transcript*, 5 juin, p. 13.
* Clifton Fadiman, *New Yorker*, 8 juin, pp. 69 et 77.
* May Sarton, *Boston Evening Transcript*, 8 juin, p. 4.
* Ben Ray Redman, *Saturday Review of Literature*, 8 juin, p. 6.
* Lorine Pruette, *New York Herald Tribune Books;* 9 juin, p. 4.
* *Springfield Republican*, 9 juin, p. 7.
* *Time*, 10 juin, p. 90.
* Rose Feld, *New York Times Book Review*, 16 juin, p. 6.
* L. B. Salomon, *Nation*, 13 juillet, p. 36.
* Richard Wright, *New Republic*, 5 août, p. 195.
* Robert Littell, *Yale Review*, automne, p. 8.
* *Catholic World*, novembre, p. 252.

1941

Critiques de *Reflections in a Golden Eye.*

* Margaret Clark, *Boston Evening Transcript*, 15 février, p. 1.
* Clifton Fadiman, *New Yorker*, 15 février, pp. 66 et 78.
* Rose Feld, *New York Herald Tribune Book Review section*, 16 février, p. 8.
* *Time*, 17 février, p. 96.
* Basil Davenport, *Saturday Review of Literature*, 22 février, p. 12.
* *Nation*, 1er mars, p. 247.
* Frederick T. Marsh, *New York Times Book Review*, 2 mars, p. 6.
* Otis Fergusson, *New Republic*, 3 mars, p. 317.
* Robert Littell, *Yale Review*, printemps, p. 12.
* Edward Weeks, *Atlantic Monthly*, 1er avril, p. 20.

Springfield Republican, 4 mai, p. 7.
* Hubert Creekmore, *Accent,* automne, p. 61.

1942

Critique de *Reflections in a Golden Eye* (édition anglaise).

* *The Times Literary Supplement,* 30 mai, p. 269.

1943

Critique de *The Heart Is a Lonely Hunter* (édition anglaise).

* *The Times Literary Supplement,* 27 mars, p. 153.

1946

Critiques de *Member of the Wedding.*

* *Kirkus,* 15 janvier, p. 20.
* Orville Prescott, *New York Times,* 19 mars.
* Lewis Gannett, *Boston Transcript,* 20 mars.
* Sterling North, *Chicago Sun Book Week,* 24 mars, p. 2.
* Isa Kapp, *New York Times Book Review,* 24 mars, p. 5.
* Richard Match, *New York Herald Tribune Book Review,* 24 mars, p. 5.
* Edmund Wilson, *New Yorker,* 30 mars, p. 87.
* George Dangerfield, *Saturday Review of Literature,* 30 mars, p. 15.
* *Time,* 1er avril, pp. 98 et 100.
* Diana Trilling, *Nation,* 6 avril, p. 406.
* Isaac Rosenfeld, *New Republic,* 29 avril, p. 633.
* Francis Downing, *Commonweal,* 24 mai, p. 148.
* Joseph Frank, *Sewanee Review,* été, p. 537.
* *US Quarterly Book List,* 2 septembre, pp. 180-181.

• « *Life* Visits Yaddo ». *Life,* 15 juillet, pp. 110-113.

1947

Critiques de *The Member of the Wedding* (édition anglaise).

* D. S. Savage, *Spectator,* 7 mars, p. 250.
* *The Times Literary Supplement,* 15 mars, p. 113.
* Robin King, *The New Statesman and Nation,* 5 avril, p. 242.

• « Metaphysical Fiction », par Marguerite Young. *Kenyon Review,* n°9, hiver, pp. 151-155.

1950

Critiques de *The Member of the Wedding* (création le 5 janvier 1950 à l'Empire Theatre de New York, mise en scène par Harold Clurman ; 501 représentations ; dernière, le 17 mars 1951).

* Brooks Atkinson, *New York Times,* 6 janvier, p. 26.
* Wolcott Gibbs, *New Yorker,* 14 janvier, p. 46.
* Margaret Marshall, *The Nation,* 14 janvier, p. 44.
* Brooks Atkinson, *New York Times,* 15 janvier.
* *Newsweek,* 16 janvier, p. 74.
* *Time,* 16 janvier, p. 45.
* *Life,* 23 janvier, pp. 63-66.
* Kappo Phelan, *Commonweal,* 27 janvier, pp. 437-438.
* John Mason Brown, *Saturday Review Literature,* 28 janvier, pp. 27-29.
* Harold Clurman, *The New Republic,* 30 janvier, pp. 28-30.
* *Catholic World,* mars, p. 467.
* *Theatre Arts,* mars, p. 13.
* W. Baker, *School and Society,* 8 avril, pp. 213-214.
* Lewis Gannett, *New York Times,* 9 avril.
* *Time,* 17 avril 1950.
* Ward Morehouse, *Atlanta Journal Magazine,* 30 avril, p. 5.
* Brooks Atkinson, *The New York Times,* 17 septembre, II, p. 1.
* Robert Coleman *(The Daily Mirror), The New York Theatre Critics' Reviews,* XI, p. 397.

* John Chapman *(The Daily News), New York Theatre Critics' Reviews*, XI, p. 398.
* William Hawkins *(The New York Daily Telegram), New York Theatre Critics' Reviews*, XI, p. 399.
* George Jean Nathan, *The Theatre Book of the Year* (New York, Alfred A. Knopf), pp. 164-166.

• « Behind The Wedding : Carson McCullers Discusses the Novel She Converted Into a Stage Play », par Harvey Breit. *New York Times,* 1ᵉʳ janvier.
• Entretien avec Ethel Waters ; *The New York Times,* 30 avril, II, p. 2.

1951

Critiques de *The Member of the Wedding* (publication de la pièce).

* *Kirkus,* 1ᵉʳ avril, p. 198.
* George Freedley, *Library Journal,* 15 mai, p. 867.
* *Booklist,* 15 mai, p. 325.
* *Cleveland Open Shelf,* juillet, p. 14.

Critiques de *The Ballad of the Sad Café.*

* Charles Poore, *New York Times,* 24 mai.
* *Wisconsin Library Bulletin,* juin, p. 166.
* *Time,* 4 juin, p. 106.
* *New Yorker,* 9 juin, p. 114.
* Paul Engle, *Chicago Sunday Tribune,* 10 juin, p. 5.
* Coleman Rosenberger, *New York Herald Tribune Book Review,* 10 juin, p. 1.
* William P. Clancy, *Commonweal,* 15 juin, p. 243.
* Ben Ray Redman, *Saturday Review of Literature,* 23 juin, p. 30.
* Ruth Chapin, *Christian Science Monitor,* 5 juillet, p. 7.
* Hubert Creekmore, *New York Times Book Review,* 8 juillet, p. 5.
* Riley Hughes, *Catholic World,* août, p. 391.
* *San Francisco Chronicle,* 19 août, p. 15.
* *Cleveland Open Shelf,* septembre, p. 20.

• «On the Author», par John K. Hutchens. *New York Herald Tribune Book Review,* 17 juin, p. 2.
• «Carson McCullers : Variations on a Theme», par Dayton Kohler. *College English,* n°13, octobre, pp. 1-8; *English Journal,* octobre, n°40, pp. 415-422.
• «A Matter of Inspiration», par Elizabeth Bowen. *Saturday Review,* 13 octobre, pp. 27-28 et 64.

1952

Critiques de *The Ballad of the Sad Café* (édition anglaise).

* Robert Kee, *Spectator,* 12 septembre, p. 340.
* *Times Literary Supplement,* 25 juillet, p. 481.
* V. S. Prichett, *The New Statesman and Nation,* 2 août, p. 137.

• «Books in General», par V.S. Pritchett. *New Statesman and Nation,* n°44, 2 août, pp. 37-38.
• «The Theme of Spiritual Isolation in Carson McCullers», par Oliver Evans. *New World Writing,* n°1, pp. 297-310.

1957

Critiques de *The Member of the Wedding* (création le 16 février au Royal Court Theatre de Londres).

* J. C. Trewin, *Illustrated London News,* 16 février, p. 276.
* T. C. Worsley, *New Statesman and Nation,* 16 février, p. 201.
* *English,* été, p. 185-186.

• «Carson McCullers, Pilgrim of Loneliness», par Jane Hart. *Georgia Review,* n° 11, printemps, pp. 53-58.
• «The Adolescent in American Fiction», par Frederic I. Carpenter. *English Journal,* n° 46, septembre, pp. 313-319.

- « God or No God in *The Heart Is a Lonely Hunter* », par Frank Durham. *South Atlantic Quarterly,* n°56, automne, pp. 494-499.

Critiques de *The Square Root of Wonderful* (création le 30 octobre 1957 au National Theatre de New York, mise en scène de George Keathley ; 45 représentations ; dernière le 7 décembre 1957).

* *New Yorker,* 9 novembre, pp. 103-105.
* *Time,* 11 novembre, pp. 93-94.
* Harold Clurman, *The Nation,* 23 novembre, p. 394.
* *Christian Century,* 27 novembre, p. 1425.
* *America,* 30 novembre, p. 299.
* *Commonweal,* pp. 288-289.
* Brooks Atkinson *(New York Times), New York Theatre Critics' Reviews,* XVIII, p. 200.
* John Chapman *(The New York Daily News), New York Theatre Critics' Reviews,* XVIII, p. 202.
* Walter Kerr *(The New York Herald Tribune), New York Theatre Critics' Reviews,* XVIII, p. 202.

1958

Critiques de *The Square Root of Wonderful* (publication de la pièce).

* *Theatre Arts,* janvier, p. 24.
* *Catholic World,* janvier, p. 306.
* *Kirkus,* 1er mai, p. 348.
* George Freedley, *Library Journal,* 1er juin, p. 1800.
* *New York Times,* 20 juin.
* *Booklist,* 1er septembre, p. 16.
* *Times Literary Supplement,* 27 février 1959.

- *The Best Plays of 1957-1958.* Collectif sous la direction de Louis Kronenberger. New York, Dodd, Mead & Company (pp. 12-14).

- «Readings from Swift to Faulkner : Records», par Thomas Lask. *New York Times,* 4 mai.
- «Plato in Dixie», par Frank Baldanza. *Georgia Review,* n° 12, été, pp. 151-167.
- «Carson McCullers on Television : "Lamp Unto My Feet"», *Ledger,* 19 août.
- «The Members of the Side Show», par Charles B. Tinkham. *Phylon,* n° 18, hiver, pp. 383-390.
- *Lies Like Truth,* de Harold Clurman. New York, Macmillan, 1958 (pp. 62-64).

1959

- «Carson McCullers : Lonely Huntress», par Hugo McPherson. *Tamarack Review* (Toronto), n° 11, printemps, pp. 28-40.
- «The Adolescent Hero», par J.W. Johnson. *Twentieth Century Literature,* n° 5, avril, pp. 3-11.
- «Human Isolation in America», par Yuko Eguchi. *Essays and Studies,* n° 7, été, pp. 129-146.
- «Carson McCullers : the Alchemy of Love and Aesthetics of Pain», par Ihab H. Hassan. *Modern Fiction Studies,* n° 5, hiver, pp. 311-326.

1960

- *« The Heart is a Lonely Hunter :* A Southern Wasteland», par Horace Taylor. *Louisiana State University Studies,* Humanities series, dirigé par Waldo McNeir et Leo B. Levy, n°8, Baton Rouge; *Studies in American Literature,* n° 26, pp. 154-160.
- «Suggs and Sut in Modern Dress : The Latest Chapter in Southern Humor», par Willard Thorp. *Mississippi Quarterly,* n° 13, automne, pp. 169-175.
- «Carson McCullers : A Map of Love», par John B. Vickery. *Wisconsin Studies in Contemporary Literature,* n° 1, hiver, pp. 13-24.

1961

- « Carson McCullers' *The Heart Is a Lonely Hunter* », par Juichiro Mizuta. *Rikkyo Review*, n° 22, pp. 79-95.
- « News of the Theatre », par Lewis Funke. *New York Times*, 21 mai.
- « The Author », par Tennessee Williams. *Saturday Review*, n° 44, 23 septembre, pp. 14-15.
- « The World Outside », par Gore Vidal. *The New York Reporter*, 28 septembre, p. 50.

Critiques de *Clock Without Hands*.

* *Bookmark*, juillet, p. 233.
* *Kirkus*, 15 juillet, p. 627.
* L. W. Griflin, *Library Journal*, août, p. 2682.
* *Wisconsin Library Bulletin*, septembre, p. 306.
* *Booklist*, 1ᵉʳ septembre, p. 23.
* Rumer Goden, *New York Herald Tribune Books Review*, 17 septembre, p. 5.
* Fanny Butcher, *Chicago Sunday Tribune*, 17 septembre, p. 3.
* Irving Howe, *New York Times Book Review*, 17 septembre, p. 5.
* *Newsweek*, 18 septembre, p. 106.
* William Hogan, *San Francisco Chronicle*, 18 septembre, p. 39.
* J. McConkey, *Epoch*, n°11, automne, pp. 197-198.
* Henrietta Buckmaster, *Christian Science Monitor*, 21 septembre, p. 7.
* *Time*, 22 septembre, p. 118.
* Whitney Balliett, *New Yorker*, 23 septembre, p. 179.
* Granville Hicks, *Saturday Review of Literature*, 23 septembre, pp. 14-15 et 49.
* Charles Rolo, *Atlantic Monthly*, octobre, p. 126.
* Catherine Hughes, *Commonweal*, 13 octobre, pp. 73-75.
* Isabel Quigly, *Guardian*, 20 octobre, p. 7.
* Simon Raven, *Spectator*, 20 octobre, p. 551.
* *The Times Literary Supplement*, 20 octobre, p. 749.
* John Gross, *New Statesman and Nation*, 27 octobre, p. 614.
* Honor Tracy, *New Republic*, 13 novembre, p. 16.
* Jean Martin, *Nation*, 18 novembre, p. 411.

* Robert O. Bowen, *Catholic World,* décembre, p. 186.
* J. N. Hart, *Yale Review,* décembre, p. 300.
* W. Sullivan, *Georgia Review,* n°15, pp. 467-469.

1962

Critique de *Clock Without Hands* (édition anglaise)

* Louis D. Rubin, *The Sewanee Review,* été, p. 509.

• « Osservazioni sulla McCullers », par Giacomo Antonini. *FLE,* n°17, avril, p. 5.
• « The Achievement of Carson McCullers », par Oliver Evans. *English Journal,* n°51, mai, pp. 301-308.
• « The Sad Sweet Music of Carson McCullers », par Barbara Nauer Folk. *Georgia Review,* n°16, été, pp. 202-209.
• « The Ambiguities of *Clock Without Hands* », par Donald Emerson. *Wisconsin Studies in Contemporary Literature,* n°3, automne, pp. 15-28.
• « Writers and Patrons : Cheltenham Festival », par Frank Tuohy. *Spectator,* 12 octobre.

1963

• « McCullers and Capote : Basic Patterns », par Mark Shorer. In *The Creative Present : Notes on Contemporary American Fiction..* Collectif dirigé par Nona Balakian et Charles Simmons. New York, Doubleday, pp. 79-109.
• « Jeder starb, keiner starb : Uber "Uhr ohne Zeiger" von Carson McCullers », par Kristiane Schäffer. *Monat,* n°15, pp. 65-69.
• « The Development of Theme through Symbols in the Novels of Carson McCullers », par Wayne D. Dodd. *Georgia Review,* n°17, été, pp. 206-213.
• « Carson McCullers ou la cabane de l'enfance », par René Micha. *Critique,* n°183-184, août, pp. 696-707.
• « The Necessary Order : a Study of Theme and Structure in

Carson McCullers' Fiction», par Klaus Lubbers. *Jahrbuch für Amerikastudien,* n°8, pp. 187-204.

Critiques de *The Ballad of the Sad Café* (adapté au théâtre par Edward Albee et créé le 30 octobre au Martin Beck Theatre de Brodway, 123 représentations; dernière, le 15 février 1964).

* Edward Albee entretenu par Digby Diehl, *The Transatlantic Review,* été.
* Paul Gardner. *New York Times,* 11 août 1963.
* Margaret Rutheford, *Atlanta Journal and Constitution Magazine,* 29 septembre, p. 10.
* A. Levy, *New York Times Magazine,* 20 octobre.
* Thomas Lask, *New York Sunday Times,* 27 octobre, p. 3.
* John Chapman, *New York Daily News,* 31 octobre, p. 66.
* Norman Nadel, *New York World-Telegram and Sun,* 31 octobre, p. 22.
* Howard Taubman, *New York Times,* 31 octobre, p. 27.
* Walter Kerr, *New York Herald Tribune,* 31 octobre, p. 13.
* John McClain, *New York Journal-American,* 31 octobre, p. 22.
* Michael Smith, *The Village Voice,* 7 novembre, pp. 14 et 18.
* *Time,* 8 novembre, p. 67.
* John McCarten, *New Yorker,* 9 novembre, p. 95.
* Howard Taubman, *New York Times,* 10 novembre, p. IX.
* *Newsweek,* 11 novembre, p. 76.
* Henry Hewes, *Saturday Review,* 16 novembre, p. 54.
* Robert Brustein, *New Republic,* 16 novembre, p. 76.
* Walter Kerr, *The New York Sunday Herald Tribune Magazine,* 17 novembre, p. 31.
* Richard Gilman, *Commonweal,* 22 novembre, p. 256-257.
* Harold Clurman, *The Nation,* 23 novembre, pp. 353-354.
* Jonathan Miller, *The New Leader,* 25 novembre, p. 27.

1964

Critiques de *The Ballad of the Sad Café,* adapté au théâtre par Edward Albee.

* Susan Sontag, *Partisan Review,* n° 1, hiver, pp. 95-102.
* Barry Ulanov, *Catholic World,* janvier, p. 264.
* O. Guernesy, *Show,* 1ᵉʳ janvier, p. 32.
* Elizabeth Hardwick, *Vogue,* 1ᵉʳ janvier, p. 20.
* *America,* 4 janvier, p. 26.
* W. H. Van Dreele, *National Review,* 14 janvier, pp. 34-35.
* John Skow, *Saturday Evening Post,* 18 janvier, pp. 32-33.
* *Life,* 4 février, pp. 43-50.
* Richard Kostelanetz, *Sewanne Review,* n° 4, octobre, pp. 724-726.

• «Eudora Welty and Carson McCullers», par Marvin Felheim, in *Contemporary American Novelists,* n° 28. Collectif dirigé par Harry Moore. Carbondale, Southern Illinois University Press, pp. 41-53.
• «The Gothic Architecture of *The Member of the Wedding*», par Robert S. Phillips. *Renascence,* n° 16, hiver, pp. 59-72.
• «Carson McCullers : A Critical Introduction», par Simeon M. Smith Jr. *Dissertation Abstracts,* n° 25.
• «The Case of Carson McCullers», par Oliver Evans. *Georgia Review,* n° 18, printemps, pp. 40-45.
• «Dinesen's *Monkey* and McCullers' *Ballad* : a Study in Literary Affinity», par Robert S. Phillips. *Studies in Short Fiction,* n° 1, printemps, pp. 184-190.

1965

• «The Case of the Silent Singer : A Revaluation of *The Heart Is a Lonely Hunter*», par Oliver Evans. *Georgia Review,* n° 19, été, pp. 188-203.
• «Carson McCullers. The Heart Is a Timeless *Hunter*», par Jack B. Moore. *Twentieth Century Literature,* n° 11, juillet, pp. 76-81.
• «The Prize of the Young Generation», par Jean Amery, *National Newspaper* (Hambourg), 9 octobre, et *New York Times,* 18 décembre.

Critiques de *Sweet as a Pickle and Clean as a Pig.*

* Walter Gibson, *New York Times Book Review,* 1ᵉʳ novembre, II, p. 57.
* *The Times Literary Supplement,* 9 décembre, p. 1141.
* *Library Journal,* 15 décembre, p. 5006.

1966

• « The Conversion of Experience, 1917-1947 », par Margaret S. Sullivan. Ph. D. dissertation (non publiée). Duke University.
• « Painful Love : Carson McCullers' "Parable" », par Robert S. Phillips. *Southwest Review,* n° 51, hiver, pp. 80-86.

1967

• « The Paradox of the Need for Privacy and the Need for Understanding in Carson McCullers' *The Heart Is a Lonely Hunter* », par David Madden. *Literature and Psychology,* n° 17, pp. 128-140.
• « Carson McCullers' Myth of The Sad Café », par Albert J. Griffith. *Georgia Review,* n° 21, printemps, pp. 46-56.
• « Frankie Addams at 50 », par Rex Reed. *The New York Times,* 16 avril.
• « Les tristes ballades de Carson McCullers », par Pierre Dommergues. *Le Monde,* « Le Monde des Livres », 11 octobre.
• « Carson McCullers », par Pierre Kyria. *Combat,* 12 octobre, p. 9.
• « Carson McCullers : 1917-1967 », par Ralph McGill. *Saturday Review,* n° 50, 21 octobre, pp. 31 et 88.
• « Carson McCullers », par Hayes B. Jacobs. *Writer Digest,* décembre, pp. 47 et 89.

1968

• « Edward Albee's Georgia Ballad », par C. W. E. Bigsby. *Twentieth Century Literature,* n° 13, janvier, pp. 229-236.
• « The Lonely Heart of Carson McCullers », par Robert Drake. *Christian Century,* n° 85, 10 janvier, pp. 50-51.

- «Almost Everyone wants to Be the Lover : The fiction of Carson McCullers», par George Hendrick. *Books Abroad,* n° 42, été, pp. 389-391.
- «The Life of Carson McCullers' Imagination», par W.R. Robinson. *Southern Humanities Review,* n° 2, été, pp. 291-302.
- «McCullers' *The Heart Is a Lonely Hunter :* The Missing Ego and the Problem of the norm», par Rowland A. Sherryl. *Kentucky Review,* n° 2, 1ᵉʳ novembre, pp. 5-17.
- «Carson McCullers, 1917-1947 : The Conversion of Experience», par Margaret S. Sullivan. *Dissertation Abstracts,* n° 28, 4648A (Duke).
- «The Novelist as Playwright : Baldwin, McCullers and Bellow», par Louis Phillips, in *American Drama : Essays in Critism.* Collectif dirigé par Willam E. Taylor. Deland, Everett Edwards.
- «The Failure of Love : The Grotesque in Two Novels by Carson McCullers», par Robert M. Rechnitz. *Georgia Review,* n° 22, hiver, pp. 454-463.
- «Carson McCullers, la novelista del fatalismo», par Ruiz Manuel Rios. *Cuadernos Hispanoamericanos* (Madrid), n° 76, pp. 763-771.

1969

- «La double quête de l'identité et de la réalité chez Carson McCullers», par Philippe Jaworski. *NRF,* n° 199, juillet, pp. 93-101.
- «Six Bronze Petals and Two Red : Carson McCullers in The Forties», par A.S. Knowles Jr, in *The Forties : Fiction, Poetry, Drama.* Collectif dirigé par Warren French. Deland, Everett/Edward; pp. 97-98.

1970

- «Lonelines and Alienation : The Life and Work of Carson McCullers», par Alice Hamilton. *Dalhousie Review,* n° 50, été, pp. 215-229.
- «McCullers' *The Ballad of The Sad Café*», par Janice T. Moore. *Explicator,* n° 29, novembre, item 27.

1971

- « The Realistic Stucture of *The Heart Is a Lonely Hunter* », par Joseph R. Millichap. *Twenty Century Literature*, n° 17, janvier, pp. 11-17.
- « A Critical Reevaluation of Carson McCullers' Fiction », par Joseph R. Millichap. *Dissertation Abstracts International*, n° 31, 4783A (Notre Dame).
- « L'aliénation dans les romans de Carson McCullers », par Yvette Rivière. *Recherches anglaises et américaines*, n° 4, pp. 79-86.

1972

- « Transfixed among the Self-Inflicted Ruins : Carson McCullers's *The Mortgaged Heart*, par David Madden. *Southern Literary Journal*, n°5, pp. 137-162.
- « "Correspondence" : a "Forgotten" Carson McCullers short story », par Dale Edmonds. *Studies in Short Fiction*, n° 9, pp. 89-92.
- « Full of the Deep South. The Mortgaged Work », par Philippe Toynbee. *Observer*, 4 juin.
- « The Presence of the Narrator in Carson McCullers' *The Ballad of The Sad Café* », par Dawson F. Gaillard. *Mississippi Quarterly*, n° 25, pp. 419-427.
- « Carson McCullers' Descent to the Earth », par Delma Eugene Presley. *Descant*, n° 17, automne, pp. 54-60.
- « Delving "A Domestic Dilemma" », par James W. Grinnel. *Studies in Short Fiction*, n° 9, p. 270-271.
- « Patterns in Carson McCullers' Portrayal of Adolescence », par Ann R. Carlton. *Dissertation Abstracts International*, n° 302A (Ball State).
- « Die Darstellung der Entfremdung in den Romanen von Carson McCullers », par Irene Skotnicki. *Zeitschrift für Anglistik und Amerikanistik* (East Berlin), n° 20, pp. 24-45.
- « The Search of Relationships in Carson McCullers », par Ann T. Rogers. *Dissertation Abstracts International*, n° 32. 4632A (St. Louis).

- « Carson McCullers and the Search of Meaning », par Virginia Spencer Carr. *Dissertation Abstracts International,* 33. 2924A-25A (Florida State).

1973

- « Carson McCullers. A Case of Convergence », par Irving H. Buchen. *Buckness Review,* n° 21, pp. 15-28.
- « Carson McCullers Literary Ballad », par Joseph R. Millichap. *Georgia Review,* n° 27, pp. 329-339.
- « On Albee's Faithfullness in Dramatizing McCullers' Novel : *The Ballad of The Sad Café* », par Takami Atanaka. *Journal of The English Institute,* n° 5, p. 39-65.
- « Patterns of Imagery in Carson McCullers' Major Fiction », par Donna M. Bauerly. *Dissertation Abstracts International,* 34 : 2606A (Marquette).
- « A Study of Themes and Techniques in Carson McCullers' Prose Fiction », par Christina F. Carney. *Dissertation Abstracts International,* 34 : 307A-08A (Columbia).
- « Humor in the Novels of Carson McCullers », par Tann H. Hunt. *Dissertation Abstracts International,* 34 : 775A (Florida State).
- « Race and Sex : Opposition and Identity in the Fiction of Carson McCullers », par Edward T. Joyce. *Dissertation Abstracts International,* 34 : 3403A-04 (Stony Brook).
- « The Introspective Narrator in *The Ballad of The Sad Café* », par John McNally. *South Atlantic Bulletin,* 38, pp. 40-44.
- « Carson McCullers' Literary Ballad », par Joseph R. Millichap. *Georgia Review,* n° 27, pp. 329-339.
- « The Man who Married Carson McCullers », par Delma Eugene Presley. *This Issue* (Atlanta), n° 2, pp. 13-16.
- « Carson McCullers », par Klaus-Jürgen Poop, in *Amerikanische Literatur der Gegenwart,* collectif dirigé par Martin Christadler. Stuttgart, Alfred Kröner (pp. 1-21).

1974

- « Rejection of the Feminine in Carson McCullers' *Ballad of The Sad Café* », par Panthea R. Broughton. *Twentieth Century Literature,* n° 20, pp. 34-43.
- « Restoring "A Domestic Dilemna" », par Laurence Perrine. *Studies in Short Fiction,* n° 11, pp. 101-104.
- « Carson McCullers and the South », par Delma Eugene Presley. *Georgia Review,* n° 28, pp. 19-32.
- « La ballade de Carson McCullers », par Gabrielle Rolin. *Le Monde,* « Le Monde des Livres », 12 avril.
- « Divine Collusion : The Art of Carson McCullers », par Irving H. Buchen. *Dalhousie Review,* n° 54, automne, pp. 529-541.
- « Dostoievsky, D.H. Lauwrence and Carson McCullers : Influences and Confluences », par Temira Pachmuss. *Germano-Slavica,* n° 4, pp. 59-68.

1975

- « Carson McCullers and the Tradition of Romance », par Charlene Kerne Clarck. *Dissertation Abstracts International,* 35 : 5391A.
- « Selfhood and the Southern Past : A Reading of Carson McCullers' *Clock Without Hands* », par Charlene Clark. *Southern Literary Messenger : A Quarterly,* n° 1, pp. 16-23.
- « Doing Her Own Thing : Carson McCullers' Dramatization of *The Member of the Wedding* », par Francis B. Dedmond. *South Atlantic Bulletin,* n° 40, mai, pp. 47-52.
- « Carson McCullers' Ancient Mariner », par Mary Dell Fletcher. *South Central Bulletin,* n° 35, hiver, pp. 123-125.
- « Carson McCullers' *Clock Without Hands* », par Peter Erlebach, in *Amerikanische Erzählliteratur, 1950-1970.* Collectif dirigé par Frieder Busch et Renata Schmidt-von Bardeleben. Münich, Fink (pp. 102-112).
- « Love and Alienation : The Sad Dark Vision of Carson

Carson McCullers

McCullers», par Howard Dean Everett. *Dissertation Abstracts International,* 36 : 3711A-12A.
* «Rosalina and Amelia : A Structural Approach to Narrative», par Jeremy E. Pollock-Chagas. *Luso-Brazilian Review,* n° 12, pp. 263-272.
* «A Study of the Adolescent in Carson McCullers' Fiction», par Mary Alice Whitt. *Dissertation Abstracts International,* 36 : 896A-97A.
* «A McCullers Influence on Albee's *The Zoo Story*», par James Missey. *American Notes and Queries* (New Haven, Connecticut), n°13, pp. 121-123.

1976

* «The Sense of Place in the Fiction of Carson McCullers», par Ronald David Eckard. *Dissertation Abstracts International,* 36 : 5295A.
* «Hunting the Lonely Hunter», par Dale Edmonds. *Southern Review* (Louisiana State), n° 12, pp. 442-444.
* «*The Member of The Wedding*», par Louis D. Gianetti. *Literature/Film Quarterly,* n°4, pp. 28-38.
* «The symbolic Unity of *The Heart Is a Lonely Hunter*», par Edgar E. MacDonald. Extrait de *A Festschrift for Professor Marguerite Robers, on the Occasion of Her Retirement from Westhampton College, University of Richmond, Virginia.* Collectif dirigé par Frieda Elaine Penninger. University of Richmond, pp. 168-187.
* «Solitary Love : Carson McCullers' Novels», par Yoshido Ohkoso, in *American Literature in 1940's. Annual Report.* Tokyo Chapter American Literature. Soc. of Japan; (pp. 40-57).
* «Self and Society : The Dialectic of Themes and Forms in the Novels of Carson McCullers», par Michael Christopher Smith. *Dissertation Abstracts International,* 37 : 2880A.
* «The Link in the Chain Called Love. A New Look at Carson McCullers' Novels», par Sue B. Walker. *Mark Twain Journal,* n° 18, hiver, pp. 8-12.
* «Lifelessness is the Only Abnormality : A Study of Love, Sexe, Marriage and Family in the Novels of Carson McCullers», par

Harry Joseph Wallace. *Dissertation Abstracts International*, 37 : 3630A-31A.
- « Carson McCullers' Proletarian Novel », par Joan S. Korenman. *Studies in the Humanities* (Indiana), n° 5, pp. 8-13.
- « Carson McCullers' *The Member of the Wedding* : Aspects of Structure and Style », par E.S.M. Wikborg. *Dissertation Abstracts International*, 37 : 112C.

1977

- « Cris et chuchotements de Carson McCullers », par Pierre Kyria. *Le Monde*, « Le Monde des Livres », 28 janvier.
- « Las imagines musicales en la obra de Carson McCullers », par Alicia M. Cervantes. *Kanina* (San José, Costa Rica), n°1, pp. 23-30.
- « Carson McCullers. The Aesthetic of Pain », par Louis D. Robin Jr. *Virginia Quarterly Review*, n° 53, printemps, pp. 265-283.
- « The Dual Vision : Paradoxes, Opposites, and Doubles in the Novels of Carson McCullers », par Judith Garrett Carlson. *Dissertation Abstracts International*, 37 : 7749A.
- « Dialectical Elements in the Fiction of Carson McCullers : A Comparative Critical Study », par Sheena Gillespie. *Dissertation Abstracts International*, 37 : 5804A-05A.

1978

- « Freaking Out : The Short Stories of Carson McCullers », par Robert Phillips. *Southwest Review*, n° 63, hiver, pp. 65-73.
- « Androgyny and the Musical Vision : a Study of two Novels by Carson McCullers », par Patricia S. Box. *The Southern Quarterly*, n°16, pp. 117-123.
- « The South in Motley : a Study of the Fool Tradition in selected Works by Faulkner, McCullers and O'Connor », par Joy Farmer Shaw. *Dissertation Abstracts International*, 38 : 4162A.
- « Bound Characters in Porter, Welty, McCullers : The Revolutionnary Status of Women in American Fiction », par Margaret Bolsterli. *Bucknell Review*, n°24, pp. 95-105.

1979

- «Révélations sur deux grands Sudistes», par Pierre Kyria. *Le Monde*, «Le Monde des Livres», 23 février 1979 (à propos de *Retour à Nayack*, de Jacques Tournier).
- «A Voice in a Fugue : Characters and Musical Structure in Carson McCullers' *The Heart is a Lonely Hunter*», par C. Michael Smith. *Modern Fiction Studies*, n° 25, été, pp. 258-263.
- «Male-Female Pains in Carson McCullers' *The Ballad of The Sad Café* and *The Member of the Wedding*», par Charlene Kerne Clark. *Notes on Contemporary Literature*, n° 9, pp. 11-12.
- «A Science of Love : Love, Music and Time in the Work of Carson McCullers», par Sue Brannan Walker. *Dissertation Abstracts International*, 40 :1474A.
- «*The Ballad of The Sad Café*, and "The Sojourner" : Common Themes and Images», par Futin Buffara Autunes. *Estudos Anglo-Americanos* (Sao Paulo), pp. 191-199.

1980

- «Imperfect Androgyny and Imperfect Love in the Works of Carson McCullers», par Mary Roberts. *University of Hartford Studies in Literature*, n°12, pp. 73-98.
- «The Patterns of love in Carson McCullers' Fiction», par Marzenna Raczkowska. *Studia Anglica Posnaniensia*, n°12, pp. 73-98.
- «Carson McCullers' "Tomboys"», par Louise Westling. *Southern Humanities Review*, n°14, pp. 339-350.
- «McCullers' The Twelve Mortal Men and *The Ballad of The Sad Café*», par Amberys R. Whittle. *American Notes and Queries*, n°18, pp. 158-159.
- «Los Elementos grotescos en la narrativa de Carson McCullers», par Alicia Cervantes Leak. *Karina*, n° 4, pp. 117-121.

1981

- « Abandonment in the Major Works of Carson McCullers », par Raphael Burton Johstoneaux Jr. *Dissertation Abstract International,* 42(4): 1636A.
- « An Existential Everyman », par Mary Etta Scott [about *Clock Without Hands*]. *West Virginia University Phylological Papers,* n°27, pp. 82-88.

1982

- « Autistic Gestures in *The Heart Is a Lonely Hunter* », par Frances Freeman Paden. *Modern Fiction Studies,* n° 28, automne, pp. 453-463.
- « Carson McCullers'Amazon Nightmare », par Louise Westling. *Modern Fiction Studies,* automne, n° 28, pp. 465-473.
- « On Death and Dying : Carson McCullers' *Clock Without Hands* », par Clifton Snider. *Markham Review,* printemps, n° 11, pp. 43-46.
- « Carson McCullers' *Ballad of The Sad Café* », par Barbara C. Gannon. *Explicator,* n° 41, pp. 59-60.
- « And Then, there were Four : Carson McCullers in Southern Literature », par Earl J. Wilcox. *McNeese Review,* n° 29, pp. 3-12.

1984

- « Carson McCullers ». Dossier de la revue *Masques,* mars : « Carson McCullers, romancière du Sud », par Jean-Pierre Joecker ; « Carson McCullers », par Jacques Tournier ; « Carson ou les amours non partagées », par Jean-Pierre Joecker ; « L'expérience de la partition », par Katy Barasc ; « Carson McCullers et le groupe », par Georges-Michel Sarotte ; « La gravité intérieure », par Michel Lhomme ; « *Reflets dans un œil d'or* : Carson McCullers et John Huston », par Rex Reed (*New York Times,* 16 avril 1967) ; « Lettres inédites de Carson McCullers à Tennessee Williams » (15 février 1948, fin janvier 1949, avril 1949, mai 1949, juin

1949, décembre 1949) ; «A propos de *Franckie Adams*» (à propos de la pièce), interview par Harvey Breit (*New York Times*, 1ᵉʳ janvier 1950) ; « Les livres dont je me souviens», par Carson McCullers (réponse à la question posée par le *Harper's Bazaar*, 1ᵉʳ avril 1941).

- «Readers Theatre as Literary Critism : The Theory and its Application to Carson McCullers' *The Member of The Wedding*», par Deborah Anne Gimple. *Dissertation Abstracts International*, 45 (4) :1115A.

1985

- «Two Voices of the Single Narrator in *The Ballad of The Sad Café*», par Mary Ann Dazey. *Southern Literary Journal*, printemps, n°17, pp. 33-40.
- «On *Reflections in a Golden Eye*», par Yoko Matsudaira. *Shoin Literary Review* (Kobe), n°19, pp. 69-85.

1986

- «Les clins d'œil de *L'Effrontée*», par Bernard Geniès. *Le Monde*, 7 janvier (à propos du film de Claude Miller, très «inspiré» de *Frankie Addams*).
- «A qui *L'Effrontée?*», *Le Monde*, 29 janvier.
- «Carson McCullers and the Female Wunderkind», par Constance M. Perry. *Southern Literary Journal*, automne, n° 19, pp. 36-45.
- «Baby Wilson Redux : McCullers' *The Heart Is a Lonely Hunter*», par Alice Hall Petry. *Southern Studies*, été, n° 25, pp. 196-203.
- «The Interplay of Reader and Text in *The Member of The Wedding* : An Experiment in Reading», par Paul Raymond Meyer. *Dissertation Abstracts International*, n° 47 (2) : 523A.

1987

- « *Clock Without Hands :* Carson McCullers y el compromiso existencial con la realidad », par Constante Gonzalez Groba. *RCEI,* n°13-14, avril, pp. 153-179.
- « Carson McCullers : Novelist Turned Playwright », par Virginia Spencer Carr. *The Southern Quarterly,* n° 25, été, pp. 37-51.
- « The Element of Grotesque in *Reflections in a Golden Eye* and *Ballad of The Sad Café* by Carson McCullers », par Pratibha Nagpal. *Panjab University Research Bulletin,* n° 18, octobre, pp. 61-66.
- « Une couleur d'ambre diffuse », par Thomas Ferenczi. *Le Monde,* « Le Monde Radio-télévision », 29-30 novembre (à propos de l'adaptation cinématographique de *Reflets dans un œil d'or,* par John Huston).

1988

- « The Making of *The Member of The Wedding* : Novel, Play and Film », par Neva Evonne Burdison. *Dissertation Abstracts International,* 48, février, 2061A.
- « Carson McCullers' Precocious "Wunderkind" », par Alice Hall Petry. *The Southern Quarterly,* n° 26, printemps, pp. 31-39.
- « Some Transformations in *The Ballad of The Sad Café* », par Yoko Matsudaira. *Shoin Literary Review,* n° 20, pp. 51-66.
- « Continuity and Discontinuity », par Yoko Matsudaira. *Shoin Literary Review,* n° 21, pp. 53-66.
- « Times and Identity », par Yoko Matsudaira. *Shoin Literary Review,* n° 22, pp. 75-88.
- « Carson McCullers ». Dossier de *Pembroke Magazine,* n° 20 : « Reflections on *Reflections'* », par Sue L. Kimball ; « Carson McCullers : The Plight of The Lonely Heart », par Leroy Thomas ; « *The Heart Is a Lonely Hunter :* A Literary Symphony », par Barbara A. Farrelly ; « The Mutes in Carson McCullers' *The Heart Is a Lonely Hunter* », par Mary A. Whitt ; « Gothic Influence of the Grotesque Characters of The Lonely Hunter », par Frances Kestler ; « McCullers Frames of Reference in *The Ballad of The Sad Café* », par Mary A. Gervin ; « Carson McCullers'

Anti-Fairy Tale : The *Ballad of the Sad Café*», par Margaret Walsh; «Fixed in an Inlay of Mistery : Language and Reconciliation in Carson McCullers' *Clock Without Hands*», par Lynn Veach Sadler; «Beyond Gothic and Grotesque : A Feminist View of Three Female Characters of Carson McCullers», par Ann Carlton; «Sex-Role Rebellion and the Failure of Marriage in the Fiction of Carson McCullers», par Arleen Portada; «Themes of Eros and Agape in the Major Fiction of Carson McCullers», par Donna Bauerly; «Terminal Metaphors for Love», par Adelaïde H. Frazier; «Society's Freaks : The Effects of Sexual Stereotyping in Carson McCullers' Fiction», par Karen Sonoski; «To Alice Walker : Carson McCullers' Legacy of Love», par Linda Hubert; «Tennessee and Carson : Notes on a Concept for a Play», par David Madden.

- « *Clock Without Hands :* Rilke and Carson McCullers», par Robert M. Slabey. *Notes on Contemporary Literature,* n° 18, pp. 3-4.
- «The Conventions of Counterpoint and Fugue in *The Heart Is a Lonely Hunter*», par Janice Fuller. *Mississippi Quarterly,* n°41, pp. 55-67.
- «A Literary Genealogy of Carson McCullers», par Lisa Hodgens Lumpkin. *Dissertation Abstracts International,* 49, 819A.
- «McCullers' *The Ballad of The Sad Café*», par Todd Stebbins. *Explicator,* n° 46, hiver, pp. 36-38.

1989

Critiques de *The Member of the Wedding.*

* Edith Oliver, *The New Yorker,* 10 avril, p. 114.
* John Simon, *New York,* 10 avril, p. 100.
* Moira Hodgson, *The Nation,* 12 juin, p. 825.

- «The Forces of Deshumanization : *Reflections in a Golden Eye*», par Raphael B. Johstoneaux. *Encyclia,* the Journal of the Utah Academy of Sciences, Arts and Letters, n° 66, pp. 97-104.

1990

- « Cafés and Community in Three McCullers Novels », par Kenneth D. Chamlee. *SAF*, n°18, automne, pp. 233-240.
- « Loneliness and Longing in Selected Plays of Carson McCullers and Tennessee Williams », par Mary McBride, in *Modern American Drama : The Female Canon*. Collectif dirigé par June Schlueter. Rutheford, Fairleigh Dickinson UP (pp. 143-150).

1991

- « Carson McCullers' "Wunderkind" : A Case Study in Female Adolescence », par Susan S. Kissel. *Kentucky Philological Review*, n° 6, pp. 15-20.
- « The Isolated and Grotesque World of Carson McCullers », par Debra Reed Airheart. *Dissertation Abstracts International*, 52(2) : 536A (East Texas State).
- « Black and White Christs in Carson McCullers' *The Heart Is a Lonely Hunter* », par Laurie Champion. *Southern Literary Journal*, n° 24, automne, pp. 47-52.

1992

- « The Loneliest Hunter », par Jan Whitt. *Southern Literary Journal*, n° 24, printemps, pp. 26-35.
- « Crossing Trajectories in *The Heart Is a Lonely Hunter* », par L. Taetzsch. *New Orleans Review*, n° 19, automne, hiver, pp. 192-199.
- « Carson McCullers' Allegory of Love », par Robert M. Slabey. *Xavier Review*, n° 13, pp. 47-59.
- « La Ballade du Café triste », par Marlène Amar. *Télérama*, 26 août, p. 30.
- « Étranges amours », par Jacques Siclier. *Le Monde*, 28 août (à propos de l'adaptation cinématographique de *Ballad of The Sad Café*, par Simon Callow).

- «Vanessa dans l'Amérique profonde», par Annie Coppermann. *Les Échos,* 28-29 août, p. 25.
- «Crossing Trajectories in *The Heart Is a Lonely Hunter*». *NOR,* n° 19, automne-hiver, pp. 192-199.

1993

- «"Gray Eyes Is Glass" : Image and Theme in *The Member of the Wedding*», par Tony J. Stafford. *American Drama,* n° 3, automne, pp. 54-66.

Index

Par souci de clarté, les occurrences relatives à James Reeves McCullers n'ont pas été systématiquement indexées. Seules les périodes-clé sont référencées.

Martin du Gard, Roger : 97.

Marx, Karl : 53, 62.

Massee, Jordan (Boots) : 224, 240-243, 259-261, 303, 325, 367-368, 378-379, 381.

Massey, Ethlyn : 182-183.

Match, Richard : 197.

Maupassant, Guy de : 265.

Mayer, William : 180, 233, 245, 249-250,

Meltzer, Robert : 158-159.

Mendelssohn-Bartholdy, Félix : 176.

Menuhin, Yehudi : 176.

The Member of the Wedding voir à *Frankie Addams*.

Mercer, Mary : 13, 16, 19-23, 178, 300-301, 339-349, 355-356, 365-368, 379, 381, 387, 389-390, 393-394, 397, 399, 403, 409-412.

Meredith, Burgess : 157.

Merlo, Frank : 236, 280, 319-322, 389.

Micha, René : 314-315.

Miller, Arthur : 12, 359-363.

Miller, Henry : 133.

Mistral, Gabriela : 317.

Mitchell, Margaret : 369.

Mohrt, Michel : 200.

Montgomery, maréchal Bernard Law : 152-153.

Monroe, Marilyn : 359-360.

Moravia, Alberto : 221, 275.

More, Thomas : 70.

The Mortgaged Heart voir à *Le Cœur hypothéqué*.

Mozart, Wolfgang Amadeus : 46, 236, 242, 246.

Murray, Natalia Danesi : 301.

Murray, Teddy : 411.

Myers, Robert : 99, 231-232, 298, 302.

Nathan, George Jean : 252.

Newberry, Edward : 312-313.

Newhouse, Edward : 123-124.

Nietzsche, Friedrich : 52, 255.

Nijinski, Vatslav Fomitch : 345-346.

Stevens, Wallace : 57,
Stevenson, Adlai : 366.
Strick, Joseph : 403.
Stuart, Jesse : 69.
«Sucker» : 52, 89.
«Sweet as a Pickle, Clean as a Pig» : 395.
Swift, Jonathan : 350.

Talleyrand, Charles Maurice de : 106.
Taylor, Elizabeth : 17, 395, 398.
Tchekhov, Anton Pavlovitch : 132, 238, 252-253.
Thomas, Dylan : 335.
Thoreau, Henry David : 208.
Thurman, Judith : 358-360.
Tolstoï, Leon, Nikolaïevitch : 36, 126-127, 238.
Tournier, Jacques : 15, 115-118, 181-183, 289, 292.
«Transcription of Meditations during analysis» : 344-348.
Trilling, Diana : 197.
Truman, Harry : 237, 239.
Trussell, Ray : 339, 366.
Tucker, col. A.S.J. : 46.
Tucker, Gin : 47
Tucker, Mary : 46-47, 50, 53, 55-56, 89-90, 114, 117, 195, 256-257, 308, 365-366, 379.
Tuohy, Frank : 382.
Twain, Mark : 197.
«The Twisted Trinity» : 125, 131,

«Un instant de l'heure qui suit» («Instant of the Hour After») : 68, 82, 263.
«Un problème familial» («A Domestic Dilemna») : 263.
«Un rêve qui s'épanouit. Notes sur l'écriture» («A Flowering Dream») : 71, 112, 350-351, 364.
«Une pierre, un arbre, un nuage» («A Tree. A Rock. A Cloud») : 131,
Untermeyer, Louis : 101-102, 110.

Table

Réalisation PAO : Dominique Guillaumin

Impression réalisée sur CAMERON par
BRODARD ET TAUPIN
La Flèche

pour le compte des Éditions Stock
23, rue du Sommerard, Paris V^e
en octobre 1995

Imprimé en France
Dépôt légal : Octobre 1995
N° d'édition : 1445 – N° d'impression : 6391M-5
54-07-4117-01/5
ISBN : 2-234-02476-5

« Elle n'avait pas d'âge, Carson », dit Mary Mercer, qui fut peut-être son premier vrai médecin, et sans nul doute sa dernière véritable amie. Oui, cette femme qui, pour l'état civil, mourut en 1967 à cinquante ans, après des années passées dans les détresses conjuguées de la maladie et de l'alcool, quel âge avait-elle donc sinon celui, éternellement adolescent, de Mick ou de Frankie, les bouleversantes héroïnes de ses premiers romans ?

Carson McCullers, c'est ce « génie enfant » venue du Sud profond des États-Unis, là où la touffeur des jours exacerbe les conflits raciaux et fait les solitudes inconsolables. C'est l'épouse appliquée d'un jeune officier qui, le 6 juin 1944, débarque sur les côtes normandes, fier de sa mission de libérateur, et c'est aussi la compagne torturante et torturée de ce même homme, qui choisira de mourir, ivre de désespoir, dans le pays qu'il avait délivré. C'est l'auteur à succès qui triomphe à Broadway, l'amie de Tennessee Williams et de John Huston, et c'est la perpétuelle enfant tenaillée par les douleurs du corps et les désarrois du cœur.

La voix de Carson McCullers, mais aussi ses mutismes et ses violences sont bien là, dans ce livre que lui consacre Josyane Savigneau, et qui réunit un grand nombre de documents inédits.

À celle qui garda jusqu'au bout des rires et des deuils *un cœur de jeune fille*, il fallait une biographe à la fois connivente et sans complaisance, attentive à ne pas plus laisser la véhémence submerger la rigueur que le savoir étouffer l'émotion.

Elle l'a trouvée.

Josyane Savigneau est rédactrice en chef adjointe au *Monde*, chargée de la culture. Elle est l'auteur de la biographie de *Marguerite Yourcenar, l'invention d'une vie*, publiée en 1990 chez Gallimard.

95.X
54-4117-5
150,00 FF TTC
Maquette Jérôme Faucheux
Photo : Louise Dahl Wolfe /
© 1989 Center for Creative Photography,
Arizona Board of Regents

9 782234 024762